SOUTH BEND, INDIANA 46617.

HEINRICH BÖLL

1947 BIS 1951

»Der Zug war pünktlich«
»Wo warst du, Adam?«
und
sechsundzwanzig
Erzählungen

Friedrich Middelhauve Verlag

FÜR ANNE-MARIE

Der Zug war pünktlich

HEINRICH BÖLL · 1947 BIS 1951

Der Zug war pünktlich

Als sie unten durch die dunkle Unterführung schritten, hörten sie den Zug oben auf den Bahnsteig rollen, und die sonore Stimme im Lautsprecher sagte ganz sanft: »Fronturlauberzug von Paris nach Przemysl über...«

Dann hatten sie die Treppe zum Bahnsteig erstiegen und blieben vor irgendeinem Abteil stehen, dem Urlauber mit freudigen Gesichtern entstiegen, vollbepackt mit riesigen Paketen. Der Bahnsteig leerte sich schnell, es war wie immer. Irgendwo an Fenstern standen Mädchen oder Frauen oder ein sehr schweigsamer, verbissener Vater... und die sonore Stimme sagte, daß man sich beeilen solle. Der Zug war pünktlich.

»Warum steigst du nicht ein?« fragte der Kaplan ängstlich den Soldaten.

»Wie?« fragte der Soldat erstaunt, »ich kann mich ja unter die Räder schmeißen wollen... ich kann ja fahnenflüchtig werden... wie? Was willst du?... Ich kann ja, kann ja verrückt werden... wie es mein gutes Recht ist: es ist mein gutes Recht, verrückt zu werden. Ich will nicht sterben, das ist das Furchtbare, daß ich nicht sterben will.« Er sprach ganz kalt, als flössen seine Worte wie Eis von den Lippen. »Sei still! Ich steig schon ein, irgendwo ist immer Platz... ja... ja, sei nicht böse, bete für mich!« Er nahm das Gepäck, stieg irgendwo in eine offene Tür, drehte von innen das Fenster herunter und beugte sich noch einmal hinaus, während über ihm die sonore Stimme wie eine Wolke von Schleim schwebte: »Der Zug fährt ab...«

»Ich will nicht sterben«, schrie er, »ich will nicht sterben, aber das Schreckliche ist, daß ich sterben werde... bald!« Immer mehr entfernte sich die schwarze Gestalt auf diesem kalten grauen Bahnsteig... immer mehr, bis der Bahnhof in Nacht verschwunden war.

Manches Wort, das scheinbar gleichgültig ausgesprochen wird, gewinnt plötzlich etwas Kabbalistisches. Es wird schwer und seltsam schnell, eilt dem Sprechenden voraus, bestimmt, irgendwo im ungewissen Bezirk der Zukunft eine Kammer aufzureißen, kommt auf ihn zurück mit der erschreckenden Zielsicherheit eines Bumerangs. Aus dem leichtfertigen Geplätscher unbedachter Rede, meist jenen furchtbar schweren und matten Worten beim Abschied an Zügen, die in den Tod führen, fällt es wie eine bleierne Welle zurück auf den Sprechenden, der plötzlich die erschreckende und zugleich berauschende Gewalt alles Schicksalhaften kennenlernt. Den Liebenden und den Soldaten, den Todgeweihten und denen, die von der kosmischen Gewalt des Lebens erfüllt sind, wird manchmal unversehens diese Kraft gegeben, mit einer plötzlichen Erleuchtung werden sie beschenkt und belastet... und das Wort sinkt, sinkt in sie hinein.

Während Andreas sich langsam zurücktastete in das Innere des Waggons, fiel das Wort *bald* in ihn hinein wie ein Geschoß, schmerzlos und fast unmerklich durch Fleisch, Gewebe, Zellen, Nerven dringend, bis es endlich irgendwo widerhakte, aufplatzte, eine wilde Wunde riß und Blut verströmen machte... Leben... Schmerz...

Bald, dachte er, und er spürte, wie er bleich wurde. Dabei vollführte er das Gewohnte, fast ohne es zu wissen. Er zündete ein Streichholz an, beleuchtete die Haufen liegender, hockender und schlafender Soldaten, die über, unter und auf ihren Gepäckstücken herumlagen. Der Geruch von kaltem Tabaksqualm war mit dem Geruch von kaltem Schweiß und jenem seltsam staubigen Dreck vermischt, der allen Ansammlungen von Soldaten anhaftet. Die Flamme des erlöschenden Hölzchens zischte noch einmal hell auf, und er entdeckte in diesem letzten Schein, dort, wo der Gang schmäler wurde, einen kleinen freien Platz, dem er nun vorsichtig zustrebte. Er hatte sein Bündel unter den Arm geklemmt, die Mütze in der Hand.

Bald, dachte er, und der Schrecken saß tief, tief. Schrecken und völlige Gewißheit. Nie mehr, dachte er, nie mehr werde ich diesen Bahnhof sehen, nie mehr dieses Gesicht meines Freundes, den ich bis zum letzten Augenblick beschimpft habe... nie mehr... Bald! Er hatte den Platz erreicht, legte vorsichtig, um die ringsum Schlafenden nicht zu wecken, seine Tasche auf den Boden, setzte sich darauf, so, daß er mit dem Rücken gegen eine Abteiltür lehnen konnte; dann versuchte er, seine Beine möglichst bequem unterzubringen; er streckte das linke am Gesicht eines Schlafenden vorbei vorsichtig aus und legte das rechte quer über ein Gepäckstück, das den Rücken eines anderen Schlafenden verdeckte. In dem Abteil in seinem Rücken flammte ein Streichholz auf, und jemand begann stumm im Dunkeln zu rauchen. Er konnte, wenn er sich ein wenig zur Seite wandte, den glühenden Punkt der Zigarette sehen, und manchmal, wenn der Fremde zog, breitete sich der Schein der Glut über ein unbekanntes Soldatengesicht, grau und müde, mit bitteren Falten schrecklicher Nüchternheit.

Bald, dachte er. Das Rattern des Zuges, alles wie sonst. Der Geruch. Der Wunsch zu rauchen, unbedingt zu rauchen. Nur nicht schlafen! Am Fenster zogen die finsteren Silhouetten der Stadt vorüber. Irgendwo in der Ferne waren Scheinwerfer suchend am Himmel, wie lange Leichenfinger, die den blauen Mantel der Nacht teilten... fern auch Schießen von Abwehrkanonen... und diese lichtlosen, stummen, finsteren Häuser. Wann wird dieses Bald sein? Das Blut floß aus seinem Herzen, floß zurück ins Herz, kreiste, kreiste, das Leben kreiste, und dieser Pulsschlag sagte nichts anderes mehr als: Bald!... Er konnte nicht mehr sagen, nicht einmal mehr denken: »Ich will nicht sterben.« Sooft er den Satz bilden wollte, fiel ihm ein: Ich werde sterben... bald...

Hinter ihm tauchte nun ein zweites graues Gesicht im Schein einer Zigarette auf, und er hörte ein sanftes, sehr müdes Murmeln. Die beiden Unbekannten unterhielten sich.

»Dresden«, sagte die eine Stimme.

»Dortmund«, die andere.

Das Murmeln ging weiter und wurde lebhafter. Dann fluchte eine Stimme, und das Murmeln wurde wieder leise; es erlosch, und es war wieder nur eine Zigarette hinter ihm. Es war die zweite Zigarette, und auch diese erlosch wieder, und es war wieder dieses graue Dunkel hinter ihm und neben ihm, und vor ihm die schwarze Nacht mit den unzähligen Häusern, die alle stumm waren, alle schwarz. Nur in der Ferne immer noch diese ganz leisen, unheimlich langen Leichenfinger der Scheinwerfer, die den Himmel abtasteten. Es dünkte ihn, als müßten die Gesichter, die zu diesen Fingern gehörten, grinsen, unheimlich grinsen, zynisch grinsen wie die Gesichter von Wucherern und Betrügern. »Wir kriegen dich«, sagten die schmalen, großen Münder, die zu diesen Fingern gehörten. »Wir kriegen dich, wir tasten die ganze Nacht durch.« Vielleicht suchten sie eine Wanze, eine winzige Wanze im Mantel der Nacht, diese Finger, und sie werden die Wanze finden...

Bald. Bald. Bald. Bald. Wann ist Bald? Welch ein furchtbares Wort: Bald. Bald kann in einer Sekunde sein, Bald kann in einem Jahr sein. Bald ist ein furchtbares Wort. Dieses Bald drückt die Zukunft zusammen, es macht sie klein, und es gibt nichts Gewisses, gar nichts Gewisses, es ist die absolute Unsicherheit. Bald ist nichts und Bald ist vieles. Bald ist alles. Bald ist der Tod...

Bald bin ich tot. Ich werde sterben, bald. Du hast es selbst gesagt, und jemand in dir und jemand außerhalb von dir hat es dir gesagt, daß dieses Bald erfüllt werden wird. Jedenfalls wird dieses Bald im Kriege sein. Das ist etwas Gewisses, wenigstens etwas Festes.

Wie lange wird noch Krieg sein?

Es kann noch ein Jahr dauern, ehe im Osten alles endgültig zusammenbricht, und wenn die Amerikaner im Westen nicht angreifen und die Engländer, dann dauert es noch zwei Jahre, ehe die Russen am Atlantik sind. Aber sie werden angreifen. Aber alles zusammen wird es allermindestens noch ein Jahr dauern, vor Ende 1944 wird der Krieg nicht aus sein. Zu gehorsam, zu feige, zu brav ist dieser ganze Apparat aufgebaut. Die Frist ist also zwischen einer Sekunde und einem Jahr. Wie viele Sekunden hat ein Jahr? Bald werde ich sterben, im Kriege noch. Ich werde keinen Frieden mehr kennenlernen. Keinen Frieden. Nichts wird es mehr geben, keine Musik ... keine Blumen ... keine Gedichte ... keine menschliche Freude mehr; bald werde ich sterben ...

Dieses Bald ist wie ein Donnerschlag. Dieses kleine Wort ist wie der Funke, der das Gewitter entzündet, und plötzlich ist für eine tausendstel Sekunde die ganze Welt hell unter diesem Wort.

Der Geruch der Leiber ist wie immer. Der Geruch von Dreck und Staub und Stiefelwichse. Seltsam, wo Soldaten sind, ist Dreck ... Die Leichenfinger haben die Wanze ...

Er zündet eine neue Zigarette an. Ich will mir die Zukunft vorstellen, denkt er. Vielleicht ist es eine Täuschung, dieses Bald, vielleicht bin ich übermüdet, überreizt, und lasse mich erschrekken. Er versucht, sich vorzustellen, was er tun wird, wenn kein Krieg mehr ist ... er wird ... er wird ... aber da ist eine Wand, über die er nicht weg kann, eine ganz schwarze Wand. Er kann sich nichts vorstellen. Gewiß, er kann sich zwingen, den Satz zu Ende zu denken: ich werde studieren ... ich werde irgendwo ein Zimmer haben ... mit Büchern ... Zigaretten ... werde studieren ... Musik ... Gedichte ... Blumen. Aber auch, wenn er sich zwingt, den Satz zu Ende zu denken, er weiß, daß das nicht sein wird. Alles das wird nicht sein. Das sind keine Träume, das sind ganz blasse Gedanken, die kein Gewicht haben, kein Blut, keinerlei menschliche Substanz. Die Zukunft hat kein Gesicht mehr, sie ist irgendwo abgeschnitten, und je mehr er daran denkt, um so mehr fällt ihm ein, wie nahe er diesem Bald ist. Bald werde ich sterben, das ist eine Gewißheit, die zwischen einem Jahr und einer Sekunde liegt. Es gibt keine Träume mehr ...

Bald. Vielleicht zwei Monate. Er versucht, es sich zeitlich vorzustellen, und will feststellen, ob die Wand vor den nächsten zwei Monaten steht, diese Wand, die er nicht mehr überschreiten wird. Zwei Monate, das ist Ende November. Aber es gelingt ihm nicht, es zeitlich zu fassen. Zwei Monate, das ist eine Vorstellung, die keine Kraft hat. Er könnte ebensogut sagen: drei Monate oder vier Monate oder sechs, diese Vorstellung erweckt kein Echo. Er denkt: Januar. Aber da ist nirgendwo die Wand. Eine seltsame, unruhige Hoffnung wird wach! Mai, denkt er mit einem plötzlichen Sprung. Nichts. Die Wand schweigt. Nirgendwo ist die Wand. Es ist nichts. Dieses Bald... dieses Bald ist nur ein schrecklicher Spuk... er denkt: November! Nichts! Eine wilde, schreckliche Freude wird lebendig. Januar! Schon der nächste Januar, anderthalb Jahre! Anderthalb Jahre Leben! Nichts! Keine Wand!

Er seufzt glücklich auf und denkt weiter, und nun rennen die Gedanken über die Zeit hinweg wie über leichte, ganz niedrige Hürden. Januar, Mai, Dezember! Nichts! Und plötzlich spürt er, daß er im Leeren tastet. Es ist kein zeitlicher Begriff, wo die Wand errichtet ist. Die Zeit ist belanglos. Es gibt keine Zeit mehr. Und doch ist die Hoffnung noch da. Er hat so schön die Monate übersprungen. Jahre...

Bald werde ich sterben, und es ist ihm wie einem Schwimmer, der sich nahe dem Ufer weiß und plötzlich von einer schweren Sturzwelle zurückgeschleudert wird in die Flut. Bald! Da ist die Wand, hinter der er nicht mehr sein wird, nicht mehr auf der Erde sein wird.

Krakau, denkt er plötzlich, und nun stockt sein Herz, als habe sich die Vene geknotet und lasse nichts mehr durch. Er ist auf der Spur! Krakau! Nichts! Er geht weiter vor. Przemysl! Nichts! Lemberg! Nichts! Dann versucht er zu rasen: Czernowitz, Jassy, Kischinew, Nikopol! Aber beim letzten Wort spürt er schon, daß das nichts als Schaum ist, Schaum, wie eben der Gedanke: ich werde studieren. Nie mehr, nie mehr wird er Nikopol sehen! Zurück. Jassy! Nein, auch Jassy wird er nicht mehr sehen. Czernowitz wird er nicht mehr sehen. Lemberg! Er wird Lemberg noch sehen, er wird noch lebend nach Lemberg kommen! Ich bin irrsinnig, denkt er, ich bin wahnsinnig, ich müßte ja zwischen Lemberg und Czernowitz sterben! Welch ein Wahnsinn... er dreht die Gedanken gewaltsam ab und beginnt wieder zu rauchen und ins Gesicht der Nacht zu starren. Ich bin hysterisch, ich bin verrückt, ich habe zuviel geraucht, nächtelang, tagelang geredet, geredet, nicht geschlafen, nicht gegessen, nur geraucht, da soll ein Mensch nicht überschnappen...

Ich muß etwas essen, denkt er, etwas trinken. Essen und Trinken hält Leib und Seele zusammen. Dieses verfluchte ewige Rauchen! Er beginnt an seiner Tasche zu nesteln, aber während er angestrengt in das Dunkel zu seinen Füßen starrt, um die Schnalle zu finden, und dann in der Tasche zu kramen beginnt, wo Butterbrote und Wäsche, Tabak, Zigaretten und eine Flasche Schnaps beieinanderliegen, fühlt er eine bleierne, unerbittliche Müdigkeit, die seine Adern einfach zustopft... er schläft ein... die offene Tasche zwischen seinen Händen, ein Bein links neben einem Gesicht, das er nie gesehen hat, ein Bein rechts über einem Gepäckstück, und die müden, nun auch schon schmutzigen Hände an seiner Tasche, schläft er ein, den Kopf auf der Brust...

Er wird wach davon, daß ihm jemand auf die Finger tritt. Ein plötzlicher Schmerz, er schlägt die Augen auf; jemand ist hastig an ihm vorbeigegangen, hat ihn in den Rücken gestoßen und auf seine Hände getreten. Er sieht, daß es hell ist, und hört, daß wieder eine sonore Stimme einen Bahnhofsnamen sehr warm ausspricht, und er begreift, daß das Dortmund ist. Der, der diese Nacht hinter ihm geraucht und gemurmelt hat, der steigt aus, tritt rücksichtslos und fluchend durch den Flur, dieses unbekannte graue Gesicht ist zu Hause. Dortmund. Der neben ihm, auf dessen Gepäck sein rechtes Bein geruht hat, ist wach geworden und hockt augenreibend im kalten Gang. Der links, an dessen Gesicht sein rechter Fuß ruht, schläft noch. Dortmund. Mädchen mit dampfenden Kannen rennen auf dem Bahnhof umher. Es ist wie immer. Frauen stehen da, die weinen; Mädchen, die sich küssen lassen, Väter... alles wie immer: das ist Wahnsinn.

Aber im Grunde weiß er nur, daß er, sobald er die Augen aufschlug, gespürt hat, daß das Bald noch da ist. Der Widerhaken löckt tief in ihm, er hat gepackt und läßt nicht mehr los. Dieses Bald hat ihn ergriffen wie eine Angel, an der er nun zappeln wird, zappeln bis zwischen Lemberg und Czernowitz...

Blitzschnell, in der millionstel Sekunde, in der er erwachte, hat er gehofft, daß das Bald verschwunden sein würde, wie die Nacht, ein Spuk nach endlosem Geschwätz und endlosem Rauchen. Aber es ist da, unerbittlich da...

Er richtet sich auf, entdeckt die Packtasche, die noch halb geöffnet ist, und stopft ein Hemd, das herausgerutscht ist, wieder hinein. Der rechts von ihm hat ein Fenster geöffnet und hält einen Becher hinaus, in den ein mageres, müdes Mädchen Kaffee eingießt. Der Geruch des Kaffees ist fürchterlich, dünne Hitze, die ihm flau im Magen macht; es ist der Geruch der Kaserne, der Kasernenküche, der über ganz Europa verbreitet ist... und der über die ganze Welt verbreitet werden soll. Und doch (so tief sitzen die Wurzeln der Gewohnheit), doch hält auch er seinen Becher hinaus und läßt sich einschenken; diesen grauen Kaffee, der so grau ist wie die Uniform. Er riecht die matten Ausdünstungen des Mädchens, dem man anmerkt, daß es in den Kleidern geschlafen hat, von Zug zu Zug gegangen ist in der Nacht, Kaffee geschleppt hat, Kaffee geschleppt hat...

Sie riecht penetrant nach diesem gräßlichen Kaffee. Vielleicht schläft sie ganz nah neben der Kaffeekanne, die auf einem Ofen steht, um immer warm zu bleiben, schläft, bis der nächste Zug eintrifft. Ihre Haut ist grau und spröde wie schmutzige Milch, und das spärliche, blaßschwarze Haar kriecht dünn unter einem Häubchen hervor, aber ihre Augen sind sanft und traurig, und als sie sich bückt, um den Kaffee in seinen Becher zu gießen, sieht er einen reizenden Nacken. Wie hübsch dieses Mädchen ist, denkt er: alle werden sie häßlich finden, und sie ist hübsch, sie ist schön... auch kleine zarte Finger hat sie... stundenlang möchte ich mir Kaffee eingießen lassen; wenn doch der Becher ein Loch hätte, sie müßte gießen, gießen, ich würde ihre sanften Augen und diesen reizenden Nacken sehen, und die sonore Stimme müßte schweigen. Alles Unglück kommt von diesen sonoren Stimmen; diese sonoren Stimmen haben den Krieg angefangen, und diese sonoren Stimmen regeln den schlimmsten Krieg, den Krieg auf den Bahnhöfen.

Zum Teufel mit allen sonoren Stimmen!

Der Mann mit der roten Mütze wartet gehorsam auf die sonore Stimme, die ihren Spruch sagen muß, dann fährt der Zug an, um einige Helden erleichtert, um einige Helden bereichert. Es ist hell, aber noch früh: sieben Uhr. Nie mehr, nie mehr im Leben werde ich durch Dortmund fahren. Das ist doch seltsam, eine Stadt wie Dortmund; ich bin schon oft durchgefahren und noch nie in der Stadt gewesen. Nie im Leben werde ich wissen, wie Dortmund aussieht, und nie im Leben mehr werde ich dieses Mädchen mit der Kaffeekanne sehen. Nie mehr; bald werde ich sterben, zwischen Lemberg und Czernowitz. Mein Leben ist nur noch eine bestimmte Kilometerzahl, eine Eisenbahnstrecke. Aber das ist doch seltsam, da ist doch keine Front zwischen Lemberg und Czernowitz, und auch nicht viele Partisanen, oder ob die Front über Nacht diesen köstlich tiefen Rutsch gemacht hat? Ob der Krieg ganz, ganz plötzlich zu Ende ist? Ob der Friede noch vor diesem Bald kommt? Irgendeine Katastrophe? Vielleicht ist das göttliche Tier tot, endlich ermordet, oder die Russen haben einen Generalangriff gemacht und alles zusammengehauen bis zwischen Lemberg und Czernowitz, und die Kapitulation...

Es gibt kein Entrinnen, die Schläfer sind erwacht, sie fangen an zu essen, zu trinken und zu schwätzen...

Er lehnt im offenen Fenster und läßt den kalten Morgenwind gegen sein Gesicht schlagen. Saufen werde ich, denkt er, ich werde eine ganze Pulle saufen, dann weiß ich von nichts mehr, dann bin ich mindestens bis Breslau sicher. Er bückt sich, öffnet hastig die Packtasche, aber eine unsichtbare Hand hält ihn davor zurück, die Flasche zu ergreifen. Er nimmt ein Butterbrot und beginnt ruhig und langsam zu kauen. Das ist furchtbar, daß man kurz vor seinem Tod noch essen muß. Bald werde ich sterben, und doch muß ich noch essen. Butterbrote mit Wurst, Fliegerangriffsbutterbrote, die ihm sein Freund, der Kaplan, eingepackt hat, einen ganzen Packen dickbeschmierter Butterbrote, und das Schreckliche ist, daß sie schmecken.

Er lehnt zum Fenster hinaus, ißt und kaut ruhig, und langt manchmal nach unten, wo die offene Packtasche liegt, um ein neues Butterbrot herauszuholen. Dazu trinkt er in kleinen Schlukken den lauwarmen Kaffee.

Es ist furchtbar, in die ärmlichen Häuser zu blicken, wo sich die Sklaven nun fertigmachen, um in ihre Fabriken zu marschieren. Haus an Haus, Haus an Haus, und überall wohnen Menschen, die leiden, die lachen, Menschen, die essen und trinken und neue Menschen zeugen, Menschen, die morgen vielleicht tot sind; es wimmelt von Menschen. Alte Frauen und Kinder, Männer und auch Soldaten. Soldaten sind irgendwo am Fenster, da einer und dort einer, und alle wissen, wann sie wieder im Zug sitzen und in die Hölle zurückfahren werden...

»Kumpel«, sagt eine rauhe Stimme hinter ihm, »Kumpel, machst du ein Spielchen mit?« Er wendet sich erschreckt um und sagt, ohne es zu wissen: »Ja!« Und sieht im gleichen Augenblick ein Kartenspiel in der Hand eines unrasierten Soldaten, der ihn grinsend anblickt. Ich habe ja gesagt, denkt er, und dann nickt er und folgt dem Unrasierten. Der Gang ist ganz leer, nur zwei Mann haben sich mit ihrem Gepäck in den Vorraum zurückgezogen, dort hockt der eine, ein langer Blonder mit einem weichen Gesicht, und grinst.

»Hast du einen gefunden?«

»Ja«, sagt der Unrasierte mit der rauhen Stimme.

Bald werde ich sterben, denkt Andreas und setzt sich auf seine Tasche, die er mitgeschleppt hat. Immer, wenn er die Tasche niedersetzt, klappert der Stahlhelm, und als er jetzt den Stahlhelm sieht, fällt ihm ein, daß er sein Gewehr vergessen hat. Mein

Gewehr, denkt er, steht in Pauls Garderobe hinter dem Kleppermantel. Er lächelt. »So ist's recht, Kumpel«, sagt der Blonde, »vergiß deinen Kummer und mach ein Spielchen mit uns.«

Die beiden haben es sich gemütlich gemacht. Sie sitzen vor einer Tür, aber die Tür ist verrammelt, der Griff fest mit Draht umwickelt, und Gepäckstücke sind davor gestapelt. Der Unrasierte nimmt eine Zange aus der Tasche, er hat einen richtigen blauen Kittel an, er nimmt die Zange, zieht irgendwo unter einem Gepäckstück eine Drahtrolle hervor und beginnt neuen Draht noch fester um den Griff zu wickeln.

»So ist's recht, Kumpel«, sagt der Blonde, »sollen sie uns am Arsch lecken bis Przemysl. Du fährst doch bis Przemysl? Man sieht es«, sagt er, als Andreas nickt.

Andreas merkt bald, daß sie betrunken sind; der Unrasierte hat eine ganze Batterie Flaschen in seinem Karton, er läßt die Pullen rundgehen. Sie spielen erst Siebzehn-und-Vier. Der Zug rattert, und es wird immer heller, und sie halten an Bahnhöfen mit sonoren Stimmen und ohne sonore Stimmen. Es wird voll und wieder leer, wieder voll und wieder leer, und immer noch sitzen die drei in der Ecke und spielen.

Manchmal an einer Station rappelt einer wild draußen an der verschlossenen Tür, flucht jemand, aber sie lachen nur und spielen weiter und werfen die leeren Flaschen zum Fenster hinaus. Andreas denkt gar nicht ans Spiel, sie sind so wunderbar einfach, diese Glücksspiele, daß man gar nicht zu denken braucht, man kann an etwas anderes denken ...

Paul ist jetzt aufgestanden, wenn er überhaupt geschlafen hat. Vielleicht hat es auch noch einmal Alarm gegeben, und er hat gar nicht geschlafen. Wenn er überhaupt geschlafen hat, dann nur ein paar Stunden. Um vier war er zu Hause. Jetzt ist es bald zehn. Na, bis acht hat er geschlafen, dann ist er aufgestanden, hat sich gewaschen und hat die Messe gelesen, hat für mich gebetet. Er hat darum gebetet, daß ich mich freuen soll, weil ich doch die menschliche Freude geleugnet habe.

»Passe!« sagt er. Das ist herrlich, man sagt einfach »Passe!« und hat Zeit nachzudenken ...

Dann ist er nach Hause gegangen und hat die Kippen in der Pfeife geraucht, hat ein wenig gegessen, Fliegerangriffsbutterbrote, und ist losgegangen. Irgendwohin. Vielleicht zu einem Mädchen, das ein uneheliches Kind von einem Soldaten erwartet, vielleicht zu einer Mutter oder vielleicht zum Schwarzmarkt, sich ein paar Zigaretten kaufen.

»Flush«, sagt er.

Er hat wieder gewonnen. Das Geld in seiner Tasche ist ein ganzer Packen geworden.

»Du hast verdammt Schwein, Kumpel«, sagt der Unrasierte.

»Trinkt, Kollegen!« Er läßt wieder die Flasche rundgehen, er schwitzt, und sein Gesicht ist unter der Maske rauher Jovialität sehr traurig und nachdenklich. Er mischt ... es ist gut, denkt Andreas, daß ich nicht zu mischen brauche. Eine Minute brauche ich an nichts, an gar nichts anderes zu denken als an Paul, der nun müde und blaß durch die Trümmer spaziert und immer betet. Ich habe ihn angeschnauzt, man soll keinen Menschen anschnauzen, nicht einmal einen Unteroffizier ...

»Drilling«, sagt er und »Pärchen«. Er hat wieder gewonnen.

Die anderen lachen, es geht ihnen nicht ums Geld, sie wollen ja nur die Zeit totschlagen. Welch ein mühsames, schreckliches Geschäft, die Zeit totzuschlagen, immer wieder diesen Sekundenzeiger, der unsichtbar hinter dem Horizont herumrast, immer wieder ihn mit einem schweren dunklen Sack zuwerfen und wissen müssen, daß er doch weiterläuft, unerbittlich weiter ...

»Nordhausen«, sagt eine sonore Stimme, »hier ist Nordhausen.« Sie sagt das, während er mischt. »Fronturlauberzug nach Przemysl über ...«, und dann sagt sie: »Bitte einsteigen und Türen schließen.« So normal ist das alles. Er gibt langsam die Karten aus. Es ist bald schon elf Uhr. Immer noch Schnaps, der Schnaps ist gut. Er sagt dem Unrasierten ein paar anerkennende Worte über den Schnaps. Der Zug ist wieder voll geworden; sie sitzen jetzt sehr eng, und viele blicken ihnen zu. Es ist ungemütlich geworden, und auch das Geschwätz hört man, ohne zu wollen.

»Passe«, sagt er. Der Blonde und der Unrasierte balgen sich gutmütig um den Pott. Sie wissen, daß sie beide bluffen, aber sie lachen beide, es geht darum, wer am besten blufft.

»Praktisch«, sagt eine norddeutsche Stimme hinter ihm, »praktisch haben wir den Krieg schon gewonnen!«

»Hm...«, macht eine andere Stimme.

»Als ob der Führer einen Krieg verlieren könnte!« sagt eine dritte Stimme. »Es ist überhaupt Wahnsinn, so was zu sagen: Krieg gewinnen. Wer was sagt von Krieg gewinnen, der denkt immer schon daran, daß man auch einen verlieren könnte. Wenn wir einen Krieg anfangen, dann ist der Krieg gewonnen.« – »Die Krim ist schon eingeschlossen«, sagt eine vierte Stimme, »bei Perekop haben die Russen sie zugemacht.«

»Ich«, sagt eine sehr schwache Stimme, »ich muß ja auf die Krim...«

»Nur noch per JU«, sagt die sichere Kriegsgewinnerstimme, »das ist fein, so mit der JU...«

»Die Tommys wagen es ja nicht.«

Das Schweigen derer, die nichts sagen, ist furchtbar. Es ist das Schweigen derer, die nicht vergessen, derer, die wissen, daß sie verloren sind.

Der Blonde hat gemischt, und der Unrasierte hat fünfzig Mark gesetzt.

Andreas sieht, daß er einen Royal Flush hat.

»Ich setze hundert«, sagt er lachend.

»Mit«, sagt der Unrasierte.

»Zwanzig dazu.«

»Mit«, sagt der Unrasierte.

Natürlich verliert der Unrasierte.

»Zweihundertvierzig Mark«, sagt eine Stimme hinter ihnen, der man anhört, daß sie den Kopf dabei schüttelt. Es war eine

Minute lang still, solange sie um den Pott gekämpft haben. Jetzt geht das Geschwätz wieder los.

»Sauft«, sagt der Unrasierte.

»Aber das ist doch Wahnsinn mit der Tür!«

»Welche Tür?«

»Sie haben die Tür verrammelt, diese Schweine, diese Kameradenbetrüger!«

»Halt die Schnauze!«

Ein Bahnhof ohne sonore Stimme. Gott segne die Bahnhöfe ohne sonore Stimmen. Das summende Geschwätz der anderen geht weiter, sie haben die Tür vergessen und die zweihundertvierzig Mark, und Andreas spürt allmählich, daß er ein bißchen betrunken wird.

»Sollen wir nicht eine Pause machen?« sagt er, »ich möchte etwas essen.«

»Nein«, schreit der Unrasierte, »auf keinen Fall, es wird bis Przemysl gespielt. Nein« – seine Stimme ist voll von einer schrecklichen Angst. Der Blonde gähnt und beginnt zu murmeln. »Nein«, schreit der Unrasierte...

Sie spielen weiter.

»Allein mit dem MG 42 gewinnen wir den Krieg. Dagegen kommt doch keiner an...«

»Der Führer wird's schon schmeißen!«

Aber das Schweigen derer, die nichts, gar nichts sagen, ist furchtbar. Es ist das Schweigen derer, die wissen, daß sie alle verloren sind.

Der Zug wird manchmal so voll, daß sie kaum die Karten halten können. Sie sind jetzt alle drei betrunken, aber sehr klar im Kopf. Dann wird es wieder leer, Stimmen werden laut, sonore und unsonore. Bahnhöfe. Es wird Nachmittag. Sie essen zwischendurch, spielen weiter, trinken weiter. Der Schnaps ist ausgezeichnet.

»Das ist auch französischer«, sagt der Unrasierte. Er sieht jetzt noch unrasierter aus. Sein Gesicht ist ganz fahl unter den schwarzen Stoppeln. Seine Augen sind rot, er gewinnt fast nie, aber er scheint Massen von Geld zu haben. Jetzt gewinnt der Blonde viel. Sie spielen: Meine Tante, deine Tante, weil der Zug wieder leer ist, dann spielen sie Häufeln, und plötzlich fallen dem Unrasierten die Karten aus der Hand, er sinkt nach vorne und beginnt schauerlich zu schnarchen. Der Blonde richtet ihn auf und rückt ihn liebevoll zurecht, so daß er mit angelehntem Rücken schlafen kann. Sie decken ihm etwas über die Füße, und Andreas steckt ihm das gewonnene Geld wieder in die Tasche.

Wie sanft und liebevoll der Blonde mit dem Unrasierten umgeht! Ich hätte das diesem weichen Lümmel gar nicht zugetraut.

Was mag Paul wohl jetzt machen?

Sie stehen auf und recken sich, schütteln Krumen und Dreck von ihren Schößen, Zigarettenasche, und schmeißen die letzte leere Pulle zum Fenster hinaus.

Sie fahren durch eine leere Landschaft, links und rechts herrliche Gärten, sanfte Hügel, lachende Wolken – ein Herbstnachmittag... Bald, bald werde ich sterben. Zwischen Lemberg und Czernowitz. Beim Kartenspiel hat er versucht zu beten, aber er hat immer wieder daran denken müssen, er hat wieder Sätze in der Zukunft zu bilden versucht und hat gespürt, daß sie keine Kraft haben. Er hat es wieder zeitlich zu verstehen versucht – alles Schaum, nichtiger, windiger Schaum! Aber er brauchte nur das Wort Przemysl zu denken, um zu wissen, daß er auf der richtigen Spur war. Lemberg! Das Herz stockt! Czernowitz! Nichts... dazwischen muß es sein... er kann sich nichts denken, er hat die Karte gar nicht im Kopf. »Hast du eine Karte?« fragte er den Blonden, der zum Fenster hinausguckt.

»Nein«, sagt der freundlich, »aber er!« Er deutet auf den Unrasierten. »Er hat eine Karte. Wie unruhig er schläft. Er hat was auf dem Herzen. Das ist ein Mensch, der etwas Furchtbares auf dem Herzen hat, sage ich dir...«

Er blickt schweigend an der Schulter des Blonden vorbei hinaus. »Radebeul«, sagt eine sächsisch sonore Stimme. Eine brave

Stimme, eine gute Stimme, eine deutsche Stimme, die ebensogut sagen würde: Die nächsten zehntausend ins Schlachthaus, bitte...

Es ist wunderbar draußen, fast noch sommerlich, Septemberwetter. Bald werde ich sterben, diesen Baum dahinten, diesen rotbraunen Baum vor dem grünen Haus dahinten werde ich nie mehr sehen. Dieses Mädchen mit dem Fahrrad an der Hand, in dem gelben Kleid unter dem schwarzen Haar, dieses Mädchen werde ich nie mehr sehen, nichts mehr werde ich sehen von alledem, an dem der Zug vorbeirast...

Der Blonde ist jetzt auch eingeschlafen, er hat sich neben den Unrasierten gehockt, sie sind im Schlaf aneinandergesunken, der eine schnarcht rauh und heftig, der andre sanft und pfeifend. Der Gang ist ganz leer; nur manchmal geht einer zum Klo, und manchmal sagt einer: »Drin ist doch noch Platz, Kumpel.« Aber es ist viel schöner auf dem Flur, auf dem Flur ist man mehr allein, und nun, wo die beiden anderen schlafen, ist er ganz allein, und es war eine prächtige Idee, die Tür mit Draht zu verschließen.

Alles, was der Zug hinter sich läßt, lasse auch ich endgültig hinter mir, denkt er. Nichts mehr, nichts mehr werde ich sehen, nicht mehr diesen Sektor des Himmels, der voll ist von sanften graublauen Wolken, nicht mehr diese kleine, sehr junge Fliege, die am Rande des Fensters sitzt und nun wegfliegt, irgendwohin nach Radebeul; ach, diese kleine Fliege wird wohl in Radebeul bleiben... sie wird unter diesem Himmelssektor bleiben, und niemals wird mich diese Fliege begleiten bis zwischen Lemberg und Czernowitz. Die Fliege fliegt nach Radebeul hinein, vielleicht fliegt sie irgendwo in eine Küche, wo der dumpfe Geruch von Pellkartoffeln hängt und die billige Schärfe von schlechtem Essig und wo sie jetzt Kartoffelsalat machen für irgendeinen Soldaten, der sich drei Wochen quälen darf an der scheinbaren Freude des Urlaubs... nichts mehr werde ich sehen, denn nun macht der Zug eine riesige Schleife und fährt auf Dresden zu.

In Dresden ist der Bahnsteig sehr voll, und in Dresden steigen viele aus. Das Fenster hält vor einem ganzen Knäuel Soldaten, an deren Spitze ein dicker, rotgesichtiger, junger Leutnant steht. Die Soldaten sind alle ganz neu eingekleidet, und auch der Leutnant ist ganz neu in seinem Konfektionsanzug für Todeskandidaten; auch die Orden auf seiner Brust sind so neu wie frischgegossene Bleisoldaten, sie sehen wahnsinnig unecht aus. Der Leutnant packt den Griff der Tür und rappelt daran.

»Machen Sie doch auf«, schreit er Andreas an.

»Die Tür ist zu, es geht nicht«, schreit Andreas zurück.

»Schreien Sie mich nicht an, machen Sie auf, machen Sie sofort auf.«

Andreas schließt den Mund und blickt finster den Leutnant an. Ich werde bald sterben, denkt er, und er schreit mich an. Er blickt an dem Leutnant vorbei irgendwohin; die Soldaten, die bei dem Leutnant stehen, grinsen hinter dessen Rücken. An ihnen sind wenigstens die Gesichter nicht neu, sie haben alte, graue, wissende Gesichter, nur ihre Uniformen sind neu, und bei ihnen wirken sogar die Orden alt und abgeschlissen. Nur der Leutnant ist von oben bis unten neu, er hat sogar ein nagelneues Gesicht. Seine Wangen werden noch röter und seine blauen Augen werden auch ein bißchen rot. Er spricht jetzt leiser, ganz furchtbar leise, so drohend leise, daß Andreas lachen muß. »Machen Sie die Tür auf?« fragt er. Die Wut platzt ihm aus den blanken Knöpfen. »Sehen Sie mich wenigstens an«, brüllt er Andreas zu. Aber der sieht ihn nicht an. Ich werde bald sterben, denkt er, alle diese Menschen, die hier auf dem Bahnsteig stehen, werde ich nicht mehr sehen, keinen davon. Auch diesen Geruch wird er nicht mehr riechen, diesen Geruch von Staub und Eisenbahnqualm, der hier an seinem Fenster durchsetzt ist von dem Geruch der nagelneuen Uniform des Leutnants, die nach Zellwolle riecht.

»Ich lasse Sie verhaften«, brüllt der Leutnant, »ich werde Sie dem Streifenführer melden!«

Es ist ein Glück, daß der Blonde erwacht ist. Er steht mit verschlafenem Gesicht am Fenster, nimmt tadellose Haltung an und sagt zu dem Leutnant: »Bedaure Herrn Leutnant sagen zu müssen, daß die Tür bahnseitig verschlossen wurde, weil sie defekt ist; um Unfälle zu verhüten.« Er sagt das vorschriftsmäßig, schnell und demütig, er sagt das fabelhaft wie eine Uhr, die zwölf schlägt. Der Leutnant stößt noch einen wütenden Seufzer aus. »Warum sagen Sie das nicht?« schreit er Andreas zu.

»Bedaure wiederum Herrn Leutnant sagen zu müssen, daß mein Kamerad taub ist, vollkommen taub«, schnurrt der Blonde, »Kopfverletzung.« Die Soldaten hinter dem Leutnant lachen, und der Leutnant wird knallrot, er wendet sich plötzlich ab und versucht, in einem anderen Abteil unterzukommen. Der Schwarm folgt ihm. »Diese dumme Sau«, murmelt der Blonde hinter ihm her.

Ich könnte hier aussteigen, denkt Andreas, der dem bunten Treiben auf dem Bahnsteig zusieht. Ich könnte hier aussteigen, irgendwohin gehen, irgendwohin, immer weiter, bis sie mich schnappten, an die Wand stellten, und ich würde nicht zwischen Lemberg und Czernowitz sterben, ich würde in irgendeinem sächsischen Nest niedergeschossen oder in einem Konzentrationslager verrecken. Aber ich stehe hier am Fenster und bin wie aus Blei. Ich kann mich nicht bewegen, ich bin ganz starr, dieser Zug gehört zu mir, und ich gehöre zu diesem Zug, der mich meiner Bestimmung entgegentragen muß, und das Seltsame ist, daß ich gar keine Lust verspüre, hier auszusteigen und am Ufer der Elbe unter diesen reizenden Bäumen spazierenzugehen. Ich sehne mich nach Polen, ich sehne mich nach diesem Horizont so sehr, so wild und innig, wie sich nur ein Liebender nach der Geliebten sehnen kann. Wenn doch der Zug abführe, wenn er weiterführe! Warum hier stehenbleiben, warum so lange in diesem gottverfluchten Sachsen stehenbleiben, warum schweigt die sonore Stimme jetzt so lange? Ich bin voll Ungeduld, ich habe keine Angst, das ist das Seltsame, ich habe keine Angst, nur eine namenlose Neugierde und Unruhe. Und doch möchte ich nicht sterben. Ich möchte leben, theoretisch ist das Leben schön, theoretisch ist das

Leben herrlich, aber ich möchte nicht aussteigen, seltsam, daß ich aussteigen könnte. Ich brauche nur durch den Gang zu gehen, das lächerliche Gepäck stehenzulassen und abzuhauen, irgendwohin, unter Bäumen spazierengehen, unter Herbstbäumen, und ich bleibe hier stehen wie aus Blei, ich will in diesem Zug bleiben, ich sehne mich schrecklich nach der Düsternis Polens und nach dieser unbekannten Strecke zwischen Lemberg und Czernowitz, wo ich sterben muß.

Kurz hinter Dresden wird auch der Unrasierte wieder wach. Sein Gesicht ist sehr fahl unter den Stoppeln, und seine Augen sind unglücklicher noch als zuvor. Er öffnet stumm seine Büchse mit Fleisch und beginnt mit der Gabel brockenweise die Konserve zu essen; dazu nimmt er Brot. Seine Hände sind schmutzig, und manchmal fallen kleine Brocken Fleisch auf den Boden, wo er nachts wieder schlafen wird, dorthin, wo schon viele Zigarettenkippen liegen und wo sich eine Menge von jenem unpersönlichen Dreck angesammelt hat, der dem Soldaten einfach zuzufliegen scheint. Auch der Blonde ißt. Andreas steht am Fenster und sieht nichts, es ist hell draußen und die Sonne ist noch mild, aber er sieht nichts. Seine Gedanken wimmeln vor der schönen sanften Gartenlandschaft um Dresden. Er wartet ungeduldig darauf, daß der Unrasierte mit seiner Mahlzeit fertig wird, damit er ihn nach der Karte fragen kann. Er hat gar keine Vorstellung von der Strecke zwischen Lemberg und Czernowitz. Nikopol kann er sich vorstellen, auch Lemberg und Przemysl ... Odessa und Nikolajew ... und Kertsch, aber Czernowitz ist nur ein Name; er denkt an Juden und Zwiebeln, düstere Straßen mit flachdachigen Häusern, breite Straßen und Spuren altösterreichischer Verwaltungsgebäude, zerbröckelte k. u. k.-Fassaden in verwilderten Gärten, die vielleicht jetzt Lazarette bergen oder Verwundetensammelstellen, und diese reizvollen, schwermütigen östlichen Boulevards mit niedrigen dicken Bäumen, damit die flachdachigen Häuser nicht erdrückt werden von Wipfeln. Keine Wipfel ...

So wird Czernowitz sein, aber was dazwischen ist, zwischen

Lemberg und Czernowitz, davon hat er keine Vorstellung. Das muß Galizien sein. Lemberg ist ja die Hauptstadt von Galizien. Irgendwo ist da auch Wolhynien, alles dunkle, düstere Namen, die nach Pogrom riechen und schrecklich traurigen riesigen Gütern, auf denen schwermütige Frauen von Ehebrüchen träumen, weil ihre specknackigen Männer ihnen zuwider geworden sind ...

Galizien, ein dunkles Wort, ein schreckliches Wort, und doch ein schönes Wort. Es ist etwas von einem sehr leise schneidenden Messer darin ... Galizien ...

Lemberg ist gut. Lemberg kann er sich vorstellen. Schön und düster und ohne Leichtigkeit sind diese Städte, blutig ihre Vergangenheit und wild die Gassen, still und wild.

Der Unrasierte wirft die Konservenbüchse zum Fenster hinaus, steckt das Brot, von dem er einfach so abgebissen hat, in die Tasche und beginnt zu rauchen. Sein Gesicht ist traurig, traurig, irgendwie voll Reue, als schäme er sich des wüsten Kartenspiels und der Schnapstrinkerei; er lehnt sich neben Andreas ins Fenster, und Andreas spürt, daß er sprechen will.

»Sieh da, eine Fabrik«, sagt er, »eine Stuhlfabrik.«

»Ja«, sagt Andreas. Er sieht nichts, er möchte auch nichts sehen, nur die Karte. »Kannst du«, er gibt sich einen Ruck, »kannst du mir mal die Karte geben?«

»Welche Karte?« Andreas spürt einen tiefen Schreck und weiß, daß er bleich wird. Wenn der Unrasierte gar keine Karte hätte?

»Die«, stottert er, »die Landkarte.«

»Ach so ...!« Der Unrasierte bückt sich sofort, kramt in der Tasche und reicht ihm die zusammengefaltete Karte.

Es ist schrecklich, daß der Unrasierte sich mit ihm über die Karte beugt. Andreas riecht den Büchsenfleischatem, der noch immer nicht ganz ohne das Aroma verdauten, halbgesäuerten Schnapses ist. Er riecht den Schweiß und den Schmutz und sieht vor Erregung gar nichts, dann sieht er den Finger des Unrasierten, einen dicken, roten, schmutzigen und doch sehr gutmütigen Finger, und der Unrasierte sagt: »Da muß ich hin.« Andreas liest den Namen des Ortes: »Kolomea« steht da. Seltsam, jetzt, wo er näher zublickt, sieht er, daß Lemberg gar nicht weit von diesem Kolomea liegt... er geht zurück... Stanislau, Lemberg... Lemberg... Stanislau, Kolomea, Czernowitz. Seltsam, denkt er; Stanislau, Kolomea... diese Namen erwecken keinerlei sicheres Echo. Diese Stimme in ihm, diese stets wache und empfindsame Stimme schwankt und zittert wie eine Kompaßnadel, die noch nicht stillstehen kann. Kolomea, werde ich noch bis Kolomea kommen? Nichts Gewisses... ein seltsames Schwanken der ewig vibrierenden Nadel... Stanislau? Dasselbe Schwirren. Nikopol! denkt er plötzlich. Nichts.

»Ja«, sagt der Unrasierte, »da liegt meine Einheit. Reparaturwerkstätte. Ich hab es gut.« Er sagt das mit einer Stimme, als wenn er sagen wollte: Mir geht es entsetzlich schlecht.

Seltsam, denkt Andreas. Ich hatte gedacht, das sei eine Ebene da in der Gegend, es sei ein grüner Fleck mit einigen schwarzen Punkten, aber die Karte ist dort weißlichgelb. Ausläufer der Karpaten, denkt er plötzlich, und er sieht seine Schule vor sich, die ganze Schule, die Flure und die Büste Ciceros und den schmalen Schulhof, eingeklemmt zwischen Mietskasernen, und im Sommer die Frauen, die im Büstenhalter in den Fenstern lagen, und die Kakaobude unten beim Hausmeister, und den großen, ganz trockenen Speicher, auf dem sie in der Pause schnell eine Zigarette geraucht haben. Ausläufer der Karpaten...

Der Finger des Unrasierten liegt jetzt weiter südöstlich. »Cherson«, sagt er, »da waren wir zuletzt, und jetzt geht's weiter zurück, wahrscheinlich nach Lemberg oder in die ungarischen Karpaten hinein. In Nikopol bricht ja auch die Front zusammen, hast du gehört im Bericht? Die waten dort durch den Schlamm zurück, Rückzug durch Schlamm! Das muß Wahnsinn sein, alle Fahrzeuge bleiben stecken, und wenn einmal drei hintereinanderstehen, dann ist alles, was dahinter auf der Straße steht, verloren, da gibt's kein Zurück und kein Vor mehr, und alles wird gesprengt... alles wird gesprengt, und alles muß zu Fuß latschen, vielleicht auch die Generäle... hoffentlich. Aber die fliegen sicher... Sie müßten zu Fuß gehen, zu Fuß, wie des Führers liebe Infanterie. Bist du bei der Infanterie?«

»Ja«, sagt Andreas. Er hat nicht viel verstanden. Sein Blick liegt fast zärtlich auf diesem Kartenabschnitt, der gelblichweiß ist und wo nur vier schwarze Punkte sind, ein ganz dicker, das ist Lemberg, und ein etwas kleinerer, das ist Czernowitz, und zwei ganz kleine: Kolomea und Stanislau.

»Schenk mir die Karte«, sagt er heiser, »schenk sie mir«, ohne den Unrasierten anzusehen. Er könnte sich nicht mehr von der Karte trennen, und er zittert davor, daß der Unrasierte nein sagen könnte. Viele sind so, daß ein Ding ihnen plötzlich wertvoll wird, weil ein anderer es gerne haben möchte. Ein Ding, das sie im nächsten Augenblick vielleicht wegwerfen würden, wird ihnen kostbar und teuer und unverkäuflich, weil ein anderer es haben und gebrauchen möchte.

Viele sind so, aber der Unrasierte ist nicht so.

»Sicher«, sagt er erstaunt, »das ist doch nichts. Zwanzig Pfennige. Und alt ist sie dazu. Wo mußt du denn hin?«

»Nikopol«, sagt Andreas, und wieder spürt er die scheußliche Leere bei dem Wort, es ist ihm, als habe er den Unrasierten belogen. Er wagt nicht, ihn anzusehen.

»Nun, ehe du da unten bist, ist nichts mehr mit Nikopol, vielleicht Kischinew... weiter nicht.«

»Glaubst du?« fragt Andreas. Auch Kischinew sagt ihm nichts.

»Gewiß. Kolomea schon«, der Unrasierte lacht. »Wie lange fährst du bis unten? Laß mal sehen. Morgen früh Breslau. Morgen abend Przemysl. Donnerstag, Freitag abend, vielleicht früher, weiter. Lemberg. Nun, Samstag abend bin ich in Kolomea, du wirst ein paar Tage noch brauchen, noch 'ne Woche, wenn du schlau bist, in einer Woche sind sie weg von Nikopol, in 'ner Woche gibt's Nikopol für uns nicht mehr.«

Samstag, denkt Andreas. Samstag ist ein ganz sicheres, volles Gefühl. Samstag werde ich noch leben. So nah hat er nicht zu denken gewagt. Jetzt begreift er auch, warum sein Herz schwieg, wenn er in Monaten oder gar in Jahren dachte. Das war ein Sprung, weit, weit übers Ziel hinaus, ein Schuß ins Leere, der ohne Echo war, ins Niemandsland, das es nicht mehr gibt für ihn. Es ist ganz nah, das Ende ist unheimlich nah. Samstag. Ein wildes, köstliches, schmerzliches Vibrieren. Samstag werde ich noch leben, den ganzen Samstag noch. Noch drei Tage. Aber Samstag abend will der Unrasierte doch schon in Kolomea sein, dann müßte ich doch Samstag spät in Czernowitz sein, und es ist doch gar nicht in Czernowitz, zwischen Lemberg und Czernowitz, und nicht Samstag. Sonntag! denkt er plötzlich. Nichts... nicht viel... ein sanftes, sehr, sehr trauriges und ungewisses Gefühl. Sonntag morgen werde ich sterben zwischen Lemberg und Czernowitz.

Jetzt erst blickt er den Unrasierten an. Er erschrickt vor dessen Gesicht, das unter den schwarzen Stoppeln weiß ist wie Kalk. Und Angst ist in den Augen. Dabei fährt er doch in eine Reparaturwerkstatt und nicht an die Front, denkt Andreas. Warum diese Angst, warum diese Trauer? Das ist kein bloßer Katzenjammer. Jetzt blickt er dem Unrasierten voll in die Augen, er erschrickt noch mehr vor diesem gähnenden Abgrund der Verzweiflung. Das ist nicht nur Angst und Leere, etwas furchtbar Saugendes, und er weiß, warum der saufen muß, saufen muß, um irgend etwas hineinzuschütten in diesen Abgrund...

»Das Komische ist«, sagt der Unrasierte plötzlich mit rauher Stimme, »das Komische ist, daß ich doch Urlaub habe. Urlaub bis nächsten Mittwoch, eine ganze Woche. Aber ich bin abgehauen. Meine Frau ist... meine Frau«, er würgt an etwas Schrecklichem zwischen Schluchzen und Wut. »Meine Frau«, sagt er, »ist nämlich fremdgegangen. Ja«, er lacht plötzlich laut, »ja, sie ist fremdgegangen, Kumpel. Komisch, da ist man durch Europa gezogen, hat da bei einer Französin gepennt und da mit einer Rumänin gehurt und ist in Kiew hinter den Russinnen hergerannt; und wenn man in Urlaub fuhr und hatte Aufenthalt, da irgendwo in Warschau oder in Krakau, da konntest du den schönen Polinnen auch nicht widerstehen. Es war unmöglich... und... und... und...«, wieder würgt er dieses fürchterliche Gebilde zwischen Schluchzen und Wut hinunter wie Gewölle, »und da kommst du also nach Hause, ganz unverhofft natürlich, nach fünfzehn Monaten, da liegt ein Kerl auf deiner Couch, ein Kerl, ein Russe, ja, ein Russe liegt auf deiner Couch, das Grammophon spielt Tango, und deine Frau hockt in einem roten Pyjama am Tisch und mixt etwas... ja, so war es, genau so. Ich hab ja Schnaps und Liköre genug geschickt... aus Frankreich, aus Ungarn, aus Rußland. Dem Kerl rutscht vor Schrecken die Zigarette in den Schlund, und die Frau schreit wie ein Tier... ich sage dir, wie ein Tier!« Ein Schauder geht über seine massigen Schultern. »Wie ein Tier, sag ich dir, mehr weiß ich nicht.« Andreas blickt erschreckt zurück, nur einen einzigen kurzen Blick. Aber der Blonde kann nichts hören. Er sitzt ruhig da, ganz ruhig, fast gemütlich, und schmiert aus einem sehr sauberen Schraubglas knallrote Marmelade auf weißes Brot. Sehr sauber und ruhig schmiert er und beißt wie ein Bürokrat, fast wie ein Oberinspektor. Vielleicht ist der Blonde Inspektor. Der Unrasierte schweigt, und es schüttelt ihn etwas. Seine Worte kann niemand gehört haben. Der Zug hat sie weggerissen... sie sind fortgeflogen, unhörbar weggeflogen mit dem Luftzug... sie sind vielleicht zurückgeflogen nach Dresden... nach Radebeul... wo die kleine Fliege hockt und wo das Mädchen mit dem gelben Kleid auf sein Fahrrad gestützt steht... immer noch... immer noch.

»Ja«, sagt der Unrasierte, er spricht schnell, fast amtlich, als wolle er eine angefangene Spule schnell abhaspeln. »Ich bin abgehauen, einfach abgehauen. Ich hatte mir unterwegs die Arbeitshose angezogen, weil ich doch meine neue schwarze Panzerhose mit der Bügelfalte schonen wollte für den Urlaub. Ich hab mich auf meine Frau gefreut gehabt... wahnsinnig gefreut... nicht nur auf... nicht nur auf das. Nein, nein!« Er schreit: »Das ist etwas ganz anderes, worauf man sich freut. Das ist doch zu

Hause, das ist doch deine Frau, Mensch. Das ist doch nichts, was man mit den andern Weibern macht, das vergißt du nach einer Stunde wieder... und nun, nun sitzt da ein Russe, ein langer Kerl, soviel hab ich gesehen, und wie der dalag und rauchte, so faul können wir gar nicht daliegen und rauchen... wir können nirgendwo in der Welt so faul liegen und rauchen. Und auch an seiner Nase hab ich gesehen, daß er ein Russe war... man sieht's ja an der Nase...«

Ich muß mehr beten, denkt Andreas, ich habe seit der Abfahrt von zu Hause kaum noch gebetet. Der Unrasierte schweigt wieder und blickt in die sanfte Landschaft, in der die Sonne jetzt wie ein goldener Schimmer liegt. Der Blonde sitzt immer noch, er trinkt aus einer Flasche Kaffee und ißt jetzt Weißbrot mit Butter, die Butter ist in einer nagelneuen Butterdose; er ißt sehr planmäßig, sehr sauber. Ich muß mehr beten, denkt Andreas, und eben will er anfangen, da beginnt der Unrasierte wieder. »Ja, ich bin abgehauen. Mensch, in den nächsten Zug und alles wieder mitgenommen. Schnaps und Fleisch und Geld, Mensch, wieviel Geld hatte ich mitgebracht, doch alles für sie, Mensch, wofür habe ich denn immer alles geschleppt, nur für sie. Wenn ich nur Schnaps hätte, jetzt Schnaps... woher jetzt Schnaps kriegen, ich hab schon hin und her überlegt, hier sind sie ja bescheuert, hier kennen sie keinen Schwarzmarkt...«

»Ich hab Schnaps«, sagt Andreas, »willst du?«

»Schnaps... Mensch... Schnaps!«

Andreas lächelt. »Ich geb dir den Schnaps für die Landkarte, ja?« Der Unrasierte umarmt ihn. Er hat ein fast glückliches Gesicht. Andreas beugt sich zu seiner Tasche hinunter und kramt eine Flasche Schnaps heraus. Einen Augenblick lang denkt er: ich will pädagogisch sein und ihm die zweite Flasche erst geben, wenn er sie braucht oder wenn er nach dem Rausch, den er sich ansäuft, wieder wach geworden ist. Aber dann greift er noch einmal in die Tasche und holt die zweite Flasche heraus.

»Da«, sagt er, »trink sie allein, ich mag nicht, nein!«

Bald werde ich sterben, denkt er ... bald, bald, und dieses Bald ist schon nicht mehr so verschwommen, er hat sich herangetastet an dieses Bald, hat es umschlichen und umschnüffelt, und er weiß schon, daß er in der Nacht von Samstag auf Sonntag sterben wird, zwischen Lemberg und Czernowitz ... in Galizien. Da unten ist Ostgalizien, wo er ganz nah an der Bukowina und an Wolhynien ist. Diese Namen sind wie unbekannte Getränke. Bukowina, das klingt nach einem handfesten Pflaumenschnaps, und Wolhynien, das ist wie ein sehr dickes, fast sumpfiges Bier, wie das Bier, das er einmal in Budapest getrunken hat, richtiges Suppenbier ...

Er blickt noch einmal durch die Scheibe zurück und sieht, wie der Unrasierte die Flasche an den Hals setzt; er sieht auch, wie der Blonde abwinkt, als der Unrasierte ihm anbietet. Dann blickt er wieder hinaus, aber er sieht nichts ... er sieht nur fern irgendwo diesen polnischen Horizont hinter einer endlosen Fläche, diesen berauschenden, weiten Horizont, den er sehen wird, wenn die Stunde da ist ...

Es ist gut, denkt er, daß ich nicht allein bin. Kein Mensch könnte das allein ertragen, und er ist jetzt froh, daß er die Aufforderung zum Kartenspiel angenommen und diese beiden kennengelernt hat. Den Unrasierten hat er gleich gern gehabt, und der Blonde, der Blonde scheint nicht so dekadent zu sein, wie er aussieht. Oder er ist wirklich so dekadent, aber er ist ein Mensch. Es ist nicht gut, daß der Mensch allein sei. Es wäre wahnsinnig schwer, mit den andern allein zu sein, die jetzt wieder den Flur füllen, diesen Schwätzern, die von nichts reden können als von Urlaub und Heldentum, von Beförderungen und Orden, von Fressen und von Tabak und von Weibern, Weibern, Weibern, die ihnen allen zu Füßen gelegen haben ... Kein Mädchen wird mir nachweinen, denkt er, das ist seltsam. Das ist traurig. Wenn irgendwo eine an mich denken würde! Auch wenn sie unglücklich wäre. Gott ist mit den Unglücklichen. Das Unglück ist das Leben, der Schmerz ist das Leben. Es wäre schön, wenn irgendwo eine an mich dächte und mir nachweinte... ich würde sie hinter mir herziehen... ich würde sie an ihren Tränen hinter mir herschleppen, sie sollte nicht in alle Ewigkeit auf mich warten. Kein Mädchen! Das ist seltsam. Keine, die ich geküßt habe. Es ist wohl möglich, doch nicht wahrscheinlich, daß die eine noch an mich denkt; sie kann nicht mehr an mich denken. Eine Zehntelsekunde haben unsere Augen ineinander geruht, vielleicht noch weniger als eine Zehntelsekunde, und ich kann ihre Augen nicht vergessen. Dreiundeinhalb Jahre lang hab ich an sie denken müssen und hab sie nicht vergessen können. Nur eine Zehntelsekunde lang oder weniger, und ich weiß nicht, wie sie heißt, nichts weiß ich, nur ihre Augen kenne ich, sehr sanfte, fast blasse, traurige Augen von einer Farbe wie dunkelgeregneter Sand; unglückliche Augen, viel Tierisches darin und alles Menschliche, und nie, nie vergessen, keinen Tag seit dreiundeinhalb Jahren, und ich weiß nicht, wie sie heißt, weiß nicht, wo sie wohnt. Dreiundeinhalb Jahre! Ich weiß nicht, ob sie groß war oder klein, nicht einmal ihre Hände hab ich gesehen. Wenn ich doch wenigstens ihre Hände gesehen hätte! Nur das Gesicht, nicht einmal das genau; dunkles Haar, vielleicht schwarz, vielleicht braun, ein schmales, langes Gesicht, nicht hübsch, nicht glatt, aber die Augen, fast schräg, wie dunkler Sand, voll Unglück, und diese Augen gehören mir, mir ganz allein, und diese Augen haben auf mir geruht und gelächelt eine Zehntelsekunde lang... Da war nur ein Zaun und dahinter ein Haus, und auf dem Zaun lagen zwei Ellenbogen, und zwischen diesen Ellenbogen lag das Gesicht, lagen diese Augen in einem französischen Nest hinter Amiens; unter dem glühenden Sommerhimmel, der von Hitze graugebrannt war. Und da war eine Landstraße vor meinen Augen, die lief bergauf zwischen ärmlichen Bäumen, und rechts lief eine Mauer mit, und hinter uns dampfte Amiens wie in einem Kessel; Rauch lag über der Stadt, und der düstere Rauch des Kampfes schwelte wie ein Gewitter, links fuhren Krafträder vorbei mit hysterischen Offizieren, Panzer rollten breitspurig und überschütteten uns mit

Staub, und vorne irgendwo brüllten Kanonen. Die Landstraße, die den Berg hinauflief, machte mich plötzlich schwindeln, sie drehte sich vor meinen Augen, und die Mauer, die rechts neben der Straße wie verrückt den Berg hinauflief, kippte plötzlich um, kippte einfach um, und ich schlug mit der Mauer zur Seite, als sei mein Leben das Leben der Mauer. Die ganze Welt drehte sich, und ich sah nichts mehr von ihr als ein stürzendes Flugzeug, aber das Flugzeug stürzte nicht von oben nach unten, nicht vom Himmel zur Erde, sondern von der Erde zum Himmel, und ich sah jetzt, daß der Himmel die Erde war, ich lag auf der graublauen unbarmherzig heißen Fläche des Himmels. Dann kippte mir jemand Cognac ins Gesicht, rieb mich, kippte mir Cognac in den Hals, und ich durfte aufblicken und sah über mir den Zaun, diesen Zaun, diesen Zaun aus Ziegelsteinen mit Lücken drin, und auf diesem Zaun lagen zwei spitze Ellenbogen, und zwischen den Ellenbogen sah ich diese Augen eine Zehntelsekunde lang. Dann schrie der Leutnant: »Weiter, weiter. Auf!« Und irgendeiner schnappte mich beim Kragen und warf mich in die Landstraße hinein, und die Straße zog mich fort, und ich war wieder eingeklemmt in die Kolonne und konnte mich nicht umblicken, nicht einmal umblicken...

Ach, ist es so schändlich, wenn ich gerne gewußt hätte, welche Stirn zu diesen Augen gehörte, welcher Mund und welche Brust und welche Hände? Ach, wäre es zuviel gewesen, wenn ich hätte erfahren dürfen, welches Herz dazugehörte, ein Mädchenherz vielleicht; wenn ich den Mund, der zu diesen Augen gehörte, einmal hätte küssen dürfen, bevor sie mich ins nächste Nest warfen, wo man mir plötzlich das Bein einfach unter dem Leib wegschlug. Es war ja Sommer, und die Frucht stand golden auf den Feldern, magere Halme, manche schwarzverbrannt, die der Sommer gefressen hatte, und nichts war mir so sehr verhaßt, als auf einem Ährenfeld den Heldentod zu sterben, es erinnerte mich zu sehr an ein Gedicht, und ich mochte nicht wie in einem Gedicht sterben, nicht den Heldentod sterben wie auf einem Reklamebild für diesen dreckigen Krieg... und es war doch wie ein vaterländisches Gedicht, daß ich auf einem Ährenfeld lag, blutend und verwundet und fluchend, und daß ich vielleicht sterben sollte, fünf Minuten von diesen Augen entfernt.

Aber nur der Knochen war kaputt. Ich war ein Held, auf Frankreichs Fluren verwundet, hinter Amiens, nicht weit von der Mauer, die wie wahnsinnig den Berg hinauflief, und fünf Minuten nur von diesem Gesicht, von dem ich nur die Augen sehen durfte...

Nur eine Zehntelsekunde habe ich die einzig Geliebte sehen dürfen, die vielleicht nur ein Spuk war, und nun muß ich sterben, zwischen Lemberg und Czernowitz, vor dem weiten polnischen Horizont.

Und hab ich ihnen nicht versprochen, diesen Augen, jeden Tag für sie zu beten, jeden Tag, und dieser Tag ist bald zu Ende. Es dämmert schon, und gestern hab ich nur so zwischen dem Kartenspiel einmal flüchtig an sie gedacht, deren Name ich nicht kenne und deren Mund ich nie geküßt...

Das Furchtbare ist, daß Andreas plötzlich Hunger hat. Es ist Donnerstag abend, und am Sonntag wird er sterben, und er hat Hunger, er hat Kopfschmerzen vor Hunger, er ist müde vor Hunger. Es ist ganz still im Flur, und es ist nicht mehr eng. Er setzt sich neben den Unrasierten, der bereitwillig Platz macht, und alle drei schweigen. Auch der Blonde schweigt. Der Blonde hat eine Mundharmonika zwischen den Lippen und spielt sie von der geschlossenen Seite. Es ist eine kleine Mundharmonika, und er läßt die geschlossene Seite sanft durch die Lippen gleiten, und man sieht seinem Gesicht an, daß er die Melodien nur dazuträumt. Der Unrasierte trinkt, er trinkt planmäßig und still in regelmäßigen Abständen, und seine Augen beginnen zu blinken. Andreas ißt das letzte Paket von den Fliegerangriffsbutterbroten. Sie sind etwas trocken geworden, aber sein Hunger begrüßt sie wohlgefällig, und es schmeckt herrlich, er ißt sechs doppelte Butterbrote und bittet den Blonden um die Kaffeeflasche. Die Butterbrote sind wirklich köstlich, es schmeckt wunderbar, und hinterher spürt er ein schauriges Wohlbefinden, eine schrecklich gute Laune. Er ist glücklich, daß die beiden schweigen, und das regelmäßige Rattern des Zuges, dessen geringste Bewegung sie spüren, hat etwas Einschläferndes. Jetzt werde ich beten, denkt er, alle Gebete, die ich auswendig weiß, und noch einige dazu. Er betet erst das Credo, dann Vaterunser und Ave Maria, de Profundis ... ut pupillam oculi ... Komm Heiliger Geist; noch einmal das Credo, weil es so wunderbar vollständig ist; dann die Karfreitagsfürbitten, weil sie so wunderbar umfassend sind, auch für die ungläubigen Juden. Dabei denkt er an Czernowitz, und er betet besonders für die Czernowitzer Juden und für die Lemberger Juden, und in Stanislau sind auch sicher Juden, und in Kolomea ... dann noch einmal ein Vaterunser, und dann ein eigenes Gebet; es läßt sich wunderbar beten neben den schweigenden beiden, von denen der eine stumm und innig die verkehrte Seite der Mundharmonika spielt und der andere unentwegt Schnaps säuft ...

Es ist dunkel geworden draußen, und er betet lange für die Augen, wahnsinnig lange, viel länger, als er vorher für alle anderen gebetet hat. Auch für den Unrasierten und den Blonden und für den, der gestern gesagt hat: Praktisch, praktisch haben wir den Krieg schon gewonnen, für den besonders.

»Breslau«, sagt der Unrasierte plötzlich, und seine Stimme hat einen merkwürdig schweren, fast metallischen Klang, als ob er anfinge, wieder ein bißchen besoffen zu werden. »Breslau, bald müssen wir nach Breslau kommen ...«

Andreas sagt sich jetzt das Gedicht her: »War einst ein Glockengießer zu Breslau in der Stadt ...« Er findet das Gedicht herrlich, und es ist ihm schmerzlich, daß er es nicht ganz auswendig weiß. Nein, denkt er, ich werde nicht bald sterben. Ich werde am Sonntag morgen sterben oder in der Nacht, zwischen Lemberg und Czernowitz, vor diesem himmelweiten polnischen Horizont.

Dann sagt er sich das Gedicht »Archibald Douglas« her, denkt an die unglücklichen Augen und schläft lächelnd ein ...

Das Erwachen ist immer furchtbar. Die Nacht davor trat ihm jemand auf die Finger, und in dieser Nacht träumt er etwas Schreckliches: Er sitzt irgendwo auf einer nassen, sehr kalten Ebene und hat keine Beine mehr, absolut keine Beine, er sitzt auf den Stummeln seiner Oberschenkel, und der Himmel über dieser Ebene ist schwarz und schwer, und dieser Himmel senkt sich langsam auf die Ebene herab, immer näher, immer mehr, ganz langsam senkt sich dieser Himmel, und er kann nicht weglaufen, und er kann nicht schreien, weil er weiß, daß Schreien zwecklos ist. Die Zwecklosigkeit lähmt ihn. Wo soll dort ein Mensch sein, der seine Schreie hört, und er kann sich doch nicht von diesem sinkenden Himmel zerquetschen lassen. Er weiß nicht einmal, ob die Ebene Gras, nasses Gras, oder bloße Erde ist oder nur Matsch... er kann sich nicht bewegen, er denkt nicht daran, sich mit den Händen fortzubewegen, hüpfend, wie ein lahmer Vogel, und wohin auch? Endlos ist der Horizont, zu allen Seiten hin endlos, und der Himmel sinkt, und dann fällt ihm plötzlich etwas sehr Kaltes und Nasses auf den Kopf, und er denkt eine millionstel Sekunde daran, daß dieser schwarze Himmel nur Regen ist und daß er sich jetzt öffnen wird, das denkt er in der millionstel Sekunde und will schreien... aber er erwacht und sieht sofort, daß der Unrasierte über ihm steht, die Flasche am Hals, und er weiß, daß ein Tropfen aus der Flasche auf seine Stirn gefallen ist...

Alles ist gleich wieder bei ihm. Sonntag morgen... jetzt ist Freitag. Noch zwei Tage. Alles ist da. Der Blonde schläft... der Unrasierte trinkt mit wilden Schlucken, und es ist kalt im Waggon, es zieht unter der Tür her, und die Gebete sind erloschen, und der Gedanke an die Augen erweckt nicht mehr dieses schmerzliche Glück, nur Trauer und Verlassenheit. Alles ist da, und alles hat morgens ein anderes Gesicht, alles ist glanzloser und alles ist zwecklos, und es wäre schön, unendlich schön, wenn morgens auch dieses Bald erloschen wäre, dieses jetzt sehr bestimmte, sehr gewisse Bald. Aber dieses Bald ist da, es ist immer gleich da, als habe es sprungbereit gewartet; seitdem er das Wort ausgesprochen hat, liegt es auf ihm wie ein zweites Gesicht. Zwei Tage schon ist es so nahe bei ihm, so unzertrennlich mit ihm verbunden wie seine Seele, sein Herz. Dieses Bald ist auch morgens stark und sicher. Sonntag morgen ...

Der Unrasierte hat auch gemerkt, daß Andreas aufgewacht ist. Er steht noch immer über ihm und trinkt an der Flasche. Im fahlen Dämmer sieht das schrecklich aus, diese dicke Gestalt, halb gebeugt wie zum Sprung, die Flasche am Hals und die glitzernden Augen und das seltsame, gefährliche Glucksen aus der Flasche.

»Wo sind wir?« fragt Andreas leise und heiser. Er hat Angst, es ist kalt und noch fast ganz dunkel.

»Nicht mehr weit von Przemysl«, sagt der Unrasierte. »Willst du trinken?« – »Ja.« Der Schnaps ist gut. Er läuft wie scharfes Feuer in ihn hinein, er treibt das Blut rund, wie Feuer unter einem Kessel Wasser zum Sieden bringt. Der Schnaps ist gut, er wärmt ihn. Er gibt dem Unrasierten die Flasche zurück.

»Trink nur«, sagt der Unrasierte rauh, »ich hab in Krakau neuen geholt.«

»Nein.«

Der Unrasierte setzt sich neben ihn, und es tut gut, einen Menschen zu wissen, der nicht schläft, wenn man wach und von Trostlosigkeit erfüllt ist. Alle schlafen, der Blonde schnarcht wieder pfeifend und leise in der Ecke, und die anderen, die furchtbar Schweigsamen und die furchtbaren Schwätzer, alle schlafen sie. Es ist eine gräßliche Luft auf dem Flur, sauer und mit Schmutz durchsetzt, voll Schweiß und Dunst.

Plötzlich fällt ihm ein, daß sie schon in Polen sind. Sein Herz bleibt einen Augenblick stehen, es stockt wieder, als habe die Vene sich plötzlich verknotet und lasse kein Blut mehr durch. Nie mehr werde ich Deutschland sehen, Deutschland ist weg. Der Zug hat Deutschland verlassen, während ich schlief. Irgendwo war ein Strich, ein unsichtbarer Strich über ein Feld oder quer durch ein Dorf, und da war die Grenze, und der Zug ist kaltblütig darüber gefahren, und ich war nicht mehr in Deutschland, und niemand hat mich geweckt, damit ich noch einmal in die Nacht starre und wenigstens ein Stück von der Nacht sehe, die über Deutschland hängt. Keiner weiß ja, daß ich es nicht mehr sehen werde, keiner weiß, daß ich sterben werde, keiner im Zug. Niemals mehr werde ich den Rhein sehen. Der Rhein! Der Rhein! Niemals mehr! Dieser Zug nimmt mich einfach mit und schleppt mich nach Przemysl, und da ist Polen, trostlosestes Polen, und niemals werde ich den Rhein sehen, niemals mehr ihn riechen, diesen köstlichen herben Geruch von Wasser und Tang, der an jedem Stein am Ufer des Rheines hängt, der darin festgewachsen ist. Niemals mehr die Alleen am Rhein, die Gärten hinter den Villen und die Schiffe, die bunt sind und sauber und froh, und die Brücken, die herrlichen Brücken, die streng und elegant über das Wasser springen wie große schlanke Tiere.

»Gib mir noch einmal die Flasche«, sagt er rauh. Der Unrasierte reicht sie ihm, und er nimmt einen sehr tiefen und sehr langen Schluck von diesem Feuer, diesem flüssigen Feuer, das die Trostlosigkeit des Herzens ausbrennt. Dann raucht er, und er wünscht, daß der Unrasierte anfangen soll zu sprechen. Aber erst möchte er doch beten, gerade weil es so trostlos ist, darum will er beten. Er sagt dieselben Gebete her wie am Abend, aber jetzt betet er zuerst für die Augen, damit er sie nicht vergißt. Die Augen sind immer bei ihm, aber nicht immer in gleicher Deutlichkeit. Manchmal tauchen sie unter für Monate und sind nur da, so wie seine Lippen da sind und seine Füße, die er immer bei sich hat und deren er sich doch nur selten bewußt wird, nur wenn sie schmerzen; und manchmal, in unregelmäßigen Abständen, oft nach Monaten, tauchen die Augen auf, das war gestern, tauchen auf wie ein neuer brennender Schmerz, und an diesen Tagen betet er abends für die Augen; heute muß er morgens für die Augen beten. Er betet auch wieder für die Juden von Czernowitz und für die Juden von Stanislau und Kolomea; da sind überall Juden in

Galizien, Galizien, das Wort ist wie eine Schlange, die winzige Füße hat und die Gestalt eines Messers, eine Schlange mit blitzenden Augen, die sanft über die Erde schleicht und schneidet, die die Erde entzweischneidet. Galizien... das ist ein dunkles, schönes und sehr schmerzensreiches Wort, und in diesem Lande werde ich sterben.

Es ist viel Blut in diesem Wort, Blut, von dem Messer fließen gemacht. Bukowina, denkt er, das ist ein gediegenes Wort, ein festes Wort, da werde ich nicht sterben, ich werde in Galizien sterben, in Ostgalizien. Ich muß doch, wenn es hell wird, nachsehen, wo die Bukowina anfängt, die werde ich nicht mehr sehen; so komme ich immer näher. Czernowitz, das ist schon Bukowina, das werde ich nicht mehr sehen.

»Kolomea«, fragt er den Unrasierten, »ist das noch Galizien?«
»Weiß nicht. Polen, glaub ich.«

Jede Grenze hat eine furchtbare Endgültigkeit. Da ist ein Strich und Schluß. Und der Zug fährt darüber weg, wie er ebensogut über eine Leiche fahren würde, oder über einen Lebenden. Und die Hoffnung ist tot, die Hoffnung, noch einmal nach Frankreich zu kommen und die Augen wiederzufinden und die Lippen, die zu den Augen gehören, und das Herz und die Brust, eine Frauenbrust, die zu diesen Augen gehören muß. Diese Hoffnung ist ganz tot, vollkommen abgeschnitten. Diese Augen werden in alle Ewigkeit nur noch Augen sein, sie werden sich nicht mehr umschließen mit Leib und Kleidern und Haar, und keine Hände, keine Menschenhände, keine Frauenhände, die dich vielleicht einmal liebkosen werden. Diese Hoffnung ist immer noch dagewesen, denn das war doch ein Mensch, ein lebendiger Mensch, dem diese Augen gehörten, ein Mädchen oder eine Frau. Nichts mehr. Nur noch Augen, nie mehr Lippen, niemals Mund, niemals Herz, niemals ein lebendiges Herz unter einer sanften Haut schlagen hören an deiner Hand, niemals ... niemals ... niemals. Sonntag morgen zwischen Lemberg und Kolomea. Czernowitz ist nun weit weg, so weit wie Nikopol und Kischinew. Das Bald ist noch enger geworden, ganz eng. Zwei Tage, Lemberg, Kolomea. Er weiß, daß er vielleicht noch gerade bis Kolomea kommen wird, aber niemals darüber hinaus. Kein Herz, kein Mund, nur Augen, nur die Seele, diese unglückliche schöne Seele, die keinen Leib hat; eingeklemmt zwischen zwei Ellenbogen wie eine Hexe in ihren Pflock, bevor sie verbrannt wird...

Die Grenze hat vieles zerschnitten. Auch Paul endgültig weg. Nur noch Erinnerung, Hoffnung und Traum. »Wir leben auf Hoffnung«, hat Paul einmal gesagt. So wie einer sagt: »Wir leben auf Pump.« Wir haben keine Sicherheit... nichts... nur Augen, und wissen nicht, ob die Gebete aus dreiundeinhalb Jahren diese Augen hinübergeangelt haben, dorthin, wohin wir zu kommen hoffen dürfen...

Ja, später ist er hinaufgehumpelt aus dem Lazarett in Amiens auf den Berg, und es ist alles anders gewesen. Die Straße lief nicht grau den Berg hinauf, es war ganz normal. Der Berg trug die Straße auf seinem Rücken, und die Mauer dachte nicht daran, zu schwanken und zu rennen; die Mauer stand. Und da ist das Haus gewesen, das er nicht wiedererkannt hat, nur den Zaun, den hat er erkannt, ein Zaun aus Ziegelsteinen mit Lücken drin, dort, wo man die Ziegelsteine ausgelassen hat, um eine Art Muster hineinzubringen. Da stand ein französischer Kleinbürger mit seiner Pfeife im Mund, und der ganze bleierne französische Spießerspott war in seinen Augen, und dieser Mann wußte nichts. Er wußte nur, daß sie alle weg waren, geflohen, und daß die Deutschen alles geplündert haben, wo doch ein Transparent quer über die Straße gespannt war: Plündern wird mit dem Tode bestraft. Nein, keine Augen. Nur seine Frau. Eine fette Matrone, die die Hand im Busenausschnitt hielt, ein Gesicht fast wie ein Kaninchen. Kein Kind, keine Tochter, keine Schwester, keine Schwägerin, nichts! Nur kleine Zimmer voll von Kitsch und dumpfer Luft und die spöttischen Blicke des Ehepaares, das seinem hilflosen und schmerzlichen Suchen zusah.

Da die Vitrine. Haben die Deutschen zerschmissen. Und den

Teppich mit Zigarettenstummeln verbrannt, und auf der Couch haben sie mit ihren Huren gepennt, es war alles versaut. Er spuckt aus vor Verachtung. Aber das ist alles später gewesen, alles später, nicht während des Kampfes, während Amiens dampfte, viel später, nachdem der Flieger drüben im Getreidefeld abgestürzt war, wo man noch den Rumpf der Maschine in der Erde stecken sehen kann. Die Pfeife deutet zum Fenster hinaus... ja, da steckt er in der Erde, der Rumpf mit der Kokarde, und auf dem französischen Stahlhelm am Grab gleich daneben schillert die Sonne; es ist alles wirklich, alles wirklich, auch der Geruch von gebratenem Fleisch aus der Küche und die zertrümmerte Vitrine und unten im Talkessel die Kathedrale von Amiens. »Ein Bauwerk französischer Gotik...«

Keine Augen. Nichts, gar nichts...

»Vielleicht«, sagt der Mann, »vielleicht eine Hure.« Aber er hat Mitleid, es ist wunderbar, daß der Spießer Mitleid haben kann, Mitleid mit einem deutschen Soldaten, der zur gleichen Armee gehört wie die, die seine Bestecke geklaut haben und seine Uhren, und die mit ihren Huren auf seiner Couch gepennt und sie versaut haben, total versaut.

Der Schmerz ist so gewaltig, daß er auf der Schwelle des Hauses steht und auf die Stelle der Straße blickt, wo er ohnmächtig geworden ist, der Schmerz ist so groß, daß er ihn nicht spürt. Der Mann schüttelt den Kopf, vielleicht hat er noch nie so unglückliche Augen gesehen wie die dieses Soldaten, der sich schwer auf seinen Stock stützt.

»Peut-être«, sagt er, bevor Andreas geht, »peut-être une folle, eine Verrückte dort aus der Anstalt«, er deutet mit der Hand gegen die Mauer, wo unter hohen schönen Bäumen rotdachige Gebäude sind. »Eine Irrenanstalt. Sie waren ja alle durchgebrannt damals, und man hat sie mit Mühe und Not wieder einfangen müssen...«

»Danke... danke.« Weiter den Berg hinauf, auf die Anstalt zu. Der Anfang der Mauer ist nah, aber da ist kein Tor. Lange,

lange geht es den heißen Berg hinauf, bis ein Tor kommt, und er hat's gewußt, daß da niemand mehr ist. Da steht ein Posten mit Stahlhelm, und es sind keine Irren mehr da, nur Verwundete und Kranke und eine Tripperstation.

»Eine große Tripperstation«, sagt der Posten, »hast du dir auch einen geholt?«

Andreas blickt auf das große Feld, wo der Rumpf mit der Kokarde in der Erde steckt und wo der Stahlhelm in der Sonne blitzt.

»Es ist ja so billig hier«, sagt der Posten, dem es langweilig ist, »du kannst schon für fünfzig Pfennig«, er lacht, »fünfzig Pfennig.« – »Ja«, sagt Andreas ... vierzig Millionen, denkt er, vierzig Millionen Einwohner hat Frankreich, das ist zu viel. Da kann man nicht suchen. Ich muß warten... ich muß in jedes Augenpaar gucken, das mir entgegenkommt. Er hat keine Lust, noch drei Minuten weiterzugehen und das Feld zu besichtigen, wo er verwundet worden ist. Es ist ja nicht das Feld, es ist alles anders. Es ist nicht die Straße von damals, nicht die Mauer von damals, sie haben alles vergessen; auch die Straße hat vergessen, so wie die Menschen vergessen, und die Mauer hat vergessen, daß sie damals vor Angst umgefallen ist und er mit ihr. Und der Rumpf des Flugzeugs da ist ein Traum, ein Traum mit einer französischen Kokarde. Warum dieses Feld besichtigen? Warum diese drei Minuten noch weitergehen und wieder mit Haß und Schmerz an das vaterländische Gedicht denken, das er selbst da gegen seinen Willen aufgeführt hat? Warum die müden Beine noch mehr quälen?

»Jetzt«, sagt der Unrasierte, »jetzt sind wir aber nahe an Przemysl.« – »Gib mir noch einmal die Flasche«, sagt Andreas. Er trinkt.

Es ist immer noch kalt, aber es beginnt leise zu dämmern, und bald wird man den Horizont sehen, diesen polnischen Horizont. Dunkle Häuser und eine Ebene voll Schatten, über der der Himmel immer zusammenzustürzen droht, weil er keinen Halt hat.

Das ist vielleicht schon Galizien, vielleicht ist diese Ebene, die da aus dem Dämmer steigt, arm und grau und voll Trauer und Blut, vielleicht ist diese Ebene schon Galizien... Galizien... Ostgalizien...

»Du hast lange geschlafen«, sagt der Unrasierte, »von sieben bis fünf. Jetzt ist es schon fünf. Krakau-Tarnow... alles weg; kein Auge hab ich zugemacht. So lange sind wir schon in Polen. Krakau-Tarnow und jetzt Przemysl...« Welch ein wahnsinniger Unterschied zwischen Przemysl und dem Rhein. Zehn Stunden hab ich geschlafen und jetzt hab ich wieder Hunger und noch achtundvierzig Stunden hab ich zu leben. Achtundvierzig Stunden sind schon um. Achtundvierzig Stunden hängt das Bald schon in mir: Bald werde ich sterben. Erst war es sicher, aber weit; sicher, aber unklar, und immer, immer mehr hat es sich eingeengt, es ist schon auf ein paar Kilometer der Landstraße eingeengt und schon auf zwei Tage nahegerückt, und jede Umdrehung der Räder des Zuges bringt mich dorthin. Jede Umdrehung der Räder reißt ein Stück von meinem Leben, einem unglücklichen Leben. Diese Räder zerschleifen mein Leben, zerfasern mein Leben mit ihrem blödsinnigen Takt, sie fahren über Polens Erde genauso stumpfsinnig, wie sie am Rhein entlanggefahren sind, und es sind dieselben Räder. Vielleicht hat Paul auf dieses Rad gesehen, das unter der Tür ist, dieses ölbeschmierte, schmutzüberkrustete Zugrad, das von Paris kommt, vielleicht gar von Le Havre. Von Paris, Gare Montparnasse... da sitzen sie bald auf Korbstühlen unter Sonnendächern und trinken Wein im Herbstwind, sie schlucken diesen süßen Staub von Paris und schlürfen Absinth oder Pernod, und mit lässiger Eleganz schnippen sie ihre Zigarettenstummel in die Gosse, die unter diesem sanften Himmel fließt, der immer spöttisch ist. In Paris sind nur fünf Millionen und viele Straßen, viele Gassen und viele, viele Häuser, und aus keinem der Fenster blicken die Augen heraus; auch fünf Millionen sind zuviel... Der Unrasierte beginnt plötzlich sehr hastig zu sprechen. Es ist heller geworden, und die ersten

Schläfer beginnen sich zu regen, im Schlaf zu wälzen, und es scheint, als müsse er sprechen, bevor sie ganz erwacht sind. Er möchte in die Nacht hinein sprechen, in ein Ohr in der Nacht, das ihm zuhört...

»Das Furchtbare ist, daß ich sie nie mehr sehen werde, ich weiß das«, sagt der Unrasierte leise, »und ich weiß nicht, was aus ihr werden soll. Drei Tage bin ich jetzt schon unterwegs, drei Tage. Was hat sie in den drei Tagen gemacht? Ich glaub nicht, daß der Russe noch bei ihr ist. Nein, sie hat ja geschrien wie ein Tier... wie ein Tier, das vor dem Flintenlauf des Jägers steht. Niemand ist bei ihr. Sie wartet. Ach, ich möchte keine Frau sein. Immer warten... warten... warten... warten.«

Der Unrasierte schreit leise, aber es ist Schreien, ein schrecklich leises Schreien. »Sie wartet... sie kann nicht leben ohne mich. Niemand ist bei ihr, und niemals wird jemand zu ihr kommen. Sie wartet nur auf mich, und ich liebe sie. Sie ist jetzt so unschuldig wie ein junges Mädchen, das nie ans Küssen gedacht hat, und diese Unschuld ist ganz allein für mich. Ich weiß, dieser grausame, furchtbare Schrecken hat sie ganz rein gemacht... und kein Mensch, kein Mensch auf der Welt kann ihr helfen als ich allein, kein Mensch, und ich sitze im Zuge nach Przemysl... ich werde nach Lemberg fahren... nach Kolomea... und niemals mehr werde ich über die deutsche Grenze fahren. Das kann kein Mensch verstehen, warum ich nicht mit dem nächsten Zug zurückfahre und zu ihr gehe... warum nicht? Kein Mensch kann das verstehen. Aber ich hab Angst vor dieser Unschuld... und ich liebe sie sehr, und ich werde sterben, und sie wird nichts mehr von mir bekommen als einen amtlichen Brief, darin steht: Gefallen für Großdeutschland...« Er nimmt einen sehr großen Schluck.

»Der Zug fährt so langsam, Kumpel, findest du nicht? Ich möchte weg, weit weg... und schnell weg... und ich weiß nicht, warum ich nicht umsteige und zurückfahre, ich hab ja noch Zeit... schneller soll der Zug fahren, viel schneller...«

Einige sind wach geworden und blinzeln mißmutig in das falsche Licht, das aus der Ebene kommt...

»Ich hab Angst«, murmelt der Unrasierte noch in Andreas' Ohr, »Angst hab ich, Angst vor dem Tode, aber mehr Angst noch davor, zurückzufahren und zu ihr zu gehen... deshalb will ich lieber sterben... vielleicht schreib ich ihr...«

Die Erwachten kämmen sich durch die Haare, zünden Zigaretten an und blicken verächtlich nach draußen, wo zwischen scheinbar unfruchtbaren Äckern dunkle Hütten stehen; menschenleer ist das Land... da sind irgendwo Hügel... alles grau... polnischer Horizont...

Der Unrasierte ist ganz still. Er ist fast ohne Leben. Er hat die ganze Nacht nicht schlafen können; er ist erloschen, und seine Augen sind wie blinde Spiegel, seine Wangen sind gelb und eingesunken, und das Unrasiertsein ist jetzt schon ein Bart, ein schwarzrötlicher unter dickem Stirnhaar.

»Das sind ja gerade die Vorteile der 3,7 Pak«, sagt eine sehr korrekte Stimme, »das sind ja gerade die Vorteile... beweglich... beweglich...« – »Und klopft nur mal eben an«, lacht eine ebenso korrekte Stimme.

»Aber nein!« – »Ja, dafür hat er's Ritterkreuz bekommen... und wir, wir haben nichts als die Hosen voll Scheiße gehabt...«

»Sie sollten eben auf den Führer hören. Weg mit den Adligen. Von Kruseiten hieß er. So'n Name. Wollte verdammt besser wissen...« Glücklich der Unrasierte, der jetzt schläft, wo das Geschwätz anfängt, und der wach sein kann, wenn alles still ist. Ich muß mich trösten, ich habe noch zwei Nächte, denkt Andreas... zwei lange, lange Nächte, da möchte ich allein sein. Wenn sie wüßten, daß ich für die Juden in Czernowitz und Stanislau und Kolomea gebetet habe, sie würden mich sofort verhaften lassen oder ins Irrenhaus stecken... 3,7 Pak.

Der Blonde reibt sich sehr lange die schmalen, gräßlich schummrigen Augen. Es ist etwas Grind in den Augenwinkeln, etwas Ekelhaftes, und doch bietet er Andreas Brot an, weißes Brot mit Marmelade. Und immer hat er noch Kaffee in der Flasche. Es ist gut, etwas zu essen; Andreas spürt, daß er wieder sehr hungrig ist. Es ist fast wie Gier, und er kann seine Augen, die den großen Brotlaib umfassen, nicht mehr zähmen. Dieses weiße Brot ist herrlich.

»Ja«, seufzt der Blonde, »das hat meine Mutter noch gebakken.« Später sitzt Andreas lange auf dem Klo und raucht. Das Klo ist der einzige Ort, wo man wirklich allein ist. Der einzige Ort auf der ganzen Welt, in der ganzen glorreichen Armee Hitlers. Es ist schön, da zu sitzen und zu rauchen, und er fühlt, daß die Trostlosigkeit wieder besiegt ist. Die Trostlosigkeit ist nur ein Spuk kurz nach dem Erwachen, hier ist er allein, und alles ist bei ihm. Wenn er nicht allein ist, ist nichts mehr bei ihm. Hier ist alles, Paul und die Augen des geliebten Mädchens... der Blonde und der Unrasierte und der, der gesagt hat: Praktisch, praktisch haben wir den Krieg schon gewonnen, und der, der eben gesagt hat: Das sind die eminenten Vorteile der 3,7 Pak, sie sind alle bei ihm, und auch die Gebete sind lebendig, sehr nah und warm, und es ist schön, allein zu sein. Wenn man allein ist, ist man nicht mehr so einsam. Heute abend, denkt er, will ich wieder lange beten, heute abend in Lemberg. Lemberg ist das Sprungbrett... zwischen Lemberg und Kolomea... immer näher fährt der Zug ans Ziel, und die Räder, die durch Paris gefahren sind, Gare Montparnasse, vielleicht durch Le Havre oder Abbéville, diese Räder fahren bis nach Przemysl... bis nahe heran an das Sprungbrett...

Draußen ist es ganz hell, aber an diesem Tage scheint die Sonne nicht durchzukommen, irgendwo in den dicken grauen Wolkenmassen schwebt ein heller Fleck, der sanftes graues Licht durchrinnen macht und die Wälder beleuchtet, ferne Hügel... Dörfer und die dunkelgekleideten Gestalten, die die Augen beschatten, um dem Zuge nachzusehen. Galizien... Galizien... Er bleibt so lange auf dem Klo, bis man ihn von außen durch heftiges Getrommel und wüstes Schimpfen heraustreibt.

Der Zug war pünktlich in Przemysl. Dort war es fast schön. Sie warten, bis alle den Zug verlassen haben, und wecken dann den Bärtigen. Der Bahnsteig ist schon ganz leer. Die Sonne ist durchgekommen und liegt prall auf staubigen Stein- und Sandhaufen. Der Bärtige weiß sofort Bescheid.

»Ja«, sagt er nur. Dann steht er auf und durchschneidet mit der Zange den Draht, so daß sie gleich aussteigen können. Andreas hat am wenigsten Gepäck, nur die Packtasche, die jetzt sehr leicht ist, wo die schweren Fliegerangriffsbutterbrote weggegessen sind. Ein Hemd und ein paar Socken und eine Mappe Schreibpapier und die Feldflasche, die immer leer ist, und der Stahlhelm. Das Gewehr hat er ja vergessen, es steht in Pauls Garderobe hinter dem Kleppermantel.

Der Blonde hat einen Luftwaffenrucksack und einen Koffer und der Bärtige zwei Kartons und einen Tornister. Die beiden haben auch Pistolen. Jetzt erst, wo sie in die Sonne treten, sehen sie, daß der Bärtige Unteroffizier ist. Seine matten Litzen schimmern jetzt an dem grauen Kragen. Der Bahnsteig ist leer und traurig, und es sieht alles nach Güterbahnhof aus. Rechts liegen Baracken, viele Baracken, Entlausungsbaracken, Küchenbaracken, Aufenthaltsbaracken, Schlafbaracken und sicher eine Bordellbaracke, wo alles ganz garantiert hygienisch ist. Nichts als Baracken, aber sie gehen nach links, sie gehen weit nach links, wo ein totes grasüberwachsenes Gleis ist und eine von Gras überwachsene Rampe vor einer Fichte. Dort legen sie sich hin, und sie können in der Sonne hinter den Baracken die alten Türme von Przemysl am San sehen.

Der Bärtige setzt sich nicht. Er legt nur sein Gepäck ab und sagt: »Ich gehe die Verpflegung holen und erkundige mich, wann der Zug nach Lemberg geht, nicht wahr? Schlaft nur ein bißchen.« Er nimmt ihnen die Urlaubsscheine ab und verschwindet ganz langsam den Bahnsteig hinunter. Er geht wahnsinnig langsam, aufreibend langsam, und sie sehen, daß seine blaue Arbeitshose schmutzig ist, voll Flecken und mit kleinen Rissen wie von Stacheldraht; er geht sehr langsam, fast schwankend, und von weitem könnte man meinen, er sei von der Marine.

Es ist Mittag, sehr heiß, und der Schatten der Fichte ist schon mit Hitze durchsetzt, ein trockener Schatten ohne Milde. Der Blonde hat seine Decke ausgebreitet, und sie liegen mit den Köpfen auf dem Gepäck und blicken über die heißen dampfenden Dächer der vielen Baracken auf die Stadt. Irgendwo verschwindet der Bärtige zwischen zwei Baracken. Sein Gang ist so gleichgültig...

Auf einem anderen Bahnsteig steht ein Zug, der nach Deutschland fährt. Die Lokomotive dampft schon, und die Soldaten blicken mit bloßen Köpfen aus den Fenstern hinaus. Warum steige ich nicht ein, denkt Andreas, das ist doch seltsam. Warum setze ich mich nicht in diesen Zug und fahre zurück an den Rhein? Warum kaufe ich mir nicht einen Urlaubsschein in diesem Land, wo man alles kaufen kann, und fahre nach Paris, Gare Montparnasse, und rolle die Straßen vor mir auf, eine nach der anderen, stöbere alle Häuser durch und suche, suche nach einer einzigen kleinen Zärtlichkeit von den Händen, die zu den Augen gehören müssen. Fünf Millionen, das ist ein Achtel, warum sollte sie nicht darunter sein... warum fahre ich nicht nach Amiens an das Haus, wo die durchbrochene Backsteinmauer ist, und schieße mir eine Kugel vor den Kopf, an der Stelle, wo ihr Blick ganz nah und zärtlich, wirklich und tief in meiner Seele geruht hat, eine Viertelsekunde lang? Aber diese Gedanken sind so lahm wie seine Beine. Es ist herrlich, die Beine auszustrecken, die Beine werden lang und länger, und er meint, er müsse sie bis nach Przemysl hinein ausstrecken können.

Sie liegen da und rauchen, sind träge und müde, wie man nur vom Schlafen und Hocken in einem Waggon werden kann.

Die Sonne hat einen weiten Bogen gemacht, als Andreas erwacht. Der Bärtige ist immer noch nicht zurück. Der Blonde ist wach und raucht.

Der Zug nach Deutschland ist abgefahren, aber es steht schon ein neuer Zug nach Deutschland da, und unten aus der großen Entlausungsbaracke kommen die grauen Gestalten mit ihren Paketen, ihren Tornistern, die Gewehre um den Hals gehängt, um nach Deutschland zu fahren. Einer fängt an zu laufen, dann laufen drei, dann zehn, und dann rennen sie alle, sie rennen sich um, rempeln sich die Pakete aus der Hand... und die ganze graue trostlose und müde Schlange rennt, weil einer angefangen hat, Angst zu bekommen...

»Wo hast du die Karte?« fragt der Blonde. Es ist das erste Wort, das sie seit langem miteinander wechseln.

Andreas zieht die Karte aus seiner Rocktasche, entfaltet sie und richtet sich auf; er breitet sie auf den Knien aus. Seine Augen blicken dahin, wo Galizien steht, aber der Finger des Blonden liegt viel weiter südlich und östlich, es ist ein langer, sehr feiner, mattbehaarter Finger, dem auch der Schmutz nichts von seiner Vornehmheit genommen hat.

»Da«, sagt der Blonde, »da muß ich hin. Noch zehn Tage habe ich zu fahren, wenn's gut geht.« Sein Finger mit dem flachen und immer noch glänzenden, blauschimmernden Nagel füllt die ganze Bucht aus zwischen Odessa und der Krim. Der Rand des Nagels liegt bei Nikolajew.

»Nikolajew?« fragt Andreas.

»Nein«, der Blonde zuckt zusammen und sein Nagel rutscht tiefer, und Andreas merkt, daß er auf die Karte gestarrt hat, aber nichts gesehen und an etwas anderes gedacht hat. »Nein«, sagt der Blonde. »Otschakow. Bei der Flak bin ich, vorher waren wir in Anapa, im Kuban, weißt du, aber da sind wir ja weg. Und nun Otschakow.«

Plötzlich blicken sich die beiden an. Zum ersten Male seit den achtundvierzig Stunden, die sie zusammengehockt haben, blicken sie sich an. Sie haben lange Karten miteinander gespielt, getrunken und gegessen und aneinandergelehnt geschlafen, aber jetzt erst blicken sie sich an. Es liegt eine seltsam ekelhafte, fast weißlichgraue, schleimige Haut über den Augen des Blonden. Es ist

Andreas, als durchsteche er mit seinem Blick den schwachen ersten Schorf, der sich über einer eitrigen Wunde geschlossen hat. Jetzt begreift er plötzlich das abstoßende Fluidum, das von diesem Manne ausgeht, der einst gewiß schön war, als seine Augen noch klar gewesen sind, blond und schlank mit vornehmen Händen. Das ist es also, denkt Andreas.

»Ja«, sagt der Blonde still, »so ist es«, als habe er begriffen, was Andreas gedacht hat. Er spricht still weiter, unheimlich still. »So ist es. Er hat mich verführt, ein Wachtmeister. Ich bin vollkommen verdorben und verseucht, und an nichts in der Welt habe ich mehr Freude, auch nicht am Fressen, das scheint nur so, ich fresse automatisch, ich trinke automatisch, ich schlafe automatisch. Ich kann doch nichts dafür, sie haben mich ja verdorben«, er schreit plötzlich auf, dann wird er wieder still. »Sechs Wochen lang lagen wir in einer Stellung oben am Ssiwasch... da war weit und breit kein Haus... nicht einmal eine umgestürzte Mauer. Sümpfe, Wasser... Weidengebüsch... und die Russen flogen darüber, wenn sie die Maschinen angreifen wollten, die von Odessa nach der Krim flogen. Sechs Wochen lagen wir da. Man kann es nicht beschreiben. Wir waren nur ein Geschütz mit sechs Mann und der Wachtmeister. Keine Sau in der Nähe. Die Verpflegung brachten sie uns mit dem Auto an den Rand des Sumpfes, und da mußten wir sie holen und über unsere Knüppelstege in die Stellung tragen, immer gleich für vierzehn Tage, und eine Masse zu fressen. Das Fressen war unsere einzige Abwechslung, und Fische fangen und Mücken jagen... die irrsinnigen Massen von Mücken, ich weiß nicht, wieso wir nicht verrückt geworden sind. Der Wachtmeister war wie ein Tier. Er spuckte nur so den ganzen Tag mit Schweinereien um sich, die ersten Tage, und er fraß gräßlich. Fleisch und Fett, kaum Brot. Ja«, ein furchtbarer Seufzer entwindet sich seiner Brust, »ein Mensch, der kein Brot ißt, der ist verloren, sag ich dir. Ja...« Schreckliches Schweigen, während die Sonne über Przemysl golden und warm und schön steht.

»Mein Gott«, stöhnt er, »er hat uns verführt, was ist da noch zu sagen? Wir waren alle so... bis auf einen. Der wollte nicht. Das war ein Alter, der war verheiratet und hatte Kinder; abends hatte er uns oft weinend die Bilder von seinen Kindern gezeigt... vorher. Der wollte nicht, er hat um sich geschlagen, hat gedroht... er war stärker als wir alle fünf zusammen; und eines Nachts, als er allein auf Posten stand, hat ihn der Wachtmeister erschossen. Er ist rausgeschlichen und hat ihn niedergeknallt – von hinten. Mit seiner eigenen Pistole; dann hat er uns rausgeschmissen aus den Betten, und wir mußten ihm helfen, die Leiche in den Sumpf zu schmeißen. Leichen sind schwer... Mensch, Menschenleichen sind entsetzlich schwer. Leichen sind schwerer als die ganze Welt; wir sechs konnten ihn kaum tragen, es war dunkel und es regnete und ich dachte: das ist die Hölle. Und der Wachtmeister hat eine Meldung gemacht, daß der Alte gemeutert und ihn mit der Waffe bedroht hat, und er hat die Pistole von dem Alten als Beweisstück mitgebracht, da fehlte doch eine Patrone. Und sie haben seiner Frau einen Brief geschickt, daß er gefallen ist für Großdeutschland in den Ssiwasch-Sümpfen... ja; und acht Tage danach kam das erste Verpflegungsauto und brachte ein Telegramm für mich, daß unsere Fabrik kaputt war, und ich sollte in Urlaub fahren; und ich bin gar nicht mehr zurück in die Stellung, einfach weg!« eine wilde Freude ist in seiner Stimme, »weg war ich! Er wird getobt haben! Und sie haben mich auf der Schreibstube erst als Zeugen vernommen wegen des Alten, und ich habe genauso gesagt, wie der Wachtmeister gemeldet hatte. Und dann weg... weg! Von der Batterie zur Abteilung nach Otschakow, dann Odessa und weg...« Furchtbares Schweigen, während die Sonne immer noch schön ist, warm und sanft; Andreas fühlt einen grauenhaften Ekel. Das ist das Schlimmste, denkt er, das ist das Schlimmste...

»Keine Freude hab ich mehr gehabt und keine kann ich mehr finden. Ich habe Angst, eine Frau anzusehen. Hingedämmert und geheult habe ich zu Hause die ganze Zeit wie ein schwachsinniges

Kind, und meine Mutter hat gedacht, ich hätte eine furchtbare Krankheit. Aber ich hab's ihr doch nicht sagen können, das kann man keinem Menschen sagen...«

Wie wahnsinnig, daß die Sonne so scheint, denkt Andreas, und ein schrecklicher Ekel sitzt ihm wie Gift im Blut. Er versucht die Hand des Blonden zu ergreifen, aber der fährt entsetzt zurück. »Nicht«, schreit er, »nein!« Er wälzt sich auf dem Bauch, verbirgt den Kopf unter den Händen und schluchzt, schluchzt. Es ist ein Schluchzen, als müsse die Erde bersten und sich öffnen, und über diesem Schluchzen lächelt der Himmel, über den Baracken, über den vielen Baracken und über den Türmen von Przemysl am San...

»Sterben«, schluchzt der Blonde, »nichts als sterben. Ich will sterben, dann ist Schluß. Sterben...« Seine Worte ersticken in einem Würgen, und Andreas hört jetzt, daß er Tränen weint, richtige nasse Tränen.

Andreas sieht nichts mehr. Eine Walze aus Blut und Dreck und Schleim hat sich über ihn gewälzt, er hat gebetet, verzweifelt gebetet, so wie ein Ertrinkender schreit, der einsam draußen auf einem See treibt und kein Ufer und keinen Retter sieht...

Das ist schön, denkt er, weinen ist schön... weinen ist gut... weinen, weinen, welcher unglückliche Mensch hat nie geweint? Auch ich müßte weinen, das ist es. Der Bärtige hat geweint, und der Blonde weint, und ich, ich habe dreiundeinhalb Jahre nicht mehr geweint, keine Träne geweint, seitdem ich den Berg hinunter auf Amiens zu wieder zurückging und zu faul war, die drei Minuten weiter zu gehen, bis an den Acker, wo ich verwundet worden war.

Auch der zweite Zug ist abgefahren, der Bahnhof ist jetzt leer. Seltsam, denkt Andreas, selbst wenn ich möchte, könnte ich jetzt nicht mehr zurückfahren. Unmöglich könnte ich diese beiden allein lassen. Und ich möchte auch nicht zurück, nie mehr zurück...

Der Bahnhof mit seinen verschiedenen Gleisen ist jetzt ganz leer. Es flimmert zwischen den Schienensträngen, und irgendwo hinten am Eingang arbeitet eine Gruppe von Polen, die Schotter aufschütten, und über den Bahnsteig kommt jetzt eine merkwürdige Gestalt, die die Hose des Unrasierten anhat. Schon von weitem sieht man, daß das nicht mehr der bärtige, wilde, verzweifelte Bursche ist, der im Zug gehockt und vor Kummer Schnaps getrunken hat. Das ist ein anderer Mensch, nur die Hose ist noch die des Unrasierten. Sein Gesicht ist ganz glatt und rosig, und die Mütze sitzt ein wenig schief, und in den Augen, als er näher kommt, ist etwas richtig Unteroffiziermäßiges, ein Gemisch aus Kälte, Spott, Zynismus und Militarismus. Diese Augen scheinen ausgeträumt zu haben, der Unrasierte ist rasiert, gewaschen und gekämmt, seine Hände sind sauber, und es ist gut, zu wissen, daß er Willi heißt, denn man kann jetzt an ihn nicht mehr als an den Unrasierten denken, man muß an Willi denken. Immer noch liegt der Blonde mit dem Gesicht über den verschränkten Armen da auf seiner Decke, und seinem schweren Atem ist nicht anzuhören, ob er schläft, stöhnt oder weint.

»Schläft er?« fragt Willi.

»Ja.« Willi packt aus und legt alles fein säuberlich auf zwei Haufen. »Für drei Tage«, sagt er. Das ist für jeden ein ganzes Brot, ein großes Stück Kochwurst, deren Umwickelpapier naß geworden ist von dem Saft, der heraustropft. Das ist für jeden etwas weniger als ein halbes Pfund Butter und achtzehn Zigaretten und drei Rollen Drops.

»Du hast nichts?« fragt Andreas.

Willi blickt ihn erstaunt, fast beleidigt an. »Ich hab doch für sechzehn Tage meine Marken.« Es ist seltsam, daß das alles kein Traum ist, was Willi erzählt hat in der Nacht. Es ist Wahrheit, es ist derselbe Mensch, der da vor ihm steht, glatt rasiert und mit ruhigen, nur ein wenig schmerzlichen Augen, der jetzt sehr vorsichtig, damit die Bügelfalte nicht zerstört wird, im Schatten der Fichte seine schwarze Panzerhose anzieht. Eine nagelneue Hose, die ihm vorzüglich steht. Er sieht jetzt vollkommen wie ein Unteroffizier aus.

»Hier ist auch Bier«, sagt Willi. Er packt drei Flaschen Bier aus, sie setzen Willis Karton zwischen sich als Tisch und beginnen zu essen. Der Blonde rührt sich nicht, er liegt da auf dem Gesicht, wie manche Gefallenen liegen. Willi hat polnischen Speck, Weizenbrot und Zwiebeln. Das Bier ist vorzüglich, es ist sogar kühl.

»Diese polnischen Friseure«, sagt Willi, »fabelhaft. Für sechs Mark, alles zusammen, bist du ein anderer Mensch, sogar die Haare gewaschen. Einfach fabelhaft, und wie die Haare schneiden können!« Er nimmt seine Schirmmütze ab und zeigt auf den gut modellierten Hinterkopf. »Das nenne ich Haarschneiden.« Andreas blickt ihn immer noch erstaunt an. Willis Augen haben jetzt etwas Sentimentales, etwas Unteroffiziersentimentales. Es ist gemütlich, so wie an einem richtigen Tisch zu essen, fernab von den Baracken.

»Ihr«, sagt Willi kauend und wohlgefällig trinkend, »ihr solltet euch auch waschen gehen oder waschen lassen, man ist ein anderer Mensch. Alles weg, der ganze Dreck weg. Und erst rasieren! Du könntest es gebrauchen.« Er blickt auf Andreas' Kinn. »Du könntest es wahrhaftig gebrauchen. Mensch, das ist fabelhaft, man ist nicht mehr müde, man... man...«, er sucht nach einem passenden Wort, »man ist einfach ein anderer Mensch. Es ist noch Zeit, noch zwei Stunden, bis unser Zug fährt. Heute abend sind wir in Lemberg. Von Lemberg fahren wir mit dem zivilen D-Zug, dem Kurierzug, der von Warschau nach Bukarest durchfährt. Ein fabelhafter Zug, ich fahre immer damit, man muß nur einen Stempel haben, und den Stempel kriegen wir«, er lacht laut, »den Stempel kriegen wir, aber ich verrate euch nicht wie...«

Wir werden doch nicht vierundzwanzig Stunden brauchen von Lemberg bis an jenen Punkt, wo es geschieht, denkt Andreas. Irgendwas stimmt da nicht. Wir werden nicht morgen früh um fünf schon wieder von Lemberg fahren. Die Butterbrote schmecken fabelhaft. Er schmiert die Butter dick aufs Brot und ißt die saftige Wurst in dicken Würfeln dazu. Das ist sehr seltsam, denkt er, das ist die Butter für Sonntag und vielleicht schon ein Teil der Butter für Montag, ich esse Butter, die mir gar nicht mehr zusteht. Auch die Butter für Sonntag steht mir nicht mehr zu. Die Verpflegung rechnet von Mittag zu Mittag, und für Sonntag mittag steht mir keine Butter mehr zu. Vielleicht werden sie mich vors Kriegsgericht stellen... sie werden meine Leiche einem Kriegsgerichtsrat aufs Pult legen und werden sagen: er hat die Butter für Sonntag gegessen und sogar einen Teil der Butter für Montag, er hat die glorreiche deutsche Wehrmacht bestohlen. Er hat gewußt, daß er sterben wird, und hat doch die Butter noch gegessen und das Brot und die Wurst und die Drops und die Zigaretten geraucht, das können wir nirgendwo buchen. Nirgendwo wird Verpflegung für die Toten gebucht. Wir sind ja schließlich keine Heiden, die den Toten Verpflegung mit ins Grab geben. Wir sind positive Christen, und er hat die positiv christliche, großdeutsche, glorreiche Wehrmacht bestohlen. Wir müssen ihn verurteilen...

»In Lemberg«, lacht Willi, »in Lemberg werde ich schon den Stempel kriegen. In Lemberg kann man alles kriegen, ich weiß da Bescheid.«

Andreas brauchte nur ein Wort zu sagen, zu fragen, und er würde erfahren, wie und wo man in Lemberg den Stempel kriegt. Willi brennt geradezu darauf, es zu erzählen. Aber Andreas möchte es nicht erfahren. Es ist ihm recht, wenn sie den Stempel kriegen. Der zivile D-Zug ist ihm sehr recht. Es ist wunderbar, in einem zivilen Zug zu fahren. Da sind nicht nur Soldaten, nicht nur Männer. Es ist furchtbar, immer nur unter Männern zu sein, die Männer sind so weibisch. Da aber werden Frauen sein... Polinnen... Rumäninnen... Deutsche... Spioninnen... Diplomatenfrauen. Es ist sehr schön, in einem Zug mit Frauen zu fahren... bis... bis... dahin, wo ich sterben werde. Was wird geschehen? Partisanen? Es gibt überall Partisanen, aber warum sollen die Partisanen einen Zug mit Zivilisten überfallen? Es gibt Urlauberzüge genug, in denen ganze Regimenter von Soldaten sind, mit Waffen, Gepäck, Verpflegung, Kleidung, Geld und Munition.

Willi ist enttäuscht, daß Andreas nicht fragt, wo er in Lemberg den Stempel herkriegen wird. Er möchte so gerne von Lemberg erzählen. »Lemberg«, ruft er aus und lacht. Und da Andreas noch immer nicht fragt, fängt er einfach an: »In Lemberg, weißt du, haben wir nämlich immer die Autos verscheuert.«

»Immer?« Andreas horcht auf. »Immer verscheuert?«

»Ich meine, wenn wir eins zu verscheuern hatten. Wir sind ja Reparaturwerkstatt, und da bleibt so manches Wrack übrig, so manches Wrack, was gar kein Wrack ist. Man braucht nur zu sagen, das ist Schrott. Gut. Und der Oberintendant muß ja sämtliche Augen zudrücken, weil er doch immer mit der Czernowitzer Jüdin gepennt hat. Es ist aber gar kein Schrott, das Auto, verstehst du? Man kann aus zweien oder dreien ein fabelhaftes Auto machen, die Russen können das fabelhaft.

Und in Lemberg geben sie vierzigtausend blanke Eier dafür. Geteilt durch vier. Ich und die drei Mann aus meiner Kolonne. Es ist natürlich lebensgefährlich, man muß schon was riskieren.« Er seufzt schwer. »Man schwitzt Blut dabei, das ist klar. Man weiß nie, ob der, mit dem man verhandelt, nicht von der Gestapo ist, das weiß man nie, bis zum Schluß nicht. Vierzehn Tage schwitzt man schon Blut dabei. Wenn in vierzehn Tagen keine Meldung da ist oder keiner verhaftet von denen, die dabei waren, dann hat man mal wieder gewonnen. Vierzigtausend blanke Eier.« Er trinkt wohlgefällig Bier. »Wenn ich daran denke, was da jetzt alles im Schlamm um Nikopol herum liegenbleibt. Millionen, sag ich dir, einfach Millionen! Und keine Sau hat was davon, nur die Russen. Weißt du«, er fängt genießerisch an zu rauchen, »auch zwischendurch konnte man schon mal was verscheuern, was weniger gefährlich war. Mal ein wertvolles Ersatzteil, mal 'nen Motor oder Reifen. Auch Kleider. Sie sind wahnsinnig scharf auf Kleider. Mäntel... das sind fast tausend Mark, ein guter Mantel. Zu Hause, weißt du, hab ich mir ein kleines

Häuschen gebaut, ein nettes kleines Häuschen mit einer Werkstatt... zu... zu, wie?« fragt er plötzlich. Aber Andreas hat nichts gesagt, er blickt ihn schnell an und sieht, daß sein Auge finster ist, seine Stirn gefurcht, und daß er hastig den Rest seines Bieres austrinkt. Das alte Gesicht ist auch ohne Bart wieder da... die Sonne ist immer noch golden über den Türmen von Przemysl am San, und der Blonde regt sich. Man sieht, daß er nur so getan hat, als ob er schliefe. Er spielt den Erwachenden. Er räkelt sich sehr lange, dreht sich um und schlägt die Augen auf, aber er weiß nicht, daß die Tränenspuren in seinem schmutzigen Gesicht gut zu lesen sind. Es sind richtige Rillen, Rillen in dem Dreck wie bei einem ganz kleinen Mädchen, dem man auf dem Spielplatz das Butterbrot geklaut hat. Er weiß es nicht, vielleicht weiß er überhaupt nicht mehr, daß er geweint hat. Seine Augen sind rot an den Rändern und sehen häßlich aus; man könnte meinen, daß er wirklich geschlechtskrank ist...

»Au«, sagt er gähnend, »fein, daß es was zu fressen gibt.« Sein Bier ist ein bißchen lau geworden, aber er trinkt es durstig und schnell und beginnt zu essen, während die beiden anderen rauchen und sehr langsam und ohne Hast Wodka trinken, wasserklaren wunderbaren Wodka, den Willi ausgepackt hat.

»Ja«, lacht Willi, aber er bricht so plötzlich ab, daß die beiden anderen ihn erschreckt ansehen, Willi wird rot, blickt zur Erde und nimmt einen großen Schluck Wodka.

»Was«, fragt Andreas ruhig, »was wolltest du sagen?«

Willi spricht sehr leise. »Ich wollte sagen, daß ich jetzt unsere Hypothek versaufe, buchstäblich unsere Hypothek. Auf dem Haus, das meine Frau mitgebracht hat, war nämlich noch 'ne Hypothek, eine kleine von vier Mille, und die wollte ich jetzt abtragen... aber los, trinken wir, Prost!«

Auch der Blonde hat keine Lust, irgendwo in die Stadt zu gehen zu einem Friseur oder in den Waschraum da unten in einer Baracke. Sie nehmen ihre Handtücher und die Seife unter den Arm und gehen ab.

»Auch die Stiefel fein geputzt, Kinder!« ruft Willi ihnen nach. Er hat tatsächlich blankgewichste Stiefel.

Da ist irgendwo am Ende eines Gleises eine große Wasserpumpe für die Lokomotiven, die stetig und leise tropft, ein dünner regelmäßiger Faden Wasser fließt draus hervor, und ringsum im Sand ist eine Pfütze. Es ist wirklich schön, sich zu waschen. Wenn nur die Seife richtig schäumen wollte. Andreas nimmt seine Rasierseife. Ich brauche sie nicht mehr, denkt er. Sie ist zwar für drei Monate, und vor vier Wochen erst habe ich sie »empfangen«, aber ich brauche sie nicht mehr, und was übrigbleibt, ist für die Partisanen. Auch die Partisanen brauchen Seife, die Polen rasieren sich so gern. Rasieren und Schuheputzen sind ihre Spezialitäten. Aber als sie anfangen wollen, sich zu rasieren, sehen sie oben Willi rufen und winken, und seine Bewegungen sind so eindrucksvoll und wirklich dramatisch, daß sie alles zusammenpacken und sich im Zurücklaufen abtrocknen.

»Kinder«, schreit Willi, »da ist ein verspäteter Fronturlauber nach Kowel, läuft eben ein, da sind wir in vier Stunden in Lemberg, in Lemberg laßt ihr euch rasieren...« Sie ziehen Röcke und Mäntel wieder an, setzen die Mützen auf, gehen mit ihrem Gepäck auf den Bahnsteig, wo der verspätete Fronturlauber nach Kowel steht. In Przemysl steigen nicht viele aus, aber Willi entdeckt ein Abteil, dem eine ganze Gruppe Panzersoldaten entsteigt, junge, neueingekleidete Jungens, die eine Wolke von Kammergeruch verbreiten. Da ist ein ganzer Flur leer geworden, und sie steigen schnell ein, ehe die, die drin geblieben sind, sich mit ihrem Gepäck haben ausbreiten können.

»Vier Uhr«, ruft Willi triumphierend, »da sind wir allerspätestens um zehn in Lemberg. Prima. Pünktlicher hätte er sich nicht verspäten können, dieser Prachtzug. Eine ganze Nacht für uns, eine ganze Nacht!«

Sie haben sich schnell eingerichtet, so, daß sie sich wenigstens mit dem Rücken anlehnen können.

Andreas trocknet sich im Sitzen erst richtig die Ohren ab, die noch naß sind, packt seine Tasche aus und ordnet das schnell hineingestopfte Gepäck neu. Da ist jetzt ein schmutziges Hemd, eine schmutzige Unterhose und ein Paar saubere Socken, ein Rest Wurst, ein Rest Butter in der Dose. Die Wurst für Montag und die Butter für den halben Montag und die Drops für Sonntag und Montag und Zigaretten, die ihm sogar noch zustehen, und Brot sogar noch von Sonntag mittag; und das Gebetbuch, das Gebetbuch hat er den ganzen Krieg mitgeschleppt und nie gebraucht. Er hat immer so gebetet, aber er könnte keine Reise antreten ohne es. Es ist seltsam, denkt er, alles ist seltsam, und er steckt sich eine Zigarette an, die ihm sogar noch zusteht, eine Zigarette für Samstag, für die Verpflegungsperiode von Freitagmittag bis Samstagmittag...

Der Blonde spielt, und sie rauchen alle beide schweigend, während der Zug abfährt. Der Blonde spielt jetzt richtig, er scheint zu phantasieren, es sind keine richtigen, bekannten Melodien, seltsam weiche, erregende, völlig formlose Gebilde, die an Sumpf denken lassen.

Ja, denkt Andreas, Ssiwasch-Sümpfe, was mögen die da jetzt machen an ihrem Geschütz? Er schaudert. Vielleicht haben sie sich gegenseitig umgebracht, vielleicht haben sie den Wachtmeister kaltgemacht, vielleicht sind sie abgelöst. Hoffentlich sind sie abgelöst. Diese Nacht werde ich für die an dem Geschütz in den Ssiwasch-Sümpfen beten, auch für den, der für Großdeutschland gefallen ist, weil er nicht, weil er nicht... so werden wollte; das ist wahrhaft ein Heldentod. Sein Gebein liegt irgendwo in einem Sumpf da oben in der Krim, kein Mensch kennt sein Grab, kein Mensch wird ihn ausgraben und ihn auf einen Heldenfriedhof bringen, kein Mensch wird mehr daran denken, und eines Tages wird er auferstehen, da oben aus den Ssiwasch-Sümpfen, Vater zweier Kinder, dessen Frau in Deutschland wohnt, und der der Ortsgruppenleiter mit furchtbar traurigem Gesicht den Brief gebracht hat, in Bremen oder in Köln, oder in Leverkusen, vielleicht wohnt seine Frau in Leverkusen. Er wird auferstehen von oben weit her aus den Ssiwasch-Sümpfen, und es wird an den Tag kommen, daß er gar nicht für Großdeutschland gefallen ist, auch nicht, weil er gemeutert und den Wachtmeister angegriffen hat, sondern weil er nicht so werden wollte.

Sie schrecken beide auf, als der Blonde das Spiel ganz plötzlich unterbricht; sie waren eingefangen, regelrecht umsponnen von diesen weichen sanften schleierhaften Melodien, und nun ist das Gespinst plötzlich zerrissen. »Da«, sagt der Blonde, und er zeigt auf den Arm eines Soldaten, der am Fenster steht und Pfeife raucht, »das haben wir gemacht, zu Hause. Komisch, man sieht so wenige, dabei haben wir Tausende gemacht.« Sie begreifen nicht, was er meint. Der Blonde blickt verwirrt und errötend in ihre fragenden Augen. »Krimschilder«, sagt er fast ärgerlich. »Krimschilder haben wir viel gemacht. Jetzt machen sie Kubanschilder, die kommen bald raus. Auch Panzerabschußzeichen haben wir gemacht, und damals die Sudetenorden mit der kleinen winzigen Plakette, wo der Hradschin drauf war. Achtunddreißig.« Sie blickten ihn immer noch an, als spreche er hebräisch, immer noch fragend, und er errötet noch mehr.

»Mensch«, schreit er jetzt fast, »wir hatten doch eine Fabrik zu Hause!«

»Ach so«, machen die beiden.

»Ja, eine vaterländische Fahnenfabrik.«

»Fahnenfabrik?« fragt Willi.

»Ja, man nennt das so, wir haben natürlich auch Fahnen gemacht. Waggonweise Fahnen, sag ich euch, damals ... na ... ich glaube dreiunddreißig. Klar, da muß es gewesen sein. Aber hauptsächlich machten wir Orden und Plaketten und Abzeichen für Vereine, wißt ihr, so Plaketten, wo drauf steht: Dem Klubsieger von neunzehnhundertvierunddreißig oder so. Und Abzeichen von Sportvereinen und Hakenkreuznadeln und so kleine Fähnchen aus Blech, die man sich anstecken kann. Blau-Weiß-Rot, oder französische quergestreifte Blau-Weiß-Rot. Wir haben viel ausgeführt. Aber seit Krieg ist, haben wir nur noch für uns gemacht. Auch Verwundetenabzeichen, massenhaft Verwundetenabzeichen. Schwarze, silberne und goldene. Aber schwarze, schwarze massenhaft. Wir haben viel Geld verdient. Auch alte Orden vom Weltkrieg haben wir gemacht und Frontkämpfernadeln, massenhaft Frontkämpfernadeln, und die kleinen Spangen, die man auf Zivilanzügen trägt. Ja...«, er seufzt, bricht plötzlich ab, blickt noch einmal auf das Krimschild des Soldaten, der im Fenster liegt und noch immer Pfeife raucht, und dann fängt er wieder an zu spielen. Leise, leise beginnt es zu dämmern... und der Dämmer kommt dann plötzlich übergangslos, quillt stärker und dunkler, und es ist schnell Abend, und man spürt, daß die kühle Nacht vor der Schwelle steht. Der Blonde spielt seine sumpfigen Melodien, die in sie hineinträumen wie Narkotika... Ssiwasch, denkt Andreas, ich muß für die Leute an den Geschützen in den Ssiwasch-Sümpfen beten, ehe ich einschlafe. Er merkt, daß er wieder einzuschlafen beginnt, die vorletzte Nacht. Er betet... betet... aber die Worte verwirren sich, alles schwimmt durcheinander... Willis Frau mit dem roten Pyjama... die Augen... der französische Kleinbürger... der Blonde und der, der gesagt hat: Praktisch, praktisch haben wir den Krieg schon gewonnen...

Diesmal wacht er auf, weil der Zug lange hält. An den Stationen ist das etwas anderes, da gähnt man nur einmal hoch und man spürt die Ungeduld in den Rädern, und man weiß, daß es bald weitergeht. Aber jetzt hält der Zug so lange, daß die Räder festgefroren scheinen. Der Zug steht. Nicht auf einer Station, auf einem Nebengleis. Andreas tastet sich verwirrt hoch und sieht, daß alle sich an den Fenstern drängen. Er kommt sich verlassen vor, so allein in dem dunklen Flur, vor allem, weil er Willi und den Blonden nicht gleich erkennt. Die beiden müssen ganz vorne an den Fenstern stehen. Es ist dunkel draußen und kalt, und er denkt, daß es mindestens ein oder zwei Uhr ist. Er hört, daß draußen Waggons vorbeirollen, und er hört, daß die Soldaten in den Zügen Lieder singen... ihre alten, blöden, stumpfsinnigen Lieder, die so tief in ihren Eingeweiden sitzen, daß sie dort eingegraben sind wie eine Melodie in eine Grammophonplatte, und wenn sie den Mund aufmachen, dann singen sie, singen sie diese Lieder: Heidemarie und Wildbretschütz... Auch er hat sie manchmal gesungen, ohne zu wissen und zu wollen, diese Lieder, die man einfach hineingesenkt hat, eingegraben, eingedrillt, um ihre Gedanken zu töten. Diese Lieder schreien sie jetzt in die dunkle, finstere, traurige polnische Nacht hinaus, und es scheint Andreas, als müsse er fern, fern irgendwo ein Echo hören, hinter dem finsteren unsichtbaren Horizont, ein spöttisches, kleines und sehr scharfes Echo... Wildbretschütz... Wildbretschütz... Heidemarie. Viele Waggons müssen das sein, dann ist nichts mehr, und alle kommen von den Fenstern auf ihre Plätze zurück. Auch Willi und der Blonde.

»SS«, sagt Willi, »die werden bei Tscherkassy reingeschmissen. Da ist wieder ein Kessel oder so was. Kesselflicker!«

»Die werden es schon schmeißen«, sagt eine Stimme...

Willi sitzt wieder neben Andreas und sagt, daß es zwei Uhr sei. »Das ist Scheiße, da kriegen wir den Zug nicht mehr in Lemberg, wenn wir nicht gleich weiterfahren. Zwei Stunden sind's schon noch. Da müssen wir Sonntag morgen fahren...«

»Aber wir werden ja gleich weiterfahren«, sagt der Blonde, der wieder am Fenster steht.

»Möglich«, sagt Willi, »aber wir haben dann keine Zeit mehr in Lemberg. Eine halbe Stunde ist Scheiße für Lemberg. Lemberg!« Er lacht.

»Ich?« hören sie plötzlich den Blonden rufen.

»Ja, Sie!« schreit draußen eine Stimme. »Machen Sie sich fertig und treten Sie Ihren Posten an.« Der Blonde kommt ärgerlich brummend zurück, und draußen steht jemand mit einem Stahlhelm auf dem Kopf auf dem Trittbrett und steckt sein Gesicht rein ins Abteilfenster. Es ist ein schwerer, dicker Schädel, und sie sehen dunkle Augen und eine amtliche Stirn, denn der Blonde macht ein Streichholz an, um Koppel und Stahlhelm zu suchen.

»Ist hier ein Unteroffiziersgrad drin?« schreit die Stimme unter dem Stahlhelm. Es ist eine Stimme, die nur schreien kann. Niemand meldet sich. »Ob hier ein Unteroffiziersgrad drin ist?«

Niemand meldet sich. Willi stößt Andreas spöttisch mit dem Ellenbogen an.

»Zwingen Sie mich nicht, nachzusehen; wenn ich einen Unteroffizier finde, dem geht's schlecht.«

Noch eine Sekunde lang meldet sich niemand, dabei hat Andreas gesehen, daß es von Unteroffizieren wimmelt. Plötzlich sagt ganz nah neben Andreas jemand: »Hier!«

»Sie haben wohl gepennt?« schreit die Stimme unter dem Stahlhelm.

»Jawohl«, sagt die Stimme, und Andreas erkennt jetzt den mit dem Krimschild.

Einige lachen.

»Wie heißen Sie?« schreit die Stimme unter dem Stahlhelm.

»Feldwebel Schneider.«

»Sie sind jetzt Waggonältester für die Zeit, die wir hier stehen, verstehen Sie?«

»Jawohl!«

»Gut, dieser Mann hier...«, er deutet auf den Blonden, »wie heißen Sie?«

»Gefreiter Siebental.«

»Also der Gefreite Siebental macht jetzt Wache vor dem Waggon bis vier Uhr. Sollten wir dann noch hier stehen, lassen Sie ihn ablösen. Außerdem stellen Sie einen Posten vor die andere Waggonseite und lassen den gegebenenfalls auch ablösen. Partisanengefahr.«

»Jawohl!«

Das Gesicht unter dem Stahlhelm verschwindet und murmelt vor sich hin: »Feldwebel Schneider.«

Andreas zittert. Nur nicht Posten stehen, denkt er. Ich sitze ganz nah neben ihm, und er wird mich beim Ärmel packen und mich auf Posten stecken. Feldwebel Schneider hat seine Taschenlampe angeknipst und leuchtet vorn in den Flur hinein. Er leuchtet erst auf die Kragen der Liegenden, die so tun, als ob sie schliefen, dann zieht er irgendeinen hoch, am Kragen, und sagt lachend: »Komm, stell dich mit der Knarre draußen hin, ich kann nichts dafür.«

Der Aufgeschnappte macht sich fluchend fertig. Wenn sie nur nicht rauskriegen, daß ich kein Gewehr habe, überhaupt keine Waffe, daß mein Gewehr in Pauls Garderobe hinter dem Kleppermantel steht. Was soll Paul überhaupt mit dem Gewehr machen? Ein Kaplan mit einem Gewehr, das ist ein Fressen für die Gestapo. Er kann's ja nicht melden, weil er dann meinen Namen nennen muß und weil er sich denkt, daß sie dann vielleicht an meine Truppe schreiben. Es ist furchtbar, daß ich Paul auch noch das Gewehr zurücklassen mußte...

»Mensch, es dauert ja nur solange, bis wir weiterfahren«, sagt der Feldwebel zu dem fluchenden Soldaten, der sich zur Tür tastet und sie aufreißt. Es ist merkwürdig, daß der Zug nicht weiterfährt, es vergeht eine Viertelstunde, sie können vor Unruhe nicht schlafen. Vielleicht sind wirklich Partisanen in der Nähe, und es ist scheußlich, in einem Zug überfallen zu werden. Vielleicht ist es in der nächsten Nacht ähnlich. Seltsam... seltsam. Vielleicht ist es dann ähnlich zwischen Lemberg und... nein, nicht einmal Kolomea. Noch vierundzwanzig Stunden, vierundzwanzig oder höchstens sechsundzwanzig Stunden. Es ist schon Samstag, es ist tatsächlich Samstag. Ich bin wahnsinnig leichtsinnig gewesen... seit Mittwoch weiß ich... und ich habe nichts getan, ich weiß es ganz bestimmt und habe kaum mehr gebetet als sonst auch. Ich habe Karten gespielt, ich habe Schnaps getrunken, ich habe mit ausgezeichnetem Appetit gegessen, und ich habe geschlafen. Ich habe viel zuviel geschlafen, und die Zeit ist gesprungen, immer springt die Zeit, und jetzt sitze ich schon vierundzwanzig Stunden davor. Nichts habe ich getan: Wenn man weiß, daß man stirbt, da hat man doch allerlei zu regeln, zu bereuen und zu beten, viel zu beten, und ich habe kaum mehr gebetet als sonst. Und ich weiß es doch ganz genau. Ich weiß es genau. Samstag morgen. Sonntag morgen. Buchstäblich noch ein Tag. Ich muß beten, beten ...

»Gib mir doch mal 'nen Schluck, es ist saumäßig kalt.« Der Blonde steckt seinen Kopf ins Abteilfenster, und unter dem Stahlhelm sieht sein degenerierter Windhundschädel schrecklich aus. Willi hält ihm die Pulle an den Hals und läßt ihn lange schlukken. Er hält auch Andreas die Flasche hin.

»Nein«, sagt Andreas.

»Da kommt ein Zug.« Es ist wieder die Stimme des Blonden. Alle stürzen zum Fenster. Es ist eine halbe Stunde hinter dem einen Zug, und wieder einer, wieder ein Truppentransport, und wieder Lieder, wieder Wildbretschütz ... Wildbretschütz und Heidemarie in dieser dunklen traurigen polnischen Nacht ... Wildbretschütz. Lange dauert das, ehe so ein ganzer Zug vorbei ist ... mit Troß und Küchenwagen und den Waggons für die Soldaten, und dauernd Wildbretschütz und »und heute gehört uns Deutschland und morgen die ganze Welt ... ganze Welt ... ganze Welt ...«

»Wieder SS«, sagt Willi, »und alles nach Tscherkassy. Da scheint die Scheiße auch zusammenzubrechen.« Er sagt das leise, denn neben ihm wird eifrig und optimistisch davon gesprochen, daß sie es schon schmeißen werden.

Ganz leise klingen die Wildbretschützen ab in der Nacht. Man hört das Lied verdämmern in der Richtung auf Lemberg zu, wie ein leises, sehr sanftes Wimmern, und dann ist wieder die dunkle traurige polnische Nacht ...

»Wenn nur nicht siebzehn von diesen Zügen kommen«, murmelt Willi. Er bietet Andreas wieder die Pulle an, aber der lehnt wieder ab. Jetzt ist es endlich Zeit, denkt er, daß ich bete. Die vorletzte Nacht meines Lebens will ich nicht verpennen, nicht verdösen, nicht mit Schnaps besudeln und nicht versäumen. Ich muß jetzt beten und vor allen Dingen bereuen. Man hat soviel zu bereuen, auch in einem so unglücklichen Leben wie dem meinen gibt es eine Menge zu bereuen. Damals in Frankreich, da hab ich bei glühender Hitze eine ganze Flasche Cherry Brandy getrunken, wie ein Tier, fiel um wie ein Tier und wäre fast gestorben. Eine ganze Pulle Cherry Brandy bei fünfunddreißig Grad im Schatten auf der baumlosen Straße eines französischen Nestes. Weil ich ganz krank war vor Durst und nichts anderes zu trinken da. Das war scheußlich, und ich bin acht Tage nicht die Kopfschmerzen losgeworden. Und ich habe mit Paul Krach gehabt und habe ihn immer einen Pfaffen geschimpft, immer hab ich auf die Pfaffen geschimpft. Es ist schrecklich, wenn man sterben muß, daran zu denken, daß man jemand beschimpft hat. Auch die Pauker in der Schule habe ich beschimpft, und auf die Cicerobüste habe ich Scheiße geschrieben; das war töricht, ich war noch jung, aber ich habe gewußt, daß es schlecht war und blöde, und ich habe es doch getan, weil ich wußte, daß die anderen lachen würden, einzig und allein deshalb habe ich es getan, weil ich wollte, daß die anderen über einen Witz von mir lachen sollten. Aus Eitelkeit. Nicht weil ich Cicero wirklich für Scheiße hielt; wenn ich es deswegen getan hätte, wäre es nicht so schlimm gewesen, aber ich habe es wegen des Witzes getan. Man soll nichts wegen eines Witzes tun. Auch über den Leutnant Schreckmüller habe ich Witze gemacht, über diesen traurigen, blassen, kleinen Jungen, dem die Leutnantsschulterstücke schwer auf den Schultern lagen, sehr schwer, und dem man ansehen konnte, daß er ein Todeskandidat war. Über ihn habe ich auch Witze gemacht, weil es mich reizte, als witzig zu gelten und als spöttischer alter Landsknecht. Das war vielleicht das Schlimmste, und ich weiß nicht, ob Gott das verzeihen kann. Ich hab Witze über ihn gemacht, über sein Hitlerjungenaussehen, und er war ein Todeskandidat, ich habe es ihm am Gesicht angesehen, und er ist gefallen; beim ersten Angriff unten in den Karpaten ist er abgeknallt worden, und seine Leiche ist einen Abhang hinuntergerollt, ganz furchtbar hinuntergerollt, und im Wälzen hat sich die Leiche voll Dreck gewälzt, das war furchtbar, und es sah wirklich fast lächerlich aus, wie die Leiche sich wälzte, immer schneller, immer schneller, immer schneller, bis sie unten aufgeprallt ist in der Talsohle...

Und in Paris habe ich eine Hure beschimpft. Mitten in der Nacht, das war schlimm. Es war kalt, da hat sie sich an mich rangemacht ... sie hat mich regelrecht angefallen, und ich habe an ihren Fingern und ihrer Nasenspitze gesehen, daß sie erbärmlich gefroren hat, gefroren vor Hunger. Ich habe mich geekelt, als sie gesagt hat: Komm, und ich hab sie weggestoßen, dabei hat sie gefroren und ist häßlich gewesen und ganz allein in dieser großen, breiten Straße, und vielleicht wäre sie froh gewesen, wenn ich bei ihr gelegen hätte in ihrem armseligen Bett und hätte sie bloß ein bißchen gewärmt. Und ich hab sie richtig von mir gestoßen in die Gosse hinein und hab ihr Bosheiten nachgezischt. Wenn ich nur wissen dürfte, was aus ihr geworden ist in jener Nacht. Vielleicht ist sie in die Seine gegangen, weil sie so häßlich war, daß keiner angebissen hat in dieser Nacht, und das Schreckliche ist, daß ich nicht so hart zu ihr gewesen wäre, wenn sie hübsch gewesen wäre... Wenn sie hübsch gewesen wäre, wäre mir ihr Beruf vielleicht gar nicht so schrecklich vorgekommen und sie wäre nicht in die Gosse gestoßen worden und ich hätte mich vielleicht ganz gerne selbst bei ihr gewärmt und ganz was anderes noch. Weiß Gott, was geschehen wäre, wenn sie hübsch gewesen wäre. Das ist furchtbar, einen Menschen schlecht zu behandeln, weil er einem häßlich vorkommt. Es gibt keine häßlichen Menschen. Dieses arme Ding. Gott verzeih mir vierundzwanzig Stunden vor meinem Tode, daß ich diese arme, häßliche, frierende Hure von mir gestoßen habe, in der Nacht, in der breiten, leeren Straße von Paris, wo kein Freier mehr für sie aufzutreiben war als ich allein. Gott verzeih mir alles, es ist nichts ungeschehen zu machen, nichts ist ungeschehen zu machen, und in alle Ewigkeit hinein wird das jämmerliche Wimmern dieses armen Mädchens in der Straße von Paris hängen und mich anklagen und die armen, hilflosen Hundeaugen des Leutnants

Schreckmüller, dem die Schulterstücke viel zu schwer auf den Kinderschultern lagen...

Wenn ich nur weinen könnte. Über alles das kann ich nicht einmal weinen. Es ist mir schmerzlich und schwer und furchtbar, aber ich kann nicht darüber weinen. Alle können sie weinen, sogar der Blonde, nur ich kann nicht weinen. Gott schenke mir, daß ich weinen kann...

Da muß noch vieles sein, was mir jetzt nicht einfällt. Das kann lange nicht alles sein. So manchen hab ich verachtet und gehaßt und innerlich beschimpft. Auch den, der gesagt hat: Praktisch, praktisch haben wir den Krieg schon gewonnen, auch den hab ich gehaßt, aber ich hab mich gezwungen, für ihn zu beten, weil er so dumm war. Ich muß noch für den beten, der eben gesagt hat: Die werden es schon schmeißen, und alle die, die begeistert den Wildbretschütz gesungen haben.

Die alle hab ich gehaßt, die eben vorbeigefahren sind und haben den Wildbretschütz gesungen... und Heidemarie... und... Es ist so schön Soldat zu sein... und... Und heute gehört uns Deutschland und morgen die ganze Welt. Alle, alle habe ich gehaßt, die so wahnsinnig eng bei mir gelegen haben im Waggon und in der Kaserne. Ach, in der Kaserne...

»Feierabend«, ruft draußen eine Stimme, »alles einsteigen!« Der Blonde kommt rein und der von der anderen Seite, und der Zug pfeift und fährt ab. »Gott sei Dank«, sagt Willi. Aber es ist doch zu spät. Es ist halb vier, und sie haben noch mindestens zwei Stunden bis Lemberg, und um fünf Uhr fährt schon der Kurierzug von Warschau nach Bukarest, der Zivilzug.

»Noch besser«, sagt Willi, »da haben wir einen ganzen Tag in Lemberg.« Er lacht wieder. Er möchte so gern noch mehr von Lemberg erzählen. Man hört es an seiner Stimme, aber niemand fragt, und niemand fordert ihn auf zu erzählen. Sie sind müde, es ist halb vier und kalt, und der dunkle polnische Himmel hängt über ihnen, und die beiden Bataillone oder Regimenter, die da in den Kessel von Tscherkassy reingeschmissen werden sollen, die haben sie nachdenklich gemacht. Keiner spricht, obwohl sie alle nicht schlafen. Nur das Rattern des Zuges schläfert so schön ein und tötet die Gedanken, saugt die Nachdenklichkeit aus ihren Köpfen, das regelmäßige Rak-Tak-Tak-Bums, Rak-Tak-Tak-Bums, das macht sie schlafen. Sie sind alle arme, graue, hungrige, verführte und betrogene Kinder, und ihre Wiege, das sind die Züge, die Fronturlauberzüge, die Rak-Tak-Bums machen und sie einschläfern.

Der Blonde scheint wirklich zu schlafen. Ihm ist es draußen kalt geworden, und der Dunst hier im Flur muß ihm richtig lauwarm vorkommen und hat ihn eingeschläfert. Nur Willi ist wach, Willi, der einmal der Unrasierte war. Man hört manchmal, wenn er zu seiner Wodkapulle greift und glucksend trinkt, und zwischendurch flucht er ganz leise, und manchmal macht er ein Streichholz an und raucht, und dann leuchtet er in Andreas' Gesicht und sieht, daß der hellwach ist. Aber er sagt nichts. Und es ist merkwürdig, daß er nichts sagt ...

Andreas will beten, er will unbedingt beten, erst alle die Gebete, die er immer gebetet hat, und noch ein paar eigene dazu, und dann will er aufzählen, anfangen aufzuzählen, die, für die er bitten muß, aber er denkt, daß es Irrsinn ist, alle aufzuzählen. Man müßte alle aufzählen, die ganze Welt. Zwei Milliarden müßte man aufzählen ... vierzig Millionen, denkt er ... nein, zwei Milliarden müßte man aufzählen. Man müßte einfach sagen: Alle. Aber das ist zu wenig, man muß schon anfangen aufzuzählen, die, für die er bitten muß. Erst die, die man gekränkt hat, an denen man etwas gutzumachen hat. Er fängt mit der Schule an, dann mit dem Arbeitsdienst, dann die Kaserne und der Krieg und die vielen, die ihm einfallen zwischendurch. Sein Onkel, den er auch gehaßt hat, weil der vom Militär geschwärmt hat, von der schönsten Zeit seines Lebens. Er denkt an seine Eltern, die er nicht gekannt hat. Paul. Paul steht jetzt bald auf und liest die Messe. Es ist die dritte, die er liest, seitdem ich weg bin, vielleicht hat er begriffen, als ich geschrien habe: Ich werde sterben ... bald. Vielleicht hat Paul begriffen und liest eine Messe für mich am Sonntag morgen, eine Stunde bevor oder nachdem ich gestorben sein werde. Hoffentlich denkt Paul an die anderen, an die Soldaten, die so sind wie der Blonde, und an die, die so sind wie Willi, und an die, die sagen: Praktisch, praktisch haben wir den Krieg schon gewonnen, und an die, die Tag und Nacht singen: Wildbretschütz und Heidemarie, und: Es ist so schön, Soldat zu sein, und: Ja, die Sonne von Mexiko. Er denkt gar nicht an die Augen an diesem kalten, trostlosen Morgen unter dem dunklen traurigen galizischen Himmel. Jetzt sind wir bestimmt in Galizien, so nahe an Lemberg, Lemberg ist doch die Hauptstadt von Galizien. Jetzt bin ich schon ziemlich mitten drin im Zentrum des Netzes, wo ich gefangen werden soll. Es ist nur noch eine Provinz: Galizien, und ich bin in Galizien. In meinem ganzen Leben werde ich nichts anderes mehr sehen als Galizien. Es ist schon sehr eingeengt, das Bald. Auf vierundzwanzig Stunden und auf ein paar Kilometer. Nicht mehr viele Kilometer bis Lemberg, vielleicht sechzig, und über Lemberg hinaus höchstens noch sechzig. Auf hundertzwanzig Kilometer ist mein Leben schon in Galizien eingeengt, in Galizien ... wie ein Messer auf unsichtbaren Schlangenfüßen, ein Messer, das wandert, leise wandert, ein leise wanderndes Messer. Galizien. Wie wird es wohl vor sich gehen, denkt er. Ob ich erschossen werde oder erdolcht ... oder zertreten ... oder ob ich einfach von einem zerquetschten Eisenbahnwagen mitzerquetscht werde. Es gibt so unendlich viele Todesarten. Man kann auch von einem Wachtmeister erschossen werden, weil man nicht so werden will, wie der Blonde geworden ist; man kann sterben, wie man will, und immer steht in dem Brief: Er ist für Großdeutschland gefallen. Ich muß unbedingt noch für die Geschützbedienung da unten in den Ssiwasch-Sümpfen beten ... unbedingt ... unbedingt ... Tak-Tak-Tak-Bums ... unbedingt ... Tak-Tak-Tak-Bums – unbedingt Geschützbedienung ... in den Ssiwasch-Sümpfen ... Tak-Tak-Tak-Bums ...

Es ist furchtbar, daß er doch zuletzt wieder eingeschlafen ist.

Und sie sind in Lemberg. Da ist ein großer Bahnhof, schwarzes Eisengerüst und dunkelweiße Schilder, und da steht es schwarz auf weiß zwischen den Bahnsteigen: Lemberg. Hier ist das Sprungbrett. Es ist kaum zu glauben, wie schnell man vom Rhein nach Lemberg kommen kann. Lemberg, steht da schwarz auf weiß, unwiderruflich: Lemberg. Hauptstadt von Galizien. Wieder sechzig Kilometer weniger. Das Netz ist jetzt schon ganz klein. Sechzig Kilometer, vielleicht auch weniger, vielleicht nur zehn. Hinter Lemberg, zwischen Lemberg und Czernowitz, das kann ein Kilometer hinter Lemberg sein. Das ist wieder so dehnbar wie das Bald, das er doch eingeengt zu haben glaubte...

»Junge, du hast aber einen Schlaf«, sagt Willi, der sehr munter sein Gepäck zusammenklaubt, »du hast einen Schlaf, der ist toll. Zweimal sind wir noch stehengeblieben. Fast hättest du Posten stehen müssen. Ich hab dem Feldwebel gesagt, daß du krank bist, und er hat dich schlafen lassen. Nun steh auf!« Der Wagen ist schon ganz leer, und der Blonde steht schon draußen mit seinem Luftwaffenrucksack und dem Koffer.

Es ist sehr seltsam, so über einen Bahnsteig im Hauptbahnhof von Lemberg zu gehen...

Es ist elf Uhr, fast Mittag, und Andreas spürt einen schrecklichen Hunger. Aber er denkt mit Widerwillen an die Kochwurst. Butter und Brot und etwas Warmes! Ich habe lange nichts Warmes mehr gegessen, ich möchte etwas Warmes essen. Seltsam, denkt er, während er Willi und dem Blonden folgt, mein erster Gedanke in Lemberg: Du müßtest etwas Warmes essen. Vierzehn oder fünfzehn Stunden vor deinem Tode müßtest du etwas Warmes essen. Er lacht, so daß die beiden sich umdrehen und ihn fragend ansehen, aber er weicht ihren Blicken aus und errötet. Da ist die Sperre, da steht ein Posten mit Stahlhelm wie an allen Bahnhöfen Europas, und der Posten sagt zu Andreas, weil er der letzte von den dreien ist: »Wartesaal links, auch für Mannschaftsdienstgrade.«

Willi wird fast ausfällig, als sie die Sperre hinter sich haben.

Er bleibt mitten in der Bahnhofshalle stehen, zündet sich eine Zigarette an und äfft laut nach: »Wartesaal, auch Mannschaftsdienstgrade... links. Das könnte denen so passen, daß wir in den Stall gehen, den sie für uns eingerichtet haben.« Sie blicken ihn erschreckt an, aber er lacht. »Nun laßt mich mal machen, Kinder! Lemberg, das ist nämlich mein Fall. Wartesaal für Mannschaftsdienstgrade! Hier gibt's Kneipen, hier gibt's Restaurants«, er schnalzt mit der Zunge, »das hat europäischen Rang«, er wiederholt mit ironischer Betonung, »europäischen Rang.«

Sein Gesicht sieht jetzt wieder ziemlich unrasiert aus, er scheint einen irrsinnigen Bartwuchs zu haben. Es ist das alte, sehr traurige und verzweifelte Gesicht.

Er geht stumm den beiden voran durch die Ausgangstür, überquert, ohne ein Wort zu sagen, einen großen Platz, der von Menschen wimmelt, und dann sind sie sehr schnell in einer dunklen schmalen Quergasse, da steht ein Auto an der Ecke, ein sehr wackeliges Personenauto, und es ist wie ein Traum, daß Willi den Fahrer kennt. Er ruft »Stani«, und es ist wieder wie ein Traum, daß sich ein verschlafener, schmutziger alter Pole aus dem Führerstand erhebt und grinsend Willi erkennt. Willi nennt einen polnischen Namen, und es geht sehr schnell, daß sie mit ihrem Gepäck alle drei in der Taxe sitzen und durch Lemberg fahren. Da sind Straßen wie überall in der Welt in großen Städten. Breite, elegante Straßen, abfallende Straßen, traurige Straßen mit gelblichen Fassaden, die ausgestorben scheinen. Menschen, Menschen, und Stani fährt sehr schnell... es ist wie ein Traum: ganz Lemberg scheint Willi zu gehören. Sie fahren in eine sehr breite Allee hinein, eine Allee wie überall in der Welt und doch eine polnische Allee, und Stani hält. Er bekommt einen Geldschein, fünfzig Mark sieht Andreas, und Stani hilft jetzt grinsend das Gepäck auf den Bürgersteig legen, alles sehr schnell, und es geht wiederum sehr schnell, daß sie einen verwilderten Vorgarten durchschreiten und in einen sehr langen und dumpfen Flur treten in einem Haus, dessen Fassade zu zerbröckeln scheint. Ein k. u. k.-Haus.

Andreas erkennt das sofort, daß das ein ehemaliges k. u. k.-Haus ist, vielleicht hat hier ein hoher Offizier gewohnt, damals, als noch Walzer getanzt wurde, oder ein Oberregierungskommissär, was weiß er. Das ist ein altes österreichisches Haus, die stehen überall, auf dem ganzen Balkan, in Ungarn und Jugoslawien, und in Galizien natürlich auch. Das denkt er eine flüchtige Sekunde lang, bevor sie in den langen, dunklen, sehr muffig riechenden Gang treten.

Aber dann öffnet Willi zufrieden lächelnd eine schmutzigweiße, sehr hohe und breite Tür, und da ist ein Restaurant mit weichen Klubsesseln und schöngedeckten Tischen mit Blumen. Herbstblumen, denkt Andreas, wie man sie auf Gräber setzt, und er denkt, das wird meine Henkersmahlzeit. Willi führt sie in eine Nische, vor die man einen Vorhang ziehen kann, und da sind wieder Sessel und ein schöngedeckter Tisch, und alles ist wie ein Traum. Habe ich nicht soeben noch unter dem Schild gestanden, wo schwarz auf weiß zu lesen war: Lemberg?

Kellner! Ein eleganter polnischer Kellner mit glänzenden Schuhen und fabelhaft rasiert und grinsend, nur sein Rock ist ein wenig beschmiert. Alles grinst hier, denkt Andreas. Der Rock des Kellners ist ein wenig beschmiert, aber das macht nichts, Schuhe hat er wie ein Großfürst und rasiert ist er wie ein Gott... blankgewichste schwarze Halbschuhe...

»Georg«, sagt Willi, »die Herren möchten sich waschen und rasieren.« Es ist wie ein Befehl. Nein, es ist ein Befehl. Andreas muß lachen, als er dem ewig grinsenden Kellner folgt. Es ist ihm, als sei er bei einer sehr vornehmen Großmutter oder bei einem sehr vornehmen Onkel eingeladen, und der Onkel hätte gesagt: Unrasierte oder ungewaschene Kinder dürfen sich nicht zu Tisch setzen...

Der Waschraum ist großzügig, sauber. Georg bringt heißes Wasser. »Wenn die Herren Toilettenseife wünschen, ausgezeichnete Qualität, fünfzehn Mark.« – »Bringen Sie«, sagt Andreas lachend, »Papa bezahlt alles.«

Georg bringt die Seife und wiederholt grinsend: »Papa bezahlt.«
Auch der Blonde wäscht sich; sie machen den Oberkörper frei,
seifen sich ganz ein, reiben sich wollüstig trocken, die Arme und
die ganze gelblichweiße, ungelüftete Soldatenhaut. Es ist ein
Glück, daß ich meine Socken mitgebracht habe, denkt Andreas,
ich werde mir auch die Füße waschen, und ich kann die sauberen
Socken anziehen.

Socken sind sicher teuer hier, und warum soll ich die Socken
in der Packtasche lassen. Die Partisanen haben sicher Socken. Er
wäscht sich die Füße und lacht über den Blonden, der ein erstauntes Gesicht macht. Der Blonde träumt wirklich.

Es ist schön, glattrasiert zu sein, so glatt wie ein Pole, und es
ist nur schade, daß ich morgen früh wieder einen Stoppelbart haben werde, denkt Andreas. Der Blonde braucht sich nicht zu rasieren, er hat kaum Flaum über den Lippen. Zum ersten Male fragt
sich Andreas, wie alt der Blonde wohl sein mag, während er sein
schönes sauberes Hemd anzieht, mit einem richtigen Zivilkragen,
so daß er die blödsinnige Kragenbinde weglassen kann; ein
blaues Hemd, das einmal ganz dunkel war, jetzt aber himmelblau ist. Er knöpft es zu und zieht den Rock darüber, den sehr
verschlissenen grauen Rock mit dem Verwundetenabzeichen.
Vielleicht ist das Verwundetenabzeichen aus des Blonden vaterländischer Fahnenfabrik, denkt er. Ach, er wollte ja darüber nachdenken, wie alt der Blonde sein mag. Einen Bart hat er nicht, aber
Paul hat auch keinen Bart, und Paul ist sechsundzwanzig. Der
Blonde könnte siebzehn und auch vierzig sein, er hat ein seltsames Gesicht, er ist sicher zwanzig. Gefreiter ist er auch schon,
ein Jahr Soldat oder fast zwei. Zwanzig – einundzwanzig, schätzt
Andreas. Gut. Rock an, Kragen zu, es ist wirklich schön, sauber
zu sein.

Nein, sie finden allein in die Nische zurück. Im Restaurant sitzen jetzt ein paar Offiziere, die sie grüßen müssen. Das ist
schrecklich, Grüßen, Grüßen ist furchtbar, und es ist schön, wieder
in der Nische geborgen zu sein.

»So gefallt ihr mir, meine Kinder«, sagt Willi. Willi trinkt Wein und raucht eine Zigarre dazu. Der Tisch ist schon gedeckt, allerlei Teller, Gabeln, Messer und Löffel.

Georg bedient lautlos. Erst kommt eine Suppe. Bouillon, denkt Andreas. Er betet leise und lange, die andern essen schon, und er betet immer noch, und es ist merkwürdig, daß sie nichts sagen.

Nach der Bouillon gibt es etwas Ähnliches wie Kartoffelsalat, nur ein ganz klein wenig. Dazu Aperitif. Wie in Frankreich. Dann kommen mehrere Fleischgerichte. Erst ein deutsches Beefsteak... dann kommt etwas ganz Komisches. »Was ist das?« fragt Willi hoheitsvoll, aber er lacht dabei.

»Das?« Georg grinst. »Das ist Schweineherz... gutes Schweineherz...« Dann kommt ein Kotelett, ein gutes, saftiges Kotelett. Eine richtige Henkersmahlzeit, denkt Andreas, und er ist erschreckt darüber, wie es ihm schmeckt. Es ist eine Schande, denkt er, ich müßte beten, beten, den ganzen Tag irgendwo auf den Knien liegen, und ich sitze hier und esse Schweineherz... Es ist eine Schande. Dann kommt Gemüse, zum erstenmal Gemüse, Erbsen. Dann endlich einmal Kartoffeln. Und noch einmal Fleisch, so etwas Ähnliches wie Goulasch, ganz knuspriges Goulasch. Noch einmal Gemüse, Salat. Endlich etwas Grünes. Und immer Wein dazu, Willi schenkt ein, sehr hoheitsvoll, und lacht dazu.

»Die ganze Hypothek wird heute draufgemacht, es lebe die Lemberger Hypothek!« Sie stoßen an auf die Lemberger Hypothek...

Eine ganze Reihe Nachtische. Wie in Frankreich, denkt Andreas. Erst Pudding, richtiger Pudding mit Eiern drin. Dann kommt ein Stück Kuchen mit heißer Vanillesauce. Dazu trinken sie wieder Wein, den Willi einschenkt, sehr süßen Wein. Dann kommt etwas sehr Kleines, das winzig auf einem weißen Teller liegt. Es ist etwas mit Schokoladenüberguß, Blätterteig mit Schokoladenüberguß und Sahne drin, richtiger Sahne. Schade, daß es so klein ist, denkt Andreas. Sie sprechen kein Wort, der Blonde träumt immer noch, es ist beängstigend, sein Gesicht zu sehen, er hat den Mund offen und kaut und ißt und trinkt. Zum Schluß kommt tatsächlich Käse. Verdammt, genau wie in Frankreich, Käse mit Brot, und dann ist Schluß. Käse schließt den Magen, denkt Andreas, und sie trinken weißen Wein dazu, weißen Wein aus Frankreich... Sauterne...

Mein Gott, hat er nicht Sauterne getrunken in Le Treport auf einer Terrasse über dem Meer, Sauterne, der köstlich war wie Milch, Feuer und Honig, Sauterne in Le Treport auf einer Terrasse über dem Meer an einem Sommerabend, und sind an diesem Abend nicht die geliebten Augen bei ihm gewesen, fast so nah wie damals in Amiens. Sauterne in Le Treport. Das ist der gleiche Wein. Er hat ein gutes Geschmacksgedächtnis. Sauterne in Le Treport, und sie war bei ihm mit Mund und Haaren und ihren Augen, das alles vermag der Wein, und es ist gut, zu dem weißen Wein Brot und Käse zu essen...

»Kinder«, sagt Willi gut gelaunt, »hat es euch denn geschmeckt?« Ja, es hat ihnen wirklich geschmeckt, und sie fühlen sich sehr wohl.

Sie sind nicht überfressen. Man muß beim Essen Wein trinken, das ist herrlich. Andreas betet... man muß nach dem Essen beten, und er betet sehr lange – während die anderen zurückgelehnt sitzen und rauchen, hat Andreas die Arme auf den Tisch gestützt und betet...

Das Leben ist schön, denkt er, es war schön. Zwölf Stunden vor meinem Tode muß ich einsehen, daß das Leben schön ist, das ist zu spät. Ich bin undankbar gewesen, ich habe geleugnet, daß es eine menschliche Freude gibt. Und das Leben war schön. Er wird rot vor Verlegenheit, rot vor Angst, rot vor Reue. Ich habe doch wirklich geleugnet, daß es eine menschliche Freude gibt, und das Leben war schön. Ich habe ein unglückliches Leben gehabt... ein verfehltes Leben, wie man so sagt, ich habe gelitten jede Sekunde unter dieser scheußlichen Uniform, und sie haben mich totgeschwätzt, und sie haben mich bluten gemacht auf ihren Schlachtfeldern, richtig bluten, dreimal bin ich verwundet worden auf den Feldern der sogenannten Ehre, da bei Amiens und unten bei Tiraspol und dann in Nikopol, und ich habe nur Dreck gesehen und Blut und Scheiße und habe nur Schmutz gerochen... nur Elend... nur Zoten gehört, und ich habe nur eine Zehntelsekunde lang die wirkliche menschliche Liebe kennengelernt, die Liebe von Mann und Weib, die doch schön sein muß, nur eine Zehntelsekunde lang, und zwölf Stunden oder elf Stunden vor meinem Tode muß ich einsehen, daß das Leben schön war. Ich habe Sauterne getrunken... auf einer Terrasse über Le Treport am Meer, und auch in Cayeux, in Cayeux habe ich auch Sauterne getrunken, auch an einem Sommerabend, und die Geliebte ist bei mir gewesen... und in Paris habe ich auf diesen Boulevardterrassen gehockt und mich vollgepumpt mit einem anderen herrlichen gelben Wein. Ganz gewiß ist die Geliebte bei mir gewesen, und ich habe nicht vierzig Millionen zu durchsuchen brauchen, um glücklich zu sein. Ich habe gedacht, ich hätte nichts vergessen, alles hatte ich vergessen... alles... und dieses Essen war schön... Auch das Schweineherz und der Käse, und der Wein hat mir die Erinnerung geschenkt, daß das Leben schön war... noch zwölf Stunden oder elf Stunden...

Ganz zuletzt denkt er noch einmal an die Juden von Czernowitz, dann fallen ihm die Juden von Lemberg ein, von Stanislau und von Kolomea, und das Geschütz da unten in den Ssiwasch-Sümpfen. Und der, der gesagt hat: Das sind ja gerade die eminenten Vorzüge der 3,7 Pak... und die arme, häßliche, frierende Hure von Paris, die er von sich gestoßen hat in der Nacht...

»Trink doch, Kumpel«, sagt Willi rauh, und Andreas hebt den Kopf und trinkt. Es ist noch Wein da, die Flasche steht im Kühler, er trinkt das Glas aus und läßt sich einschenken.

Das ist alles in Lemberg, was ich hier tue, denkt er, in einem k. u. k.-Haus, in einem alten, halbzerfallenen k. u. k.-Haus, in einem großen Saal in diesem Haus, wo sie Feste gefeiert haben, große, schöne Feste mit Walzertänzen, noch vor – er rechnet leise nach – noch vor mindestens achtundzwanzig Jahren, nein, neunundzwanzig Jahren, vor neunundzwanzig Jahren war noch kein Krieg. Vor neunundzwanzig Jahren, da war hier noch Österreich... dann war hier Polen... dann war Rußland... und jetzt, jetzt ist alles Großdeutschland. Da haben sie Feste gefeiert damals... Walzer getanzt, wunderbare Walzer, und haben sich zugelächelt, getanzt... und draußen, in dem großen Garten, der bestimmt hinter dem Haus ist, in diesem großen Garten haben sie sich geküßt, die Leutnants mit den Mädchen... und vielleicht auch die Majore mit den Frauen, und der Hausherr, der war sicher Oberst oder General, und er hat getan, als sähe er nichts... vielleicht war er auch k. u. k.-Oberregierungskommissär oder sowas... ja...

»Trink doch, Kumpel!« Ja, er trinkt gerne noch was... die Zeit verrinnt, denkt er, ich möchte wissen, wie spät es ist. Es war elf, Viertel nach elf, als wir den Bahnhof verließen, es ist jetzt sicher zwei oder drei... noch zwölf Stunden, nein, noch mehr. Der Zug fährt ja erst um fünf, und dann noch bis... bald. Das Bald ist jetzt wieder so verschwommen. Sechzig Kilometer hinter Lemberg werden es gar nicht mehr sein. Sechzig Kilometer, dafür braucht der Zug einundeinhalb Stunden, das wäre halb sieben, da ist es doch hell. Ganz plötzlich, während er das Glas zum Munde führt, weiß er, daß es nicht mehr hell sein wird. Vierzig Kilometer... eine Stunde oder Dreiviertelstunde, bis es vielleicht anfängt, leise zu dämmern. Nein, es wird noch dunkel sein, kein Dämmer! Da ist es! Da ist es ganz genau! Viertel vor sechs, und morgen ist schon Sonntag, und morgen fängt Pauls andere Woche an, und in dieser ganzen Woche hat Paul die Sechsuhrmesse. Ich werde sterben, wenn Paul zum Altar tritt. Das ist ganz gewiß, wenn er das Staffelgebet ohne Meßdiener zu beten beginnt. Er hat mir gesagt, daß die Meßdiener nicht mehr so funktionieren. Wenn Paul das Staffelgebet spricht, zwischen Lemberg und... er muß nachsehen, welcher Ort vierzig Kilometer hinter Lemberg ist. Er muß die Karte haben. Er blickt auf und sieht, daß der Blonde in seinem weichen Sessel schlummert. Der

Blonde ist müde, der Blonde hat Posten gestanden. Willi ist wach und lächelt glücklich, Willi ist betrunken, und die Karte hat der Blonde in der Tasche. Aber es ist ja noch Zeit. Noch mehr als zwölf Stunden, noch fünfzehn Stunden ... in diesen fünfzehn Stunden muß noch viel erledigt werden. Beten, beten, nicht mehr schlafen... auf keinen Fall mehr schlafen, und es ist gut, daß ich es jetzt so genau weiß. Auch Willi weiß, daß er sterben wird, und auch der Blonde will sterben, ihr Leben ist aus, es ist ziemlich voll, das Stundenglas ist fast bis zum Rand gefüllt, und der Tod muß nur noch ein wenig, ein ganz klein wenig dazuschütten.

»So, Kinder«, sagt Willi, »tut mir leid, wir müssen aufbrechen. War schön hier, nicht wahr?« Er stößt den Blonden an, und der Blonde erwacht. Er träumt immer noch, es ist nichts als Traum in seinem Gesicht, und seine Augen sehen nicht mehr so scheußlich schleimig aus, sie haben etwas Kindliches, und vielleicht kommt das daher, daß er richtig geträumt hat, sich richtig gefreut hat. Die Freude wäscht vieles ab, so wie das Leid vieles abwäscht. »Jetzt«, sagt Willi, »jetzt müssen wir nämlich in das Stempelhaus, aber ich verrate euch noch nichts.« Er ist ein wenig gekränkt, daß keiner ihn fragt, und er ruft Georg herbei, und er zahlt etwas über vierhundert Mark. Das Trinkgeld ist fürstlich. »Und einen Wagen«, sagt Willi. Sie nehmen ihr Gepäck auf, schnallen ihre Koppel um, setzen ihre Mützen auf und gehen hinaus an den Offizieren vorbei, an den Zivilisten und denen mit den braunen Uniformen. Und es ist sehr viel Staunen in den Augen der Offiziere und derer mit den braunen Uniformen. Und es ist wie in allen Kneipen Europas, in den französischen, ungarischen, rumänischen, russischen und jugoslawischen und tschechischen und holländischen und belgischen und norwegischen und italienischen und luxemburgischen Kneipen: das mit dem Koppelumschnallen und Mützeaufsetzen und Grüßen an der Tür, wie beim Verlassen eines Tempels, in dem sehr strenge Götter wohnen.

Und sie verlassen das k. u. k.-Haus, den k. u. k.-Vorgarten, und Andreas blickt noch einmal diese zerbröckelte Fassade an, Walzerfassade, ehe sie in die Taxe steigen ... weg.

»Jetzt«, sagt Willi, »jetzt fahren wir in das Stempelhaus. Um fünf machen sie nämlich auf.«

»Kann ich noch einmal die Karte haben«, fragt Andreas den Blonden, aber bevor dieser die Karte aus seinem Luftwaffensack gezogen hat, halten sie schon wieder. Sie sind nur ein Stück in dieser breiten schwermütigen k. u. k.-Allee hinuntergefahren. Da ist offenes Land im Hintergrund und einzelne Villen, und das Haus, vor dem sie halten, ist ein polnisches Haus. Das Dach ist halb flach, die Fassade ist schmutziggelb, und die schmalen hohen Fenster sind mit Läden verschlossen, die an Frankreich erinnern, mit sehr schmalschlitzigen, sehr brüchig aussehenden, graugestrichenen Läden. Es ist ein polnisches Haus, das Stempelhaus, und Andreas ahnt sofort, daß es ein Bordell ist. Das ganze untere Stockwerk ist verdeckt von einer dichten Buchenhecke, und als sie durch den Vorgarten gehen, sieht er, daß im Erdgeschoß die Fenster nicht verschlossen sind ...

Er sieht zimmetfarbene Vorhänge, schmutzigzimmetfarben, fast dunkelbraun mit einem Stich ins Rötliche. »Hier gibt es alle Stempel der Welt«, sagt Willi lachend. »Man muß es nur wissen und sicher sein.« Sie stehen mit ihrem Gepäck im Eingang, als Willi die Klingel gezogen hat, und es dauert eine Weile, ehe sie etwas in dem stummen, unheimlichen Hause hören. Andreas weiß man ganz sicher, daß sie beobachtet werden. Man beobachtet sie lange, so lange, daß Willi unruhig wird. »Verdammt«, sagt er, »vor mir brauchen sie doch nichts zu verstecken. Sie verstecken nämlich alles Verdächtige, wenn jemand vor der Tür steht, den sie nicht kennen«, sagt er ärgerlich. Aber dann wird die Tür geöffnet, und eine ältliche Frau geht Willi mit ausgebreiteten Armen süßlich lächelnd entgegen. »Ich hätte Sie fast nicht erkannt«, sagt sie freundlich, »treten Sie ein. Und das«, sagt sie und zeigt auf Andreas und den Blonden, »das sind zwei junge Kameraden«, sie schüttelt etwas abfällig den Kopf, »zwei sehr, sehr junge Kameraden für unser Haus.«

Sie sind alle drei eingetreten und haben ihr Gepäck in einer Garderobennische abgestellt.

»Wir brauchen den Stempel für den Zug morgen früh um fünf, den Kurierzug, Sie wissen.«

Die Frau blickt die beiden Jungen zweifelnd an. Sie ist etwas nervös. Ihr graumeliertes Haar ist Perücke, man sieht es gut. Ihr schmales, scharfgeschnittenes Gesicht mit den grauen verschwimmenden Augen ist geschminkt, sehr dezent geschminkt. Sie trägt ein elegantes, rot und schwarz gemustertes Kleid, das oben geschlossen ist, damit man ihre Haut nicht sieht, ihre welke Haut, die am Hals gut zum Vorschein kommt, Hühnerhaut. Sie müßte einen hohen, geschlossenen Kragen tragen, denkt Andreas, einen Generalskragen.

»Gut«, sagt die Frau zögernd, »und?... und?«

»Vielleicht etwas zu trinken, und für mich ein Mädchen, ihr auch?«

»Nein«, sagt Andreas, »kein Mädchen.«

Der Blonde ist rot geworden und schwitzt vor Angst. Es muß für ihn furchtbar sein, denkt Andreas, vielleicht nähme er besser ein Mädchen.

Plötzlich hört Andreas Musik. Es ist ein Fetzen Musik, nur ein Lappen Musik. Irgendwo ist eine Tür geöffnet worden zu einem Raum, in dem ein Radioapparat stehen muß, und diese halbe Sekunde, wo die Tür offenbleibt, hört er ein paar Fetzen Musik, so wie es ist, wenn jemand suchend an einem Radio herumschaltet... Jazz... Soldatenlieder... eine sonore Stimme und ein Bruchstück Schubert... Schubert... Schubert... Nun ist die Tür wieder zu, aber es ist Andreas, als habe ihn jemand mitten ins Herz gestoßen und eine geheime Schleuse geöffnet: er wird bleich und wankt und stützt sich an die Wand. Musik... ein Fetzen Schubert... zehn Jahre meines Lebens würde ich dafür geben, wenn ich noch einmal ein ganzes Schubertlied hören könnte, aber ich habe nur noch zwölfdreiviertel Stunden, es ist jetzt sicher fünf.

»Sie«, fragt die ältliche Frau, deren Mund scheußlich ist. Er sieht das jetzt, es ist ein schmaler, verengter Schlitzmund, der nur Geld kennt, ein Sparbüchsenmund. »Sie«, fragt die Frau erschreckt, »Sie wollen nichts?«

»Musik«, stammelt Andreas, »kann man hier auch Musik kaufen?« Sie blickt ihn verwirrt an, sie zögert. Alles hat sie gewiß schon verkauft. Stempel und Mädchen und Pistolen, dieser Mund ist ein Mund, der mit allem handelt, aber sie weiß nicht, ob man Musik verkaufen kann.

»Ich«, sagt sie verlegen, »Musik... gewiß.« Es ist auf jeden Fall gut, erst einmal ja zu sagen. Nein kann man immer noch sagen. Wenn man gleich nein sagt, dann ist kein Geschäft mehr zu machen.

Andreas hat sich wieder aufgerichtet. »Verkaufen Sie mir Musik?«

»Nicht ohne Mädchen«, lächelt die Frau.

Andreas blickt Willi gequält an. Er weiß nicht, was das kosten wird. Musik und ein Mädchen dazu, und es ist seltsam, daß Willi den Blick gleich versteht. »Kumpel«, ruft er, »denk an die Hypothek, es lebe die Lemberger Hypothek, alles gehört uns.«

»Gut«, sagt Andreas zu der Frau, »ich nehme Musik und ein Mädchen.« Die Tür ist von drei Mädchen geöffnet worden, die lachend im Flur stehen und der Verhandlung zugehört haben, zwei schwarze und eine rothaarige. Die Rothaarige, die Willi wiedererkannt hat und an seinem Hals liegt, ruft der Alten zu: »Verkauf ihm doch die ›Opernsängerin‹.« Die beiden Schwarzen lachen, und eine von den Schwarzen hat sich den Blonden genommen und ihre Hand auf seinen Arm gelegt. Der Blonde schluchzt bei dieser Berührung, er knickt zusammen wie ein Strohhalm, und die Schwarze muß ihn packen und festhalten und muß ihm zuflüstern: »Keine Angst, mein Junge... nur keine Angst!«

Es ist eigentlich schön, daß der Blonde schluchzt, Andreas möchte auch weinen, der Inhalt der Schleuse drängt sich gewaltsam nach vorne, wo die Wand durchstoßen ist. Endlich werde ich weinen können, aber ich werde nicht weinen vor diesem Sparbüchsenschlitzmund, der nur Geld kennt. Vielleicht werde ich bei der »Opernsängerin« weinen.

»Ja«, sagt die Schwarze, die übriggeblieben ist, schnippisch, »wenn er Musik will, dann schick ihm die Opernsängerin.« Sie wendet sich ab, und Andreas, der immer noch an die Wand gelehnt ist, hört, wie wieder die Tür geöffnet wird, und wieder bekommt er einen Fetzen Musik zu hören, aber es ist nicht Schubert ... es ist irgend etwas von Liszt ... auch Liszt ist schön ... auch Liszt könnte mich weinen machen, denkt er, ich habe dreieinhalb Jahre nicht mehr geweint ...

Der Blonde liegt wie ein Kind an der Brust der einen Schwarzen und weint, und dieses Weinen ist gut. Nichts mehr von Ssiwasch-Sümpfen in diesem Weinen, nichts mehr von Schreck, und doch viel Schmerz, viel Schmerz. Und die Rothaarige, die ein gutmütiges Gesicht hat, sagt zu Willi, der sie um die Taille gefaßt hält: »Kauf ihm die Opernsängerin, er ist süß, ich finde ihn einfach süß mit seiner Musik.« Sie wirft Andreas eine Kußhand zu: »Er ist jung und süß, du alter Knabe, und du mußt ihm die Opernsängerin kaufen und ein Klavier ...«

»Die Hypothek, die ganze Lemberger Hypothek gehört uns«, ruft Willi.

Die ältliche Frau hat Andreas die Treppe hinaufgeführt, einen Gang entlang, an dem viele verschlossene Türen sind, in einen Raum, der einige bequeme Sessel, eine Liegestatt und ein Klavier hat ...

»Das ist eine kleine Bar für intime Feiern«, sagt sie, »die kostet die Nacht sechs Scheine, und die Opernsängerin – das ist ein Spitzname, verstehen Sie? Die Opernsängerin kostet die Nacht zweiundeinhalb Scheine, ohne das, was Sie verzehren wollen.«

Andreas taumelt in einen der Sessel, er nickt nur, winkt ab, und er ist froh, daß die Frau geht. Er hört, wie sie im Flur ruft: »Olina... Olina...«

Ich hätte nur das Klavier mieten sollen, denkt Andreas, nur das Klavier, aber dann schaudert ihn, daß er überhaupt in diesem Haus ist. Er rennt verzweifelt zum Fenster und reißt den Vorhang auf. Draußen ist es noch hell. Warum diese künstliche Dunkelheit, es ist der letzte Tag, den ich sehe, warum ihn verhängen? Die Sonne steht noch über einem Hügel und leuchtet sehr warm und mild in Gärten hinein, die hinter schönen Villen liegen, und leuchtet auf die Dächer der Villen. Die Äpfel müssen jetzt geerntet werden, denkt Andreas, es ist Ende September, auch hier werden die Äpfel reif sein. Und in Tscherkassy ist wieder ein Kessel zu, und die »Kesselflicker« werden es schon schmeißen. Alles wird geschmissen, alles wird geschmissen, und ich sitze hier an einem Fenster in einem Bordell, im »Stempelhaus«, wo ich nur noch zwölf Stunden zu leben habe, zwölfundeinehalbe Stunde, wo ich beten müßte, beten, auf den Knien liegen, aber ich bin machtlos gegen diese Schleuse, die nun geöffnet ist, aufgestoßen von dem Dolch, der mich unten im Entrée durchbohrt hat: Musik. Und es ist gut, daß ich nicht die ganze Nacht allein mit diesem Klavier sein werde. Ich würde ja verrückt, gerade ein Klavier. Ein Klavier. Es ist gut, daß Olina kommen wird, die »Opernsängerin«. Die Landkarte habe ich vergessen, denkt er, die Landkarte! Ich habe vergessen, sie dem Blonden abzufragen, ich muß unbedingt wissen, was vierzig Kilometer hinter Lemberg ist... unbedingt... es ist doch nicht Stanislau, nicht einmal Stanislau, nicht einmal bis Stanislau werde ich kommen. Zwischen Lemberg und Czernowitz... wie sicher ich noch erst an Czernowitz gedacht habe! Erst hätte ich darauf gewettet, daß ich Czernowitz noch sehen würde, einen Stadtrand von Czernowitz... nun nur noch vierzig Kilometer... noch zwölf Stunden...

Er erschrickt furchtbar von einem sehr leisen Geräusch, als sei eine Katze ins Zimmer gehuscht. Die Opernsängerin steht vor der Tür, die sie leise hinter sich zugezogen hat. Sie ist klein und sehr zart, zierlich und fein, und sie hat hinten hochgeknotetes, sehr schönes, blondes, loses Haar, goldenes Haar. Rote Pantoffeln hat sie an den Füßen, ein blaßgrünes Kleid. Sobald ihre Blicke sich getroffen haben, macht sie eine Geste zur Schulter hin, als wolle sie flink ihr Kleid öffnen ...

»Nein«, schreit Andreas, und im gleichen Augenblick bereut er, daß er sie so hart angeschrien hat. Schon einmal habe ich eine so laut angebrüllt, denkt er, und es ist nicht ungeschehen zu machen. Die Opernsängerin blickt ihn weniger beleidigt als erstaunt an. Der seltsam schmerzliche Ton in seiner Stimme hat sie getroffen. »Nein«, sagt Andreas sanfter, »nicht.«

Er geht auf sie zu, geht wieder zurück, setzt sich, steht wieder auf, und er fügt hinzu: »Ich darf doch du sagen?«

»Ja«, sagt sie sehr sanft, »ich heiße Olina.«

»Ich weiß«, sagt er, »ich heiße Andreas.«

Sie setzt sich auf den Sessel, den er ihr gezeigt hat, blickt ihn verwundert, fast ängstlich an. Dann geht er zur Tür und dreht den Schlüssel um. Neben ihr sitzend, sieht er jetzt ihr Profil. Sie hat eine feine Nase, die weder rund noch spitz ist, eine Fragonardnase, denkt er, auch einen Fragonardmund. Sie sieht fast verworfen aus, aber sie kann ebensogut unschuldig sein, so unschuldig-verworfen, wie diese Fragonardschäferinnen, aber sie hat ein polnisches Gesicht, einen polnischen, biegsamen, sehr elementaren Nacken.

Es ist gut, daß er die Zigaretten eingesteckt hat. Aber er hat kein Zündholz mehr. Sie steht schnell auf, öffnet einen Schrank, der mit Flaschen und Schachteln vollgestopft ist, und nimmt Zündhölzer heraus. Bevor sie sie ihm gibt, schreibt sie etwas auf einen Bogen Papier, der im Schrank liegt. »Ich muß alles aufschreiben«, sagt sie wieder mit sanfter Stimme, »auch das.«

Sie rauchen und blicken in die goldene Landschaft mit den Lemberger Gärten hinter den Villen.

»Du bist Opernsängerin gewesen?« fragt Andreas.

»Nein«, sagt sie, »sie nennen mich nur so, weil ich Musik studiert habe. Sie meinen, wenn man Musik studiert hat, ist man Opernsängerin.«

»Du kannst also nicht singen?«

»Doch, aber Gesang habe ich nicht studiert, singen kann ich nur ... nur so.«

»Und was hast du studiert?«

»Klavier«, sagt sie ruhig, »ich wollte Pianistin werden.«

Seltsam, denkt Andreas, und ich, ich wollte Pianist werden. Ein wahnsinniger Schmerz drückt ihm das Herz zusammen. Ich wollte Pianist werden, es war der Traum meines Lebens. Ich konnte schon ganz nett spielen, ganz gut, aber die Schule hing wie ein Bleiklotz an mir. Die Schule hinderte mich. Erst mußte ich Abitur machen. Jeder Mensch in Deutschland muß erst Abitur machen. Nichts gibt es ohne Abitur. Die Schule mußte ich erst hinter mir haben, und als ich die Schule hinter mir hatte, da war neunzehnhundertneununddreißig, und ich mußte in den Arbeitsdienst, und als ich den Arbeitsdienst hinter mir hatte, da war inzwischen Krieg, das sind viereinhalb Jahre, und ich habe kein Klavier mehr berühren können seitdem. Ich wollte Pianist werden. Ich träumte davon, genausogut wie andere davon träumen, Oberstudiendirektor zu werden. Aber ich, ich wollte Pianist werden, und ich liebte nichts auf der Welt so sehr wie das Klavier, aber es war nichts. Erst Abitur, dann Arbeitsdienst, und dann hatten sie Krieg angefangen, die Schweine ... Der Schmerz sitzt ihm in der Kehle, und er ist nie so elend gewesen wie jetzt. Es ist gut, daß ich leide. Vielleicht wird mir darum verziehen, daß ich hier in einem Lemberger Bordell neben der Opernsängerin sitze, die die ganze Nacht zweiundeinhalb Scheine kostet ohne die Streichhölzer und ohne das Klavier, das sechs Scheine kostet. Vielleicht wird mir das alles verziehen, weil ich jetzt vor Schmerz ganz gelähmt bin; vor Schmerz ganz gelähmt, weil sie das Wort Pianistin und Klavier gesagt hat. Er ist wahnsinnig, dieser Schmerz, er sitzt wie scharfes Gift in der Kehle und sinkt langsam tiefer, die Speiseröhre hinab in den Magen und verteilt sich in den ganzen

Körper. Vor einer halben Stunde war ich noch glücklich, weil ich Sauterne getrunken hatte, weil ich an die Terrasse über Le Treport gedacht habe, wo die Augen ganz nahe bei mir gewesen sind und wo ich ihnen vorgespielt habe, diesen Augen, in Gedanken, und jetzt bin ich von Schmerz verbrannt in diesem Bordell neben diesem schönen Mädchen, um das mich die ganze glorreiche deutsche Wehrmacht beneiden würde. Und ich bin froh, daß ich leide, ich bin froh, daß ich vor Schmerz bald umsinke, ich bin glücklich, weil ich leide, wahnsinnig leide, weil ich hoffen darf, daß mir alles verziehen wird, daß ich nicht bete, bete, bete, nur bete und auf den Knien liege, die letzten zwölf Stunden vor meinem Tode. Aber wo könnte ich denn auf den Knien liegen? Nirgendwo in der Welt könnte ich ungestört auf den Knien liegen. Ich werde Olina sagen, daß sie Wache halten soll an der Tür, und ich werde sechshundert Mark für das Klavier bezahlen lassen von Willi, und zweihundertfünfzig Mark für die schöne Opernsängerin ohne die Streichhölzer, und ich werde Olina eine Flasche Wein stiften, damit es ihr nicht langweilig wird...

»Was ist denn?« fragt Olina. Ihre sanfte Stimme ist erstaunt, seitdem er nein gerufen hat.

Er blickt sie an, und es ist schön, ihre Augen zu sehen. Graue, sehr sanfte, traurige Augen. Er muß ihr antworten.

»Nichts«, sagt er, und dann fragt er plötzlich, und es ist eine wahnsinnige Anstrengung, aus diesem mit dem Gift des Schmerzes gefüllten Mund die wenigen Worte herauszuzwingen: »Hast du das Klavier zu Ende studiert?«

»Nein«, sagt sie kurz, und es ist sicher grausam, sie zu fragen, dann wirft sie die Zigarette in den großen blechernen Aschenbecher, den sie zwischen die beiden Sessel auf den Boden gesetzt hat, und dann fragt sie wieder sehr leise und sanft: »Soll ich dir erzählen?«

»Ja«, sagt er, und er wagt nicht, sie anzusehen, denn er hat Angst vor diesen grauen Augen, die ganz ruhig sind.

»Gut«, aber sie spricht noch nicht. Sie blickt auf den Boden, er spürt, wie sie den Kopf hebt, und sie fragt plötzlich: »Wie alt bist du?«

»Im Februar würde ich vierundzwanzig«, sagt er leise.

»Im Februar würdest du vierundzwanzig. Du würdest... wirst nicht?«

Er sieht sie erstaunt an. Wie feine Ohren sie hat! Und plötzlich weiß er, daß er es ihr sagen wird, ihr allein wird er es sagen. Sie ist der einzige Mensch, der alles erfahren soll, daß er sterben wird, morgen früh, kurz vor sechs, oder kurz nach sechs in...

»Ach«, sagt er, »ich rede nur so. Welcher Ort«, fragt er plötzlich, »liegt vierzig Kilometer hinter Lemberg auf... auf Czernowitz zu?«...

Sie ist immer mehr erstaunt. »Stryj«, sagt sie.

Stryj? Welch seltsamer Name, denkt Andreas, ich muß ihn auf der Karte übersehen haben. Um Gottes willen, ich muß noch für die Juden von Stryj beten. Hoffentlich sind noch Juden in Stryj... Stryj... das wird es also sein, er wird vor Stryj sterben... nicht einmal Stanislau, nicht einmal Kolomea und lange, lange nicht Czernowitz. Stryj! Das ist es! Vielleicht ist es gar nicht auf der Karte drauf, die Willi gehört hat...

»Vierundzwanzig wirst du im Februar«, sagt Olina, »komisch, ich auch.« Er sieht sie an. Sie lächelt. »Ich auch«, sagt sie, »ich bin am zwölften Februar neunzehnhundertundzwanzig geboren.«

Sie blicken sich lange an, sehr lange, und ihre Augen versinken ineinander, und dann beugt Olina sich zu ihm, und da der Abstand zwischen den Sesseln zu groß ist, steht sie auf, kommt auf ihn zu und will ihn umarmen... aber er wehrt ab. »Nein«, sagt er still, »nicht das, sei nicht böse, später... ich erkläre es dir... ich... ich bin am fünfzehnten Februar geboren...«

Sie raucht wieder, es ist gut, daß sie nicht gekränkt ist. Sie lächelt. Sie denkt, er hat ja die ganze Nacht das Zimmer gemietet und mich. Und es ist erst sechs, noch nicht ganz sechs...

»Du wolltest mir doch erzählen«, sagt Andreas.

»Ja«, sagt sie, »wir sind beide gleich alt, das ist schön. Zwei Tage bin ich älter als du. Ich bin sicher deine Schwester...« Sie lacht. »Vielleicht bin ich wirklich deine Schwester.«

»Erzähl doch bitte.«

»Ja«, sagt sie, »ich erzähle ja. In Warschau bin ich aufs Konservatorium gegangen. Du wolltest doch von meinen Studien hören, nicht wahr?«

»Ja!«

»Kennst du Warschau?«

»Nein.«

»Gut. Also. Warschau ist eine große Stadt, eine schöne Stadt, und das Konservatorium war in einem Haus wie dieses hier. Nur der Garten war größer, viel größer. In den Pausen konnten wir in diesem schönen großen Garten spazierengehen und poussieren. Sie sagten, ich sei sehr begabt. Ich ging in die Klavierklasse. Ich hätte lieber erst nur Cembalo gespielt, aber das lehrte keiner, und so mußte ich in die Klavierklasse gehen. Als Aufnahmeprüfung mußte ich eine ganz kleine, einfache Beethoven-Sonate spielen. Das war gefährlich. Diese einfachen kleinen Sachen verschmiert man so leicht, oder man macht sie zu pathetisch. Das ist sehr schwer, diese einfachen Sachen zu spielen. Es war Beethoven, weißt du, Beethoven war es ja, aber ein sehr früher, fast noch ganz klassischer, fast noch Haydn. Ein ganz raffiniertes Stück für eine Aufnahmeprüfung, verstehst du?«

»Ja«, sagt Andreas, und er spürt, daß er bald weinen wird.

»Gut, ich bestand mit Sehr gut. Ich lernte und musizierte bis... na... bis der Krieg kam. Klar, das war Herbst neununddreißig, zwei Jahre, da hab ich viel gelernt und viel poussiert. Ich hab immer gern geküßt und alles, weißt du? Ich konnte schon ganz gut Liszt spielen, und Tschaikowskij. Aber Bach habe ich nie so richtig gekonnt. Ich hätte gern Bach gespielt. Und Chopin konnte ich auch ganz gut. Gut. Dann kam der Krieg... ach, da war ein Garten hinter dem Konservatorium, so ein wunderbarer Garten, da waren Bänke und Lauben, und manchmal hatten wir

Feste, da wurde musiziert und getanzt... einmal ein Mozartfest... ein wunderbares Mozartfest. Mozart konnte ich auch schon ganz gut spielen. Nun, es kam eben der Krieg!«

Sie bricht ganz plötzlich ab, und Andreas blickt sie fragend an. Sie sieht böse aus. Die Haare sträuben sich über dieser Fragonardstirn.

»Mein Gott«, sagt sie ärgerlich, »mach mit mir, was die anderen auch machen. Dieser Quatsch!«

»Nein«, sagt Andreas, »du mußt erzählen.«

»Das«, sagt sie mit gerunzelter Stirn, »das kannst du nicht bezahlen.«

»Doch«, sagt er, »ich werde mit gleicher Münze bezahlen. Ich werde dir auch erzählen. Alles...«

Aber sie schweigt. Sie starrt auf den Boden und schweigt. Er blickt sie von der Seite an und denkt: sie sieht doch wie eine Dirne aus. Die Lust sitzt in jeder Faser dieses hübschen Gesichtes, und sie ist keine unschuldige Schäferin, eine sehr verworfene Schäferin. Es ist wahnsinnig schmerzlich zu sehen, daß sie doch eine Hure ist. Der Traum war sehr schön. Sie könnte irgendwo im Gare Montparnasse stehen. Und es ist gut, daß der Schmerz wieder da ist. Eine Zeitlang war er ganz weg. Es war schön, ihre sanfte Stimme zu hören, die vom Konservatorium erzählte...

»Es ist langweilig«, sagt sie plötzlich. Sie sagt das sehr gleichgültig.

»Wir wollen Wein trinken«, sagt Andreas.

Sie steht auf, geht geschäftsmäßig zum Schrank und fragt gleichgültig: »Was möchtest du trinken?« Sie blickt in den Schrank und zählt auf: »Da ist roter und weißer, Moselwein, glaub ich.«

»Gut«, sagt er, »trinken wir Mosel.«

Sie bringt die Flasche, schiebt einen kleinen Tisch heran, reicht ihm den Korkenzieher und setzt Gläser auf, während er die Flasche öffnet. Er blickt sie dabei an, dann gießt er ein, sie stoßen an, und er lächelt in ihr böses Gesicht.

»Wir trinken auf unseren Jahrgang«, sagt er, »neunzehnhundertundzwanzig.«

Sie lächelt gegen ihren Willen. »Das ist gut, aber ich erzähle nichts mehr.«

»Soll ich erzählen?«

»Nein«, sagt sie, »ihr könnt nur vom Krieg erzählen. Das höre ich schon zwei Jahre. Immer Krieg. Wenn ihr es hinter euch habt... dann fangt ihr an vom Krieg zu erzählen. Es ist langweilig.«

»Was möchtest du denn?«

»Ich möchte dich verführen, du bist unschuldig, nicht wahr?«

»Ja«, sagt Andreas und erschrickt, so plötzlich springt sie auf.

»Ich habe es ja gewußt«, schreit sie, »ich habe es ja gewußt.« Er sieht ihr erregtes, rotes Gesicht, ihre Augen, die ihn anblitzen, und er denkt: es ist merkwürdig, noch keine Frau, die ich je gesehen habe, habe ich so wenig begehrt wie diese, die schön ist und die ich sofort haben könnte. Ach, manchmal ist es durch mich gezuckt, ohne daß ich es wußte und wollte, daß es wirklich schön ist, eine Frau zu besitzen. Aber noch keine habe ich so wenig begehrt wie diese. Ich werde es ihr erzählen, alles werde ich ihr erzählen...

»Olina«, sagt er und deutet auf das Klavier, »Olina, spiel die kleine Beethoven-Sonate.«

»Versprich mir, daß du mich... daß du mich lieben wirst.«

»Nein«, sagt er ruhig, »setz dich hierher.« Er zwingt sie in den Sessel, und sie blickt ihn stumm an.

»Paß auf«, sagt er, »ich werde dir jetzt erzählen.«

Er blickt nach draußen und sieht, daß die Sonne untergegangen ist und daß nur noch ein kleiner Rest von Licht über diesen Gärten liegt. Es wird nicht mehr lange dauern, und es wird kein Sonnenlicht mehr draußen in den Gärten sein, und es wird nie mehr, nie mehr die Sonne scheinen, keinen einzigen Strahl der Sonne wird er mehr sehen. Die letzte Nacht bricht an, und der letzte Tag ist vergangen wie alle anderen, ungenützt und sinnlos.

Ein bißchen nur gebetet und Wein getrunken und nun in einem Bordell. Er wartet, bis es dunkel geworden ist. Er weiß nicht, wie lange es gedauert hat, er hat das Mädchen vergessen, er hat den Wein vergessen, das ganze Haus, und er sieht nur oben irgendwo einen Waldrest, auf dessen Baumspitzen noch einige letzte Spritzer der Sonne liegen, die jetzt versinkt, nur ein paar winzige Spritzer der Sonne. Einige rötliche Lichter, die köstlich sind, unsagbar schön auf diesen Baumspitzen. Eine winzige Krone von Licht, das letzte Licht, das er sehen wird. Nicht mehr... doch, noch ein wenig, ein ganz klein wenig auf dem höchsten der Bäume, der am weitesten hinausragt und noch etwas auffangen kann von dem goldenen Schein, der nur noch eine halbe Sekunde da ist... bis nichts mehr sein wird. Immer noch, denkt er mit stockendem Atem... immer noch etwas Licht da oben auf der Baumspitze... ein lächerlicher kleiner Schimmer von Sonnenlicht, und ich bin der einzige Mensch auf der Welt, der darauf achtet. Immer noch... immer noch, es ist wie ein Lächeln, das sehr langsam erlischt... immer noch, und Schluß! Das Licht ist aus, die Laterne ist verschwunden, und ich werde sie nie mehr sehen...

»Olina«, sagt er leise, und er spürt, daß er jetzt sprechen kann, und er weiß, daß er sie besiegen wird, weil es dunkel ist. Eine Frau kann man nur im Dunkeln besiegen. Seltsam, denkt er, ob das wirklich wahr ist? Er hat das Gefühl, daß Olina nun ihm gehört, ihm ausgeliefert ist. »Olina«, sagt er leise, »morgen früh muß ich sterben. Ja«, sagt er ruhig in ihr erschrecktes Gesicht, »keine Angst! Morgen früh muß ich sterben. Du bist die erste und die einzige, die es erfährt. Ich weiß es. Ich muß sterben. Eben ist die Sonne untergegangen. Kurz vor Stryj werde ich sterben...«

Sie springt auf und sieht ihn entsetzt an. »Du bist verrückt«, murmelt sie mit bleichem Gesicht.

»Nein«, sagt er, »ich bin nicht verrückt, es ist so, du mußt es glauben. Du mußt glauben, daß ich nicht verrückt bin und daß ich morgen früh sterben werde, und du mußt mir jetzt die kleine Beethoven-Sonate spielen.«

Sie starrt ihn an und murmelt entsetzt: »Das ... das gibt es doch nicht.«

»Ich weiß es jetzt ganz sicher, und du hast mir das letzte Gewisse gesagt, Stryj, das ist es. Dieser furchtbare Name Stryj. Was ist das für ein Wort? Stryj? Warum muß ich vor Stryj sterben? Warum hieß es erst zwischen Lemberg und Czernowitz ... dann Kolomea ... dann Stanislau ... dann Stryj. Du hast Stryj gesagt, und ich habe gleich gewußt, daß es das ist. Halt«, ruft er, sie ist zur Tür gesprungen und blickt ihn mit entsetzten Augen an. »Du mußt bei mir bleiben«, sagt er, »du mußt bei mir bleiben. Ich bin ein Mensch, und ich kann es nicht allein ertragen. Bleib bei mir, Olina. Ich bin nicht verrückt. Schrei nicht.« Er hält ihr den Mund zu. »Mein Gott, was kann ich tun, um dir zu beweisen, daß ich nicht verrückt bin? Was kann ich tun? Sag mir, was ich tun kann, um dir zu beweisen, daß ich nicht verrückt bin?« Aber sie hört vor Angst gar nicht, was er sagt. Sie blickt ihn nur an mit ihren erschreckten Augen, und er begreift plötzlich, welch einen entsetzlichen Beruf sie hat. Wenn er wirklich verrückt wäre, dann stände sie jetzt da und wäre machtlos. Sie wird in ein Zimmer geschickt, und es werden zweihundertfünfzig Mark für sie bezahlt, weil sie die »Opernsängerin« ist, eine sehr kostbare, kleine Puppe, und sie muß in das Zimmer gehen wie ein Soldat an die Front. Sie muß, auch wenn sie die Opernsängerin ist, eine sehr kostbare, kleine Puppe. Ein schreckliches Leben. Sie wird in ein Zimmer geschickt und weiß nicht, wer drin ist. Ein Alter, ein Junger, ein Häßlicher oder ein Hübscher, ein Schwein oder ein Unschuldiger. Sie weiß es nicht und geht in das Zimmer, und nun steht sie da und hat Angst, nur Angst, und sie hört vor Angst nicht, was er sagt. Es ist wirklich eine Sünde, in ein Bordell zu gehen, denkt er. Da werden sie einfach in ein Zimmer geschickt... Er streichelt leise diese Hand, an der er sie festgehalten hat, und es ist seltsam, daß die Angst in ihren Augen nun geringer wird. Er streichelt weiter, und es ist ihm, als streichle er ein Kind. Keine Frau habe ich so wenig begehrt wie diese. Ein Kind... und er sieht plötzlich dieses arme, kleine, schmutzige und verschmierte Mädchen in der Vorstadt von Berlin, das zwischen Baracken spielt, wo kümmerliche Gärten sind, und sie haben ihm seine Puppe in eine Pfütze geworfen, die anderen... und sind weggelaufen. Und er bückt sich und zieht die Puppe aus der Pfütze, sie trieft von schmutzigem Wasser, eine schlaksige, ausgeleierte, billige Stoffpuppe, und er muß das Kind lange streicheln und es darüber trösten, daß die arme Puppe nun naß geworden ist... ein Kind...

»Gut«, fragt er, »nicht wahr?« Sie nickt, und es stehen Tränen in ihren Augen. Er führt sie sanft zu dem Sessel zurück. Der Dämmer ist schwer und traurig geworden.

Sie setzt sich gehorsam, ihn immer noch etwas ängstlich im Auge behaltend. Er schenkt ihr ein. Sie trinkt. Dann seufzt sie schwer auf. »Mein Gott, hast du mich erschreckt«, sagt sie und trinkt mit einem durstigen Zug das Glas leer.

»Olina«, sagt er, »du bist jetzt dreiundzwanzig Jahre alt. Denk doch mal, ob du fünfundzwanzig sein wirst, verstehst du?« sagt er eindringlich. »Stell dir vor: ich bin fünfundzwanzig Jahre alt. Das ist Februar neunzehnhundertfünfundvierzig, Olina. Versuch es, denk in dich hinein.« Sie schließt die Augen, und er sieht an ihren Lippen, daß sie leise vor sich hinsagt, auf polnisch etwas, was heißen muß: Februar neunzehnhundertfünfundvierzig.

»Nein«, sagt sie, wie erwachend, und schüttelt den Kopf, »da ist nichts, als ob es das nicht gäbe – komisch.«

»Siehst du«, sagt er, »und wenn ich denke: Sonntag mittag, morgen mittag, das gibt es für mich nicht mehr. So ist es. Ich bin nicht verrückt.« Er sieht, wie sie wieder die Augen schließt und etwas leise vor sich hinspricht...

»Seltsam«, sagt sie leise. »Auch Februar neunzehnhundertundvierundvierzig gibt es nicht mehr...«

»Ach«, sagt sie plötzlich, »warum willst du nicht lieben? Warum willst du nicht mit mir tanzen?« Sie springt zum Klavier und setzt sich hin. Und dann spielt sie: »Ich tanze mit dir in den Himmel hinein, in den siebenten Himmel der Liebe...«
Andreas lächelt. »Spiel doch die Beethoven-Sonate... spiel ein...«
Aber sie spielt noch einmal: Ich tanze mit dir in den Himmel hinein, in den siebenten Himmel der Liebe. Sie spielt das sehr leise, so leise, wie der Dämmer jetzt durch den offenen Vorhang ins Zimmer sinkt. Sie spielt diesen sentimentalen Schlager ohne Sentimentalität, das ist seltsam. Die Töne wirken hart, fast punktiert, sehr leise, fast so, als mache sie unversehens aus diesem Bordellklavier ein Cembalo. – Cembalo, denkt Andreas, das ist das richtige Instrument für sie, sie muß Cembalo spielen...
Es ist nicht mehr dieser Schlager, den sie spielt, und doch ist es nur dieser Schlager. Wie schön ist dieser Schlager, denkt Andreas. Unheimlich, was sie aus diesem Schlager macht. Vielleicht hat sie auch Komposition studiert, und sie macht aus diesem kleinen Schlager eine Sonate, die im Dämmer hängt. Manchmal, zwischendurch, punktiert sie die alte Melodie hinein, ganz rein und klar, ohne Sentimentalität: Ich tanze mit dir in den Himmel hinein, in den siebenten Himmel der Liebe. Manchmal, zwischen den sanften, spielerischen Wellen, läßt sie das Thema wie eine steinerne Klippe aufsteigen.
Es ist jetzt fast dunkel geworden, es wird kühl, aber es ist ihm alles gleichgültig; dieses Spiel ist so schön, daß er nicht aufstehen würde, um das Fenster zu schließen; selbst wenn dreißig Grad Kälte dort aus den Lemberger Gärten auf ihn zukämen, er würde nicht aufstehen... Vielleicht ist es ein Traum, daß neunzehnhundertdreiundvierzig ist und daß ich im grauen Rock der Armee Hitlers hier in einem Lemberger Bordell sitze; vielleicht ist das ein Traum, vielleicht bin ich im siebzehnten Jahrhundert geboren oder im achtzehnten, und ich sitze im Salon meiner Geliebten, und sie spielt auf dem Cembalo nur für mich, alle Musik

der Welt nur für mich... es ist ein Schloß irgendwo in Frankreich oder in Westdeutschland, und ich höre Cembalo in einem Salon des achtzehnten Jahrhunderts, gespielt von einer, die mich liebt, die nur für mich spielt, nur für mich. Die ganze Welt gehört mir in diesem Dämmer; gleich werden die Kerzen angezündet, wir werden keinen Diener rufen... keinen Diener... ich werde die Kerzen mit einem Fidibus anzünden, mit meinem Soldbuch am Kamin werde ich den Fidibus anzünden. Nein, es brennt kein Kamin, ich werde selbst den Kamin anzünden, feucht und kühl kommt es aus dem Garten, aus dem Schloßpark, ich werde an dem Kamin knien, werde das Holz liebevoll aufschichten, werde mein ganzes Soldbuch zerknüllen und werde anzünden mit den Streichhölzern, die sie aufgeschrieben hat. Diese Streichhölzer werden mit der Lemberger Hypothek bezahlt. Ich werde zu ihren Füßen knien, denn sie wird mit liebevoller Ungeduld darauf warten, daß das Feuer im Kamin entzündet wird. Ihre Füße sind kalt geworden am Cembalo; lange, lange hat sie bei dieser feuchten Kühle am offenen Fenster gesessen und für mich gespielt, meine Schwester, sie hat so schön gespielt, daß ich nicht aufstehen mochte, um das Fenster zu schließen... und ich werde ein schönes helles Feuer machen, und keinen Diener werden wir brauchen, nur keinen Diener! Es ist gut, daß die Tür verschlossen ist...

Neunzehnhundertdreiundvierzig. Schreckliches Jahrhundert; welche scheußlichen Kleider werden die Männer tragen; sie werden den Krieg verherrlichen und schmutzfarbene Kleider im Krieg tragen, wir, wir haben den Krieg nicht verherrlicht, er war ein ehrliches Handwerk, bei dem man manchmal um seinen guten Lohn betrogen wurde; und wir haben bei diesem Handwerk bunte Kleider getragen, so wie ein Arzt bunte Kleider trägt und ein Bürgermeister... und eine Dirne; sie, sie werden abscheuliche Kleider tragen und werden den Krieg verherrlichen und ihn für ihre Vaterländer schlagen: scheußliches Jahrhundert; neunzehnhundertdreiundvierzig...

Wir haben die ganze Nacht, die ganze Nacht. Eben erst ist der Abenddämmer in den Garten gesunken, die Tür ist verschlossen und nichts kann uns stören; das ganze Schloß gehört uns; Wein und Kerzen und ein Cembalo! Achtundeinhalb Scheine ohne die Streichhölzer; Millionen in Nikopol! Nikopol! Nichts!... Kischinew... Nichts... Czernowitz? Nichts!... Kolomea? Nichts!... Stanislau? Nichts! Stryj... Stryj... dieser schreckliche Name, der wie ein Strich ist, ein blutiger Strich an meinem Hals! In Stryj werde ich ermordet. Jeder Tod ist ein Mord, jeder Tod im Kriege ist ein Mord, für den irgendeiner verantwortlich ist. In Stryj!

Ich tanze mit dir in den Himmel hinein, in den siebenten Himmel der Liebe!

Es ist gar kein Traum, der zu Ende geht mit dem letzten Ton dieser melodischen Paraphrase, es zerreißt nur ein schwaches Gespinst, das über ihn geworfen war, und jetzt erst, am offenen Fenster, in der Kühle des Dämmers spürt er, daß er geweint hat. Er hat das nicht gewußt und nicht gefühlt, aber sein Gesicht ist naß, und die sanften, sehr kleinen Hände von Olina trocknen es, die kleinen Ströme sind über sein Gesicht gelaufen und haben sich an dem geschlossenen Kragen seiner Feldbluse gesammelt und fast gestaut; sie öffnet den Haken und trocknet mit einem Tuch seinen Hals. Sie trocknet die Wangen und die Augenhöhlen, und er ist froh, daß sie nichts sagt...

Eine seltsam nüchterne Heiterkeit erfüllt ihn. Das Mädchen knipst Licht an, schließt das Fenster mit abgewendetem Gesicht, und es ist möglich, daß auch sie geweint hat. Diese keusche Freude habe ich noch nie gekannt, denkt er, während sie zum Schrank geht. Immer habe ich nur begehrt, ich habe einen unbekannten Leib begehrt, und diese Seele habe ich begehrt, aber hier begehre ich nichts... Es ist seltsam, daß ich das in einem Lemberger Bordell lernen muß, am letzten Abend meines Lebens, an der Schwelle der letzten Nacht meines irdischen Lebens, das in Stryj morgen früh beendet wird mit einem blutigen Strich...

»Leg dich«, sagt Olina. Sie deutet auf das kleine Sofa, und er sieht jetzt, daß sie einen elektrischen Kocher angeschaltet hat in diesem geheimnisvollen Schrank.

»Ich werde Kaffee kochen«, sagt sie, »und währenddessen werde ich dir erzählen...«

Er legt sich, und sie sitzt neben ihm. Sie rauchen, und der Aschenbecher steht bequem auf einem Hocker, so daß beide ihn erreichen können. Er braucht nur ganz leicht die Hand auszustrecken.

»Ich brauche dir nicht zu sagen«, beginnt sie leise, »daß du nichts davon irgend jemand erzählen darfst. Selbst wenn du ... wenn du nicht sterben würdest – niemals würdest du dieses Geheimnis preisgeben. Ich weiß es. Ich habe schwören müssen bei Gott und allen Heiligen und bei unserem polnischen Vaterland, niemand etwas zu sagen, aber wenn ich es dir sage, so ist es, als ob ich es mir selber sage, und ich kann dir nichts verschweigen, wie ich mir nichts verschweigen kann!« Sie steht auf und gießt das brodelnde Wasser sehr langsam und liebevoll in eine kleine Kanne. Zwischendurch lächelt sie ihm zu, wenn sie kleine Pausen macht, ehe sie schluckweise weitergießt, und er sieht jetzt, daß auch sie geweint hat. Dann füllt sie die Tassen, die neben dem Aschenbecher stehen.

»Der Krieg kam neunzehnhundertneununddreißig. In Warschau wurden meine Eltern unter den Trümmern unseres großen Hauses begraben, und ich stand allein da im Garten des Konservatoriums, wo ich poussiert hatte, und der Direktor wurde verschleppt, weil er Jude war. Und ich, ich hatte einfach keine Lust mehr, Klavier zu lernen. Die Deutschen hatten uns alle irgendwie vergewaltigt, alle, uns alle.« Sie trinkt Kaffee, auch er nimmt einen Schluck. Sie lächelt ihn an.

»Es ist seltsam, daß du ein Deutscher bist und daß ich dich nicht hasse.« Sie schweigt wieder lächelnd, und er denkt, es ist merkwürdig, wie schnell sie besiegt ist. Als sie zum Klavier ging, wollte sie mich verführen, und als sie das erste Mal spielte: Ich tanze mit dir in den Himmel hinein, in den siebenten Himmel der Liebe, das war noch sehr unklar. Während sie spielte, hat sie geweint...

»Ganz Polen«, fährt sie fort, »ist eine Widerstandsbewegung. Ihr ahnt ja nichts. Niemand ahnt den vollen Umfang. Es gibt kaum einen unpatriotischen Polen. Wenn einer von euch irgendwo in Warschau oder in Krakau seine Pistole verkauft, so müßte er wissen, daß er damit so viel Leben seiner Kameraden verkauft, als die Pistole Munition hat. Wenn irgendwo, irgendwo«, sagt sie leidenschaftlich, »ein General oder ein Oberschütze bei einem Mädchen schläft, und er erzählt ihr nur, daß sie bei Kiew oder Lubkowitz, oder was weiß ich, keine Verpflegung gekriegt haben, oder daß sie nur drei Kilometer zurückgegangen sind, dann ahnt er nicht, daß das registriert wird und daß das Herz des Mädchens mehr frohlockt als über die zwanzig oder zweihundertfünfzig Zloty, die sie für ihre scheinbare Hingabe bekommen hat. Es ist so leicht, bei euch Spionin zu sein, daß mich das schnell anekelte. Man brauchte nur zuzupacken. Ich verstehe das nicht.«

Sie schüttelt den Kopf und blickt ihn fast verächtlich an.

»Ich verstehe das nicht. Ihr seid das geschwätzigste Volk der Welt und sentimental bis in die Zehenspitzen. Bei welcher Armee bist du?«

Er nennt ihr die Zahl.

»Nein«, sagt sie, »er war von einer anderen Armee. Ein General, der mich manchmal hier besuchte. Er redete wie ein sentimentaler Pennäler, der ein bißchen viel getrunken hat. ›Meine Jungens‹, stöhnte er, ›meine armen Jungens!‹ Und ein wenig später quasselte er mir vor Geilheit allerlei daher, was ungeheuer wichtig war. Er hat viele seiner armen Jungens auf dem Gewissen... und er hat viel erzählt. Und dann... dann«, sagte sie stockend, »dann war ich wie Eis...«

»Manche hast du auch geliebt?« fragt Andreas, und es ist sehr seltsam, denkt er, daß mir das weh tut, daß sie manchmal auch geliebt haben kann. »Ja«, sagt sie, »manchmal habe ich wirklich geliebt, nicht viele.« Sie blickt ihn an, und er sieht, daß sie wieder weint. Er faßt ihre Hand, richtet sich auf und gießt mit der anderen Kaffee ein...

»Soldaten«, sagt sie leise, »ja. Manche Soldaten hab ich geliebt... und ich hab gewußt, daß es gleichgültig war, wenn sie auch Deutsche waren, die ich doch eigentlich alle hassen mußte. Weißt du, wenn ich mich ihnen schenkte, fühlte ich mich ganz ausgeschaltet aus dem furchtbaren Spiel, an dem wir alle teilnehmen und an dem ich in einem besonderen Maße teilgenommen hatte. Das Spiel: andere in den Tod schicken, die man nicht kennt. Siehst du«, flüstert sie, »irgend so einer, ein Obergefreiter oder ein General, erzählt mir hier was, und ich berichte es weiter – eine Maschinerie wird in Bewegung gesetzt und irgendwo sterben Menschen, weil ich es weitererzählt habe, verstehst du?« Sie blickt ihn wie irr an. »Verstehst du? Oder du, du sagst irgendeinem auf dem Bahnhof: Fahr mit dem Zug, Kumpel, fahr mit dem statt mit dem – und gerade der Zug wird überfallen und dein Kumpel stirbt, weil du ihm gesagt hast: Fahr mit dem Zug. Deshalb war es so schön, sich ihnen einfach zu schenken, einfach hinzugeben, nichts tun als sich hingeben. Ich habe sie nichts gefragt für unser Mosaik und nichts gesagt, ich hab sie lieben müssen. Und es ist schrecklich, daß sie nachher immer traurig sind...«

»Mosaik«, fragt Andreas heiser, »was ist das?«

»Die ganze Spionage ist ein Mosaik. Es wird alles zusammengetragen und numeriert, jedes kleinste Fetzchen, das wir erwischen, bis das Bild vollständig ist... langsam wird das ausgefüllt... und viele dieser Mosaike geben das ganze Bild... von euch... von eurem Krieg... eurer Armee...«

»Weißt du«, sagt sie und blickt ihn sehr ernst an, »das ist furchtbar, daß alles so sinnlos ist. Überall werden nur Unschuldige ermordet. Überall. Auch von uns. Irgendwie hab ich das immer gewußt...«, sie wendet den Blick von ihm ab, »weißt du, aber das ist erschreckend, daß ich es erst richtig begriffen habe, seitdem ich hier ins Zimmer trat und dich sah. Deinen Rücken, deinen Nacken, da in der goldenen Sonne.« Sie deutet zum Fenster, wo die beiden Sessel stehen.

»Ich weiß das. Als ich hierhergeschickt wurde, als die Alte zu mir sagte: In der Bar wartet jemand auf dich. Nicht viel rauszuholen, glaub ich, aber er zahlt wenigstens gut. Als sie das sagte, hab ich gedacht: Du wirst schon etwas aus ihm rausholen. Oder es ist einer, den du lieben kannst. Keiner von den Opfern, es gibt ja nur Opfer und Henker. Und als ich dich sah, da am Fenster stehen, deinen Rücken, deinen Nacken, deine gebeugte junge Gestalt, als wärest du viele tausend Jahre alt, da erst fiel mir ein, daß auch wir nur die Unschuldigen morden ... nur Unschuldige ...«

Furchtbar lautlos ist dieses Weinen. Andreas steht auf, streicht ihr im Vorbeigehen über den Nacken und geht zum Klavier. Sie blickt ihm erstaunt nach. Ihre Tränen sind sofort versiegt, sie sieht ihm zu, wie er da sitzt, auf dem Klavierstuhl, und auf die Tasten starrt, seine Hände angstvoll gespreizt, und in seinem Gesicht steht eine schreckliche Falte quer über der Stirn, eine schmerzliche Falte.

Er hat mich vergessen, denkt sie, er hat mich vergessen, das ist furchtbar, daß sie uns immer vergessen in den Augenblicken, wo sie ganz sie selbst sind. Er denkt nicht mehr an mich, er wird nie mehr an mich denken. Morgen früh wird er sterben in Stryj ... und er wird keinen Gedanken mehr an mich verschwenden.

Er ist der erste und einzige, den ich liebe. Der erste. Er ist jetzt ganz allein. Er ist wahnsinnig traurig und allein. Diese Falte quer über seiner Stirn, die schneidet ihn entzwei, sein Gesicht ist blaß vor Schreck, und er hat die Hände gespreizt, als müsse er ein furchtbares Tier anfassen ... Wenn er doch spielen könnte, wenn er doch spielen könnte, wäre er wieder bei mir. Der erste Ton wird ihn mir wiedergeben. Mir, mir, mir gehört er ... er ist mein Bruder, ich bin zwei Tage älter als er. Wenn er doch spielen könnte. Es sitzt wie ein grausamer Krampf in ihm, spreizt seine

Hände, macht ihn bleich wie den Tod und macht ihn so maßlos unglücklich. Nichts mehr ist da von alledem, was ich ihm hab schenken wollen bei meinem Spiel... bei meinem Erzählen, nichts mehr davon ist bei ihm. Alles weg, nur noch sein Schmerz ist bei ihm.

Und wirklich, als er plötzlich mit einer wilden Wut im Gesicht auf die Tasten schlägt, da blickt er auf, und sein erster Blick gilt ihr. Er lächelt sie an, und sie hat noch nie ein so glückliches Gesicht gesehen wie dieses über dem schwarzen Rücken des Klaviers in dem matten gelben Schein der Lampe. Ach, wie ich ihn liebe, denkt sie. Wie glücklich er ist, er gehört mir, in diesem Zimmer bis morgen früh...

Sie hat gedacht, er wird etwas ganz Verrücktes spielen, etwas Wildes von Tschaikowskij oder Liszt oder einen dieser herrlich tanzenden Chopins, weil er wie ein Wahnsinniger in die Tasten geschlagen hat.

Nein, er spielt eine Sonatine von Beethoven. Ein zartes, kleines, sehr gefährliches Stück, und sie fürchtet einen Augenblick lang, daß er es »verschmieren« wird. Aber er spielt sehr schön, sehr vorsichtig, fast ein wenig zu vorsichtig, als vertraue er seiner Kraft nicht. So liebevoll spielt er, und sie hat noch nie ein so glückliches Gesicht gesehen wie das Soldatengesicht da über dem spiegelnden Rücken des Klaviers. Er spielt die Sonatine etwas unsicher, aber rein, so rein, wie sie sie noch nie gehört hat, sehr klar und sauber.

Sie hofft, daß er weiterspielen wird. Es ist schön; sie hat sich auf das Sofa gelegt, wo er gelegen hat, und sieht die Zigarette im Aschenbecher verqualmen: Sie möchte so gerne ziehen, aber sie wagt nicht, sich zu bewegen; die geringste Bewegung könnte diese Musik zerstören; und am schönsten ist dieses sehr glückliche Soldatengesicht über dem schwarzen, glänzenden Rücken des Klaviers...

»Nein«, sagt er lachend, als er aufsteht, »es ist nicht mehr viel. Es hat keinen Zweck. Man muß eben gelernt haben, und ich habe nichts gelernt.« Er beugt sich über sie und trocknet ihre Tränen, und er ist froh, daß sie geweint hat. »Nein«, sagt er leise, »bleib liegen. Ich wollte dir doch auch erzählen.«

»Ja«, flüstert sie, »erzähl mir und gib mir Wein.«

Wie glücklich ich bin, denkt er, als er zum Schrank geht. Ich bin wahnsinnig glücklich, obwohl ich feststellen mußte, daß es nichts war mit dem Klavier. Es ist kein Wunder an mir geschehen. Ich bin nicht plötzlich Pianist geworden. Es ist vorbei, und doch bin ich glücklich. Er blickt in den Schrank und fragt, indem er den Kopf zurückbeugt: »Welchen willst du?«

»Roten«, sagt sie lächelnd, »jetzt Roten.«

Er nimmt eine dickbauchige Flasche aus dem Schrank, dann sieht er den Zettel und den Bleistift und blickt auf das Papier. Oben steht etwas Polnisches, das sind die Streichhölzer, und da steht deutsch »Mosel« und davor ein polnisches Wort, das sicher Flasche bedeutet. Welch eine reizende Schrift sie hat, denkt er, eine hübsche weiche Schrift, und er schreibt unter Mosel »Bordeaux« und macht dort, wo sie polnisch Flasche geschrieben hat, Pünktchen. »Hast du wirklich aufgeschrieben?« fragt sie lächelnd, während er den Wein eingießt.

»Ja.«

»Du würdest nicht einmal eine Puffmutter betrügen.«

»Doch«, sagt er, und er sieht plötzlich den Dresdner Hauptbahnhof und hat mit schmerzlicher Deutlichkeit den Geschmack des Dresdner Hauptbahnhofs auf der Zunge, und er sieht den dicken rotbackigen Leutnant. »Doch, ich habe einen Leutnant betrogen.« Er erzählt ihr die Geschichte. Sie lacht. »Aber das ist doch nicht schlimm.«

»Doch«, sagt er, »das ist sehr schlimm. Ich hätte das nicht tun sollen, ich hätte ihm nachrufen sollen: Ich bin nicht taub. Ich habe geschwiegen, weil ich bald sterben muß und weil er mich so angebrüllt hat... weil ich voll Schmerz war. Ich war auch zu faul. Ja«, sagt er leise, »ich war wirklich zu faul, es zu tun, weil es so schön war, den Geschmack des Lebens im Mund zu haben. Ich wollte es erst klarstellen, ich weiß ganz genau, ich dachte: du darfst nicht zulassen, daß ein Mensch sich deinetwegen erniedrigt fühlt, und wenn es auch ein nagelneuer Leutnant ist, sogar mit nagelneuen Orden auf der Brust. Das darfst du nicht zulassen, hab ich gedacht, und ich seh ihn noch vor mir, wie er verlegen und betroffen, knallrot davongeht mit seinem grinsenden Schwarm von Untergebenen. Ich sehe seine dicken Arme und seine armen Schultern. Wenn ich an seine armen, dummen Schultern denke, muß ich fast weinen. Aber ich war zu faul, nur zu faul, den Mund zu öffnen. Es war nicht einmal Angst, nur Faulheit. Ach, hab ich gedacht, wie schön ist doch das Leben, diese wimmelnde Masse da. Der eine fährt zu seiner Frau, der andere zu seiner Geliebten, und sie fährt zu ihrem Sohn, und es ist Herbst, wunderbar, und dieses Pärchen da, das auf die Sperre zugeht, wird sich küssen heute abend oder heute nacht unter den sanften Bäumen unten an der Elbe.« Er seufzt. »Ich werde dir erzählen, wen alles ich betrogen habe!«

»Ach«, sagt sie, »nein. Erzähl mir etwas Schönes ... und mehr!« Sie lacht. »Wen wirst du schon betrogen haben?«

»Ich will die Wahrheit erzählen. Alles, was ich gestohlen und wen ich betrogen habe ...« Er schenkt wieder ein, stößt mit ihr an, und in dieser Sekunde, wo sie sich über dem Rand der Gläser anblicken, lächelnd, nimmt er ihr schönes Gesicht ganz in sich hinein. Ich darf es nicht verlieren, denkt er, nie mehr verlieren, sie gehört mir.

Ich liebe ihn, denkt sie, ich liebe ihn ...

»Mein Vater«, sagt er leise, »mein Vater ist an den Folgen einer schweren Verwundung gestorben, die er noch drei Jahre hinter dem Krieg hat herschleppen müssen. Ich war ein Jahr alt, als er starb. Und meine Mutter folgte ihm bald. Mehr weiß ich nicht davon. Man hat mir das alles erzählt, eines Tages, als man mir sagen mußte, daß die Frau, die ich immer für meine Mutter gehalten hatte, gar nicht meine Mutter war. Ich wuchs bei einer Tante, bei einer Schwester meiner Mutter, die einen Rechtsanwalt geheiratet hatte, auf. Er verdiente viel Geld, aber wir waren immer schrecklich arm. Er trank. Für mich war es so selbstverständlich, daß ein Mann morgens immer mit schwerem Schädel und mißmutig am Frühstückstisch saß, daß ich später, als ich andere Männer, Väter meiner Freunde kennenlernte, dachte, es wären gar keine Männer. Männer, die nicht jeden Abend besoffen waren und morgens beim Kaffee hysterische Szenen machten, das war für mich ein Begriff, den es nicht gab. ›Ein Ding, was nichts ist‹, wie Hoynhyms bei Swift sagen. Ich dachte, wir sind geboren, um uns anbrüllen zu lassen. Die Frauen sind geboren, um sich anbrüllen zu lassen, mit den Gerichtsvollziehern zu kämpfen, mit Händlern fürchterliche Streitfälle auszufechten und irgendwo einen neuen Kredit aufzutun. Meine Tante war ein Genie. Sie war ein Genie im Kreditauftun. Wenn alles vollständig verloren schien, wurde sie ganz still, nahm ein Pervitin und sauste ab, und wenn sie wiederkam, hatte sie Geld. Und ich hielt sie für meine Mutter; und dieses dicke, aufgeschwemmte Ungeheuer mit aufgeplatzten Äderchen an der Backe hielt ich für meinen biederen Erzeuger. Er hatte eine gelbliche Augenfarbe und den widerlichen Geruch von Bier im Hals, er stank wie alte Hefe. Ich hielt ihn für meinen Vater. Wir bewohnten eine prachtvolle Villa, hatten ein Mädchen und alles, und meine Tante hatte oft keinen Groschen, um eine Teilstrecke mit der Straßenbahn zu fahren. Und mein Onkel war ein berühmter Rechtsanwalt. Ist das nicht langweilig?« fragt er plötzlich, als er aufsteht, um die Gläser neu zu füllen. »Nein«, flüstert sie, »nein, erzähl weiter.« Es sind nur zwei Sekunden, die er braucht, um vorsichtig die schlanken Gläser neu zu füllen, die auf diesem Rauchtisch stehen, aber sie sieht seine Hände und das blasse schmale Gesicht und denkt, wie mag er ausgesehen haben, damals, als er fünf oder sechs Jahre alt war oder dreizehn, an diesem Frühstückstisch. Diesen fetten, versoffenen Burschen kann sie sich gut denken, der an der Marmelade herummäkelt und nur Wurst essen möchte. Wenn sie gesoffen haben, möchten sie nur Wurst essen. Und die Frau, vielleicht zart, und dieser blasse kleine Bursche dabei, ganz schüchtern, der vor Angst kaum zu essen wagt und nicht zu husten wagt, obwohl ihm der schwere Zigarrenrauch in der Kehle liegt, der husten möchte und es nicht wagt, weil das versoffene, fette Ungeheuer dann rasend wird, weil der berühmte Rechtsanwalt seine Nerven verliert, wenn er diesen Kinderhusten hört...

»Deine Tante«, sagt sie, »wie sah sie aus? Beschreib mir genau deine Tante!«

»Meine Tante war sehr klein und zart.«

»Sie glich deiner Mutter?«

»Ja, sie glich sehr meiner Mutter, den Bildern nach. Später, als ich größer wurde und so manches wußte, hab ich immer gedacht, das muß doch furchtbar sein, wenn er... wenn er sie umarmt, dieser große schwere Kerl mit seinem Atem und diesen geplatzten Äderchen auf den prallen Backen und auf der Nase, das sieht sie dann doch ganz, ganz nah, und diese großen, gelblichen, verschwommenen Augen und alles. Dieses Bild hat mich monatelang verfolgt, wenn ich nur einmal daran dachte. Und ich dachte doch, es wäre mein Vater, und quälte mich nächtelang mit der Frage: Warum heiraten sie solche Männer. Und...«

»Und auch sie hast du betrogen, deine Tante, wie?«

»Ja«, sagt er. Er schweigt eine Sekunde und blickt an ihren Augen vorbei. »Das war furchtbar. Weißt du, als er einmal schwer krank war, Leber und Nieren und Herz, alles war ja bei ihm vollkommen kaputt. Da lag er im Krankenhaus, und wir sind in einer Taxe hingefahren an einem Sonntagmorgen, weil er operiert werden sollte. Die Sonne schien ganz herrlich, und ich war furchtbar unglücklich. Und die Tante hat schrecklich geweint, und immer hat sie mir zugeflüstert: ich solle doch beten, daß alles gut geht. Immer wieder hat sie es mir zugeflüstert, und ich hab es ihr versprechen müssen. Und ich habe es nicht getan. Ich war neun Jahre alt, und ich wußte schon, daß er gar nicht mein Vater war, und ich habe nicht gebetet, daß es gut gehen sollte. Ich konnte es einfach nicht. Ich habe nicht gebetet, daß es nicht gutgehen sollte. Nein, vor diesem Gedanken schreckte ich zurück. Aber gebetet, daß es gutgehen sollte, hab ich nicht. Unwillkürlich hab ich nur immer gedacht, wie schön es sein würde, wenn... ja, das hab ich gedacht. Das ganze Haus für uns und keine Szenen mehr und alles... und ich hatte doch meiner Tante versprochen, für ihn zu beten. Ich habe es nicht gekonnt. Ich habe nur immer, immer gedacht: mein Gott, warum heiraten sie solche Männer, warum heiraten sie solche Männer?«

»Weil sie sie lieben«, fällt Olina plötzlich ein.

»Ja«, sagt er erstaunt, »du weißt es. Sie hat ihn geliebt, hatte ihn geliebt und liebte ihn immer noch. Damals sah er ja anders aus, er war Referendar, und es gab ein Bild von ihm, wo er kurz nach dem Examen geknipst war. Im Stürmer, weißt du? Das waren solche Studentenmützen. Grauenhaft. Neunzehnhundertundsieben. Da sah er anders aus, aber nur äußerlich.«

»Wie?«

»Nur äußerlich, weißt du. Ich fand, daß seine Augen dieselben waren. Nur sein Bauch war eben noch nicht so dick. Aber ich fand ihn auch auf diesem Jugendbild furchtbar. Ich hätte ihm angesehen, wie er mit fünfundvierzig aussehen würde, ich hätte ihn nicht geheiratet. Und sie liebte ihn immer noch, obwohl er ein Wrack war, sie quälte, sie sogar betrog. Sie liebte ihn ganz bedingungslos. Ich verstehe das nicht...«

»Du verstehst das nicht?« Er blickt sie wieder erstaunt an. Sie hat sich aufgerichtet, die Beine herunterfallen lassen und sitzt nun nahe vor ihm...

»Du verstehst das nicht?« fragt sie eifrig.

»Nein«, sagt er erstaunt.

»Dann kennst du die Liebe nicht. Ja«, sie blickt ihn an, und er fürchtet sich plötzlich vor diesem ernsten, leidenschaftlichen, ganz veränderten Gesicht. »Ja«, sagt sie wieder. »Bedingungslos! Die Liebe ist doch immer bedingungslos. Hast du«, fragt sie leise, »hast du denn nie eine Frau geliebt?«

Er schließt plötzlich die Augen. Wieder spürt er den Schmerz tief und schwer. Auch das, denkt er, auch das muß ich ihr erzählen. Kein Geheimnis darf bleiben zwischen ihr und mir, und ich hatte gehofft, ich würde es behalten dürfen, diese Erinnerung an ein unbekanntes Gesicht, diese Hoffnung, dieses Geschenk würde mein eigen bleiben, und ich würde es mitnehmen können. Er hat die Augen immer noch geschlossen, und es ist ganz still. Er zittert vor Pein. Nein, denkt er, laß es mich doch behalten. Das ist mein eigenstes Eigentum, und ich habe dreiundeinhalb Jahr nur davon gelebt... nur von dieser Zehntelsekunde auf dem Berge hinter Amiens. Warum mußte sie so tief und unfehlbar in mich hineinstoßen? Warum mußte sie die wohlbehütete Narbe aufstoßen mit einem Wort, das in mich eindringt wie eine Sonde, die Sonde eines unfehlbaren Arztes...

Ja, denkt sie, das ist es also. Er liebt eine andere. Er zittert, er spreizt die Hände und schließt die Augen, und ich habe ihm weh getan. Denen, die man liebt, muß man am meisten weh tun, das ist das Gesetz der Liebe. Es schmerzt ihn so sehr, daß er nicht weinen kann. Es gibt einen Schmerz, so groß, daß die Tränen machtlos sind, denkt sie. Ach, warum bin ich nicht die andere, die er liebt. Warum kann ich nicht diese Seele und diesen Körper vertauschen. Nichts, nichts möchte ich behalten von mir, ich würde mich selbst ganz hingeben, wenn ich nur die... nur die Augen der anderen hätte. In dieser Nacht vor seinem Tode, in dieser letzten Nacht auch für mich, denn wenn er nicht mehr ist, wird mir alles gleichgültig sein... ach, könnte ich nur ihre Wimpern haben, ihre Wimpern vertauschen gegen mich selbst ganz...

»Ja«, sagt er leise. Seine Stimme ist ohne Gefühl, die Stimme eines fast Toten. »Ja, ich habe sie so geliebt, daß ich meine Seele verkauft hätte, um nur eine Sekunde ihren Mund zu spüren. Jetzt erst weiß ich das, in dem Augenblick, wo du mich fragst. Und vielleicht durfte ich sie deshalb nie kennen. Ich hätte einen Mord begangen, um nur den Saum ihres Kleides zu sehen, wenn sie um eine Straßenecke ging. Nur etwas, etwas Wirkliches. Und gebetet habe ich, jeden Tag für sie gebetet. Alles erlogen und alles

Selbstbetrug, denn ich glaubte, nur ihre Seele zu lieben. Nur ihre Seele! Und ich hätte alle diese Tausende Gebete verkauft für einen einzigen Kuß von ihren Lippen. Das weiß ich jetzt erst.« Er steht plötzlich auf, und sie ist froh, daß seine Stimme jetzt wieder menschlich wird, eine Menschenstimme, die leidet und lebt. Wieder muß sie denken, daß er jetzt allein ist, daß er jetzt nicht mehr an sie denkt, er ist wieder allein.

»Ja«, sagt er ins Zimmer hinein, »nur ihre Seele glaubte ich geliebt zu haben. Aber was ist eine Seele ohne Leib, was ist eine Menschenseele ohne Leib? Ich konnte nicht ihre Seele begehren mit aller, aller wahnsinnigen Leidenschaft, deren ich fähig war, ohne zu wünschen, daß sie wenigstens einmal, einmal mir nur zugelächelt hätte. Ach«, er schlägt mit der Hand durch die Luft, »immer nur die Hoffnung, immer nur die Hoffnung, daß sie einmal leibhaftig werden könnte«, er schreit, »immer nur die wahnsinnige Bürde der Hoffnung! Wie spät ist es?« Er schnauzt sie plötzlich an, und obwohl er sie rauh und rasch anfährt wie eine Magd, ist sie doch froh, daß sie nun merkt, er hat ihre Gegenwart wenigstens nicht vergessen. »Verzeih«, fügt er rasch hinzu, indem er ihre Hand ergreift, aber sie hat ihm schon verziehen, sie hat ihm schon vorher verziehen. Sie blickt auf die Uhr und lächelt. »Elf Uhr.« Und ein großes Glück erfüllt sie, erst elf Uhr. Noch nicht Mitternacht, nicht einmal Mitternacht, das ist herrlich, das ist wirklich schön, das ist wunderbar. Sie ist froh wie ein ausgelassenes Kind, springt auf und tanzt durchs Zimmer: Ich tanze mit dir in den Himmel hinein, in den siebenten Himmel der Liebe...

Er sieht ihr zu und denkt: es ist doch merkwürdig, daß ich ihr nicht böse sein kann. Ich bin vor Schmerz fast tot, todkrank, und sie tanzt, obwohl sie teilgenommen hat an meinem Schmerz, und ich kann nicht böse sein, nein...

»Weißt du was«, fragt sie plötzlich innehaltend, »wir müssen etwas essen, das ist es.«

»Nein«, sagt er erschreckt. »Nicht.«

»Warum?«
»Weil du dann gehen mußt. Nein, nein«, ruft er schmerzlich, »du darfst mich keine Sekunde verlassen. Ich kann ohne dich... ohne dich... ich kann ohne dich nicht mehr leben...«

»Wie«, fragt sie, und sie weiß nicht, welches Wort ihre Lippen bilden, denn es ist eine wahnwitzige Hoffnung in ihr aufgetaucht...

»Ja«, sagt er jetzt leise, »du darfst nicht weggehen.«

Nein, denkt sie, es ist nichts. Nicht ich bin es, die er liebt. Und laut sagt sie: »Ich brauche ja nicht weg! Im Schrank ist auch was zu essen.«

Es ist wunderbar, daß irgendwo in einer Schublade dieses Schrankes Keks liegen und Käse, der in Silberpapier eingewickelt ist. Welch ein herrliches Mahl, Keks und Käse und Wein. Die Zigarette schmeckt ihm nicht. Der Tabak ist trocken und irgendwie schmeckt er widerwärtig nach Militär.

»Gib mir eine Zigarre«, sagt er, und es ist natürlich auch eine Zigarre da. Eine ganze Kiste richtiger Majorszigarren, alles für die Lemberger Hypothek. Es ist schön, dort zu stehen, auf dem weichen Teppich, und zuzusehen, wie Olina mit sanften und liebevollen Händen das kleine Mahl auf dem Rauchtisch zurechtsetzt. Als sie fertig ist, wendet sie sich plötzlich um und blickt ihn lächelnd an: »Du könntest ohne mich nicht mehr leben?«

»Ja«, sagt er und sein Herz ist so schwer, daß er nicht lachen kann, und er denkt: ich müßte jetzt hinzufügen: ich liebe dich nämlich, und das wäre wahr und wäre nicht wahr. Wenn ich es sagte, dann müßte ich sie küssen, und das wäre gelogen, alles wäre gelogen, und doch könnte ich reinen Herzens sagen: ich liebe dich, aber ich müßte eine lange, lange Erklärung abgeben, eine Erklärung, die ich selbst noch nicht weiß. Immer noch ihre Augen, sehr sanft und liebevoll und glücklich, das Gegenteil von jenen Augen, die ich begehrt habe... noch begehre... und er sagt noch einmal in ihre Augen hinein: »Ich könnte ohne dich nicht mehr leben«, und er lächelt jetzt...

Im gleichen Augenblick, wo sie wieder ihre Gläser heben, um anzustoßen und zu trinken auf ihren Jahrgang oder ihr verpfuschtes Leben, im gleichen Augenblick beginnen ihre Hände heftig zu zittern; sie setzen wieder ab und blicken sich verstört um: es hat an die Tür geklopft...

Andreas hält Olinas Arm zurück und steht langsam auf. Er geht zur Tür, er braucht nur drei Sekunden bis zur Tür. Das ist also das Ende, denkt er. Sie nehmen sie mir weg, sie wollen nicht, daß sie bei mir bleibt bis zum Morgen. Die Zeit lebt noch und die Welt dreht sich. Willi und der Blonde liegen irgendwo im Bett hier bei einem Mädchen, die Alte lauert unten auf Geld, ihr Sparbüchsenmund ist stets geöffnet, leise geöffnet. Was soll ich tun, wenn ich allein bin? Ich werde nicht einmal mehr beten können, nicht einmal auf den Knien liegen. Ich kann ohne sie nicht leben, ich liebe sie doch. Sie dürfen es nicht...

»Ja«, fragt er leise.

»Olina«, sagt die Stimme der Alten, »ich muß Olina sprechen.«

Andreas blickt sich um, bleich und entsetzt. Ich will die fünf Stunden ja noch abgeben, wenn ich nur noch eine halbe Stunde bei ihr bleiben darf. Sie sollen sie haben. Aber ich möchte ja nur noch eine halbe Stunde bei ihr sein und sie sehen, nur sehen, vielleicht spielt sie auch noch was. Wenn es nur ist: Ich tanze mit dir in den Himmel hinein...

Olina lächelt ihm zu, und er weiß bei diesem Lächeln, daß sie bei ihm bleiben wird, wie es auch kommen mag. Und doch hat er Angst, und er weiß jetzt, während Olina leise den Schlüssel herumdreht, daß er sich nicht von dieser Angst um sie trennen möchte. Daß er auch diese Angst liebt. »Laß mir wenigstens deine Hand«, flüstert er, als sie hinausgehen will, und sie läßt ihm ihre Hand, und er hört, daß sie draußen mit der Alten auf polnisch hastig und hitzig zu flüstern beginnt. Die beiden Frauen kämpfen miteinander. Die Sparbüchse kämpft mit Olina. Er blickt ängstlich in ihre Augen, als sie zurückkommt, ohne die Tür zu schließen. Er läßt ihre Hand nicht los. Auch sie ist bleich geworden, und er sieht, daß die Zuversicht nicht mehr groß ist...

»Der General ist da. Er bietet zweitausend. Er ist ganz toll. Er muß unten herumtoben. Hast du noch Geld? Wir müssen den Unterschied ersetzen, sonst...«

»Ja«, sagt er; er krempelt hastig seine Taschen aus. Es sind noch Scheine drin, die er Willi beim Spiel abgewonnen hat. Olina zwitschert irgend etwas auf polnisch durch die Tür. »Schnell«, flüstert sie. Sie zählt das Geld. »Dreihundert, nicht wahr? Ich habe ja nichts! Nichts!« sagt sie leidenschaftlich. »Doch, hier ist ein Ring, das sind fünfhundert. Mehr ist er nicht wert. Achthundert.«

»Der Mantel«, sagt Andreas, »hier.«

Olina geht zur Tür mit den dreihundert, dem Ring und dem Mantel. Sie ist noch weniger zuversichtlich, als sie zurückkommt.

»Den Mantel rechnet sie für vier, nur vier – nicht mehr. Und den Ring sechs, Gott sei Dank, sechs. Dreizehnhundert. Hast du nichts mehr? Schnell!« flüstert sie. »Wenn er ungeduldig wird und raufkommt, sind wir verloren.«

»Das Soldbuch«, sagt er.

»Ja, gib her. Ein echtes Soldbuch ist viel wert.«

»Und die Uhr.«

»Ja«, sie lacht nervös, »die Uhr. Du hast noch eine Uhr. Geht sie?«

»Nein«, sagt er.

Olina geht zur Tür mit dem Soldbuch und der Uhr. Wieder erregtes polnisches Geflüster. Andreas läuft ihr nach. »Hier ist noch ein Pullover«, ruft er, »eine Hand, ein Bein. Können Sie kein Menschenbein gebrauchen, ein wunderbares, prachtvolles Menschenbein... ein Bein von einem fast unschuldigen Menschen? Können Sie das nicht gebrauchen? Für den Rest. Bleibt noch ein Rest?« Er ruft das ganz sachlich, ohne Erregung, und hat immer noch Olinas Hand in der seinen.

»Nein«, sagt draußen die Stimme der Alten. »Aber Ihre Stiefel. Ihre Stiefel würden genügen für den Rest.«

Es ist mühsam, die Stiefel auszuziehen. Es ist sehr mühsam, wenn man sie vier Tage an den Beinen hat. Aber es gelingt ihm, ebenso wie es ihm gelungen ist, sie schnell anzuziehen, wenn das Gebrüll der Russen sich bedrohlich der Stellung näherte. Er zieht die Stiefel aus und gibt sie durch Olinas kleine Hand hinaus.

Und die Tür ist wieder zu. Olina steht mit zitterndem Gesicht vor ihm. »Ich habe ja nichts«, weint sie, »meine Kleider gehören der Alten. Mein Leib auch, und meine Seele, meine Seele will sie nicht. Seelen will nur der Teufel, und die Menschen sind schlimmer als der Teufel. Verzeih mir«, weint sie, »ich hab ja nichts.«

Andreas zieht sie zu sich und streichelt leise ihr Gesicht. »Komm«, flüstert er, »komm, ich will dich lieben...« Aber sie hebt das Gesicht und lächelt. »Nein«, flüstert sie, »nein, laß das, es ist ja nicht wichtig.«

Wieder kommen die Schritte durch den Gang draußen zurück, die zielsicheren Schritte, aber es ist seltsam, daß sie jetzt keine Angst mehr haben. Sie lächeln sich an.

»Olina«, ruft die Stimme vor der Tür.

Wieder dieses polnische Gezwitscher. Olina fragt lächelnd zurück: »Wann mußt du gehen?«

»Um vier.«

Sie schließt die Tür, ohne den Schlüssel umzudrehen, kommt zurück und sagt: »Um vier holt mich der Wagen des Generals ab.«

Sie räumt den Käse weg, über den ihre zitternden Hände den Wein gegossen haben, rafft das beschmutzte Tischtuch und ordnet alles neu. Die Zigarre ist nicht erloschen, denkt Andreas, der ihr zusieht. Die Welt war nahe am Untergang, aber die Zigarre ist nicht erloschen, und ihre Hände sind ruhiger als je. »Kommst du?«

Ja, er setzt sich ihr gegenüber, legt die Zigarre weg, und sie blicken einige Minuten schweigend und fast errötend aneinander vorbei, weil es ihnen furchtbar beschämend ist, zu wissen, daß sie beten, beide beten, hier in diesem Bordell, auf dieser Couch ...

»Jetzt ist Mitternacht«, sagt sie, als sie zu essen beginnen ... Jetzt ist Sonntag, denkt Andreas ... Sonntag, und er setzt plötzlich sein Glas nieder und legt den angebissenen Keks auf den Tisch, ein fürchterlicher Krampf lähmt Kinnbacken und Hände und scheint auch die Augen zu blenden; ich will nicht sterben, denkt er, und ohne es zu wissen, stammelt er auch wie ein weinendes Kind: »Ich ... ich will nicht sterben.«

Das ist doch Wahnsinn, daß ich jetzt so deutlich den Geruch von Farbe rieche ... ich war damals doch kaum sieben Jahre alt, als sie die Gartenzäune angestrichen haben: es war der erste Ferientag, und Onkel Hans war verreist, es hatte nachts geregnet, und nun schien die Sonne in diesem feuchten Garten ... es war so wunderbar ... so schön, und ich konnte vom Bett aus ganz deutlich den Garten riechen und den Geruch von Farbe, denn die Anstreicher waren schon dabei, die Gartenzäune mit grüner Farbe zu streichen ... und ich durfte im Bett bleiben ... ich hatte ja Ferien, Onkel Hans war verreist, und ich sollte Schokolade zum Frühstück kriegen, Tante Marianne hatte es mir abends versprochen, weil sie doch wieder neuen Kredit hatte ... wenn wir neuen Kredit hatten, ganz neuen, dann kauften wir erst etwas Gutes. Und diesen Geruch von Farbe, den spüre ich doch ganz deutlich, das ist doch Wahnsinn ... es kann hier doch unmöglich nach grüner Farbe riechen. Da, dieses bleiche Gesicht, das ist Olina, eine polnische Dirne und Spionin ... nichts hier im Zimmer kann so grausam nach Farbe riechen und diesen Tag meiner Kindheit so deutlich heraufbeschwören. »Ich will nicht sterben«, stammelt sein Mund, »ich will das alles nicht verlassen ... niemand kann mich zwingen, in diesen Zug zu steigen, der nach ... Stryj fährt, niemand auf der Welt. Mein Gott, vielleicht wäre es barmherzig, wenn ich den Verstand verlöre. Aber laß mich ihn nicht verlieren! Nein, nein! Auch wenn es wahnsinnig schmerzt, diesen Geruch der grünen Farbe nun zu riechen, laß mich lieber diesen Schmerz kosten als verrückt werden... und Tante Mariannes Stimme, die mir sagt, daß ich liegenbleiben darf... Onkel Hans ist ja verreist...«

»Was ist das«, fragt er plötzlich erschreckt. Olina ist aufgestanden, ohne daß er es gemerkt hat, sie sitzt am Klavier, und ihre Lippen zittern in dem blassen Gesicht.

»Regen«, sagt sie leise, und es scheint, daß es ihr unsagbar mühsam ist, den Mund zu öffnen, sie findet kaum die Kraft, eine Geste zum Fenster hin zu machen.

Ja, dieses sanfte Rauschen, das mit Gewalt plötzlichen Orgelbrausens ihn erweckte, das ist Regen... es regnet in den Bordellgarten... und auch auf die Bäume, auf denen er zum letzten Male die Sonne gesehen hat. »Nein«, schreit er, als Olina die Tasten berührt, »nein«, aber dann spürt er die Tränen, und er weiß, daß er noch nie im Leben geweint hat... diese Tränen sind das Leben, ein wilder Strom, der sich aus unzähligen Bächen gebildet hat... alles strömt da zusammen und quillt schmerzhaft aus... die grüne Farbe, die nach Ferien riecht... und Onkel Hansens schreckliche Leiche, aufgebahrt im Herrenzimmer, umwölkt von schwüler Kerzenluft... viele, viele Abende mit Paul und die schmerzlichschönen Versuche am Klavier... Schule und Krieg, Krieg... Krieg, und das unbekannte Gesicht, das er begehrt, hat... und in diesem blendenden feuchten Strom schwimmt wie eine zuckende Scheibe blaß und schmerzlich das einzig Wirkliche: Olinas Gesicht.

Das alles vermag eine winzige Melodie von Schubert, daß ich weine, wie ich nie im Leben geweint habe, weine, wie ich vielleicht nur geweint habe bei meiner Geburt, als dieses grelle Licht mich zerschneiden wollte... Plötzlich klingt ein Akkord an sein Ohr, der ihn erschrecken läßt, bis ins tiefste Herz, das ist Bach, sie hat doch nie Bach spielen können...

Das ist wie ein Turm, der sich von innen her aus sich selbst aufstapelt in immer neuen Stockwerken. Er wächst und reißt ihn mit, als sei er aus dem tiefsten Grund der Erde emporgeschleudert von einem plötzlich aufbrechenden Quell, der mit wilder Gewalt an düsteren Zeitaltern vorbei hinauf will ins Licht, ins Licht. Ein schmerzliches Glück erfüllt ihn, wie er so gegen seinen Willen und doch wissend und bewußt hochgetragen wird von diesem reinen und gewaltsam sich aufstapelnden Turm; scheinbar spielerisch umkräuselt von einer schwerelos scheinenden schmerzlichen Heiterkeit, fühlt er sich getragen, und doch muß er alle Mühe und allen Schmerz des Kletternden spüren; das ist Geist, das ist Klarheit, nicht mehr viel menschliche Verirrung; ein unheimlich sauberes, klares Spiel von zwingender Gewalt. Das ist doch Bach, sie hat doch nie Bach spielen können... vielleicht spielt sie gar nicht... vielleicht spielen die Engel... die Engel der Klarheit... sie singen in immer feineren helleren Türmen... Licht, Licht, o Gott... dieses Licht...

»Halt«, schreit er entsetzt, und Olinas Hände spreizen sich von den Tasten, als habe seine Stimme sie weggerissen...

Er reibt sich die schmerzende Stirn, und er sieht, daß das Mädchen da unter der sanften Lampe nicht nur erschreckt ist von seiner Stimme; sie ist erschöpft, sie ist müde, unendlich müde, unsagbar hohe Türme hat sie erklettern müssen mit ihren zarten Händen... sie ist nur müde, die Mundwinkel zucken wie bei einem Kind, das vor Müdigkeit nicht einmal mehr weinen kann; ihr Haar hat sich gelöst... blaß ist sie und tiefe Schatten umranden die Augen...

Andreas geht auf sie zu, umfaßt sie und bettet sie auf das Sofa; dann schließt sie die Augen und seufzt, leise, sehr leise schüttelt sie den Kopf, als wollte sie sagen: nur Ruhe... nichts will ich als nur ein wenig ruhen... Frieden, und es ist gut, daß sie einschläft... ihr Gesicht sinkt zur Seite...

Andreas stützt seinen Kopf zwischen die Hände auf den kleinen Tisch und spürt, daß auch er unendlich müde ist. Es ist Sonntag, denkt er, es ist ein Uhr, noch drei Stunden, und ich darf nicht schlafen, ich will nicht schlafen, ich soll nicht schlafen; und er betrachtet sie innig und liebevoll. Dieses reine, sanfte, müde, kleine, blasse Mädchengesicht, das im Glück des Schlafes nun ganz unmerklich lächelt. Ich darf nicht schlafen, denkt Andreas, und er spürt doch, daß die Müdigkeit unerbittlich auf ihn niedersinkt... ich darf nicht schlafen. Gott, laß nicht zu, daß ich einschlafe, laß mich ihr Gesicht sehen... Ich mußte, mußte hierherkommen in dieses Lemberger Bordell, um zu erfahren, daß es eine Liebe gibt ohne Begehren, so wie ich Olina liebe... ich darf nicht einschlafen, ich muß diesen Mund sehen... diese Stirn und diese erschöpften, goldenen, zarten Haarstreifen über ihrem Gesicht und die dunklen Schatten namenloser Erschöpfung um ihre Augen. Sie hat Bach gespielt, bis an die Grenzen des Menschlichen. Ich darf nicht einschlafen... es ist so kühl... schon wartet die grausame Unfreundlichkeit des Morgens hinter den dunklen Vorhängen der Nacht... es ist kühl, und ich habe nichts, um sie zuzudecken... meinen Mantel habe ich verscheuert, und die Tischdecke haben wir beschmutzt... sie liegt irgendwo mit Weinflecken. Meinen Rock, ich könnte meinen Rock über sie decken... über den Ausschnitt ihres Kleides könnte ich meine Feldbluse decken, aber er spürt zugleich, daß er einfach zu müde ist, sich zu erheben und den Rock auszuziehen... nicht den Arm kann ich heben, und ich darf nicht einschlafen; ich habe noch so unendlich viel zu tun... so unendlich viel zu tun. Nur ein wenig ruhen hier mit den Armen auf dem Tisch, dann will ich ja aufstehen, meine Feldbluse über sie decken und will beten... will beten, knien vor dieser Couch, die so viele Sünden gesehen hat, knien vor diesem reinen Gesicht, von dem ich lernen mußte, daß es eine Liebe ohne Begehren gibt... ich darf nicht einschlafen... nein, nein, ich darf nicht einschlafen...

Sein erwachender Blick ist wie ein Vogel, der plötzlich stirbt hoch oben im Flug und stürzt, stürzt in die Unendlichkeit der Verzweiflung; aber Olinas lächelnde Augen fangen ihn auf. Er hat wahnsinnige Angst gehabt, daß es zu spät ist... zu spät, hinzueilen zu der Stelle, wohin er gerufen ist. Zu spät, zu dem einzig lohnenden Stelldichein zu eilen. Ihr lächelnder Blick fängt ihn auf, und sie beantwortet die stumme, immer noch gequälte Frage und sagt leise:

»Es ist halb vier... keine Angst!« Und jetzt erst spürt er, daß ihre leichte Hand auf seinem Kopf liegt.

Ihr Gesicht liegt auf der gleichen Ebene mit seinem, und er brauchte nur eine winzige Kopfbewegung zu machen, um sie zu küssen. Es ist schade, denkt er, daß ich sie nicht begehre, schade, daß es kein Opfer für mich ist, sie nicht zu begehren... kein Opfer, sie nicht zu küssen und nicht zu wünschen, daß ich versinke in ihrem scheinbar geschändeten Schoß...

Und er berührt ihre Lippen mit den seinen, und es ist nichts. Sie blicken sich erstaunt lächelnd an. Da ist nichts. Es ist wie das Abprallen eines hilflosen Geschosses an einem Panzer, den sie selbst nicht kennen.

»Komm«, sagt sie leise, »ich muß sehen, daß du etwas an die Füße bekommst, nicht wahr?«

»Nein«, sagt Andreas, »verlaß mich nicht, keine Sekunde darfst du mich verlassen. Laß doch die Schuhe. Ich kann auch in den Strümpfen sterben, viele sind in den Strümpfen gestorben. Abgehauen in panischem Schrecken, als der Russe plötzlich vor der Stellung stand, und mit schweren Wunden im Rücken gestorben, das Gesicht nach Deutschland, Wunde im Rücken, schlimmste Schande aller Spartaner. So sind viele gestorben, laß doch die Schuhe, ich bin so müde...«

»Nein«, sagt sie und blickt auf ihre Armbanduhr, »ich hätte die Uhr abgeben können, und du hättest deine Stiefel behalten. Man meint immer, man hätte nichts mehr abzugeben, und meine Uhr habe ich wirklich vergessen. Ich werde meine Uhr gegen deine Stiefel eintauschen, wir brauchen sie ja dann nicht mehr... nichts mehr...«

»Nichts mehr«, wiederholt er leise, und er hebt den Blick und umschreibt das Zimmer, und jetzt erst sieht er, daß es jämmerlich ist, alte Tapeten und eine ärmliche Einrichtung: alte Sessel dort am Fenster und eine düstere Liegestatt.

»Ja«, sagt Olina leise, »ich werde dich retten. Erschrick nicht!« Sie lächelt in sein bleiches müdes Gesicht. »Diesen Wagen des Generals schickt uns der Himmel. Hab nur Vertrauen und glaube mir: Wohin ich dich auch führen werde, es wird das Leben sein. Glaubst du mir?« Andreas nickt verstört, und sie wiederholt in sein Gesicht hinein wie eine Beschwörung: »Wohin ich dich auch führen werde, es wird das Leben sein. Komm!« Ihre Hände liegen auf seinem Kopf. »Es gibt winzige Nester in den Karpaten, wo uns niemand finden wird. Ein paar Häuser, eine kleine Kapelle, und nicht einmal Partisanen. In eins bin ich manchmal hingefahren, habe ein wenig zu beten versucht und hab auf dem alten Stutzflügel des Pfarrers musiziert. Hörst du?« Sie sucht seinen Blick, der wieder über die beschmierte Tapete irrt, auf der Flaschen zerschlagen und klebrige Finger abgewischt worden sind. »Musizieren... hörst du?«

»Ja«, stöhnt er, »aber die anderen, die beiden. Ich kann sie nicht mehr allein lassen. Unmöglich.«

»Das geht nicht. Nein!«

»Und der Fahrer«, fragt er, »was hattest du mit dem Fahrer vor?« Sie stehen einander gegenüber, und es ist etwas wie Feindschaft zwischen ihren Augen. Olina versucht zu lächeln. »Von heute ab«, sagt sie leise, »von jetzt ab werde ich keinen Unschuldigen mehr den Henkersknechten ausliefern. Ach, du mußt mir vertrauen. Es wäre nicht zu schwer gewesen mit dir allein. Einfach irgendwo halten zu lassen und fliehen... weg! Frei... und weg! Aber mit deinen beiden, das wird nicht gehen.«

»Gut, dann mußt du mich allein lassen. Nein«, er hebt den Arm, um sie zum Schweigen zu bringen, »ich sage dir nur: verhandeln kann ich nicht darüber. Entweder – oder. Du mußt das verstehen, ja«, sagt er in ihre ernsten Augen hinein, »du hast sie doch geliebt, manche, du mußt das verstehen, nicht wahr?«

Langsam und schwer sinkt Olinas Kopf auf die Brust, und Andreas begreift erst, daß das ein Nicken ist, als sie sagt: »Gut... ich will es versuchen...«

Während Olina, die Tür in der Hand, auf ihn wartet, überblickt er noch einmal diese schmutzige, kleine, polnische Bar, dann folgt er ihr in den mattbeleuchteten Flur. Aber selbst das Zimmer, die Bar, war noch glänzend gegen diesen Flur am Morgen. Dieser höhnische, kalte, graue Morgendunst im Flur eines Bordells, um vier Uhr. Diese Zimmertüren wie in einer Kaserne, alle gleich. Alle gleich schäbig. Und diese elende, elende Armseligkeit.

»Komm«, sagt Olina. Sie stößt eine dieser Türen auf, und da ist ihr Zimmer: sehr kläglich mit den Notwendigkeiten ihres Handwerks; ein Bett, ein kleiner Tisch und zwei Stühle und eine Waschschüssel, die in einem dünnbeinigen Dreifuß ruht, neben dem Dreifuß eine Wasserkanne und ein kleiner Schrank an der Wand. Nur das Notwendigste, wie in einer Kaserne...

Es ist alles so unwirklich, auf dem Bett zu sitzen und zuzusehen, wie Olina ihre Hände wäscht, wie sie aus dem Schrank Schuhe nimmt, ihre roten Pantoffeln abstreift und die Schuhe überzieht. Ach, da ist auch ein Spiegel, in dem sie ihre Schönheit erneuern kann. Sie hat die Tränenspuren wegzuwischen und neu sich zu pudern, denn es gibt nichts Schaurigeres als eine verweinte Hure. Sie muß neues Rot auf die Lippen legen und die Augenbrauen nachziehen, die Fingernägel säubern, alles das geht flink wie bei einem Soldaten, der sich alarmbereit macht.

»Du mußt Vertrauen haben«, sagt sie im verständlichsten Plauderton, »ich werde dich retten, hörst du? Es wird schwer sein, wenn du die anderen unbedingt mitnehmen willst, aber ich werde es können. Man kann viel...«

Laß mich nicht verrückt werden, betet Andreas, laß mich nicht verrückt werden an diesem grausamen Versuch, die Wirklichkeit zu begreifen. Das alles kann nicht sein, dieses Bordellzimmer, schäbig und fahl im Morgen, voll gräßlicher Gerüche, und dieses Mädchen da im Spiegel, das leise etwas summt, mir vorsummt, während ihre Finger geschickt das Rot der Lippen erneuern. Das kann nicht sein und dieses mein müdes Herz, das nichts mehr wünscht, und diese meine schlaffen Sinne, die nichts mehr begehren, nicht rauchen wollen, nicht essen wollen, nicht trinken wollen, und meine Seele, die aller Sehnsucht beraubt ist, nur schlafen möchte, schlafen ...

Vielleicht bin ich schon tot. Wer kann das begreifen hier, diese Bettwäsche, die ich automatisch zurückgeschlagen habe, wie es sich gehört, wenn man sich schon auf ein Bett setzt, diese Bettwäsche, die nicht schmutzig ist und auch nicht sauber, diese grauenhaft geheimnisvolle Bettwäsche, nicht schmutzig und nicht sauber ... und dieses Mädchen, da am Spiegel, das nun seine Brauen färbt, schwarze, feine Brauen auf einer blassen Stirn.

»Da wollen wir fischen und jagen froh als wie in alter Zeit! Kennst du das?« fragt Olina lächelnd. »Das ist ein deutsches Gedicht. Archibald Douglas. Es handelt von einem Mann, der verbannt war aus seinem Vaterland, verstehst du? Und wir, wir sind verbannt in unser Vaterland, mitten hinein in ein Vaterland, das begreift keiner. Jahrgang neunzehnhundertzwanzig. Da wollen wir fischen und jagen froh als wie in alter Zeit. Hör zu!« Sie summt wirklich diese Ballade, und Andreas denkt, daß das Maß nun voll ist, ein grauer kalter Morgen in einem polnischen Bordell, und eine Ballade, von Löwe vertont, die ihm vorgesummt wird ...

»Olina!« wieder diese gleichmäßige Stimme vor der Tür.

»Ja?«

»Die Rechnung. Reich sie doch heraus. Und mach dich fertig, der Wagen ist schon vorgefahren ...«

Das also ist die Wirklichkeit, daß das Mädchen nun den Zettel hinausreicht, mit sehr spitzen Fingern, einen Zettel, auf dem alles aufgeschrieben ist, angefangen von den Streichhölzern, die er noch in der Tasche hat, diese Streichhölzer, die er gestern abend um sechs Uhr bekommen hat. So wahnsinnig verfliegt also die Zeit, diese Zeit, die unfaßbar ist, und nichts, nichts ist getan in dieser Zeit, nichts kann ich tun, als dieser neuaufgemachten Schönheit folgen, die Treppe hinab zur Abrechnung ...

»Diese polnischen Nutten«, sagt Willi, »einfach fabelhaft. Das ist Leidenschaft, sag ich dir, verstehst du?«

»Ja.«

Der Vorraum ist auch so dürftig möbliert. Ein paar krumme Stühle, eine Bank, ein halbzerschlissener Teppich, der nach zerfetztem Papier aussieht, und Willi raucht. Er ist vollkommen unrasiert und sucht in seinem Gepäck nach neuen Zigaretten.

»Du warst entschieden der Teuerste, mein Lieber. Bei mir gings auch nicht viel billiger. Aber hier, unser blonder junger Freund, der hat fast nichts gekostet. He!« Er stößt den schlummernden Blonden in die Seite. »Hundertundsechsundvierzig Mark.« Er lacht laut auf. »Der scheint tatsächlich bei dem Mädchen geschlafen zu haben, richtig geschlafen. Es blieben noch zweihundert Mark übrig, die hab ich seiner Kleinen unter die Zimmertür geschoben, als Trinkgeld, weißt du, weil sie ihn so billig glücklich gemacht hat. Hast du zufällig noch 'ne Zigarette?«

»Ja.«

»Danke.«

Wie unheimlich lange Olina noch dort im Kabinett der Alten zu verhandeln hat, um vier Uhr morgens. Das ist eine Zeit, in der die ganze Welt schläft. Sogar in den Zimmern der Mädchen ist es still, und unten in dem großen Wartezimmer ist es ganz dunkel. Die Tür, aus der die Musik gekommen ist, ist dunkel, und man sieht und riecht diesen dunklen Raum. Nur draußen surrt der vornehme Motor. Olina ist hinter der rötlich gestrichenen Tür, und alles ist Wirklichkeit. Es muß Wirklichkeit sein...

»Du glaubst also, daß dieser Generalshurenwagen uns mitnehmen wird?«

»Ja!«

»Hm. Ein Maybach, ich höre es am Motor. Zünftiger Kasten. Hast du was dagegen, wenn ich schon rausgehe und mit dem Fahrer spreche? Es ist doch sicher ein Kapo.«

Willi schultert sein Gepäck und öffnet die Tür, und da ist sie wirklich, die Nacht, die grauverschleierte Nacht und der matte

Lichtkegel eines wartenden Wagens draußen vor dem Vorgarten. Kalt und unabwendbar wirklich wie alle die Kriegsnächte, voll kalter Drohung, voll von einem grauenhaften Spott; draußen in den schmutzigen Löchern ... in den Kellern ... in den vielen, vielen Städten, die sich ducken unter Angst ... heraufbeschworen diese schauerlichen Nächte, die morgens um vier ihre schrecklichste Macht erreicht haben, diese grauenvollen, unsagbar schrecklichen Kriegsnächte. Da ist eine vor der Tür ... eine Nacht voll Entsetzen, eine Nacht ohne Heimat, ohne auch nur den kleinsten, kleinsten warmen Winkel, in dem man sich verbergen könnte ... diese Nächte, die von den sonoren Stimmen heraufbeschworen sind ...

Sie glaubt also wirklich, sie könnte mich retten. Andreas lächelt. Sie glaubt, man könne durchgleiten durch dieses feingesponnene Netz. Dieses Kind glaubt, daß es ein Entrinnen gibt ... sie glaubt, daß sie Wege finden wird, die an Stryj vorbeiführen. Stryj. Dieses Wort hat in mir geruht seit meiner Geburt. Es hat tief, tief unten gelegen, unerkannt und unerweckt, es war bei mir, als ich noch ein Kind war, und vielleicht hat mich ein dunkles Schauern durchrieselt, damals in der Schule, als wir die Ausläufer der Karpaten durchnahmen und als ich die Worte Galizien und Lemberg und Stryj auf der Karte las, inmitten dieses gelblichweißen Fleckes. Und ich habe dieses Schauern vergessen. Vielleicht, oft und oft ist die Angel des Todes und des Rufes in mich hineingeworfen worden und niemals hat sie widergehakt dort unten, und nur dieses winzige, kleine Wort war aufgestellt und aufgespart für sie, und sie hat sich endgültig festgehakt ...

Stryj ... dieses winzige, kleine, schreckliche, blutige Wort ist aufgestiegen und hat sich verbreitet zu einer düsteren Wolke, die nun alles überschattet. Und sie glaubt, daß sie Wege finden wird, die an Stryj vorbeiführen ...

Dabei lockt mich ihr Versprechen nicht. Mich lockt nicht dieses kleine Dorf in den Karpaten, wo sie auf dem Stutzflügel spielen will. Mich lockt nicht diese scheinbare Sicherheit ... es gibt nur

Versprechungen und Verheißungen und einen dunklen unsicheren Horizont, über den wir uns hinausstürzen müssen, um die Sicherheit zu finden...

Endlich öffnet sich die Tür, und Andreas ist erstaunt über die starre Blässe, die über Olinas Gesicht liegt. Sie hat einen Pelzmantel übergezogen, und eine reizende kleine Kappe sitzt auf ihrem schönen losen Haar, und keine Uhr ist mehr an ihrem Arm, denn er trägt seine Stiefel wieder. Die Rechnung ist beglichen. Die Alte lächelt so geheimnisvoll. Ihre Hände sind über dem dürren Leib gefaltet, und nachdem die Soldaten ihr Gepäck aufgenommen haben und Andreas die Tür öffnet, sagt sie lächelnd ein einziges Wort: Stryj, sagt sie. Olina hört es nicht mehr, sie ist schon draußen.

»Auch ich«, sagt Olina leise, als sie nebeneinander in dem Wagen sitzen, »auch ich bin gerichtet. Auch ich habe mein Vaterland verraten, weil ich diese Nacht über bei dir blieb, statt den General auszuhorchen.« Sie nimmt seine Hand und lächelt ihm zu: »Aber vergiß nicht, was ich dir gesagt habe: wohin ich dich auch führen werde, es wird das Leben sein. Ja?«

»Ja«, sagt Andreas. Die ganze Nacht läuft durch seine Erinnerung wie ein glatter Faden, den er abspult, doch da ist ein Knoten, der ihm keine Ruhe läßt. Stryj, hat die Alte gesagt, und woher kann sie wissen, daß Stryj... er hat doch gar nicht mit ihr darüber gesprochen, und noch weniger wird Olina dieses Wort erwähnt haben...

Das also soll die Wirklichkeit sein: Ein vornehm surrendes Auto, dessen sanfter Lichtkegel die namenlose Straße beleuchtet. Bäume und manchmal Häuser, alles vollgesogen mit grauer Dunkelheit. Vorne diese beiden Nacken, umkränzt von Unteroffizierslitzen, beide fast gleich, stabile deutsche Nacken, und der Zigarettenrauch, der langsam vom Führerstand nach hinten zieht, weil die Scheibe nicht ganz beigedreht ist. Neben ihm der Blonde, der schlummert wie ein Kind, das vom Spielen erschöpft ist, und rechts die stetige und sanfte Berührung von Olinas Pelzmantel, und der glatte Faden der Erinnerung an diese schöne Nacht, der durchgleitet, schneller, immer schneller, und der immer haltmacht an diesem seltsamen Knoten, wo die Alte gesagt hat: Stryj ...

Andreas beugt sich vor, um vorne im Führerstand die sanft erleuchtete Uhr zu sehen, und er sieht, daß es sechs ist, genau sechs. Ein kalter Schrecken fährt durch ihn hin, und er denkt: Gott, Gott, wo habe ich meine Zeit gelassen, nichts habe ich getan, nie habe ich etwas getan, ich muß doch beten, beten für alle, und in diesem Augenblick ersteigt Paul zu Hause die Stufen des Altares und beginnt zu beten: Introibo. Und auch seine Lippen beginnen das Wort zu formen: Introibo.

Aber nun fährt eine unsichtbare Riesenhand über dieses sanft kriechende Auto, ein furchtbares stilles Wehen, und in diese Stille hinein fragt Willi mit seiner trockenen Stimme: »Wohin kutschierst du nun eigentlich, Kumpel?« – »Nach Stryj!« sagt eine wesenlose Stimme.

Und dann wird der Wagen zersägt, von zwei rasenden Messern, die knirschen vor wildem Haß, eins rast von vorne und das andere von hinten in den metallenen Leib, der sich aufbäumt und dreht, erfüllt vom Angstschrei seiner Insassen ...

In der folgenden Stille ist nichts mehr zu hören als das inbrünstige Fressen der Flammen.

Mein Gott, denkt Andreas, sind sie denn alle tot? ... und meine Beine ... meine Arme, bin ich denn nur noch Kopf ... ist denn niemand da ... ich liege auf dieser nackten Straße, auf meiner Brust liegt das Gewicht der Welt so schwer, daß ich keine Worte finde, zu beten ...

Weine ich denn? denkt er plötzlich, denn er spürt etwas Feuchtes über seine Wangen laufen: Nein, es tropft auf seine Wangen, und in diesem fahlen Dämmer, der noch ohne die gelbe Milde der Sonne ist, sieht er nun, daß Olinas Hand über seinem Kopf von einem Bruchstück des Wagens herunterhängt und daß Blut von ihren Händen auf sein Gesicht tropft, und er weiß nicht mehr, daß er selbst nun wirklich zu weinen beginnt ...

Wo warst du, Adam?

Eine Weltkatastrophe kann zu manchem dienen.
Auch dazu, ein Alibi zu finden vor Gott.
Wo warst du, Adam? »Ich war im Weltkrieg.«
              THEODOR HAECKER
Tag- und Nachtbücher, 31. März 1940

Früher habe ich Abenteuer erlebt: die Einrichtung
von Postlinien, die Überwindung der Sahara,
Südamerika – aber der Krieg ist kein richtiges
Abenteuer, er ist nur Abenteuer-Ersatz.
Der Krieg ist eine Krankheit. Wie der Typhus.
           ANTOINE DE SAINT-EXUPÉRY
Flug nach Arras

I

Zuerst ging ein großes, gelbes, tragisches Gesicht an ihnen vorbei, das war der General. Der General sah müde aus. Hastig trug er seinen Kopf mit den bläulichen Tränensäcken, den gelben Malariaaugen und dem schlaffen, dünnlippigen Mund eines Mannes, der Pech hat, an den tausend Männern vorbei. Er fing an der rechten Ecke des staubigen Karrees an, blickte jedem traurig ins Gesicht, nahm die Kurven schlapp, ohne Schwung und Zackigkeit, und sie sahen es alle: auf der Brust hatte er Orden genug, es blitzte von Silber und Gold, aber sein Hals war leer, ohne Orden. Und obwohl sie wußten, daß das Kreuz am Halse eines Generals nicht viel bedeutete, so lähmte es sie doch, daß er nicht einmal das hatte. Dieser magere, gelbe Generalshals ohne Schmuck ließ an verlorene Schlachten denken, mißlungene Rückzüge, an Rüffel, peinliche, bissige Rüffel, wie sie hohe Offiziere untereinander austauschten, an ironische Telefongespräche, versetzte Stabschefs und einen müden, alten Mann, der hoffnungslos aussah, wenn er abends den Rock auszog und sich mit seinen dünnen Beinen, dem ausgemergelten Malariakörper auf den Rand seines Bettes setzte, um Schnaps zu trinken. Alle die dreihundertunddreiunddreißig mal drei Mann, denen er ins Gesicht blickte, fühlten etwas Seltsames: Trauer, Mitleid, Angst und eine geheime Wut. Wut auf diesen Krieg, der schon viel zu lange dauerte, viel zu lange, als daß der Hals eines Generals noch ohne den gehörigen Schmuck hätte sein dürfen. Der General hielt seine Hand an die verschlissene Mütze, die Hand wenigstens hielt er gerade, und als er an der linken Ecke des Karrees angekommen war, machte er eine etwas schärfere Wendung, ging in die Mitte der offenen Seite, blieb dort stehen, und der Schwarm von Offizieren gruppierte sich um ihn, locker und doch planmäßig, und es war peinlich, ihn dort zu sehen, ohne Halsschmuck, während andere, Rangniedrigere, das Kreuz in der Sonne blitzen lassen konnten.

Er schien erst etwas sagen zu wollen, aber er nahm nur noch einmal sehr plötzlich die Hand an die Mütze und machte so unerwartet kehrt, daß der Schwarm von Offizieren sich erschreckt verteilte, um ihm Platz zu machen. Und sie sahen alle, wie das kleine, schmale Männchen in seinen Wagen stieg, die Offiziere ihre Hände noch einmal an die Mütze nahmen, und dann zeigte eine aufwirbelnde weiße Staubwolke an, daß der General nach Westen fuhr, dorthin, wo die Sonne schon ziemlich niedrig stand, nicht mehr sehr weit entfernt von den flachen weißen Dächern, dorthin, wo keine Front war.

Dann marschierten sie zu einhundertundelf mal drei Mann in einen anderen Stadtteil, südlich, an Cafés von schmutziger Eleganz vorbei, vorbei an Kinos und Kirchen, durch Armenviertel, wo Hunde und Hühner faul vor den Türen lagen, schmutzige, hübsche Frauen mit weißen Brüsten in den Fenstern, wo aus dreckigen Kneipen der eintönige, seltsam erregende Gesang trinkender Männer kam. Straßenbahnen kreischten mit abenteuerlicher Schnelligkeit vorbei – und dann kamen sie in ein Viertel, wo es still war. Villen lagen in grünen Gärten, Militärautos standen vor steinernen Portalen, und sie marschierten in eines dieser steinernen Portale hinein, kamen in einen sehr gepflegten Park und stellten sich wieder im Karree auf, in einem kleineren Karree, einhundertundelf mal drei Mann.

Das Gepäck wurde nach hinten herausgelegt, ausgerichtet, die Gewehre zusammengesetzt, und als sie wieder stillstanden, müde und hungrig, durstig, wütend und überdrüssig dieses verfluchten Krieges, als sie wieder stillstanden, ging ein schmales, rassiges Gesicht an ihnen vorbei: das war der Oberst, blaß, mit harten Augen, zusammengekniffenen Lippen und einer langen Nase. Es erschien ihnen allen selbstverständlich, daß der Kragen unter diesem Gesicht mit dem Kreuz geschmückt war. Aber auch dieses Gesicht gefiel ihnen nicht. Der Oberst nahm die Ecken gerade, ging langsam und fest, ließ kein Augenpaar aus, und als er zuletzt in die offene Flanke schwenkte, mit einem kleinen Schwanz von Offizieren, da wußten sie alle, daß er etwas sagen würde, und sie dachten alle, daß sie gern etwas trinken möchten, trinken, auch essen oder schlafen oder eine Zigarette rauchen. »Kameraden«, sagte die Stimme hell und klar, »Kameraden, ich begrüße euch. Es gibt nicht viel zu sagen, nur eins: wir müssen sie jagen, diese Schlappohren, jagen in ihre Steppe zurück. Versteht ihr?«

Die Stimme machte eine Pause, und das Schweigen in dieser Pause war peinlich, fast tödlich, und sie sahen alle, daß die Sonne schon ganz rot war, dunkelrot, und der tödliche rote Glanz schien sich in dem Kreuz am Halse des Obersten zu fangen, ganz allein in diesen vier glänzenden Balken, und sie sahen jetzt erst, daß das Kreuz noch verziert war, mit Eichenlaub, das sie Gemüse nannten.

Der Oberst hatte Gemüse am Hals.

»Ob ihr versteht?« schrie die Stimme, und sie überschlug sich jetzt.

»Jawohl«, riefen ein paar, aber die Stimmen waren heiser, müde und gleichgültig.

»Ob ihr versteht, frage ich?« schrie die Stimme wieder, und sie überschlug sich so sehr, daß sie in den Himmel zu steigen schien, schnell, allzu schnell, wie eine verrückt gewordene Lerche, die sich einen Stern zum Futter pflücken will.

»Jawohl«, riefen ein paar mehr, aber nicht viele, und auch die, die schrien, waren müde, heiser, gleichgültig, und nichts an der Stimme dieses Mannes konnte ihnen ihren Durst stillen, ihren Hunger nehmen und die Lust auf eine Zigarette.

Der Oberst schlug wütend mit seiner Gerte in die Luft, sie hörten etwas, das wie »Mistbande« klang, und er ging mit sehr schnellen Schritten nach hinten weg, gefolgt von seinem Adjutanten, einem langen jungen Oberleutnant, der viel zu lang war, viel zu jung auch, um ihnen nicht leid zu tun.

Immer noch stand die Sonne am Himmel, genau über den Dächern, ein glühendes Eisenei, das über die flachen weißen Dächer zu rollen schien, und der Himmel war grau gebrannt, fast weiß, schlapp hing das magere Laub von den Bäumen, als sie weitermarschierten, nun endlich östlich, durch die Vorstadt, an Hütten vorbei, über Kopfsteinpflaster, vorbei an den Baracken von Lumpenhändlern, einem völlig deplacierten Block moderner, dreckiger Mietskasernen, Abfallgruben, durch Gärten, in denen Melonen faul am Boden lagen, pralle Tomaten an großen Stauden hingen, staubbedeckt, an viel zu großen Stauden, die ihnen fremd vorkamen. Fremd waren auch die Maisfelder mit ihren dicken Kolben, an denen Scharen schwarzer Vögel herumpickten, die träge aufflogen, als ihr müder Tritt sich näherte, Wolken von Vögeln, die zögernd in der Luft schwebten, sich dann niederließen und weiterpickten.

Nun waren sie nur noch fünfunddreißig mal drei Mann, ein müder Zug, staubbedeckt, mit wunden Füßen, schwitzenden Gesichtern, an der Spitze ein Oberleutnant, dem der Überdruß auf dem Gesicht stand. Schon als er das Kommando übernahm, hatten sie gewußt, was für einer er war. Er hatte sie nur angeblickt, und in seinen Augen lasen sie es, obwohl sie müde waren, durstig, durstig, sie lasen es: »Scheiße«, sagte sein Blick, »nichts als Scheiße, aber wir können nichts machen.« Und dann sagte seine Stimme mit betonter Gleichgültigkeit, alle üblichen Kommandos verachtend: »Los.«

Sie hielten jetzt an einer schmutzigen Schule, die zwischen halbverwelkten Bäumen lag. Schwarze stinkende Pfützen, über denen sich brummende Fliegen tummelten, schienen schon seit Monaten dort zu stehen zwischen grobem Pflaster und einer mit Kreide bekritzelten Pißbude, aus der es abscheulich stank, scharf und deutlich.

»Halt«, sagte der Oberleutnant, dann ging er ins Haus, und er hatte den eleganten und zugleich schlappen Gang eines Mannes, der von oben bis unten mit Überdruß angefüllt ist.

Jetzt brauchten sie kein Karree mehr zu bilden, und der Hauptmann, der an ihnen vorbeiging, nahm nicht einmal die Hand an die Mütze; er hatte kein Koppel um, einen Strohhalm zwischen den Zähnen, und sein dickes Gesicht mit den schwarzen Brauen sah gemütlich aus. Er nickte nur, machte »hm«, stellte sich vor sie und sagte: »Wir haben nicht viel Zeit, Jungens. Ich werde den Spieß schicken und euch gleich zu den Kompanien verteilen lassen.« Aber sie hatten an seinem gesunden Gesicht vorbei schon lange gesehen, daß die Gefechtswagen fertig gepackt dort standen und auf den Fensterbänken in den offenen, schmutzigen Fenstern die Sturmgepäcke lagen, grünliche, korrekte Pakete, die Koppel daneben mit allem, was dazu gehörte: Brotbeutel, Patronentaschen, Spaten und Gasmaske.

Als sie weitergingen, waren sie nur noch zu acht mal drei Mann, und sie gingen durch die Maisfelder zurück bis zu den häßlichen modernen Mietskasernen, bogen dann wieder östlich und kamen an ein paar Häuser in dürftigem Wald, die fast wie eine Künstlerkolonie aussahen: einstöckige, flachdachige Dinger mit großen Glasfenstern. Sommerstühle standen in den Gärten, und als sie hielten und kehrtmachten, sahen sie, daß die Sonne nun schon hinter den Häusern stand, daß ihr Schein die ganze Kuppel des Himmels füllte mit etwas zu hellem Rot, das wie schlecht gemaltes Blut aussah – und hinter ihnen, im Osten, war es schon dunkel-dämmerig und warm. Vor den kleinen Häusern hockten Landser im Schatten, irgendwo standen Gewehrpyramiden, zehn ungefähr schienen es zu sein, und sie sahen, daß die Landser die Koppel schon umgeschnallt hatten: die Stahlhelme an den Karabinerhaken glänzten rötlich.

Der Oberleutnant, der aus einem Häuschen kam, ging gar nicht an ihnen vorbei. Er blieb gleich in der Mitte vor ihnen stehen, und sie sahen, daß er nur einen Orden hatte, einen kleinen, schwarzen Orden, der eigentlich gar kein Orden war, eine nichtssagende Medaille, aus schwarzem Blech gestanzt, aus der zu ersehen war, daß er Blut fürs Vaterland vergossen hatte. Das Gesicht des Oberleutnants war müde und traurig, und als er sie jetzt anblickte, blickte er erst auf ihre Orden, dann in ihre Gesichter, und er sagte: »Schön«, und nach einer kleinen Pause mit einem Blick auf seine Uhr: »Ihr seid müde, ich weiß, aber ich kann nichts machen – wir müssen in einer Viertelstunde weg.«

Dann blickte er den Unteroffizier an, der neben ihm stand, und sagte: »Hat keinen Zweck, die Personalien aufzunehmen – Soldbücher einsammeln, zum Troß mitgeben. Schnell einteilen, damit die Leute noch trinken können. Macht euch auch die Feldflaschen voll!« rief er den acht mal drei Mann zu.

Der Unteroffizier neben ihm sah gereizt und eingebildet aus. Er hatte viermal soviel Orden wie der Oberleutnant, und er nickte jetzt und sagte mit lauter Stimme: »Los, Soldbücher raus!«

Er legte den Packen auf einen wackeligen Gartentisch und fing an, sie einzuteilen, und während sie gezählt und zugewiesen wurden, dachten sie alle das gleiche: die Fahrt war ermüdend gewesen, langweilig, zum Kotzen, aber es war nicht ernst gewesen. Auch der General, der Oberst, der Hauptmann, sogar der Oberleutnant, die waren weit weg, die konnten ihnen nichts wollen. Aber die hier, denen gehörten sie, diesem Unteroffizier, der die Hand an die Mütze nahm, die Hacken zusammenknallte, wie man es vor vier Jahren einmal getan hatte, oder diesem büffeligen Feldwebel, der nun von hinten herantrat, die Zigarette wegschmiß und sein Koppel zurechtrückte – denen gehörten sie, bis sie gefangen waren oder irgendwo lagen, verwundet – oder tot.

Von den tausend Mann war einer allein übriggeblieben, der nun vor dem Unteroffizier stand und sich hilflos umblickte, weil niemand mehr neben, hinter und vor ihm war; und als er den Unteroffizier wieder ansah, fiel ihm ein, daß er durstig war, sehr durstig, und daß von der Viertelstunde schon mindestens acht Minuten vergangen waren.

Der Unteroffizier hatte sein Soldbuch vom Tisch genommen, es aufgeschlagen, blickte nun rein, sah ihn an und fragte: »Sie heißen Feinhals?«

»Jawohl.«

»Sind Architekt – und können zeichnen?«

»Jawohl.«

»Kompanietrupp, können wir gebrauchen, Herr Oberleutnant.«

»Schön«, sagte der Oberleutnant und blickte zur Stadt hin, und Feinhals blickte auch dorthin, wo der Oberleutnant hinsah, und er sah jetzt, was diesen so zu fesseln schien: da hinten lag die Sonne jetzt in einer Straßenzeile zwischen zwei Häusern auf dem Boden, merkwürdig, wie ein abgeflachter, glänzender, sehr entarteter Apfel lag sie da einfach zwischen zwei schmutzigen rumänischen Vorstadthäusern auf dem Boden, ein Apfel, der zusehends an Glanz verlor und fast in seinem eigenen Schatten zu liegen schien.

»Schön«, sagte der Oberleutnant noch einmal, und Feinhals wußte nicht, ob er wirklich die Sonne meinte oder die Phrase nur gewohnheitsmäßig von sich gab. Feinhals dachte daran, daß er jetzt schon vier Jahre unterwegs war, vier Jahre schon, und damals auf der Postkarte hatte gestanden, daß er zu einer mehrwöchigen Übung einberufen würde. Aber plötzlich war Krieg gekommen.

»Gehen Sie trinken«, sagte der Unteroffizier zu Feinhals. Feinhals lief dorthin, wo die anderen hingelaufen waren, und er fand die Wasserstelle sofort: der Kran war ein rostiges Eisenrohr mit ausgeleiertem Gartenhahn zwischen mageren Kiefernstämmen, und der Strahl, der herauskam, war halb so dick wie ein kleiner Finger, aber schlimmer war noch, daß fast zehn Mann dort standen, drängend, schimpfend, die gegenseitig ihre Kochgeschirre wegstießen.

Der Anblick des rinnenden Wassers machte Feinhals fast besinnungslos. Er riß das Kochgeschirr vom Brotbeutel, zwängte sich zwischen die anderen und spürte plötzlich, daß er unendlich viel Kraft hatte. Er quetschte sein Geschirr zwischen die anderen, hinein in diese stets sich verschiebende Vielzahl blecherner Öffnungen, und er wußte nicht mehr, welches sein eigenes war; er verfolgte seinen Arm, sah, daß das dunkler emaillierte seins war, schob es mit kräftigem Ruck durch und fühlte etwas, was ihn zittern ließ: es wurde schwer. Er wußte nicht mehr, was schöner war, zu trinken oder zu spüren, wie sein Kochgeschirr schwerer wurde. Plötzlich zog er es zurück, weil er spürte, wie seine Hände kraftlos wurden, es zitterte in seinen Adern von Schwäche, und während hinter ihm die Stimmen riefen: »Antreten – los voran!«, setzte er sich, nahm das Kochgeschirr zwischen die Knie, weil er keine Kraft mehr hatte, es hochzuheben, und beugte sich darüber wie ein Hund über seinen Napf, drückte mit bebenden Fingern sanft nach, so daß der untere Rand sich senkte und der Wasserspiegel seine Lippen berührte, und als die Oberlippe nun wirklich naß wurde und er anfing zu schlürfen, tanzte es vor seinen Augen in allen Farben, sich verschiebend: »Wasser, Sserwa, Asserw«, er sah es mit einer irren Deutlichkeit ins Imaginäre geschrieben: Wasser. Seine Hände wurden wieder stark, er konnte den Napf heben und trinken.

Irgend jemand riß ihn hoch, stieß ihn vor sich her, und er sah die Kompanie dort stehen, den Oberleutnant vorn, der rief: »Voran, voran!«, und er nahm sein Gewehr auf die Schulter und reihte sich vorn ein, wohin ihn der winkende Unteroffizier befohlen hatte.

Dann marschierten sie vorwärts, ins Dunkle hinein, und er bewegte sich, ohne es zu wollen: er wollte sich eigentlich fallen lassen, aber er ging voran, ohne es zu wollen, sein eigenes Schwergewicht veranlaßte ihn, die Knie einzudrücken, und wenn er die Knie eindrückte, schoben sich die wunden Füße vorwärts, die große Placken von Schmerz mitzuschleppen hatten, viel zu große Placken, die größer waren als seine Füße; seine Füße waren zu klein für diesen Schmerz; und wenn er die Füße vorwärts schob, kam die Masse von Hintern, Schultern, Armen und Kopf wieder in Bewegung und veranlaßte ihn, die Knie einzudrücken, und wenn er die Knie eindrückte, schoben sich die wunden Füße vorwärts...

Drei Stunden später lag er müde irgendwo auf magerem Steppengras und sah einer Gestalt nach, die im grauen Dunkel davonkroch; diese Gestalt hatte ihm zwei fettige Papiere, ein Stück

Brot, eine Rolle Drops und sechs Zigaretten gebracht, und sie hatte zu ihm gesagt:
»Kennst du die Parole?«
»Nein.«
»Sieg. Parole: Sieg.«
Und er hatte leise wiederholt: »Sieg, Parole Sieg«, und das Wort schmeckte wie lauwarmes Wasser auf der Zunge.

Dann löste er das Papier von den Drops, steckte einen in den Mund, und als er den dünnen säuerlich-synthetischen Geschmack im Mund verspürte, trieb es ihm den Speichel aus den Drüsen, er spülte den ersten Schwall dieser süßvermischten Bitternis hinunter – und er hörte plötzlich die Granaten, die stundenlang vorn auf einer entfernten Linie herumgebummelt hatten, über sie hinwegfliegen, flatternd, rauschend, wackelnd wie schlecht vernagelte Kisten, und es krachte hinter ihnen ein. Die zweite Ladung lag vor ihnen, nicht allzu weit: Sandfontänen zeichneten sich wie zerfließende Pilze auf dem hellen Dunkel des östlichen Himmels ab, und ihm fiel auf, daß es jetzt hinter ihnen dunkel war und vor ihnen etwas heller. Die dritte Ladung hörte er nicht: zwischen ihnen schien man mit Zuschlaghämmern Sperrholzplatten zu zerschlagen, krachend, splitternd, nah, gefährlich. Dreck und Pulverdampf trieben nahe der Erde hin, und als er sich herumgeworfen hatte, an die Erde gepreßt, den Kopf vorn in der Mulde der Böschung, die er aufgeworfen hatte, hörte er, wie der Befehl durchgegeben wurde: »Fertigmachen zum Sprung!« Es wisperte, von rechts kommend, zischte an ihnen vorbei wie eine Zündschnur, die nach links abzubrennen schien, still und gefährlich, und als er sein Sturmgepäck zurechtschieben, es festhaken wollte, krachte es neben ihm, und jemand schien ihm die Hand wegzuschlagen und ihn heftig am Oberarm zu zerren. Sein ganzer linker Arm war in feuchte Wärme getaucht, und er hob sein Gesicht aus dem Dreck und rief: »Ich bin verwundet«, aber er selbst hörte nicht, was er rief, er hörte nur leise eine Stimme sagen: »Roßapfel.«

Sehr entfernt, wie durch dicke Glaswände von ihm getrennt, sehr nah und doch entfernt: »Roßapfel«, sagte die Stimme; leise, vornehm, entfernt, gedämpft: »Roßapfel, Hauptmann Bauer, jawohl«; dann war es ganz still, und die Stimme sagte: »Ich höre Herrn Oberstleutnant.« Pause, ganz still war es, nur ferne brodelte etwas, zischte und puffte leise, als koche etwas über. Dann fiel ihm ein, daß er die Augen geschlossen hatte, und er schlug sie auf: er sah den Kopf des Hauptmanns, hörte nun auch die Stimme lauter; der Kopf stand in einem dunklen, schmutzig umrahmten Fensterausschnitt, und das Gesicht des Hauptmanns war müde, unrasiert und übellaunig, er hatte die Augen zugekniffen und sagte jetzt dreimal hintereinander, mit winzigen Pausen dazwischen: »Jawohl, Herr Oberstleutnant« – »Jawohl, Herr Oberstleutnant« – »Jawohl, Herr Oberstleutnant.«

Dann setzte der Hauptmann den Stahlhelm auf, und sein breiter, gutmütiger, schwarzer Kopf sah nun sehr lächerlich aus, als er zu jemand neben sich sagte: »Mist, Durchbruch bei Roßapfel drei, Freischütz vier, ich muß nach vorn.« Eine andere Stimme rief ins Haus: »Kradmelder zu Herrn Hauptmann«, und es pflanzte sich fort wie ein Echo, murmelte im Haus herum, immer leiser werdend: »Kradmelder zu Herrn Hauptmann, Kradmelder zu Herrn Hauptmann.«

Dann hörte er die Maschine knattern, verfolgte ihr trockenes Geräusch, das näher kam, und sah sie um eine Ecke biegen, langsam, das Tempo verringernd, bis sie vor ihm stehenblieb, brummend, staubbedeckt, und der Fahrer mit seinem müden, gleichgültigen Gesicht, der auf dem hopsenden Ding sitzen blieb, rief ins Fenster: »Krad für Herrn Hauptmann zur Stelle.« Und breitbeinig und langsam, die Zigarre im Mund, trat der Hauptmann aus der Tür, ein finsterer, dicker Pilz mit seinem Stahlhelm, er kletterte lustlos in den Beiwagen, sagte »Los«, und die Maschine hopste hoch und rappelte davon, hastig, in Staub gehüllt, dem brodelnden Durcheinander da vorn entgegen.

Feinhals wußte nicht, ob er sich jemals so glücklich gefühlt hatte. Er spürte kaum Schmerz; in seinem linken Arm, der ganz dick verpackt neben ihm lag, steif und blutig, feucht und fremd, spürte er ein leises Unbehagen, sonst nichts; sonst war alles heil; er konnte die Beine einzeln hochheben, die Füße in den Stiefeln kreisen lassen, den Kopf hochheben, und er konnte liegend rauchen, vor sich die Sonne, die eine Handbreit über der grauen Staubwolke im Osten stand. Aller Lärm war irgendwie entfernt und gedämpft, es schien, als sei sein Kopf mit einer Wattenschicht umgeben, und es fiel ihm ein, daß er fast vierundzwanzig Stunden nichts gegessen hatte als ein säuerlich-synthetisches Bonbon, nichts getrunken als ein wenig Wasser, rostig und lauwarm mit dem Geschmack von Sand.

Als er spürte, daß er aufgehoben und weggetragen wurde, schloß er die Augen wieder, aber er sah alles, es war so bekannt, war irgendwann schon einmal mit ihm geschehen: an den Auspuffgasen eines brummenden Wagens vorbei wurde er in das heiße, nach Benzin stinkende Innere getragen, die Bahre knirschte in den Schienen, dann sprang der Motor an, und der Lärm draußen entfernte sich immer mehr, unmerklich fast, so wie er sich am Abend vorher unmerklich genähert hatte, nur einzelne Granaten schlugen in die Vorstädte, regelmäßig, ruhig, und während er merkte, daß er einschlafen würde, dachte er: Es ist gut, es ist schnell gegangen dieses Mal, sehr schnell... Nur ein wenig Durst hatte er gehabt, Schmerzen an den Füßen und ein wenig Angst.

Als der Wagen mit einem Ruck hielt, erwachte er aus seinem Dösen. Türen wurden aufgerissen, wieder kreischten die Tragbahren in den Schienen, und er wurde in einen kühlen weißen Flur hineingetragen, in dem es ganz still war; hintereinander standen die Tragen wie Liegestühle auf einem schmalen Deck, und er sah vor sich einen dichtbehaarten schwarzen Kopf, der ruhig lag, davor auf der nächsten Bahre eine Glatze, die sich heftig hin und her bewegte, und ganz vorn, auf der ersten Bahre, einen weißen Kopf, der dicht verbunden war, vollkommen umwickelt, einen häßlichen, viel zu schmalen Kopf, und aus diesem Mullpacken kam eine Stimme, schneidend, hell, klar, hart gegen die Decke steigend, hilflos und frech zugleich, die Stimme des Obersten, und die Stimme schrie: »Sekt!«

»Schiffe«, sagte der Glatzkopf vorn ruhig, »sauf deine Schiffe.« Hinten wurde gelacht, leise und vorsichtig.

»Sekt«, schrie die Stimme wütend, »kühlen Sekt.« – »Halt die Fresse«, sagte der Glatzkopf ruhig, »halt endlich die Fresse.«

»Sekt«, rief die Stimme weinerlich, »ich will Sekt«; und der weiße Kopf sank nach hinten, lag jetzt flach da, und zwischen dichten Mullbahnen stieg eine dünne Nasenspitze heraus, und die Stimme stieg noch höher und rief: »Eine Frau – eine kleine Frau...«

»Schlaf mit dir selbst«, gab der Glatzkopf zurück.

Dann wurde endlich der weiße Kopf in die Tür hineingetragen, und es war still.

In der Stille hörten sie nur die einzelnen Granaten einschlagen, die in entfernte Stadtteile pufften, dunkle ferne Explosionen, die am Rande des Krieges leise dahinzuorgeln schienen. Und als der weiße Kopf des Obersten, nun stumm auf der Seite liegend, herausgetragen und der Glatzkopf hineingeschoben wurde, näherte sich das Geräusch eines Autos draußen: ein sanft heulender Motor kam näher, schnell und fast drohend, schien gegen das kühle weiße Haus rammen zu wollen, so nah war er schon; dann war er plötzlich still, draußen schrie eine Stimme etwas, und als sie sich umwandten, aufgeschreckt aus ihrer friedlichen, dösenden Müdigkeit, sahen sie den General, der langsam an den Bahren vorbeiging und wortlos Zigarettenschachteln in die Schöße der Männer legte. Die Stille wurde drückender, je näher die Schritte des kleinen Mannes von hinten kamen, und dann sah Feinhals das Gesicht des Generals ganz nah: gelb, groß und traurig mit schneeweißen Brauen, eine schwärzliche Spur von Staub um den dünnen Mund, und in diesem Gesicht war zu lesen, daß auch diese Schlacht verloren war.

II

Er hörte, daß eine Stimme »Bressen« sagte, »Bressen, sehen Sie mich an«, und er wußte, daß dies die Stimme von Kleewitz war, dem Divisionsarzt, der wohl hergeschickt war, um sich zu erkundigen, wann er wiederkommen würde. Aber er würde nicht wiederkommen, nichts mehr wollte er hören und sehen von diesem Regiment – und er sah Kleewitz nicht an. Er sah ganz starr auf das Bild, das ganz rechts von ihm hing, fast in der dunklen Ecke: eine grau und grün gemalte Schafherde, in deren Mitte ein Schäfer in blauem Mantel stand und Flöte blies.

Er dachte an Dinge, die kein Mensch hätte erraten können und an die er gern dachte, obwohl sie widerwärtig waren. Er wußte nicht, ob er Kleewitz' Stimme hörte; er hörte sie natürlich, aber er wollte es sich nicht eingestehen, und er blickte den Schäfer an, der seine Flöte blies – anstatt den Kopf zu wenden und zu sagen: »Kleewitz, nett, daß Sie gekommen sind.«

Dann hörte er das Herumblättern von Papier, und er nahm an, daß sie seine Krankengeschichte studierten. Er blickte in den Nakken des Schäfers und dachte daran, daß er früher eine Zeitlang Nicker in einem Hotel gewesen war, in einem sehr vornehmen Restaurant. Mittags, wenn die Herren zum Essen kamen, ging er hoch aufgerichtet durch das Lokal und verbeugte sich, und es war merkwürdig gewesen, wie schnell und genau er begriffen hatte, welche Nuancen in seine Verbeugungen zu bringen waren: ob er sich kurz verbeugte, tief, ob er nur nickte, wie er nickte, und manchmal machte er nur eine sehr kurze Kopfbewegung, die in Wirklichkeit ein Auf- und Zuklappen der Augen war, aber wie eine Kopfbewegung wirkte. Gradunterschiede waren für ihn so einfach zu erkennen – es war wie mit den Rängen bei der Armee, dieser Hierarchie der geflochtenen und platten, besternten und unbesternten Schulterstücke, der die große Masse der mehr oder weniger schmucklosen Achselklappen folgte. In diesem Restaurant war die Reihenfolge der Verbeugungsgrade verhältnismäßig einfach: es ging nach dem Geldbeutel, nach der Höhe der Zeche. Er war nicht einmal außerordentlich freundlich, er lächelte fast nie, und sein Gesicht, wenn er auch versuchte, möglichst ausdruckslos dreinzuschauen, sein Gesicht verlor nie diesen Ausdruck von Strenge und Wachsamkeit. Jeden, den er ansah, beschlich weniger das Gefühl, geehrt zu sein, als ein Gefühl der Schuld; alle fühlten sich beobachtet, gemustert, und er hatte schnell heraus, daß es eine Sorte von Menschen gab, die verwirrt wurden, so verwirrt, daß sie sich gedankenlos mit dem Messer über die Kartoffeln machten, wenn sein Blick auf ihnen ruhte, und die ängstlich nach ihren Brieftaschen tasteten, sobald er vorübergegangen war. Ihn wunderte nur, daß sie immer wiederkamen, auch diese. Sie kamen wieder und ließen sich zunicken, ließen diese ungemütliche Musterung über sich ergehen, die zu einem feinen Restaurant gehört. Er bekam sein schmales, rassiges Gesicht und die Fähigkeit, Anzüge anständig zu tragen, verhältnismäßig gut bezahlt, und außerdem aß er umsonst. Aber während er sich den Schein eines gewissen Hochmuts zu geben versuchte, war er im Grunde oft ängstlich. Es gab Tage, an denen er spürte, wie sich der Schweiß auf seinem Körper sammelte, wie er stoßartig herausbrach und ihn beklemmte. Und der Wirt war ein Prolet, ein gutmütiger, auf seinen Erfolg eitler Bursche, der eine peinliche Art hatte; abends spät, wenn das Lokal sich allmählich leerte und er daran denken konnte, nach Hause zu gehen – dann griff er manchmal mit seinen dicken Fingern in die Zigarrenkiste und steckte ihm trotz seines Sträubens drei oder vier in die obere Rocktasche. »Mein Gott«, murmelte der Wirt mit seinem unsicheren Lächeln, »nehmen Sie doch – sind gute Zigarren.« Er nahm sie. Er rauchte sie abends mit Velten, mit dem zusammen er eine kleine möblierte Wohnung hatte, und Velten wunderte sich jedesmal über die Qualität der Zigarren. »Bressen«, sagte Velten, »Bressen, Donnerwetter, Sie rauchen ein gutes Kraut.« Er schwieg dazu und zierte sich nicht, wenn Velten etwas Gutes zu trinken mitbrachte. Velten war Reisender für eine Spirituosenfirma, und wenn er gute Geschäfte gemacht hatte, brachte Velten eine Flasche Sekt mit.

»Sekt«, sagte er laut vor sich hin, »kühlen Sekt.«

»Das ist das einzige, was er manchmal sagt«, sagte der Stationsarzt neben ihm.

»Sie meinen Herrn Oberst?« fragte Kleewitz kühl.

»Jawohl, Herrn Oberst Bressen. Das einzige, was Herr Oberst manchmal sagen, ist: Sekt – kühler Sekt. Und dann sprechen Herr Oberst manchmal von Frauen – kleinen Frauen.«

Daß er im Restaurant auch hatte essen müssen, war widerlich gewesen. In einem ziemlich schmutzigen Hinterzimmer auf einer schäbigen Tischdecke, bedient von der unfreundlichen Köchin, die seiner Vorliebe für Pudding keinerlei Rechnung trug – in der Nase, in Hals und Mund diese ekelhaften, kalten Kochdünste, fett und gräßlich –, und dieses ständige Aus- und Eingehen des Wirtes, der dann für Augenblicke neben ihm hockte, die Zigarre im Mund, sich aus einer Schnapspulle einschenkte und stumm soff.

Später hatte er Unterricht in gutem Benehmen erteilt. Die Stadt, in der er wohnte, war sehr geeignet für diese Art von Unterricht. Es gab dort viele Reiche, die nicht einmal wußten, daß Fisch anders als Fleisch gegessen wurde, die buchstäblich ihr Leben lang mit den Fingern gegessen hatten, nun Autos hatten, Villen und Weiber, die es nicht länger ertrugen, in ihrer eigenen Haut zu stecken. Er lehrte sie, sich auf dem Glatteis gesellschaftlicher Verpflichtungen einigermaßen aufzuführen, er ging zu ihnen, besprach die Speisenfolge mit ihnen, brachte ihnen bei, die Dienstboten richtig zu behandeln, und aß dann abends mit ihnen – er hatte ihnen jeden Handgriff beizubringen, sie genau zu beobachten, zu korrigieren, und versuchte ihnen klarzumachen, wie man eigenhändig die Sektpulle aufmacht.

»Sekt«, sagte er laut vor sich hin, »kühlen Sekt.«

»O Gott, o Gott«, rief Kleewitz, »Bressen, sehen Sie mich an.«

Aber er dachte nicht daran, Kleewitz anzusehen; nichts wollte er hören, nichts sehen von diesem Regiment, das ihm unter seinen Händen auseinandergefallen war wie Zunder; Roßapfel, Freischütz und Zuckerhut – befehligt durch seinen Stab, der sich Jagdbude nannte – weg! Und kurz darauf hörte er, daß Kleewitz gegangen war.

Er war froh, daß er endlich seinen Blick von der Schafherde und dem blöden Schäfer lösen konnte, es hing etwas zu weit rechts von ihm, und er bekam einen leichten Krampf im Nacken. Das zweite Bild hing fast genau vor ihm, und er war gezwungen, es anzusehen, obwohl auch das ihm nicht gefiel: es zeigte den Kronprinzen Michael, der mit einem rumänischen Bauern sprach, flankiert von Marschall Antonescu und der Königin. Die Haltung des rumänischen Bauern war aufregend. Er hatte die Füße zu nahe und zu fest beieinanderstehen, und es sah aus, als ob er nach vorn kippen und das Geschenk, das er in der Hand hielt, dem jungen König auf die Füße werfen würde: das Geschenk war nicht genau zu erkennen – Salz oder Brot oder ein Klumpen Ziegenkäse, aber der junge König lächelte dem Bauern zu. Bressen sah diese Dinge schon lange nicht mehr; er war froh, einen Punkt gefunden zu haben, auf den er starren konnte, ohne den Krampf im Nacken befürchten zu müssen.

Was ihn bei diesem Unterricht verblüfft hatte, was er noch nicht gewußt hatte und was einzusehen er sich lange sträubte: daß man diese Dinge wirklich lernen konnte – diese kleine Schauspielerei, mit Messer und Gabel richtig zu hantieren. Er erschrak oft, wenn er diese Burschen und ihre Weiber sah, die ihn nach drei Monaten korrekt und höflich wie einen tüchtigen, aber einseitigen Lehrer behandelten und ihm lächelnd einen Scheck überreichten. Manche auch begriffen es nie – ihre Finger waren zu ungeschickt, sie brachten es nicht fertig, eine Käsekruste abzuschneiden, ohne die Scheibe in die Hand zu nehmen, oder ein Weinglas richtig am Stiel anzufassen –, und es gab eine dritte Kategorie, die es nicht lernte, sich aber gar nichts daraus machte –

abgesehen von denen, die er nicht kennenlernte, von denen er aber hörte: die es gar nicht für nötig hielten, ihn zu Rate zu ziehen.

Das einzige, was ihn während dieser Zeit tröstete, war die Möglichkeit, mit ihren Frauen ab und zu ein Abenteuer zu bestehen – ein ungefährliches Abenteuer, das ihn nicht enttäuschte, aber den Frauen Widerwillen gegen ihn einzuflößen schien. Er hatte viele Abenteuer in dieser Zeit – mit den verschiedensten Frauen –, aber keine einzige von diesen allen war je ein zweites Mal zu ihm gekommen oder mit ihm gegangen, obwohl er meistens Sekt mit ihnen trank.

»Sekt«, sagte er laut vor sich hin, »kühlen Sekt.«

Er sagte es auch, wenn er allein war – es war besser –, und einen Augenblick lang dachte er an den Krieg, diesen Krieg hier, nur einen Augenblick, bis er hörte, daß wieder zwei ins Zimmer traten. Er sah weiter starr auf diesen undefinierbaren Klumpen, den der rumänische Bauer dem jungen König Michael hinhielt – und für einen Augenblick sah er zwischen sich und dem Bild die rosige Hand des Chefarztes, der sich über ihn beugte und die Fieberkurve vom Haken nahm.

»Sekt«, sagte Bressen laut, »Sekt und eine kleine Frau.«

»Herr Bressen«, rief der Chefarzt leise, »Herr Bressen.« Dann war einen Augenblick Schweigen, und der Chef sagte zu dem, der bei ihm war: »Verladen mit DL nach Wien – die Division bedauert zwar außerordentlich, daß sie auf Herrn Bressen verzichten muß, aber...«

»Jawohl«, sagte der Stationsarzt, dann hörte er nichts, obwohl sie noch neben ihm stehen mußten, denn er hatte die Tür nicht gehört. Dann raschelte wieder dieses verfluchte Papier, und sie schienen wieder seine Krankengeschichte durchzulesen. Keiner sprach ein Wort.

Später hatte man sich dann erinnert, daß es Dinge gab, die er wirklich lehren konnte und die zu lehren Sinn hatte: die neue Heeresdienstvorschrift, die er schon kannte, weil er die neuen Lieferungen regelmäßig zugeschickt bekam. Für den Stahlhelm und die Jugendorganisation übernahm er Ausbildungslehrgänge in seinem Bezirk, und er entsann sich gut, daß diese ehrenvolle Berufung in jene Zeit gefallen war, in der er einen unmäßigen Hang zu Süßigkeiten in sich entdeckte und sein Interesse an Abenteuern nachließ. Es hatte sich herausgestellt, daß es gut gewesen war, sich ein Pferd zu halten, sich dafür krummzulegen, denn nun konnte er an den Übungstagen schon früh in die Heide hinausreiten, Besprechungen mit den Unterführern abhalten, den Dienstplan durchgehen – und vor allem konnte er die Leute kennenlernen, wie er sie während des Dienstes kaum kennenlernte: alte Frontsoldaten und merkwürdig nüchterne und zugleich naive junge Leute, die sogar gelegentlich einen Widerspruch riskierten. Was ihn traurig stimmte, war eine gewisse Heimlichkeit, die es unmöglich machte, später an der Spitze der Truppe in die Stadt zurückzureiten – aber während des Dienstes war es fast wie früher: den Gefechtsdienst im Rahmen des Bataillons beherrschte er gut, und er fand keinen Anlaß, die neuen Vorschriften zu tadeln, die die Erfahrungen des Krieges gut ausgewertet hatten, ohne eine wirkliche Revolution hervorrufen zu wollen. Was er immer wieder besonders pflegte und für außerordentlich wichtig hielt: den Fußdienst, Grundstellung, Schwenkungen mit möglichster Korrektheit ausgeführt – und es waren Festtage, wenn er sich stark und sicher genug fühlte, etwas zu riskieren, was sogar im Frieden mit einer gutgeübten Truppe riskant gewesen war: Bataillonsexerzieren.

Aber die Heimlichkeit war bald weggefallen, bald auch hatte es tägliche Übungen gegeben, und es war kaum ein großer Unterschied, als er eines Tages wieder richtiger Major, Kommandeur eines richtigen Bataillons war.

Er wußte erst nicht, ob er sich wirklich drehte oder ob dieses Drehen schon zu den Dingen gehörte, die er nicht mehr kontrollieren konnte, aber er drehte sich, und er wußte, daß er sich wirklich drehte, und es war betrüblich, zu erfahren, daß es noch nichts gab, was außerhalb seiner Kontrolle mit ihm geschah: er wurde gedreht. Sie hatten ihn aufgehoben und schwenkten ihn sorgfältig aus seinem Bett heraus auf eine Bahre, die davorstand. Zuerst fiel sein Kopf nach hinten, er starrte für einen Augenblick an die Decke, dann wurde ihm ein Polster untergeschoben, und sein Blick fiel genau auf das dritte Bild, das in seinem Zimmer hing. Dieses Bild hatte er noch nie gesehen, es hing nahe an der Tür, und zuerst war er froh, daß er dieses Bild ansehen konnte, denn sonst hätte er genau die beiden Ärzte ansehen müssen, zwischen denen das Bild jetzt hing. Der Chef schien hinausgegangen zu sein. Der Stationsarzt sprach mit dem anderen jungen Arzt, den er noch nie gesehen hatte; er sah, daß der kleine dicke Stationsarzt dem anderen leise einiges aus seiner Krankengeschichte vorlas und ihm irgend etwas erklärte. Bressen konnte nicht verstehen, was sie sagten, nicht weil er nicht hören konnte; er empfand es als qualvoll, daß es ihm bisher nicht gelungen war, nichts zu hören – nein, sie waren einfach zu weit entfernt und flüsterten. Aus dem Flur hörte er alles: Rufen, Schreie von Verwundeten und das Brummen der Motoren draußen. Er sah den Rücken des Trägers, der vor ihm stand, und der, der hinter ihm stand, sagte jetzt: »Los – also los.«

»Das Gepäck«, sagte der vordere. »Herr Oberarzt«, rief er dem Stationsarzt zu, »es müßte jemand das Gepäck herausbringen.«

»Holen Sie ein paar Leute.«

Die beiden Träger gingen in den Flur.

Bressen blickte scharf, ohne den Kopf zu bewegen, auf das dritte Bild zwischen den beiden Arztköpfen hindurch: dieses Bild war unglaublich, er konnte sich nicht erklären, wie es hierherkam. Er wußte nicht, ob sie in einer Schule oder in einem Kloster waren, aber daß es in Rumänien Katholiken gab, hatte er noch nie gehört. In Deutschland gab es welche, er hatte davon gehört – aber in Rumänien! Da hing nun ein Bild der heiligen Maria. Es ärgerte ihn, daß er gezwungen war, dieses Bild anzusehen, aber er konnte es nicht ändern, er mußte sie anstarren, diese Frau im himmelblauen Mantel, deren Gesicht ihm befremdlich ernst vorkam; sie schwebte auf einer Erdkugel, blickte in den Himmel hinauf, der aus schneeweißen Wolken bestand, und um die Hände geschlungen hatte sie eine Schnur aus braunen Holzperlen. Er schüttelte leise den Kopf und dachte: widerwärtig, und plötzlich sah er, daß die beiden Ärzte aufmerksam wurden. Sie blickten ihn an, dann das Bild, folgten dem Weg seines Blickes und kamen langsam auf ihn zu. Es war sehr schwer für ihn, zwischen diesen beiden Köpfen, den vier Augen, die in seine blickten, hindurch auf dieses ihm so widerwärtige Bild zu starren. Er konnte an nichts denken, was ihn abgelenkt hätte; er versuchte es, seine Gedanken zurückfallen zu lassen in diese Jahre, an die er eben hatte denken können, Jahre, in denen er spürte, daß die Dinge, die einmal seine Welt waren, langsam wieder eine Welt wurden: der Umgang mit Stabsoffizieren, Garnisonsklatsch, Adjutanten, Ordonnanzen. Es gelang ihm nicht, daran zu denken. Er war eingeklemmt in diese zwanzig Zentimeter, die zwischen den beiden Köpfen frei waren, und in diesen zwanzig Zentimetern hing das Bild – aber es war erleichternd, zu sehen, wie dieser Zwischenraum sich vergrößerte, weil sie näher auf ihn zukamen, auseinandergingen und neben ihm stehenblieben.

Er sah sie jetzt gar nicht mehr, nur am Rande seines Blickfeldes ihre weißen Kittel. Er hörte genau, was sie sagten.

»Sie glauben also nicht, daß es mit dieser Verwundung zusammenhängt?«

»Ausgeschlossen«, sagte der Stationsarzt; er schlug wieder die Krankengeschichte auf, Papier raschelte. »Ausgeschlossen. Eine geradezu lächerlich geringfügige Verletzung der Kopfschwarte. War in fünf Tagen abgeheilt. Nichts – gar nichts von den üblichen Anzeichen einer Erschütterung, nichts. Ich kann höchstens Schock annehmen – oder...« Er schwieg plötzlich.

»Was meinen Sie?«

»Ich werde mich hüten.«

»Sagen Sie es.«

Es war peinlich, daß die beiden Ärzte schwiegen, sie schienen irgendwelche Zeichen zu wechseln – dann lachte plötzlich der fremde Arzt. Bressen hatte kein Wort gehört. Dann lachten beide Ärzte. Er war froh, daß die beiden Soldaten mit einem dritten hereinkamen, dieser dritte trug den Arm in der Schlinge.

»Feinhals«, sagte der Stationsarzt zu ihm, »tragen Sie die Aktentasche an den Wagen. Das große Gepäck wird nachgebracht«, rief er den Trägern zu.

»Es ist Ihr Ernst?« fragte der fremde Arzt.

»Mein voller Ernst.«

Bressen spürte, daß er hochgehoben und fortgetragen wurde; das Marienbild rutschte links von ihm weg, die Wand kam näher, dann das Fensterkreuz draußen im Flur, wieder wurde er geschwenkt – er sah in den langen Flur hinein, schwenkte noch einmal und schloß die Augen: draußen schien die Sonne, sie blendete ihn. Er war froh, als sich die Tür des Sankras hinter ihm schloß.

III

Es gab sehr viele Feldwebel in der deutschen Armee – man hätte mit ihren Sternen den Himmel einer stupiden Unterwelt schmücken können –, viele Feldwebel auch, die Schneider hießen, und von diesen immerhin noch eine Menge, die den Vornamen Alois bekommen hatten, aber nur einer von diesen Feldwebeln, die Alois Schneider hießen, lag zu dieser Zeit in einem ungarischen Nest, das Szokarhely hieß; Szokarhely war ein kleiner geschlossener Ort, halb Dorf, halb Badeort. Es war im Sommer.

Schneiders Dienstraum war ein schmaler gelbtapezierter Raum; draußen an der Tür hing ein rosarotes Pappschild mit schwarzer

Tusche beschriftet: »Entlassungen. Fw. Schneider«. Der Schreibtisch stand so, daß Schneider mit dem Rücken zum Fenster saß, und wenn er nichts zu tun hatte, stand er auf, drehte sich herum, und er konnte auf die schmale staubige Landstraße sehen, die nach links ins Dorf und rechts zwischen Maisfeldern und Aprikosenbäumen in die Pußta führte. Schneider hatte fast nichts zu tun. Es waren nur noch Schwerverwundete im Lazarett; alle anderen, deren Transportfähigkeit nicht bezweifelt werden konnte, waren verladen und weggeschafft worden – und die anderen, die laufen konnten, entlassen, aufgepackt und zur Frontleitstelle gebracht worden. Schneider konnte stundenlang zum Fenster hinaussehen: draußen war es schwül und dunstig, und die beste Medizin gegen dieses Klima war gelblicher Aprikosenschnaps, mit Selterswasser gemischt. Der Schnaps hatte eine milde Schärfe, war billig, rein und gut, und es war schön, am Fenster zu sitzen, in den Himmel oder auf die Straße zu sehen und betrunken zu werden; die Trunkenheit kam sehr langsam, Schneider mußte bitter um sie kämpfen, es bedurfte – auch am Morgen – eines ziemlichen Quantums Aprikosenschnapses, um in einen Zustand zu kommen, in dem der Stumpfsinn erträglich wurde. Schneider hatte sein System: im ersten Glas nahm er nur einen Schuß Schnaps, im zweiten einen stärkeren, das dritte war 50:50, das vierte trank er pur, das fünfte wieder 50:50, das sechste war so stark wie das zweite und das siebente so schwach wie das erste. Er trank nur sieben Gläser – gegen halb elf war er mit dieser Zeremonie fertig und befand sich in einem Zustand, den er wütende Nüchternheit nannte, ein kaltes Feuer erfüllte ihn dann, und er war gewappnet, den Stumpfsinn des Tages auf sich zu nehmen. Gegen elf kamen gewöhnlich die ersten Entlassungen, meist ein Viertel nach elf, und er hatte fast noch eine Stunde Zeit, auf die Straße zu sehen, auf der selten einmal ein Fuhrwerk, von mageren Pferden gezogen, viel Staub aufwirbelnd, ins Dorf raste – oder er konnte Fliegen fangen, kunstvoll ausgedachte Dialoge mit imaginären Vorgesetzten führen – ironisch und knapp – oder vielleicht die Stempel auf seinem Schreibtisch sortieren, die Papiere geradelegen.

Um diese Zeit – gegen halb elf – stand Dr. Schmitz im Zimmer der beiden Patienten, die er morgens operiert hatte: links lag Leutnant Moll, einundzwanzig Jahre alt, er sah aus wie eine alte Frau, sein spitzes Gesicht schien in der Narkose zu grinsen, Schwärme von Fliegen tummelten sich auf den Verbänden um seine Hände, hockten schläfrig an dem blutigen Mull an seinem Kopf. Schmitz scheuchte sie weg – es war zwecklos, er schüttelte den Kopf und zog das weiße Laken weit über den Kopf des Schlafenden. Er fing an, sich den sauberen weißen Kittel überzustreifen, den er zur Visite anzog, knöpfte ihn langsam zu und blickte den anderen Patienten an, Hauptmann Bauer, der langsam aus der Narkose zu erwachen schien, dumpf murmelnd mit geschlossenen Augen; er versuchte vergebens, sich zu bewegen, er war festgeschnallt, und auch sein Kopf war hinten am Gestänge des Bettes mit Gurten festgebunden – nur seine Lippen bewegten sich, und für Augenblicke schien er die Lider aufschlagen zu wollen – immer wieder murmelnd. Schmitz steckte die Hände in die Taschen seines Kittels und wartete – es war dämmerig im Raum, die Luft war schlecht, es roch leicht nach Mist, und auch wenn die Türen und die Fenster geschlossen waren, wimmelte es von Fliegen; früher waren in den Kellern darunter die Viehställe gewesen.

Das stoßartige unartikulierte Murmeln des Hauptmanns schien sich zu festigen, er öffnete jetzt in bestimmten Abständen den Mund und schien nur ein einziges Wort zu sagen, das Schmitz nicht verstand – ein merkwürdig faszinierendes Gemisch von E und O und Rachenlauten, dann schlug der Hauptmann plötzlich die Augen auf. »Bauer«, rief Schmitz, aber er wußte, daß es zwecklos war. Er trat näher und bewegte seine Hände heftig hin und her vor den Augen des Hauptmanns – es erfolgte kein Reflex. Schmitz hielt ihm die Hand ganz dicht vor die

Augen, so dicht, daß er die Brauen des Hauptmanns auf seiner Handfläche spürte: nichts – der Hauptmann sagte nur regelmäßig sein unverständliches Wort. Er blickte nach innen, und niemand wußte, was innen war. Plötzlich sagte er das Wort sehr deutlich, scharf artikuliert, wie auswendig gelernt – dann noch einmal. Schmitz hielt sein Ohr ganz nahe an den Mund des Hauptmanns: »Bjeljogorsche«, sagte der Hauptmann. Schmitz lauschte gespannt, er kannte das Wort nicht und wußte nicht, was es bedeutete, aber er hörte es gern, es schien ihm schön, geheimnisvoll und schön. Draußen war es still – er hörte den Atem des Hauptmanns, sah ihm in die Augen und wartete fast atemlos immer wieder auf das Wort: »Bjeljogorsche«. Schmitz blickte auf seine Uhr, beobachtete den Sekundenzeiger – sehr langsam schien ihm dieser winzige Finger über das Zifferblatt zu kriechen – fünfzig Sekunden: »Bjeljogorsche«. Es erschien ihm unendlich lange, ehe wieder fünfzig Sekunden vergangen waren. Draußen fuhren Wagen in den Hof. Jemand rief etwas im Flur, Schmitz dachte daran, daß der Chef ihn hatte bitten lassen, an seiner Stelle die Visite zu führen, wieder fuhr ein Wagen draußen in den Hof. »Bjeljogorsche«, sagte der Hauptmann; noch einmal wartete Schmitz – die Tür ging auf, ein Feldwebel erschien, Schmitz winkte ihm ungeduldig, zu schweigen, starrte auf den kleinen Zeiger und seufzte, als er auf die Dreißig sprang: »Bjeljogorsche«, sagte der Hauptmann.

»Was ist los?« fragte Schmitz den Feldwebel.

»Die Visite, es wird Zeit«, sagte der Feldwebel.

»Ich komme«, sagte Schmitz. Er deckte die Uhr mit seinem Ärmel zu, als der Zeiger auf zwanzig stand und die Lippen des Hauptmanns sich eben geschlossen hatten – er starrte auf den Mund des Mannes, wartete und zog den Ärmel zurück, als die Lippen sich zu bewegen anfingen. »Bjeljogorsche« – der Zeiger stand genau auf zehn.

Schmitz ging langsam hinaus.

An diesem Tag kamen keine Entlassungen. Schneider wartete bis ein Viertel nach elf, ging dann hinaus, um sich Zigaretten zu holen. Im Flur blieb er an dem Fenster stehen. Draußen wurde der Wagen des Chefs gereinigt. Donnerstag, dachte Schneider. Donnerstags wurde immer der Wagen des Chefs gereinigt.

Die Gebäude bildeten ein Viereck, das nach hinten – zur Eisenbahn hin – offen war. Im nördlichen Flügel war die chirurgische Abteilung, in der Mitte die Verwaltung mit Röntgenzimmern, im südlichen Küche, Wohnräume für das Personal, und am äußersten Ende, in einer Flucht von sechs Räumen, wohnte der Direktor. Früher war in diesem Komplex eine landwirtschaftliche Schule gewesen. Hinten in dem großen Garten, der sich quer zur offenen Flanke schob, waren Duschräume, ein paar Ställe und Musteranlagen, präzise abgezirkelte Beete mit allerlei Pflanzen. Der Garten zog sich mit seinen Obstbäumen bis zur Eisenbahn hin, und manchmal sah man die Frau des Direktors dort mit ihrem Sohn reiten, einem sechsjährigen Bengel, der kreischend auf einem Pony hockte. Die Frau war jung und schön, und jedesmal, wenn sie mit ihrem Sohn dort hinten im Garten gespielt hatte, kam sie zur Verwaltung und beschwerte sich über den Blindgänger, der dort an der Jauchegrube lag und ihr lebensgefährlich erschien. Jedesmal wurde ihr versichert, es würde etwas getan, aber es wurde nichts getan.

Schneider blieb am Fenster stehen und sah dem Fahrer des Chefs zu, der seine Arbeit sehr sorgfältig machte; er hatte, obwohl er diesen Wagen schon seit zwei Jahren fuhr und säuberte, vorschriftsmäßig den Schmierplan auf einer Kiste ausgebreitet, hatte den Drillichanzug an, Eimer und Kannen standen um ihn herum. Der Wagen des Chefs war mit rotem Leder ausgepolstert und sehr flach. Donnerstag, dachte Schneider, schon wieder Donnerstag. Im Kalender der Gewohnheiten war Donnerstag der Tag, an dem der Wagen des Chefs gereinigt wurde. Er begrüßte die blonde Schwester, die eilig an ihm vorbeiging, machte die paar Schritte zur Kantinentür, aber die Tür war verschlossen.

Draußen auf dem Hof fuhren zwei Lastwagen vor, sie parkten in Abständen zum Wagen des Chefs. Schneider blieb stehen und blickte hinaus: in diesem Augenblick fuhr das Mädchen mit dem Obst in den Hof. Sie lenkte selbst ihren kleinen Wagen, saß auf einer umgestülpten Kiste und fuhr nun vorsichtig zwischen den Wagen durch zur Küche hin. Sie hieß Szarka, kam immer mittwochs aus einem der umliegenden Dörfer und brachte Obst und Gemüse. Es kamen jeden Tag Leute, die Obst und Gemüse brachten, der Zahlmeister hatte verschiedene Lieferanten, aber mittwochs kam nur Szarka. Schneider wußte es genau: schon oft hatte er mittwochs gegen halb zwölf seine Arbeit unterbrochen, sich ans Fenster gestellt und gewartet, bis die Staubwolke ihres kleinen Wagens am Rande der Allee, die zum Bahnhof führte, zu sehen war, und er hatte gewartet, bis sie näher kam, in der Staubwolke das Pferdchen sichtbar wurde, die Räder des Wagens und endlich das Mädchen mit seinem hübschen schmalen Gesicht und dem Lächeln um den Mund. Schneider zündete seine letzte Zigarette an und setzte sich auf die Fensterbank. Heute werde ich mit ihr sprechen, dachte er, und zugleich dachte er daran, daß er jeden Mittwoch dachte: heute werde ich mit ihr sprechen, und daß er es nie getan hatte. Aber heute würde er es bestimmt tun. Szarka hatte etwas, was er nur bei diesen Frauen hier gespürt hatte, bei diesen Pußtamädchen, die man in Filmen immer so blödsinnig heißblütig herumhüpfen sah: Szarka war kühl, kühl und von einer kaum spürbaren Zärtlichkeit; sie war zärtlich zu ihrem Pferd, zu den Früchten in ihren Körben: Aprikosen und Tomaten, Pflaumen und Birnen, Gurken und Paprika. Ihr bunter kleiner Wagen schlüpfte zwischen den schmutzigen Ölkannen und Kisten durch, hielt an der Küche, und sie klopfte mit der Peitsche ans Fenster. Um diese Zeit war es sonst still im Haus. Die Visite ging rund und verbreitete eine ängstliche Feierlichkeit, alles war aufgeräumt, und eine undefinierbare Spannung war in den Fluren. Aber heute herrschte ein nervöser Lärm, überall Türenknallen, Rufen. Schneider hörte es irgendwie am

Rande seines Bewußtseins, er rauchte seine letzte Zigarette und sah zu, wie Szarka mit dem Küchenfeldwebel verhandelte. Sonst verhandelte sie immer mit dem Zahlmeister, der sie in den Hintern zu kneifen versuchte – aber Pratzki, der Küchenfeldwebel, war ein schmaler, etwas nervöser, sehr sachlicher Bursche, der ausgezeichnet kochen konnte und von dem es hieß, daß er sich aus Weibern nichts mache. Szarka sprach heftig auf ihn ein, gestikulierte, machte vor allem die Geste des Geldzählens, aber der Koch zuckte nur die Schultern und deutete auf das Hauptgebäude, genau dorthin, wo Schneider saß; das Mädchen wandte sich um und blickte Schneider fast ins Gesicht; er sprang von der Fensterbank und hörte, daß im Flur sein Name gerufen wurde. »Schneider, Schneider!« Dann war einen Augenblick Stille, und wieder rief jemand: »Feldwebel Schneider!« Schneider warf noch einen Blick hinaus: Szarka nahm ihr Pferdchen beim Zügel und lenkte es aufs Hauptgebäude zu; der Fahrer des Chefs stand in einer großen Pfütze und faltete seinen Schmierplan zusammen. Schneider ging langsam auf die Schreibstube zu, er dachte an manches, bevor er dort angekommen war: daß er mit dem Mädchen heute sprechen mußte, unbedingt, daß mittwochs der Wagen des Chefs nicht gereinigt werden konnte – und daß Szarka unmöglich donnerstags kommen konnte.

Die Visite begegnete ihm. Sie kam aus dem großen Saal, der jetzt fast leer war; weiße Kittel, ein paar Schwestern, der Stationsfeldwebel, die Sanitäter, ein stummer Zug, der nicht vom Chef geführt wurde, sondern von Schmitz, Sanitätsunteroffizier Dr. Schmitz, einem Mann, den man selten sprechen hörte. Schmitz war klein und dick und sah unbedeutend aus, aber seine Augen waren kühl und grau, und manchmal, wenn er eine Sekunde die Lider senkte, schien er etwas sagen zu wollen, aber er sagte nie etwas. Die Visite löste sich auf, als Schneider vor der Schreibstube angekommen war; er sah, daß Schmitz auf ihn zukam, hielt ihm die Tür auf und trat dann mit ihm zusammen ein.

Der Spieß hatte den Hörer am Ohr. Sein breites Gesicht zeigte Gereiztheit. Er sagte gerade: »Nein, Herr Oberfeldarzt«, dann hörte man den Chef im Hörer, der Spieß blickte Schneider und den Arzt an, bot dem Arzt mit einer Geste einen Stuhl an und lächelte, als er Schneider ansah, dann sagte er: »Jawohl, Herr Oberfeldarzt«, und legte den Hörer auf.

»Was ist denn los?« fragte Schmitz. »Wir hauen also ab.« Er schlug die Zeitung auf, die vor ihm lag, klappte sie sofort wieder zu und sah dem Zeichner Feinhals über den Rücken, der neben ihm saß. Schmitz blickte den Spieß kühl an. Er hatte gesehen, daß Feinhals einen Plan des Ortes anlegte. »Stützpunkt Szokarhely« stand darüber.

»Ja«, sagte der Spieß, »wir haben Befehl, Stellungswechsel vorzunehmen.« Er versuchte ruhig zu bleiben, aber eine widerwärtige Erregung war in seinen Augen, als er Schneider ansah. Auch zitterten seine Hände. Er warf einen Blick auf die feldgrauen Kisten, die an den Wänden standen und durch Aufklappen der Deckel in Schränke oder Schreibtische verwandelt werden konnten. Er bot Schneider immer noch keinen Stuhl an.

»Geben Sie mir eine Zigarette, Feinhals, bis gleich«, sagte Schneider. Feinhals stand auf, öffnete die blaue Schachtel und bot Schneider an. Auch Schmitz nahm eine. Schneider stand an die Wand gelehnt und rauchte.

»Ich weiß«, sagte er in die Stille hinein. »Ich werde beim Nachkommando sein. Früher war es Vorkommando.«

Der Spieß wurde rot. Im Nebenzimmer hörte man eine Schreibmaschine. Das Telefon klingelte, der Spieß nahm den Hörer ab, meldete sich und sagte: »Jawohl, Herr Oberfeldarzt – ich lasse sie zur Unterschrift rüberbringen.«

Er legte den Hörer auf. »Feinhals«, sagte er, »gehen Sie rüber und sehen Sie, ob der Tagesbefehl fertig ist.« Schmitz und Schneider sahen sich an. Schmitz sah auf den Tisch und schlug die Zeitung wieder auf. »Prozeß gegen Hochverräter hat begonnen«, las er. Er schlug die Zeitung sofort wieder zu.

Feinhals kam mit dem Schreiber aus dem Nebenzimmer zurück. Der Schreiber war ein blasser, blonder Unteroffizier, der gelbe Finger vom Rauchen hatte.

»Otten«, rief Schneider ihm entgegen, »machst du die Kantine noch mal auf?«

»Einen Augenblick, bitte«, sagte der Spieß wütend, »ich habe jetzt Wichtigeres zu tun.« Er trommelte mit den Fingern auf dem Tisch herum, während der Schreiber die Papierpäckchen sortierte. Er legte die betippten Blätter aufs Gesicht und zog das Durchschlagpapier heraus. Es waren dreimal zwei Schreibmaschinenseiten und vier Durchschlagpapiere. Es schienen nur Namen auf den beschriebenen Blättern zu stehen. Schneider dachte an das Mädchen. Wahrscheinlich war sie jetzt beim Zahlmeister, um sich Geld zu holen. Er trat näher ans Fenster, um die Ausfahrt beobachten zu können.

»Denk daran«, sagte er zu Otten, »daß du uns Zigaretten hierläßt.«

»Ruhe«, schrie der Spieß.

Er gab die Päckchen Feinhals und sagte: »Zum Chef zur Unterschrift.« Feinhals heftete sie zusammen und ging hinaus.

Der Spieß wandte sich Schmitz und Schneider zu, aber Schneider blickte zum Fenster hinaus, es war fast Mittag, und die Straße war leer; gegenüber lag ein großes Feld, auf dem mittwochs Markt gehalten wurde: die schmutzigen Buden lagen einsam in der Sonne. Also doch Mittwoch, dachte er, wandte sich dem Spieß zu, der eine Durchschrift des Tagesbefehls in der Hand hielt. Feinhals war schon zurück, er stand an der Tür.

»...bleiben hier«, sagte der Spieß. »Feinhals hat die Lageskizze. Diesmal soll alles gefechtsmäßig gehen. Eine Formalität, Sie wissen, Schneider«, sagte er, »am besten, Sie trommeln gleich ein paar Leute zusammen und lassen die Waffen holen, in der Infektion. Die anderen Stationen sind informiert.«

»Waffen?« fragte Schneider, »auch eine Formalität?«

Der Spieß lief wieder rot an. Schmitz nahm aus Feinhals'

Schachtel noch eine Zigarette. »Ich möchte die Liste der Verwundeten sehen – führt der Chef das Vorkommando?«

»Ja«, sagte der Spieß, »er hat auch die Liste aufgestellt.«

»Ich möchte sie sehen«, sagte Schmitz.

Wieder lief der Spieß rot an. Dann griff er in die Schublade und reichte Schmitz die Liste. Schmitz las sie aufmerksam durch, er murmelte dabei alle Namen vor sich hin, es war still, alle schwiegen und blickten auf den Mann, der die Liste las. Draußen auf dem Flur herrschte Lärm. Alle zuckten zusammen, als Schmitz plötzlich laut sagte: »Leutnant Moll und Hauptmann Bauer, verflucht!« Er knallte die Liste auf den Tisch und blickte den Spieß an. »Jeder Medizinstudent weiß, daß ein Patient einundeinehalbe Stunde nach einer schweren Gehirnoperation nicht transportfähig ist.« Er nahm die Liste wieder vom Tisch und schlug mit den Fingern auf das Papier. »Ich kann ihnen genausogut eine Kugel durch den Kopf jagen wie sie in einen Sankra packen.« Er sah Schneider an, dann Feinhals, den Spieß und Otten. »Man wußte doch offenbar gestern schon, daß wir heute abhauen – warum ist die Operation nicht verschoben worden – wie?«

»Der Befehl ist erst heute morgen gekommen, vor einer Stunde«, sagte der Spieß.

»Der Befehl! Der Befehl!« sagte Schmitz; er warf die Liste auf den Tisch und sagte zu Schneider: »Kommen Sie, wir gehen.« Als sie draußen waren, sagte er: »Sie haben nicht hingehört eben – ich bin Führer des Nachkommandos – wir sprechen noch darüber.« Er ging sehr schnell weg auf das Zimmer des Chefs zu, und Schneider schlenderte langsam auf sein Zimmer.

An jedem Fenster, an dem er vorbeikam, sah er hinaus, um sich zu vergewissern, daß Szarkas Wagen immer noch vor der Ausfahrt stand. Der Hof stand jetzt voller Lastwagen und Sankras, und mittendrin der Wagen des Chefs. Sie hatten schon mit dem Verladen begonnen, und Schneider bemerkte, daß an der Küche auch die Obstkörbe aufgeladen wurden, und der Fahrer des Chefs schleppte eine große graue, mit Blech beschlagene Kiste über den Hof. In den Fluren war Gedränge. In seinem Zimmer ging Schneider schnell zum Schrank, goß sich den Rest des Schnapses in ein Glas und ließ etwas Sprudel nachlaufen, und als er trank, hörte er, daß draußen der erste Motor anlief. Er ging mit dem Glas in der Hand in den Flur und stellte sich ans Fenster: er hatte gleich gehört, daß der erste Motor, der anlief, der vom Wagen des Chefs war; es war ein guter Motor, Schneider verstand nichts davon, aber er hörte, daß es ein guter Motor war. Dann kam der Chef über den Hof, er trug kein Gepäck, und seine Feldmütze saß etwas schief auf dem Kopf. Er sah fast wie sonst aus; nur sein Gesicht, das sonst vornehm aussah, blaß, mit feinen rötlichen Schimmern, sein Gesicht war krebsrot. Der Chef war ein schöner Mann, groß und schlank, ein ausgezeichneter Reiter, der jeden Morgen um sechs auf sein Pferd stieg, die Peitsche in der Hand, und in die Pußta hineingaloppierte, gleichmäßig, immer mehr sich entfernend in diese Fläche, die nur Horizont zu sein schien. Aber jetzt war sein Gesicht krebsrot, und Schneider hatte das Gesicht des Chefs nur einmal krebsrot gesehen, damals, als Schmitz die Operation gelungen war, die der Chef nicht riskiert hatte. Schmitz ging jetzt neben dem Chef; Schmitz ging ganz ruhig, während der Chef aufgeregt mit den Händen um sich ruderte ... aber Schneider hatte jetzt das Mädchen gesehen, das im Flur auf ihn zukam. Sie schien verwirrt zu sein von dem Durcheinander und jemand zu suchen, der nicht an diesem Aufbruch beteiligt war. Sie sagte etwas auf ungarisch, das er nicht verstand, dann zeigte er auf sein Zimmer und winkte ihr, zu kommen. Draußen fuhr als erster Wagen der Wagen des Chefs an, und die Kolonne folgte ihm langsam ...

Offenbar glaubte das Mädchen, er sei der Vertreter des Zahlmeisters. Sie setzte sich nicht auf den Stuhl, den er ihr anbot, und als er sich auf die Kante des Schreibtisches setzte, blieb sie nahe vor ihm stehen und redete heftig gestikulierend auf ihn ein; er empfand es als wohltuend, daß er sie ansehen konnte, ohne ihr zuhören zu müssen, denn es war zwecklos, ihre Sprache verstehen zu wollen. Aber er ließ sie reden, um sie ansehen zu können: sie schien etwas mager zu sein, vielleicht war sie zu jung, sehr jung, viel jünger, als er geglaubt hatte – ihre Brust war klein, aber ihr kleines Gesicht war vollendet schön, und er wartete fast atemlos auf die Augenblicke, in denen ihre langen Wimpern auf den braunen Wangen lagen – sehr kurze Augenblicke, in denen auch ihr kleiner Mund geschlossen blieb, rund und rot, mit etwas zu schmalen Lippen. Er sah sie sehr genau an und gestand sich, etwas enttäuscht zu sein – aber sie war reizend, und er hob plötzlich abwehrend die Hände und schüttelte den Kopf. Sie war sofort still, sah ihn mißtrauisch an; er sagte leise: »Ich möchte dich küssen, verstehst du das?« Er wußte selbst nicht mehr, ob er es wirklich wollte, und es war ihm peinlich, zu sehen, wie sie rot wurde, wie diese dunkle Haut langsam anfing zu glühen, und er begriff, daß sie kein Wort verstanden hatte, aber wußte, was er meinte. Sie wich zurück, als er langsam näher kam, und er sah an ihren ängstlichen Augen und dem mageren Hals, in dem die Ader heftig pulste, daß sie drei Monate zu jung war. Er blieb stehen, schüttelte den Kopf und sagte leise: »Verzeih – vergiß es – verstehst du mich?« Aber ihr Blick wurde noch ängstlicher, und er fürchtete, daß sie schreien würde. Diesmal schien sie noch weniger zu verstehen – er ging seufzend nahe an sie heran, nahm ihre kleinen Hände, und als er sie zum Mund führte, sah er, daß sie schmutzig waren, sie rochen nach Erde und Leder, Lauch und Zwiebeln, und er küßte sie flüchtig und versuchte zu lächeln. Sie sah ihn noch verwirrter an, bis er ihr auf die Schulter tippte und sagte: »Komm, wir wollen sehen, daß du Geld kriegst.« Erst als er die Geste des Geldzählens kräftig vor ihren Augen vollführte, lächelte sie ein wenig und folgte ihm auf den Flur.

Auf dem Flur begegneten ihnen Schmitz und Otten.

»Wo wollen Sie hin?« fragte Schmitz.

»Zum Zahlmeister«, sagte Schneider, »das Mädchen will Geld haben.«

»Der Zahlmeister ist weg«, sagte Schmitz, »er ist gestern abend schon gefahren, nach Szolnok; er stößt von da zum Vorkommando.« Er senkte die Lider für einen Augenblick und sah dann die Männer an. Keiner sagte ein Wort. Das Mädchen sah von einem zum anderen. »Otten«, sagte Schmitz, »trommeln Sie das Nachkommando zusammen, ich brauche ein paar Leute zum Abladen, man hat vergessen, uns auch etwas Eßbares hierzulassen.« Er blickte auf den Hof: dort stand noch ein einziger Wagen.

»Und das Mädchen?« fragte Schneider.

Schmitz zuckte die Achseln: »Ich kann ihr kein Geld geben.«

»Soll sie morgen früh wiederkommen?«

Schmitz sah das Mädchen an. Sie lächelte ihm zu.

»Nein«, sagte er, »besser heute nachmittag.«

Otten rannte durch den Flur und schrie: »Nachkommando antreten!«

Schmitz ging auf den Hof und stellte sich neben den Wagen, und Schneider brachte das Mädchen an ihr Gefährt. Er versuchte, ihr zu erklären, daß sie nachmittags wiederkommen sollte, aber sie schüttelte immer wieder heftig den Kopf, bis er begriff, daß sie ohne das Geld nicht abfahren würde. Er blieb bei ihr stehen, sah zu, wie sie auf den Wagen kletterte, ihre Kiste umstülpte und ein braunes Paket herausnahm. Dann hing sie dem Pferd den Futterbeutel vor und packte aus: ein Stück Brot, eine große flache Frikadelle und eine Stange Lauch. Wein hatte sie in einer dicken grünen Flasche. Sie lächelte ihm jetzt zu, und plötzlich, mitten im Kauen, sagte sie »Nagyvarad« und puffte ein paarmal mit der Faust vor sich hin, waagerecht von sich ab; dabei machte sie ein bedenkliches Gesicht. Schneider glaubte, sie schildere ihm einen Boxkampf, den jemand verloren hatte, oder vielleicht – so dachte er – wolle sie irgendwie dartun, daß sie sich betrogen fühlte. Er wußte nicht, was Nagyvarad hieß. Ungarisch war eine sehr schwere Sprache, es gab nicht einmal das Wort Tabak darin.

Das Mädchen schüttelte den Kopf. »Nagyvarad, Nagyvarad«,

sagte sie ein paarmal hintereinander heftig und puffte wieder mit der Faust waagerecht von ihrer Brust weg. Sie schüttelte den Kopf und lachte, kaute dabei eifrig und trank hastig ihren Wein. »Oh«, machte sie, »Nagyvarad – russ«, wieder puffte sie, diesmal ausgiebig und weit ausholend: »russ – russ«; sie deutete südöstlich und machte das Geräusch heranrollender Panzer: »bru-bru-bru...«

Schneider nickte plötzlich, und sie lachte laut, brach aber mitten im Lachen ab und machte ein sehr ernstes Gesicht. Schneider begriff, daß Nagyvarad eine Stadt sein mußte, und die Geste des Puffens war nun sehr eindeutig. Er blickte zu der Kolonne hinüber, die beim Lastwagen stand und ablud. Schmitz stand vorn beim Fahrer und unterschrieb etwas. Schneider rief ihm zu: »Dr. Schmitz, wenn Sie Zeit haben, kommen Sie bitte einmal.« Schmitz nickte.

Das Mädchen war mit seiner Mahlzeit fertig. Es packte sorgfältig das Brot ein, den Rest Lauch, und korkte die Flasche wieder zu.

»Wollen Sie Wasser für das Pferd?« fragte Schneider. Sie sah ihn fragend an.

»Wasser«, sagte er, »für das Pferd.« Er bückte sich ein wenig vor und versuchte nachzumachen, wie ein Pferd trinkt.

»Oh«, rief sie, »oh, jo.« Ihr Blick war seltsam, neugierig irgendwie, von einer neugierigen Zärtlichkeit.

Drüben setzte sich der Wagen in Bewegung, und Schmitz kam heran.

Sie sahen dem Wagen nach; draußen stand eine andere Kolonne, die darauf wartete, daß die Einfahrt frei würde.

»Was ist los?« fragte Schmitz.

»Sie spricht von einem Durchbruch bei einer Stadt, die mit Nagy anfängt.«

Schmitz nickte: »Großwardein«, sagte er, »ich weiß.«

»Sie wissen es?«

»Ich habe es diese Nacht im Funk gehört.«

»Ist es weit von hier?«

Schmitz sah nachdenklich den Wagen zu, die in langer Kolonne in den Hof fuhren. »Weit«, sagte er seufzend, »weit ist kein Begriff in diesem Krieg – es werden hundert Kilometer sein. Vielleicht geben wir dem Mädchen sein Geld in Zigaretten – jetzt gleich.«

Schneider sah Schmitz an und spürte, wie er rot wurde. »Noch einen Augenblick«, sagte er, »ich möchte, daß sie noch etwas hierbleibt.«

»Meinetwegen«, sagte Schmitz. Er ging langsam weg, auf den Südflügel zu.

Als er in das Zimmer der beiden Kranken trat, sagte der Hauptmann leise und dumpf vor sich hin: »Bjeljogorsche.« Schmitz wußte, daß es sinnlos war, auf die Uhr zu sehen; dieser Rhythmus war genauer, als die Uhr je hätte sein können, und während er auf der Bettkante saß, die Krankengeschichte in der Hand, eingelullt fast von diesem stetig wiederkehrenden Wort, versuchte er, darüber nachzudenken, wie ein solcher Rhythmus entstehen konnte – welche Mechanik in diesem wüst zurechtgeflickten, zerschnittenen Schädel, welches Uhrwerk löste diese monotone Litanei aus? Und was geschah in den fünfzig Sekunden, in denen der Mann nichts sagte, nur atmete? Schmitz wußte fast nichts von ihm: geboren im März 1895 in Wuppertal, Dienstgrad: Hauptmann, Wehrmachtsteil: Heer, Zivilberuf: Kaufmann, Religion: evangelisch-lutherisch, Wohnung, Truppenteil, Verwundungen, Krankheiten, Art der Verletzung. Es gab auch nichts im Leben dieses Mannes, was irgendwie bemerkenswert gewesen wäre: er war kein guter Schüler gewesen, sehr mittelmäßig, etwas unzuverlässig; er war nur einmal sitzengeblieben und hatte auf dem Reifezeugnis in Geographie, Englisch und Turnen sogar »gut« gehabt. Er hatte den Krieg nicht geliebt; ohne es zu wollen, war er 1915 Leutnant geworden. Er trank gern, aber nicht unmäßig – und später, als er verheiratet war, hatte er es nie über sich gebracht, seine Frau zu betrügen, selbst wenn ein Abenteuer noch so einfach zu arrangieren und verlockend gewesen wäre. Er brachte es nicht über sich.

Schmitz wußte, daß alles, was in der Krankengeschichte stand, fast belanglos war, solange er nicht wußte, warum der Mann »Bjeljogorsche« sagte und was es für ihn bedeutete – und Schmitz wußte, daß er es nie wissen würde, und er hätte doch gern ewig dort sitzen und auf dieses Wort warten mögen.

Draußen war es sehr still – er lauschte gespannt und erregt auf die Stille, in die nur manchmal dieses Wort plumpste. Aber die Stille war stärker, erdrückend stark, und Schmitz stand langsam, fast widerstrebend auf und ging hinaus.

Als Schmitz weggegangen war, sah das Mädchen Schneider an und schien verlegen zu sein. Sie machte sehr schnell die Geste des Trinkens. »Ach«, sagte er, »das Wasser.« Er ging ins Haus, um Wasser zu holen. In der Einfahrt mußte er zurückspringen: ein sehr eleganter rötlicher Wagen fuhr leise, aber schneller, als es erlaubt war, an ihm vorbei und schwenkte sorgsam gesteuert an den parkenden Sankras vorbei nach hinten, wo die Wohnung des Direktors war.

Als Schneider mit dem Wassereimer zurückkam, mußte er wieder an die Seite springen. Es hupte heftig auf dem Hof, die Kolonne setzte sich in Bewegung. Im ersten Wagen saß der Spieß, und die anderen folgten ihm langsam. Der Spieß sah Schneider nicht an. Schneider ließ die lange Reihe der Wagen an sich vorbei und ging in den Hof, dort war es drückend leer und still. Er setzte dem Pferd den Eimer vor und sah das Mädchen an; sie deutete auf Schmitz, der aus dem Südflügel kam. Schmitz ging an ihnen vorbei durch die Einfahrt, und sie folgten ihm langsam. Sie blieben alle drei dort stehen und sahen der Kolonne nach, die sich in Richtung Bahnhof entfernte. »Die zwei Mann, die von der Infektion gekommen sind, haben tatsächlich Waffen mitgebracht«, sagte Schmitz leise.

»Ach«, rief Schneider, »ich hatte es vergessen.«

Schmitz schüttelte den Kopf. »Wir werden sie nicht brauchen, im Gegenteil, kommen Sie, wir gehen.« Er blieb bei dem Mädchen stehen: »Ich glaube, wir geben ihr jetzt die Zigaretten, wie? – Wer weiß?«

Schneider nickte. »Haben sie uns keinen Wagen hiergelassen? Wie sollen wir denn weg?«

»Es soll ein Wagen zurückkommen«, sagte Schmitz, »der Chef hat es mir versprochen.«

Die beiden Männer sahen sich an.

»Hinten kommen Flüchtlinge«, sagte Schmitz, er deutete zum Dorf hin, von wo ein müder Treck näher kam. Die Leute zogen langsam an ihnen vorbei und sahen sie nicht an. Sie waren müde und traurig und sahen die Soldaten und das Mädchen nicht an.

»Sie kommen von weit her«, sagte Schmitz, »sehen Sie, wie müde die Pferde sind. Es ist sinnlos zu fliehen; in diesem Tempo werden sie dem Krieg nicht entgehen.« Es tutete sehr heftig hinter ihnen, sehr hell und nervös, ein freches Tuten. Sie gingen langsam auseinander, Schneider zu dem Mädchen hin. Der Wagen des Direktors schob sich hinaus; er mußte stoppen, weil er fast in einen Flüchtlingswagen hineingefahren wäre. Sie konnten die Insassen genau sehen, sie saßen vor ihnen wie im Film, vorn in der ersten Reihe, wenn man die Leinwand quälend nahe vor Augen hat. Vorn am Steuer saß der Direktor, sein scharfes, etwas schwaches Profil bewegte sich nicht; neben ihm auf dem Sitz türmten sich Koffer und Decken, sie waren mit Stricken so befestigt, daß sie während der Fahrt nicht über ihn stürzen konnten. Hinter ihm saß die Frau, ihr schönes Profil war so bewegungslos wie seins; sie schienen beide entschlossen, nicht rechts und links zu sehen. Sie hielt ihr Baby auf dem Schoß, und den sechsjährigen Jungen hatte sie neben sich sitzen; er war der einzige, der hinaussah; sein lebhaftes Gesicht war an die Scheibe gedrückt, und er lächelte den Soldaten zu. Es dauerte zwei Minuten, ehe der Wagen weiterkonnte – die Pferde der Treckleute waren müde, und vorn irgendwo stockte der Zug. Sie sahen, daß der Mann am Steuer nervös wurde; er schwitzte, und seine Augen blinzelten, und die Frau flüsterte ihm von hinten etwas zu. Es war fast ganz still, nur die müden Rufe der Leute aus dem Treck waren zu hören und das Weinen eines Kindes, aber plötzlich hörten sie hinten aus dem Hof Geschrei, ein heiseres Gebrüll, und sie blickten zurück; in diesem Augenblick schon krachte ein Stein gegen den Wagen, aber er klatschte nur gegen das zusammengepackte Zelt; der zweite schlug eine Beule in den Kochtopf, der oben aufgeschnallt war wie zu einer Weekend-Partie. Der Mann, der sich brüllend und laufend näherte, war der Hausmeister, der hinten in zwei Nebenräumen der Duschanstalt wohnte. Er war jetzt ganz nahe, stand schon in der Einfahrt, hatte aber keinen Stein mehr, er bückte sich fluchend, aber da löste sich die Stauung des Trecks, der Wagen setzte sich hochmütig tutend in Bewegung. Ein Blumentopf sauste durch die Luft, fiel aber nur dorthin, wo der Wagen eine Sekunde vorher gestanden hatte, auf dieses saubere Pflaster aus kleinen blauen Steinen. Der Tontopf zerbrach, seine kleinen Scherben rollten auseinander, bildeten einen merkwürdig symmetrischen Kranz um die Erde, die erst ihre Form zu halten schien, aber dann plötzlich auseinanderbröckelte und die Wurzeln einer Geranie freigab, deren Blüten rot und unschuldig in der Mitte stehenblieben.

Der Hausmeister stand zwischen den Soldaten. Er fluchte nicht mehr, er weinte jetzt, in seinem schmutzigen Gesicht waren die Tränen deutlich zu sehen, und seine Haltung war rührend und erschreckend zugleich: vornübergebeugt, die Hände verkrampft, seine dreckige alte Jacke schlotterte um seine ausgehöhlte Brust. Er zuckte zusammen, als hinten im Hofe eine Frauenstimme schrie, wandte sich um und ging weinend langsam zurück. Szarka folgte ihm; sie wich aus, als Schneider die Hände nach ihr ausstreckte. Sie nahm ihr Pferd, führte es hinaus, setzte sich auf und nahm die Zügel in die Hand.

»Ich hole die Zigaretten«, rief Schmitz, »halten Sie sie fest – einen Augenblick.« Schneider hielt das Pferd am Zügel fest, das Mädchen schlug mit der Peitsche nach seiner Hand, es schmerzte ihn, aber er ließ nicht locker. Er blickte zurück und wunderte sich, daß Schmitz lief. Er hätte nie gedacht, daß Schmitz einmal laufen würde. Das Mädchen hob die Peitsche wieder, aber sie ließ sie nicht fallen, sondern legte sie neben sich auf den Bock, und Schneider war erstaunt, daß sie plötzlich lächelte; es war das Lächeln, das er oft an ihr gesehen hatte, zärtlich und kühl, und er ging nahe an den Bock und zog sie vorsichtig von ihrer Kiste herunter. Sie rief dem Pferd irgend etwas zu, und als er sie umarmte, sah Schneider, daß sie immer noch etwas ängstlich war, aber sie sträubte sich nicht, blickte nur unruhig um sich. In der Einfahrt war es dunkel, Schneider küßte sie vorsichtig auf die Wangen, auf die Nase und schob ihre schwarzen glatten Haare zurück, um sie in den Nacken zu küssen. Er erschrak, als er Schmitz hörte, der herangekommen war und die Zigaretten in den Wagen warf. Das Mädchen schnellte hoch, sah auf die roten Schachteln. Schmitz sah Schneider nicht an, er wandte sich sofort ab und ging in den Hof zurück. Das Mädchen war rot geworden, blickte Schneider an, aber genau an seinen Augen vorbei, und sehr plötzlich rief sie dem Pferd ein hartes kleines Wort zu und zog die Zügel an. Schneider gab den Weg frei. Er wartete, bis sie fünfzig Schritte weg war, dann rief er laut ihren Namen in die Stille – sie stockte, wandte sich nicht um, hob nur einmal die Peitsche grüßend über ihren Kopf und fuhr weiter. Schneider ging langsam in den Hof zurück.

Die sieben Mann vom Nachkommando saßen dort, wo die Küche gewesen war, auf dem Hof und aßen; sie hatten Suppe auf dem Tisch stehen und dicke Scheiben Brot mit Fleisch daneben. Schneider hörte dumpfe Schläge aus dem Innern des Hauses, als er näher kam. Er sah die anderen fragend an.

»Der Hausmeister schlägt die Tür zur Wohnung des Direktors ein«, sagte Feinhals; einen Augenblick später sagte er: »Er hätte die Tür wenigstens auf lassen sollen; zwecklos, daß sie zerstört wird.«

Schmitz ging mit vier Soldaten ins Haus, um alles zusammenzusuchen, was noch für den Abtransport bereitgestellt werden mußte. Schneider blieb mit Feinhals und Otten zurück.

»Ich habe einen schönen Auftrag«, sagte Otten.

Feinhals trank roten Schnaps aus einem Feldbecher; er reichte Schneider ein paar Schachteln Zigaretten. »Danke«, sagte Schneider.

»Ich habe den Auftrag«, sagte Otten, »das MG und die MP und den anderen Krempel in die Jauchegrube zu versenken, dort, wo der Blindgänger liegt. Sie helfen mir, Feinhals.«

»Ja«, sagte Feinhals. Er zeichnete langsam mit seinem Suppenlöffel Figuren auf den Tisch, aus einer Suppenpfütze, die breit und braun aus der Mitte des Tisches an den Rand lief.

»Gehen wir«, sagte Otten.

Schneider war kurz darauf eingeschlafen, über seinen Kochgeschirrdeckel gebeugt. Seine Zigarette brannte weiter. Sie lag auf dem Tischrand; die dünne Asche fraß sich langsam aus der Zigarette heraus, die Glut kroch weiter, brannte eine schmale schwarze Spur in den Tisch bis zum Ende der Zigarette, und vier Minuten später lag nur ein dünner grauer Stab Asche da, festgeklebt auf dem Tisch. Dieser kleine graue Stab lag lange da, fast eine Stunde, bis Schneider erwachte und ihn mit seinem Arm wegwischte, ohne ihn je gesehen zu haben. Er wurde wach, als der Lastwagen in den Hof fuhr. Fast gleichzeitig mit dem Geräusch des hereinfahrenden Wagens hörten sie die ersten Panzer. Schneider sprang auf – die anderen, die rauchend umherstanden, wollten lachen, aber sie kamen nicht mehr dazu: dieses ferne Brummen war sehr eindeutig.

»Nanu«, sagte Schmitz, »der Wagen ist tatsächlich gekommen. Feinhals, gehen Sie aufs Dach, ob Sie etwas sehen können.«

Feinhals ging zum Südflügel. Der Hausmeister lag im Fenster der Direktorswohnung und sah ihnen zu. Drinnen hörten sie seine Frau hantieren, es klirrte leise, sie schien Gläser zu zählen.

»Laden wir den Krempel auf«, sagte Schmitz. Der Fahrer winkte ab. Er sah sehr müde aus. »Scheiße«, sagte er, »steigt ein und laßt den Mist liegen.« Er nahm eine Schachtel vom Tisch, riß sie auf und steckte sich eine Zigarette an.

»Aufladen«, sagte Schmitz, »wir müssen doch warten, bis Feinhals zurück ist.«

Der Fahrer zuckte die Schultern, setzte sich an den Tisch und löffelte aus dem Kübel Suppe in Schneiders Kochgeschirr.

Die anderen luden alles auf, was sie im Haus noch gefunden hatten, ein paar Betten, die Feldkiste eines Offiziers, dessen Name deutlich mit schwarzem Lack daraufgemalt war: Oblt. Dr. Greck, einen Ofen und einen Stapel Gepäckstücke von Landsern, Tornister, Packtaschen und ein paar Gewehre; dann einen Stapel Wäsche: zusammengebündelte Hemden, Unterhosen, Socken und pelzgefütterte Westen.

Feinhals rief oben vom Dach herunter: »Ich kann nichts sehen. Eine Pappelreihe im Dorf versperrt die Aussicht. Hört ihr sie? Ich höre sie gut.«

»Ja«, rief Schmitz, »wir hören sie. Kommen Sie runter.«

»Ja«, sagte Feinhals. Sein Kopf verschwand aus der Dachluke.

»Einer müßte zum Bahndamm gehen«, sagte Schmitz, »von da aus sieht man sie bestimmt.«

»Zwecklos«, sagte der Fahrer, »man kann sie noch nicht sehen.«

»Wieso?«

»Ich höre es. Ich höre, daß man sie noch nicht sehen kann. Außerdem kommen sie aus zwei Richtungen.«

Er deutete nach Südwesten, und seine Geste schien das Brummen auch dort heraufbeschworen zu haben: tatsächlich hörten sie es jetzt.

»Verflucht«, sagte Schmitz, »was machen wir?«

»Abfahren«, sagte der Fahrer. Er trat beiseite und sah kopfschüttelnd zu, wie die anderen jetzt als letztes auch den Tisch aufluden und die Bank, auf der er gesessen hatte.

Feinhals kam aus dem Haus. »Einer der Patienten schreit«, sagte er.

»Ich gehe zu ihm«, sagte Schmitz, »fahrt ihr ab.«

Sie blieben zögernd stehen. Dann folgten sie ihm langsam, außer dem Fahrer. Schmitz wandte sich um und sagte ruhig: »Fahrt doch ab, ich muß ja doch hierbleiben, bei den Kranken.« Sie blieben wieder zögernd stehen und folgten ihm nach einer halben Sekunde wieder.

»Verflucht«, rief Schmitz zurück, »ihr sollt abfahren. Ihr müßt einen Vorsprung haben in dieser verfluchten Ebene.«

Diesmal blieben sie stehen und folgten ihm nicht. Nur Schneider ging langsam hinter ihm her, als er im Haus verschwunden war. Die anderen gingen langsam zum Wagen. Feinhals blieb einen Augenblick stehen. Er zögerte nur kurz, trat dann ins Haus und traf auf Schneider.

»Brauchen Sie noch etwas?« fragte er. »Wir haben ja alles aufgeladen.«

»Laden Sie etwas Brot ab, auch Fett – und Zigaretten.« Die Tür zum Krankenzimmer öffnete sich. Feinhals sah hinein und rief: »Mein Gott, der Hauptmann.«

»Kennen Sie ihn?« fragte Schmitz.

»Ja«, sagte Feinhals, »ich war einen halben Tag in seinem Bataillon.«

»Wo?«

»Ich weiß nicht, wie der Ort hieß.«

»Nun aber weg mit euch«, rief Schmitz, »macht keinen Unsinn.«

Feinhals sagte »Auf Wiedersehen« und ging hinaus.

»Warum sind Sie hiergeblieben?« fragte Schmitz, aber er schien keine Antwort zu erwarten, und Schneider antwortete ihm nicht. Sie lauschten beide dem Geräusch des abfahrenden Wagens, das Motorengeräusch wurde etwas dumpfer, als er durch die Einfahrt fuhr, dann war es draußen auf der Straße zum Bahnhof – auch hinter dem Bahnhof hörten sie es noch, bis es langsam sehr leise wurde.

Das Brummen der Panzer hatte aufgehört. Man hörte Schießen.

»Schwere Flak«, sagte Schmitz, »wir müssen einmal zum Bahndamm gehen.«

»Ich werde hingehen«, sagte Schneider. Drinnen im Zimmer sagte der Hauptmann: »Bjeljogorsche.« Er sagte es fast ohne Betonung, doch mit einer gewissen Freude. Er war dunkel, hatte einen dichten schwarzen Bart, sein Kopf war fest umwickelt. Schneider sah Schmitz an. »Hoffnungslos«, sagte er, »wenn er gesund wird, alles übersteht, dann...« Er zuckte die Schultern.

»Bjeljogorsche«, sagte der Hauptmann. Dann weinte er. Er weinte ganz lautlos, ohne daß sich sein Gesicht irgendwie veränderte, aber auch zwischen den Tränen sagte er: »Bjeljogorsche.«

»Es läuft ein Kriegsgerichtsverfahren gegen ihn«, sagte Schmitz. »Er ist vom Motorrad gestürzt und hatte keinen Stahlhelm auf. Er war Hauptmann.«

»Ich gehe mal nachsehen«, sagte Schneider, »am Bahndamm, vielleicht sieht man was. Wenn noch Truppen zurückkommen, schließe ich mich ihnen an... also...«

Schmitz nickte.

»Bjeljogorsche«, sagte der Hauptmann.

Als Schneider auf den Hof kam, sah er, daß der Hausmeister drüben in der Direktorswohnung eine Fahne gehißt hatte, einen kümmerlichen roten Lappen, auf den, ungeschickt ausgeschnitten, eine gelbe Sichel und ein weißer Hammer aufgenäht waren. Er hörte, daß auch im Südosten das Brummen wieder deutlich wurde. Schießen war nicht zu hören. Er ging langsam an den Beeten vorbei und stockte erst, als er an die Jauchegrube kam. An der Jauchegrube lag der Blindgänger. Er lag schon ein paar Monate da. Vor ein paar Monaten hatten SS-Einheiten von der Bahn aus ungarische Aufständische bekämpft, die in der Schule lagen, aber es war nur ein sehr kurzes Gefecht gewesen: man sah die Spuren der Beschießung kaum noch an der Hausfront. Nur der Blindgänger war liegengeblieben, er war rostig, ein armlanges, rundspitz zulaufendes Stück Eisen, das man kaum bemerkte. Er sah fast wie ein Stück faulenden Holzes aus. Zwischen den hohen Gräsern sah man ihn kaum, aber die Frau des Direktors hatte zahlreiche Proteste gegen seine Existenz eingelegt, es waren Berichte gemacht worden, die nie eine Antwort erhielten.

Schneider ging etwas langsamer, als er an dem Blindgänger vorbei mußte. Er sah im Gras die Fußstapfen von Otten und Feinhals, die das MG in die Jauchegrube geworfen hatten, aber die Oberfläche der Jauchegrube war wieder glatt, ein grünes, fettes Glatt. Schneider ging weiter an den Beeten vorbei, durch die Baumschule, über die Wiese und kletterte den Bahndamm hinauf. Diese einundeinhalb Meter schienen ihn unendlich weit hinausgehoben zu haben. Er sah am Dorf vorbei in die weite Ebene links vom Schienenstrang und sah nichts. Aber er hörte es deutlicher. Er lauschte, ob irgendwo noch geschossen wurde. Aber nichts. Das Brummen kam genau aus der Richtung, in der die Schienen liefen. Schneider setzte sich und wartete. Das Dorf war ganz still, es lag wie tot da mit seinen Bäumen, kleinen Häusern und dem viereckigen Kirchturm. Es sah sehr klein aus, weil links vom Bahndamm kein einziges Haus stand. Schneider setzte sich und fing an zu rauchen.

Drinnen saß Schmitz neben dem Mann, der »Bjeljogorsche« sagte. Immer wieder. Seine Tränen waren versiegt. Der Mann starrte mit seinen dunklen Augen vor sich hin und sagte »Bjeljogorsche«, wie eine Melodie, die Schmitz schön erschien. Jedenfalls hätte er dieses Wort unendlich oft hören können. Der andere Patient schlief.

Der Mann, der dauernd Bjeljogorsche sagte, hieß Bauer, Hauptmann Bauer, war früher einmal Textilvertreter gewesen, ganz früher Student, aber bevor er Student wurde, war er Leutnant gewesen, fast vier Jahre lang, und später, als Textilvertreter, hatte er es nicht leicht gehabt. Es hing alles davon ab, ob die Leute Geld hatten, und die Leute hatten fast nie Geld. Wenigstens nicht die Leute, die seine Pullover hätten kaufen können. Teure Pullover wurden immer gekauft, auch billige, aber die, die er verkaufen mußte, diese mittlere Sorte, die wurde immer nur sehr wenig gekauft... Eine Vertretung von billigen Pullovern hatte er nicht kriegen können, auch keine von teuren – das waren gute Vertretungen, und gute Vertretungen bekamen die Leute, die es nicht nötig hatten. Er war fünfzehn Jahre lang Vertreter für diese schwerverkäuflichen Pullover gewesen; die ersten zwölf Jahre war es ein widerwärtiger, ständiger, schrecklicher Kampf, das Rennen von Laden zu Laden, von Haus zu Haus – ein zermürbendes Leben. Seine Frau war alt darüber geworden. Als er sie kennenlernte, war sie dreiundzwanzig, er sechsundzwanzig – er war noch Student, er trank gern, und sie war eine sehr schlanke Blondine, die keinen Wein vertragen konnte. Aber sie hatte nie mit ihm geschimpft, eine stille Frau, die auch nichts sagte, als er das Studium drangab, um Pullover zu verkaufen. Oft hatte er sich selbst gewundert, wie zäh er doch war: zwölf Jahre diese Pullover zu verkaufen! Und wie seine Frau alles hinnahm. Dann war es drei Jahre etwas besser gegangen, und plötzlich, nach fünfzehn Jahren, war alles anders gekommen: er bekam die Vertretung für die teuren Pullover, die billigen und behielt die für die mittleren. Es war ein glänzendes Geschäft geworden, und jetzt liefen andere für ihn. Er war immer zu Hause, telefonierte, unterschrieb, hatte einen Lagerverwalter, eine Buchhalterin, eine Stenotypistin. Er hatte jetzt Geld, aber seine Frau – die immer kränklich gewesen war, fünf Fehlgeburten hintereinander hatte sie gehabt –, seine Frau hatte jetzt Krebs. Das stand endgültig fest. Und außerdem hatte dieser Glanz nur vier Monate gedauert – bis der Krieg kam.

»Bjeljogorsche«, sagte der Hauptmann.

Schmitz sah ihn an: er hätte gern gewußt, was der Mann dachte. Eine unbezähmbare Neugierde war in ihm, den Mann ganz kennenzulernen, dieses dicke und etwas eingefallene Gesicht, das unter den Stoppeln totenblaß war, diese starren Augen, die zu sagen schienen: »Bjeljogorsche« – denn der Mund bewegte sich kaum noch. Dann weinte der Mann wieder, seine Tränen liefen lautlos die Backen herab. Er war kein Held gewesen, es war bitter für ihn gewesen, als der Oberstleutnant am Telefon schrie, er solle sich um seinen Haufen kümmern, bei Roßapfel stimme etwas nicht, und als er nach vorn fahren mußte, mit diesem Stahlhelm auf dem Kopf, von dem er wußte, daß er ihn lächerlich machte. Er war kein Held, hatte es auch nie behauptet, wußte sogar, daß er keiner war. Und als er der vorderen Linie nahe gewesen war, hatte er den Stahlhelm abgenommen, weil er nicht lächerlich aussehen wollte, wenn er vorn ankam und brüllen mußte. Er hielt den Stahlhelm in der Hand und dachte: Laß es darauf ankommen, stürz dich rein, und er hatte keine Angst mehr, je näher er diesem blöden Durcheinander da vorn kam. Verflucht, sie wußten doch alle, daß er nichts mehr machen konnte, keiner etwas machen konnte, weil sie zuwenig Artillerie und keine Panzer hatten. Warum denn dieses blöde Schreien? Jeder Offizier wußte, daß zuviel Panzer und zuviel Artillerie zur Deckung der Stabsquartiere kommandiert waren. Scheiße, dachte er – und er wußte nicht, daß er mutig war. Und dann stürzte er, und es riß ihm den ganzen Schädel auf, und alles, was in ihm war, war das Wort: »Bjeljogorsche«. Das war alles. Es schien ausreichend, ihn für sein ganzes übriges Leben am Sprechen zu halten, es war eine Welt für ihn, die niemand kannte und die niemand je kennen würde.

Er wußte natürlich nicht, daß ein Kriegsgerichtsverfahren gegen ihn lief wegen Selbstverstümmelung, weil er im Gefecht und dazu auf einem Krad den Stahlhelm abgenommen hatte. Er wußte es nicht – und er würde es nie wissen. Das Papier, das seinen Namen und ein Aktenzeichen trug, allerlei Gutachten, dieses

Papier war umsonst angelegt – er würde es nie erfahren, es erreichte ihn nicht mehr. Er sagte nur alle fünfzig Sekunden: »Bjeljogorsche«.

Schmitz sah ihn unentwegt an. Er hätte selbst irr sein mögen, um zu wissen, was im Gehirn dieses Mannes vorging. Und zugleich beneidete er ihn.

Er erschrak, als Schneider die Tür öffnete. »Was ist?« fragte Schmitz. »Sie kommen«, sagte Schneider. »Sie sind schon da. Es sind keine Truppen von uns mehr durchgekommen.«

Schmitz hatte nichts gehört, jetzt hörte er sie, sie waren da. Links waren sie schon im Ort. Er begriff jetzt, daß der Fahrer eben gesagt hatte: »Ich höre, daß man sie noch nicht sieht.« Man hörte jetzt, daß man sie sehen konnte – sie waren deutlich zu sehen.

»Die Fahne«, sagte Schmitz, »wir hätten die Fahne mit dem roten Kreuz heraushängen sollen – wenigstens versuchen.«

»Das können wir noch.«

»Hier ist sie«, sagte Schmitz. Er zog sie unter seinem Koffer heraus, der auf dem Tisch lag. Schneider nahm sie.

»Kommen Sie«, sagte er.

Sie gingen. Schneider steckte den Kopf zum Fenster hinaus und zog ihn sofort wieder zurück. Er war bleich.

»Da stehen sie«, sagte er, »am Bahndamm.«

»Ich gehe ihnen entgegen«, sagte Schmitz.

Schneider schüttelte den Kopf. Er hob die Fahne hoch über den Kopf und ging zur Tür hinaus. Er schwenkte rechts herum und ging starr auf den Bahndamm zu. Es war ganz still, auch die Panzer standen still, sie standen am Ausgang des Ortes. Die Schule war das letzte Gebäude vor dem Bahnhof. Dorthin hielten sie ihre Rohre gerichtet, aber Schneider sah sie nicht. Er sah die Panzer überhaupt nicht, er sah nichts. Er kam sich lächerlich vor, die Fahne so vor dem Bauch haltend wie bei einem Aufmarsch, und er spürte, daß sein Blut Angst war. Es war nur Angst. Er ging starr geradeaus, langsam, fast wie eine Puppe, die Fahne vor dem Bauch haltend. Er ging langsam, bis er stolperte. Er wurde wach. Er war über einen Draht gestolpert, der in einer Musterpflanzung von Reben die Stöcke miteinander verband. Jetzt sah er alles. Es waren zwei Panzer, sie standen hinter dem Bahndamm, und der vorderste drehte jetzt langsam seinen Turm auf ihn zu. Dann, als er an den Bäumen vorbei war, sah er, daß es mehrere waren. Sie standen hintereinander und nebeneinander ins Feld gestaffelt, und die roten Sterne darauf kamen ihm widerwärtig und sehr fremd vor. Er hatte sie noch nie gesehen. Dann kam die Jauchegrube. Jetzt nur noch an den Beeten vorbei, durch die Baumschule, über die Wiese, den Bahndamm hinauf – aber an der Jauchegrube stockte er; er hatte plötzlich wieder Angst, sie war schlimmer als eben. Eben hatte er es nicht gewußt; er hatte gedacht, sein Blut habe sich in Eis verwandelt, und nicht gewußt, daß es Angst war – jetzt war sein Blut wie Feuer, und er sah nur rot – er sah nichts mehr – riesige rote Sterne, die ihm Schrecken einflößten. Da trat er auf den Blindgänger, und der Blindgänger explodierte.

Erst geschah nichts. Die Explosion war ungeheuerlich laut in dieser Stille. Die Russen wußten nur, daß das Geschoß nicht von ihnen war und daß der Mann mit der Fahne plötzlich in einer Staubwolke verschwunden war. Kurz darauf knallten sie wie irrsinnig auf das Haus. Sie schwenkten alle ihre Rohre, staffelten sich neu zum Schießen, schossen erst in den Südflügel, dann ins Mittelgebäude und in den Nordflügel, wo die winzige Fahne des Hausmeisters schlaff aus dem Fenster hing. Sie fiel in den Dreck, der vom Haus herunterbröckelte – und zuletzt schossen sie wieder in den Südflügel, besonders lange und wütend; sie hatten lange nicht geschossen, und sie sägten die dünne Wand des Hauses durch, bis das Gebäude vornüberkippte. Erst später merkten sie, daß von der anderen Seite kein einziger Schuß fiel.

IV

Nur zwei große Farbflecke waren noch da; ein grüner, der große Stapel eines Gurkenhändlers, und ein rötlichgelber; Aprikosen. Mitten auf dem Markt stand die Schiffschaukel. Sie stand immer da. Ihre Farben waren verblaßt, stumpf und dreckig dieses Blau und Rot wie die Farben eines guten alten Schiffes, das im Hafen liegt und geduldig auf die Verschrottung wartet. Die Schaukeln hingen steif nach unten, keine einzige bewegte sich, und aus dem Wohnwagen, der neben der Schaukel stand, qualmte es.

Die Farbflecke lösten sich langsam auf; dieses dunkel- und hellgrün ineinanderverschlungene Mosaik des Gurkenhändlers wurde schnell kleiner; Greck sah von weitem, daß zwei Menschen daran arbeiteten, es aufzulösen. Bei den Aprikosen ging es langsamer, sehr langsam: es war eine Frau, einzig allein eine Frau, die die Früchte einzeln anfaßte und vorsichtig in die Körbe legte. Gurken waren wohl nicht so empfindlich wie Aprikosen. Greck ging langsamer. Leugnen, dachte er, freiweg und ganz stur leugnen. Das ist das einzige, was man tun kann, wenn es herauskommt. Das einzige. Das Leben war schon ein Leugnen wert. Aber es kam nicht heraus, er wußte es. Er war nur sehr erstaunt, wieviel Juden es hier noch gab.

Das Pflaster zwischen den niedrigen Bäumen und den kleinen Häusern war holprig, aber er spürte es nicht. Er war sehr erregt, und er hatte das Gefühl: je schneller ich von da wegkomme, um so weiter entferne ich mich von der Möglichkeit, aufzufallen, und wahrscheinlich werde ich nichts zu leugnen haben. Nur schneller. Er ging wieder schneller, noch schneller. Er stand jetzt schon ganz nahe am Marktplatz: der Wagen mit den Gurken kam schon an ihm vorbei, und da hinten war immer noch diese umsichtige Frau, die sorgfältig ihre Aprikosen verpackte. Ihr Stapel war noch nicht um die Hälfte kleiner geworden.

Greck sah die Schiffschaukel. Er war noch nie im Leben

Schiffschaukel gefahren. Diese Vergnügungen waren ihm nicht vergönnt gewesen; sie waren verboten in seiner Familie, weil er erstens krank war und weil es zweitens sich nicht gehörte, so öffentlich, blöde wie ein Affe, in der Luft herumzuschaukeln. Und er hatte nie etwas Verbotenes getan – heute zum erstenmal, und gleich etwas so Schreckliches, fast das Schlimmste, etwas, was sofort das Leben kostete. Greck spürte, daß die Erregung ihm im Halse saß, und er wankte schnell und doch taumelnd in der Sonne über den leeren Platz auf die Schiffschaukel zu. Aus dem Wohnwagen qualmte es heftiger. Sie scheinen neu aufgelegt zu haben, Kohlen, dachte er, nein, Holz. Er wußte es nicht, was sie in Ungarn auf die Öfen tun. Es war ihm auch gleichgültig. Er klopfte an die Wohnwagentür: ein Mann mit nacktem Oberkörper erschien, er war blond, unrasiert und breitknochig, sein Gesicht hatte fast etwas Holländisches; nur die Nase war auffallend schmal, und er hatte sehr dunkle Augen. »Was ist?« fragte er auf deutsch. Greck spürte, wie der Schweiß ihm in den Mund lief; er leckte mit der Zunge, wischte sich mit der flachen Hand durchs Gesicht und sagte: »Schaukeln, ich möchte schaukeln.« Der Mann in der Wagentür kniff die Augen zusammen, dann nickte er. Er fletschte mit der Zunge im Mund herum; hinter ihm erschien seine Frau, sie war im Unterrock, der Schweiß lief ihr übers Gesicht, und die dunkelroten Träger waren fleckig vom Schweiß. Sie hielt in einer Hand einen hölzernen Kochlöffel, auf dem anderen Arm ein Kind. Das Kind war schmutzig. Die Frau war ganz dunkel, düster kam sie Greck vor. Die Leute hatten etwas Drohendes, zweifellos. Vielleicht war er ihnen verdächtig. Greck hatte keine Lust mehr zu schaukeln, aber der Mann, dessen Zunge sich jetzt endlich beruhigte, sagte: »Meinetwegen – bei der Hitze – mittags.« Er kam die Stufen herunter, Greck trat beiseite und folgte ihm die wenigen Schritte zur Schaukel. »Was kostet es?« fragte er hilflos. Sie werden mich für verrückt halten, dachte er. Der Schweiß machte ihn irrsinnig. Er wischte mit dem Ärmel durchs Gesicht und stieg die hölzernen Stufen zum Gerüst empor. Der Mann löste eine Bremse, eine Schaukel in der Mitte wippte leise hin und her. »Ich denke«, sagte der Mann, »Sie wollen nicht zu hoch, sonst muß ich hierbleiben und aufpassen. Es ist Vorschrift.« Sein Deutsch war Greck widerwärtig. Es war seltsam weich und schnodderig zugleich, so, als spräche er eine ganz fremde Sprache mit deutschen Worten aus. »Nicht hoch«, sagte er, »gehen Sie ... was kostet es?« Der Mann zuckte die Schultern. »Geben Sie mir 'n Pengö«, sagte er. Greck gab ihm seinen letzten Pengö und stieg vorsichtig ein. Das kleine Schiff war breiter, als er gedacht hatte. Er fühlte sich sicher und fing an, die Technik auszuführen, die er schon so oft beobachten, aber nie hatte ausführen können. Er hielt sich an den Stangen fest, löste die Finger wieder, um den Schweiß abzuwischen, und knickte dann seine Knie nach vorn hin ein, zog sie wieder ein, knickte sie ein, und er war erstaunt, daß das Schiff sich bewegte. Es war sehr einfach, man mußte nur den Rhythmus der Fahrt, den die Schaukel angab, nicht stören durch dieses Kniebeugen, sondern ihn heben, wenn die Schaukel nach vorn wippte, sich nach hinten werfen, die Knie durchgedrückt, und wenn sie nach hinten ausschlug, sich nach vorn fallen lassen. Es war sehr einfach und schön. Greck sah, daß der Mann neben ihm stehenblieb, und schrie ihm zu: »Was ist los? Gehen Sie ruhig.« Der Mann schüttelte den Kopf, und Greck kümmerte sich nicht mehr um ihn. Er wußte plötzlich, daß er etwas Wesentliches in seinem Leben versäumt hatte: Schiffschaukel fahren. Das war ja herrlich. Der Schweiß trocknete auf seiner Stirn, und die sanfte Kühle der Fahrt trocknete auch den Schweiß an seinem Körper, frisch und bezaubernd fuhr es bei jeder Bewegung durch ihn hin, und außerdem: die Welt war verändert. Einmal bestand sie nur aus ein paar schmutzigen Brettern mit breiten Rillen dazwischen, und beim Rückflug hatte er den ganzen Himmel für sich. »Vorsicht!« rief der Mann unten, »festhalten.« Greck spürte, wie der Mann bremste; ein sanfter Ruck, der seine Fahrt gewaltig unterband. »Lassen Sie mich doch«, schrie er. Aber der Mann schüttelte den Kopf. Greck schaukelte sich schnell wieder hoch. Das war das Herrliche: parallel zur Erde zu stehen, wenn die Schaukel hinten ausschwang – diese dreckigen Bretter zu sehen, die die Welt bedeuteten –, und nachher, vorn ausholend, in den Himmel hineinzutrampeln und ihn über sich zu sehen, als läge er auf einer Wiese, ihm so aber näher zu sein, unendlich viel näher. Was dazwischen lag, war belanglos. Links von ihm packte die Frau sorgfältig ihre Aprikosen ein; ihr Stapel schien nie abzunehmen. Rechts stand dieser dicke blonde Kerl, der Vorschriften hatte, ihn zu bremsen; ein paar Hühner wackelten durch sein Gesichtsfeld, hinten war eine Straße. Die Mütze flog ihm vom Kopf.

Leugnen, dachte er, als er ruhiger wurde, nur leugnen; sie werden es nicht glauben, wenn ich leugne. So was tue ich nicht. Niemand wird von mir annehmen, daß ich so etwas tue. Ich habe einen guten Ruf. Ich weiß, daß sie mich nicht für voll nehmen, weil ich ein chronisches Magenleiden habe, aber sie haben mich gern auf ihre Art, und so etwas glaubt keiner von mir. Er war zugleich stolz und ängstlich, und er fand es herrlich, daß er den Mut gehabt hatte, auf diese Schiffschaukel zu gehen. Er würde seiner Mutter darüber schreiben. Nein, besser nicht. Mutti hatte kein Verständnis dafür. In allen Lebenslagen Haltung! – war ihre Parole. Sie würde kein Verständnis dafür haben, daß ihr Sohn, Oberleutnant Dr. Greck, mittags in der größten Hitze auf einem schmutzigen ungarischen Marktplatz Schiffschaukel gefahren war, so auffällig, daß einfach jeder, jeder, der vorbeikam, es sehen mußte. Nein, nein – er sah, wie sie den Kopf schüttelte, eine humorlose Frau, er wußte es, und er konnte nichts gegen sie tun. Und das andere: um Gottes willen! Obwohl er es nicht wollte, mußte er daran denken, wie er sich im Hinterzimmer dieses jüdischen Schneiders ausgezogen hatte: eine muffige Bude, in der Flicklappen herumlagen, angefangene Anzüge, Steifleinen aufgenäht, und eine widerwärtig große Schüssel Gurkensalat, in der ertrinkende Fliegen herumschwammen – er spürte, wie Wasser ihm in den Mund schoß, und wußte, daß er blaß wurde, widerliches Wasser, das er im Mund hatte – aber er sah sich selbst noch, wie er seine Hose auszog, seine zweite sichtbar wurde, wie er Geld bekam, und das Grinsen des zahnlosen alten Mannes, als er hastig den Laden verließ. Alles drehte sich plötzlich um ihn. »Halten«, brüllte er, »halten!« Der Mann unten bremste heftig, er spürte es, diese harten rhythmischen Rucke. Dann stand das Schiff, er wußte, daß er lächerlich und jämmerlich aussah, stieg vorsichtig aus, ging hinter das Gerüst und spuckte aus: sein Magen hatte sich beruhigt, aber dieser widerliche Geschmack war immer noch in seinem Munde. Ihm war schwindelig, er setzte sich auf eine Stufe und schloß die Augen, der Rhythmus der Fahrt war noch in seinen Augen, er spürte, wie die Augäpfel zuckten, wieder mußte er spucken. Langsam nur beruhigte sich der Schwung seiner Augäpfel. Er stand auf und nahm seine Mütze vom Boden. Der Mann stand neben ihm; er blickte ihn kühl an, dann kam seine Frau, Greck war erstaunt, wie klein sie war. Ein winziges, pechschwarzes Ding mit ausgemergeltem Gesicht. Sie hatte einen Becher in der Hand. Der blonde Kerl nahm ihr den Becher aus der Hand und reichte ihn Greck: »Trinken Sie«, sagte er kühl. Greck schüttelte den Kopf. »Trinken Sie«, sagte der Mann, »es wird Ihnen guttun.« Greck nahm den Becher, das Zeug schmeckte sehr bitter, war aber wohltuend. Die Leute lächelten, sie lächelten mechanisch, weil sie bei diesem Anblick zu lächeln gewohnt waren, nicht, weil sie ihn liebten oder Mitleid mit ihm empfanden. Er stand auf. »Vielen Dank«, sagte er. Er suchte in der Tasche nach Geld, fand nichts mehr, nur diesen schrecklichen großen Schein, und zuckte hilflos die Schultern. Er fühlte, wie er rot wurde. »Schon gut«, sagte der Mann, »ist schon gut.« – »Heil Hitler«, sagte Greck. Der Mann nickte nur.

Greck wandte sich nicht mehr um. Der Schweiß begann wieder zu fließen. Er schien aus seinen Poren zu kochen. Dem Marktplatz gegenüber war eine Kneipe. Er hatte das Bedürfnis, sich zu waschen.

Drinnen in der Gaststube war es merkwürdig kühl und muffig zugleich. Sie war fast leer. Greck beobachtete, daß der Mann, der hinter der Theke stand, zuerst auf seine Orden sah. Die Augen des Mannes blieben kühl, nicht unfreundlich, aber kühl. In der Ecke links saß ein Pärchen mit schmutzigen Tellern vor sich auf dem Tisch und einer Karaffe Wein, auch eine Bierflasche stand da. Greck setzte sich rechts in die Ecke, so daß er die Straße übersehen konnte. Er spürte Erleichterung. Seine Uhr zeigte eins, und er hatte bis sechs Ausgang. Der Mann kam hinter der Theke hervor und langsam auf ihn zu. Greck überlegte, was er trinken solle. Er hatte eigentlich auf nichts Lust. Nur sich waschen. Aus Alkohol machte er sich nichts, außerdem bekam er ihm nicht. Nicht umsonst hatte seine Mutter ihn davor gewarnt, ebenso wie vor dem Schiffschaukelfahren. Wieder sah der Kerl, der jetzt vor ihm stand, zuerst auf seine linke Brustseite.

»Tag«, sagte der Mann. »Sie wünschen?«

»Kaffee«, sagte Greck, »haben Sie Kaffee?« Der Mann nickte. Dieses Nicken sagte alles, es sagte, daß der Blick auf die linke Brustseite und das Wort Kaffee alles sagten. »Und einen Schnaps«, sagte Greck. Aber es schien zu spät zu sein.

»Welchen?« fragte der Mann.

»Aprikosen«, sagte Greck.

Der Mann ging. Er war dick. Die Hose über seinem Hintern warf dicke Wülste, und er hatte Pantoffeln an. »Typische österreichische Schlamperei«, dachte Greck. Er sah zum Liebespaar hinüber. Schwärme von Fliegen hockten über den schmutzigen Tellern mit Speiseresten, Kotelettknochen, Gemüsehäufchen und welkem Salat in Tonschüsseln. Widerlich, dachte Greck.

Ein Landser kam herein, blickte ängstlich rund, grüßte zu Greck hinüber und ging an die Theke. Der Landser hatte überhaupt keine Orden. Und doch war im Blick des Wirtes ein Wohlwollen, über das Greck sich ärgerte. Vielleicht, dachte er, erwartet man von mir als Offizier, daß ich mehr Orden habe, schöne, goldene, silberne – diese Kindsköpfe von Ungarn. Vielleicht sehe ich so aus, als ob ich Orden tragen müßte: ich bin groß und schlank, blond. Verflucht, dachte er, welch eine widerwärtige Angelegenheit. Er sah hinaus.

Die Frau mit den Aprikosen war jetzt bald fertig, und plötzlich wußte er, worauf er wirklich Lust hatte: auf Obst. Oh, es würde ihm guttun. Mutter hatte ihm immer viel Obst gegeben in der Zeit, da es billig war, und es hatte ihm sehr gutgetan. Hier war das Obst billig, und er hatte Geld, und er wollte viel Obst essen. Er stockte, als er an das Geld dachte; seine Gedanken stockten. Der Schweiß brach wieder heftiger aus. Es würde nichts geschehen, und wenn etwas geschah: Leugnen, leugnen, rücksichtslos leugnen. Niemand würde irgendeinem dreckigen Juden recht geben, der behauptete, er, Greck, habe seine Hose bei ihm verkauft. Niemand würde es glauben, wenn er es ableugnete, und selbst wenn man die Hose als seine identifizierte, er konnte sagen, sie sei gestohlen worden oder irgend etwas. Aber so viel Mühe würde man sich nicht machen. Andererseits: warum sollte es gerade bei ihm herauskommen? Diese Angelegenheit hatte ihm mit einem Schlag die Augen geöffnet: alle verkauften irgend etwas, verflucht. Alle. Er wußte jetzt, wo der Sprit blieb, der den Panzern fehlte, wo die Winterbekleidung geblieben war – und er, er hatte immerhin seine eigene Hose verkauft, die vom Schneidermeister Grunk angefertigt gewesen war, auf seine Kosten, bei Grunk in Coelsde.

Woher sollten alle diese Pengös kommen? Niemand konnte von seiner Löhnung solche Sprünge machen wie dieser freche kleine Leutnant, der in seiner Stube lag, der nachmittags Kremtörtchen aß, abends richtigen Whisky trank, zu Weibern ging und sich durchaus nicht mit irgendwelchen Zigaretten zufriedengab, sondern eine ganz bestimmte Marke rauchte, die inzwischen teuer geworden war.

Verflucht, dachte er, ich bin sehr dumm gewesen, immer dumm. Ewig anständig und korrekt, und die anderen, die anderen haben immer gut gelebt. Verflucht.

Der Wirt brachte Kaffee und Schnaps. »Etwas essen?« fragte er. »Danke«, sagte Greck.

Der Kaffee roch fremd. Er versuchte ihn: er war mild, eine merkwürdige Milde. Irgendein sympathischer Ersatz. Der Schnaps war scharf und brennend, tat ihm aber wohl. Er trank ihn langsam, tropfenweise. Das war es: er mußte Alkohol wie Medizin nehmen, das war es.

Der Aprikosenflecken draußen auf dem Markt war weg. Greck sprang auf und lief zur Tür. »Moment«, rief er dem Wirt zu.

Die Alte kam mit ihrem Karren langsam über den Platz gefahren, sie war jetzt in Höhe der Schiffschaukel und ließ das Pferd in einem gemütlichen Trab gehen. Greck hielt sie an, als sie auf die Straße hinausbog. Sie zog die Zügel an. Er sah ihr ins Gesicht: eine breite, ältere Frau mit hübschen Zügen, braun gebrannt und fest war ihr Gesicht. Greck ging an den Wagen heran. »Obst«, sagte er, »geben Sie mir bitte Aprikosen.« Sie sah ihn lächelnd an. Ihr Lächeln war irgendwie kalt. Dann warf sie einen Blick auf ihre Körbe und fragte: »Tasche?« Greck schüttelte den Kopf. Ihre Stimme war warm und tief. Er sah zu, wie sie um den Bock herum auf den Wagen kletterte; die Beine hatten eine überraschende Festigkeit. Es fiel ihm auf. Greck lief das Wasser im Munde zusammen, als er die Früchte sah: sie waren herrlich. Er dachte an zu Hause. Aprikosen, dachte er, wenn Mutti Aprikosen bekommen könnte! Und hier, hier wurden sie vom Markt wieder weggefahren. Auch Gurken. Er nahm eine Frucht vom Wagen und aß: sie war herb, zugleich süß, schon etwas zu weich und warm, aber sie schmeckte ihm. »Fein«, sagte er. Die Frau lächelte ihm wieder zu. Sie fertigte aus losen Papierstücken geschickt eine Art Sack an und legte sehr vorsichtig Früchte hinein. Ihr Blick war ihm seltsam. »Genug?« fragte sie. Er nickte. Sie nahm die Enden des Papiers zusammen und drehte sie ineinander und reichte ihm das Paket. Er zog seinen Schein aus der Tasche. »Hier«, sagte er. Ihre Augen wurden groß, und sie sagte: »Oh, oh«, dann schüttelte sie den Kopf. Aber sie nahm den

Schein, und einen Augenblick hielt sie seine Hand fest, sie umfaßte sie vorn am Gelenk, obwohl es nicht nötig gewesen wäre, vorn am Puls, nur einen winzigen Augenblick, nahm den Schein, steckte ihn zwischen die Lippen und kramte ihre Geldtasche unter dem Rock heraus. »Nein«, rief Greck, »nein, nein, tun Sie den Schein weg.« Er blickte sich ängstlich um. Dieser große, rote Schein mußte jedem auffallen. Die Straße war belebt, sogar eine Bahn fuhr vorbei. »Weg«, rief er, »tun Sie ihn weg.« Er riß ihn ihr aus dem Mund. Sie biß sich auf die Lippen. Er wußte nicht, ob es Wut oder Belustigung war.

Er pflügte wütend eine zweite Aprikose aus, grub die Zähne hinein und wartete. Der Schweiß stand ihm in dicken Tropfen auf der Stirn. Er hatte seine Not, die Aprikosen in der losen Tüte zusammenzuhalten. Es schien ihm, als mache die Alte bewußt langsam – er dachte schon daran, wegzulaufen, aber sie würde wahrscheinlich ein irrsinniges Geschrei anstellen, die Leute würden zusammenlaufen. Die Ungarn waren Verbündete, keine Feinde. Er seufzte und wartete. Drüben kam ein Landser aus der Kneipe; es war ein anderer als der, der eben hereingekommen war. Dieser hatte Orden auf der Brust: drei – und außerdem ein Schild auf dem Ärmel. Er grüßte Greck, und Greck nickte ihm zu. Wieder fuhr die Straßenbahn vorbei, auf der anderen Seite jetzt, Menschen gingen vorüber, sehr viele Menschen, und hinter ihm, hinter diesem löcherigen Bretterzaun, fing die Orgel der Schiffschaukel leise an zu leiern. Die Alte glättete einen Schein nach dem anderen, bis ihre Tasche keinen Schein mehr zu enthalten schien. Dann kamen die Münzen. Sie machte geduldig kleine Nickelberge vorn auf dem Bock. Dann nahm sie ihm vorsichtig den Schein aus der Hand und reichte ihm erst die Scheine, dann die Nickelpäckchen. »Achtundneunzig«, sagte sie. Er wollte gehen, aber sie legte plötzlich ihre Hand auf seinen Unterarm: ihre Hand war breit und warm und ganz trocken, und ihr Gesicht näherte sich ihm. »Mädchen?« fragte sie flüsternd und lächelte ihn an. »Schöne Mädchen, wie?« – »Nein, nein«, sagte er hastig,

»wirklich nicht.« Sie griff flink unter ihren Rock, zog einen Zettel heraus und steckte ihn ihm schnell zu. »Da«, sagte sie. »Da.« Er steckte den Zettel zu den Scheinen, sie gab dem Pferd die Zügel, und er überquerte vorsichtig mit seinem losen Paket die Straße.

Der Tisch, vor dem das Liebespaar saß, war immer noch nicht abgeräumt. Er begriff diese Menschen nicht; die Fliegen saßen zu ganzen Horden da auf den Tellern, den Rändern der Gläser, und dieser junge Mann flüsterte mit wilden Gesten auf das Mädchen ein. Der Wirt kam auf Greck zu. Greck legte das Obst auf seinen Tisch. Der Wirt kam näher. »Kann ich mich waschen?« fragte Greck. Der Wirt sah ihn groß an. »Waschen«, sagte Greck gereizt. »Verflucht, waschen.« Er rieb wütend die Hände aneinander. Der Wirt nickte plötzlich, drehte sich um und winkte Greck, zu folgen. Greck folgte ihm, ließ sich den dunklen grünen Vorhang aufhalten – der Blick des Wirtes kam ihm verändert vor. Er schien etwas zu fragen. Sie gingen durch einen kurzen schmalen Flur, und der Wirt öffnete eine Tür. »Bitte«, sagte er. Greck trat ein. Die Sauberkeit der Toilette überraschte ihn. Die Becken waren säuberlich einzementiert, die Türen weiß gestrichen. Am Wasserbecken hing ein Handtuch. Der Wirt brachte ein grünes Stück Wehrmachtsseife. »Bitte«, sagte er wieder. Greck war verwirrt. Der Wirt ging wieder hinaus. Greck roch am Handtuch, es schien sauber zu sein. Dann zog er schnell seine Jacke aus, wusch sich gründlich Hals, Nacken und Gesicht und spülte seine Arme ab. Er zögerte einen Augenblick, dann zog er die Jacke wieder an und wusch sich langsam die Hände. Der Landser von vorhin kam herein, der ohne Orden. Greck trat beiseite, damit der Landser zum Pinkelbecken konnte. Er knöpfte seinen Rock zu, nahm die Seife und ging. An der Theke drinnen gab er dem Wirt die Seife, sagte »Danke« und setzte sich wieder.

Das Gesicht des Wirtes sah hart aus. Greck wunderte sich, wo der Landser blieb. Das Pärchen in der Ecke war weg. Der Tisch stand immer noch gedeckt, ein schmutziges Durcheinander. Greck trank den kalten Kaffee aus und nippte am Schnaps. Dann fing er an, Obst zu essen. Er spürte eine tolle Gier auf dieses saftige, fleischige Zeug und aß sechs Aprikosen schnell hintereinander – und plötzlich fühlte er Ekel: die Früchte waren zu warm. Er trank noch einmal am Schnapsglas, auch der Schnaps war warm. Der Wirt stand hinter der Theke, rauchte und döste. Dann kam wieder ein Landser in die Kneipe. Der Wirt schien ihn zu kennen, die beiden flüsterten miteinander. Der Landser trank Bier, er hatte einen Orden, das Kriegsverdienstkreuz. Der Landser, der eben auf dem Klo gewesen war, kam jetzt heraus, zahlte an der Theke und ging. An der Tür grüßte er. Greck erwiderte den Gruß, und dann ging der Landser, der zuletzt gekommen war, auf das Klo. Draußen orgelte die Schiffschaukel. Ihr wildes und doch langsames Leiern erfüllte Greck mit Melancholie. Er würde diese Fahrt nie vergessen. Schade, daß ihm schlecht geworden war. Draußen schien der Verkehr lebhafter geworden zu sein: gegenüber war eine Eisdiele, vor der sich die Leute stauten. Der Zigarettenladen daneben war leer. Der grüne schmutzige Vorhang in der Ecke wurde beiseite geschoben, und ein Mädchen kam heraus. Der Wirt blickte sofort zu Greck hinüber. Auch das Mädchen sah ihn an. Er sah sie nur undeutlich, ihr Kleid schien rot zu sein, in diesem dicken, grünlichen Licht sah es farblos aus, deutlich sah er nur ihr sehr weißes geschminktes Gesicht mit dem grell aufgezeichneten Mund. Der Ausdruck ihres Gesichts war nicht zu erkennen, ihm schien, als lächle sie ein wenig, aber vielleicht täuschte er sich; sie war kaum zu erkennen. Sie hielt einen Geldschein in der Hand, sie hielt ihn ganz gerade, wie ein Kind, wie sie eine Blume oder einen Stock gehalten hätte. Der Wirt gab ihr eine Flasche Wein und Zigaretten, ohne den Blick von Greck zu wenden. Das Mädchen sah er gar nicht an, die beiden wechselten kein Wort. Greck zog den Geldknäuel aus der Tasche und suchte den Zettel, den die Alte ihm gegeben hatte. Er legte ihn auf den Tisch und steckte das Geld wieder ein. Er spürte den Blick des Wirtes deutlich und sah auf, aber jetzt war es ganz klar: das

Mädchen lächelte ihn an, sie stand da mit der grünen Flasche in der Hand, ein paar lose Zigaretten zwischen den Fingern, weiße Stäbchen, die gut zu ihrem Gesicht paßten. In dieser Dunkelheit waren für ihn jetzt nur noch ihr grellweißes Gesicht, der dunkle Mund und die quälend weißen Zigaretten in der Hand. Sie lächelte sehr kurz, bevor sie den Vorhang auseinander schob und hinausging. Der Wirt starrte Greck jetzt unverwandt an. Sein Gesicht war hart und hatte etwas Drohendes. Greck hatte Angst vor ihm. Mörder sehen so aus, dachte er, und er wäre froh gewesen, wenn er schnell hätte weggehen können. Draußen orgelte die Schiffschaukel, und die Straßenbahn kreischte vorbei, und eine sehr fremde, ernste Trauer erfüllte ihn. Die widerlichen, weichen, warmen Früchte lagen vor ihm auf dem Tisch, und an seiner Tasse klebten Fliegen. Er scheuchte sie nicht weg. Er stand ganz plötzlich auf und rief: »Zahlen, bitte.« Er rief es laut, um sich Mut zu machen. Der Wirt kam schnell herbei. Greck nahm Geld aus der Tasche. Er sah, wie die Fliegen sich jetzt langsam auf den Früchten sammelten, schwarze klebrige Punkte, auf diesem widerlichen Rosa, ihm wurde fast schlecht, als er daran dachte, daß er sie gegessen hatte. »Drei Pengö«, sagte der Wirt. Greck gab sie ihm. Der Wirt blickte auf das Schnapsglas, das noch halb gefüllt war, dann auf Grecks Brust, auf den Zettel, der auf dem Tisch lag, und nahm ihn, obwohl Greck im gleichen Augenblick danach griff. Der Wirt grinste, sein großes, dickes, blasses Gesicht sah widerlich aus. Der Wirt las die Adresse, die auf dem Zettel stand: es war seine eigene. Er grinste noch häßlicher. Greck brach wieder der Schweiß aus.

»Brauchen Sie den Zettel noch?« fragte der Wirt.

»Nein«, sagte Greck, dann sagte er: »Auf Wiedersehen«, und ihm fiel ein, daß er Heil Hitler sagen mußte, und er sagte in der Tür »Heil Hitler!« Der Wirt antwortete ihm nicht. Greck sah, als er sich umwandte, daß der Wirt den Rest des Schnapses auf die Erde goß, mit einer heftigen Bewegung. Die Früchte leuchteten warm und rosa, wie rosafarbene Wunden eines dunklen Körpers...

Greck war froh, daß er auf der Straße war, und ging schnell weiter. Er schämte sich, früher ins Lazarett zurückzugehen, als der Urlaub beendet war, der freche, kleine Leutnant würde über ihn lachen. Aber am liebsten wäre er jetzt zurückgegangen und hätte sich aufs Bett gelegt. Er hatte Lust, etwas Kräftiges zu essen, aber wenn er ans Essen dachte, fielen ihm die Früchte ein, widerlich rosa, und seine Übelkeit steigerte sich. Er dachte an die Frau, bei der er mittags gewesen war, gleich vom Lazarett aus. Ihre mechanischen Küsse auf seinen Hals schmerzten ihn plötzlich, und er wußte, warum ihm die Früchte so ekelhaft geworden waren: sie hatten die gleiche Farbe wie ihre Wäsche, sie hatte ein wenig geschwitzt, und ihr Körper war warm gewesen. Es war blöde, mittags in dieser Hitze zu einer Frau zu gehen. Aber er folgte damit dem Rat seines Vaters, der ihm gesagt hatte, er müsse sehen, mindestens einmal im Monat zu einer Frau zu gehen. Diese Frau war nicht übel gewesen, eine feste, kleine Person, die abends wahrscheinlich reizend gewesen wäre. Sie hatte ihm das letzte Geld abgenommen und gleich gewußt, was er vorhatte, als sie sah, daß er zwei Hosen übereinander trug. Sie hatte gelacht und ihm den jüdischen Schneider genannt, wo er sie verkaufen konnte. Er ging langsamer. Ihm war schlecht. Er wußte es. Er hätte etwas Vernünftiges essen sollen. Jetzt war es zu spät, er würde nichts mehr essen können. Alles war widerwärtig: die Frau, der schmutzige Jude, die Schiffschaukel sogar, obwohl sie noch das neueste gewesen war, aber auch sie war widerlich, widerlich die Aprikosen, der Wirt, der Landser. Das Mädchen hatte ihm gefallen. Sie hatte ihm sehr gut gefallen. Aber er durfte nicht zweimal an einem Tag zu einer Frau gehen. Sie hatte sehr schön ausgesehen, so im Dunkel in dieser grünen Ecke mit ihrem weißen Gesicht, aber von nahem war sie sicher auch schweißig und roch schlecht. Dazu hatten diese Mädchen wohl kein Geld, um mittags in dieser Hitze nicht schweißig zu sein und gut zu riechen.

Er kam an einem Restaurant vorbei. Stühle standen auf der

Straße zwischen großen Kübeln mit steifen grünen Pflanzen. Er setzte sich in die Ecke und bestellte Sprudel. »Mit Eis«, rief er dem Kellner nach. Der Kellner nickte. Ein Ehepaar saß neben Greck, sie sprachen rumänisch miteinander.

Greck war jetzt dreiunddreißig Jahre alt und war schon mit sechzehn magenkrank gewesen. Zum Glück war sein Vater Arzt, kein guter Arzt, aber der einzige im Städtchen, und sie hatten Geld genug. Aber die Mutti war sparsam. Sie waren im Sommer in die Bäder gefahren oder hinunter in die Alpen, oft auch an die See, und im Winter, wenn sie zu Hause saßen, aßen sie schlecht. Nur wenn Gäste kamen, aßen sie gut, aber sie hatten wenig Gäste. In ihrem Städtchen spielten sich alle Geselligkeiten in der Gastwirtschaft ab, und er durfte nicht mit in die Gastwirtschaft gehen. Wenn Gäste kamen, gab es auch Wein, aber als er so weit war, daß er Wein hätte trinken können, war er schon magenkrank. Sie hatten immer viel Kartoffelsalat gegessen. Er wußte nicht genau, wie oft wirklich, ob dreimal oder viermal in der Woche, aber es gab Tage, an denen er das Gefühl hatte, als habe er in seiner Jugend nur Kartoffelsalat gegessen. Später hatte ihm einmal ein Arzt gesagt, seine Krankheitssymptome grenzten irgendwie an Hungererscheinungen, und Kartoffelsalat sei Gift für ihn. In seiner Heimatstadt hatte sich bald herumgesprochen, daß er krank war, man sah es ihm auch an, und die Mädchen kümmerten sich kaum um ihn. So viel Geld hatte sein Vater nicht, daß es seine Krankheit wettgemacht hätte. Auch in der Schule war er nicht blendend. Als er Abitur machte, 1931, durfte er sich etwas wünschen, und er wünschte sich eine Reise. Er stieg schon in Hagen aus, nahm ein Hotelzimmer und rannte abends fiebernd durch die Stadt, aber er fand in Hagen keine Dirne, reiste am nächsten Tag weiter nach Frankfurt und blieb dort acht Tage. Nach acht Tagen hatte er kein Geld mehr und fuhr nach Hause zurück. Im Zuge dachte er, er würde sterben. Zu Hause empfing man ihn erstaunt und entsetzt; er hatte Geld für eine dreiwöchige Reise gehabt. Der Vater sah ihn an, die Mutti weinte, und es gab eine entsetzliche Szene mit seinem Alten, der ihn zwang, sich auszuziehen und sich untersuchen zu lassen. Es war Samstag nachmittag, er vergaß es nie im Leben; draußen war es ganz still in diesen sauberen Straßen, sie waren altertümlich und idyllisch, warm und tief, sehr lange läuteten die Glocken, und er stand nackt vor seinem Alten und mußte sich abtasten lassen. Im Sprechzimmer. Er haßte dieses fette Gesicht und diesen Atem, der immer ein wenig nach Bier roch, und er nahm sich vor, sich das Leben zu nehmen. Die Hände seines Vaters klopften seinen Körper ab, dieser grauhaarige Kopf mit dem dicken Haar bewegte sich lange unterhalb seiner Brust. »Du bist irrsinnig«, sagte der Vater, als er den Kopf endgültig hochnahm, und er grinste leise. »Du bist irrsinnig. Ein-, zweimal im Monat eine Frau, das langt für dich.« Er wußte, daß der Alte recht hatte.

Abends saß er bei der Mutti und trank schwachen Tee. Sie sprach kein Wort, fing nur plötzlich an zu weinen. Er legte die Zeitung weg und ging auf sein Zimmer.

Zwei Wochen später ging er nach Marburg auf die Universität. Er befolgte den Ratschlag seines Vaters genau, obwohl er den Alten haßte. Drei Jahre später bestand er das Staatsexamen, wieder zwei Jahre später war er Assessor, und ein weiteres Jahr später promovierte er. 1937 hatte er die erste, 1938 die zweite Übung gemacht, und 1939, zwei Jahre, nachdem er eine Stellung beim Landgericht seiner Kreisstadt bekommen hatte, rückte er als Fahnenjunkerfeldwebel ins Feld. Er liebte den Krieg nicht. Der Krieg brachte neue Anforderungen. Es genügte nicht mehr, Assessor und Doktor der Rechte zu sein, auch nicht, eine Stellung zu haben und bald Amtsgerichtsrat zu sein. Jetzt sahen sie alle auf seine Brust, wenn er nach Hause kam. Seine Brust war nur kümmerlich dekoriert. Mutti schrieb ihm, sich zu schonen, und machte gleichzeitig Andeutungen, die ihn wie Nadelstiche trafen.

»Beckers Hugo war in Urlaub hier. Er hat das EK 1. Allerlei für einen sitzengebliebenen Quartaner, der nicht einmal die Gehilfenprüfung als Metzger bestand. Man sagt sogar, daß er Offizier werden soll. Ich finde es unglaublich. Wesendonk ist schwer verwundet, man sagt, er wird das Bein verlieren.« Auch das war etwas, ein Bein zu verlieren.

Er ließ sich noch einen Sprudel kommen. Der Sprudel tat ihm wohl. Er war eiskalt. Er wünschte, er hätte alles rückgängig machen können, diese dumme Geschichte mit dem Juden und der blöde Einfall, mitten auf einer belebten Straße mit einem Hunderter ein bißchen Obst zu kaufen. Er schwitzte wieder, wenn er an diese Szene dachte. Plötzlich spürte er, daß sein Magen anfing zu revoltieren. Er blieb sitzen und sah sich nach dem Klo um. Alle Leute im Lokal saßen ruhig plaudernd da. Keiner rührte sich. Er blickte sich ängstlich um, bis er neben der Theke einen grünen Vorhang entdeckte, stand langsam auf und ging starr auf den grünen Vorhang zu. Unterwegs mußte er noch grüßen, ein Hauptmann saß da mit einer Frau, er grüßte schnell und stramm und war froh, als er den grünen Vorhang erreicht hatte.

Schon um vier Uhr war er im Lazarett. Der freche, kleine Leutnant saß reisefertig da. Er hatte seine schwarze Panzeruniform an, viele Orden leuchteten auf seiner Brust. Greck kannte sie genau. Es waren fünf. Der Leutnant trank Wein und aß Fleischbutterbrote. Er rief Greck entgegen: »Ihre Kiste ist angekommen.«

»Schön«, sagte Greck. Er ging auf sein Bett zu, schleifte die Kiste am Griff in die Nähe des Fensters. »Übrigens«, sagte der Leutnant, »ihren Bataillöner hat man in Szokarhely zurücklassen müssen. Schmitz ist bei ihm geblieben. Der war nicht transportfähig, Ihr Hauptmann.«

»Tut mir leid«, sagte Greck. Er fing an, die Kiste aufzumachen. »Ich würde sie zulassen«, sagte der Leutnant, »wir müssen weg, alle, Sie auch.«

»Ich auch?«

»Ja«, der Leutnant lachte, dann wurde sein Kindergesicht ernst: »Nächstens werden Magenstoßtrupps aufgemacht.«

Greck spürte, wie sein Magen sich wieder meldete. Er atmete schwer, als er die Fleischbutterbrote so deutlich vor sich sah. Diese körnigen Stücke Talg im Büchsenfleisch kamen ihm wie Fliegeneier vor. Er ging schnell zum Fenster, um Luft zu schnappen. Draußen fuhr ein Wagen mit Aprikosen vorüber. Greck erbrach sich – er spürte eine unglaubliche Erleichterung.

»Prost Mahlzeit!« rief der kleine Leutnant.

V

Feinhals war in die Stadt gegangen, um Stecknadeln, Pappkartons und Tusche zu kaufen, aber er hatte nur Pappe bekommen, rosarote Pappe, wie sie der Spieß gern hatte, um Schilder zu malen. Als er aus der Stadt zurückkam, regnete es. Der Regen war warm. Feinhals versuchte, die große Rolle unter die Feldbluse zu schieben, aber die Rolle war zu lang, zu dick auch, und als er sah, daß das Packpapier anfing, rundherum naß zu werden, und die rosarote Pappe durchfärbte, ging er schneller. An einer Straßenecke mußte er warten. Panzer fuhren schwerfällig in die Kurve, schwenkten langsam ihre Rohre, ihre Hinterteile und fuhren in südöstlicher Richtung weiter. Die Leute sahen den Panzern ruhig zu. Feinhals ging weiter. Der Regen fiel dicht und schwer, es tropfte von den Bäumen, und als er in die Straße kam, wo seine Sammelstelle lag, sah er schon große Pfützen auf dem schwarzen Boden.

An der Tür hing das große, weiße Schild, auf das er mit blassem Rotstift gemalt hatte: »Krankensammelstelle Szentgyörgy«. Es würde bald ein besseres Schild dort hängen, dick, rosarot, mit schwarzer Tusche in Rundschrift bemalt. Alle würden es sehen können. Noch war alles still. Feinhals klingelte, drinnen wurde aufgedrückt, und er grüßte in die Pförtnerloge hinein und ging in den Flur. Im Flur an den Kleiderhaken hingen eine Maschinenpistole und ein Gewehr. Neben den Türen waren kleine gläserne Gucklöcher, hinter denen ein Thermometer war. Alles war sauber, und es war sehr still, und Feinhals ging sehr leise. Hinter der ersten Tür hörte er den Spieß telefonieren. Im Flur hingen Fotografien von Lehrerinnen und eine große kolorierte Ansicht von Szentgyörgy.

Feinhals schwenkte rechts herum, trat durch eine Tür und war auf dem Schulhof. Der Schulhof war von großen Bäumen umgeben und hinter seinen Mauern drängten sich hohe Häuser. Feinhals blickte auf ein Fenster im dritten Stock: das Fenster war offen. Er ging schnell ins Haus zurück und stieg die Treppe hinauf. Im Treppenhaus hingen die Bilder der entlassenen Jahrgänge. Eine ganze Reihe großer brauner und goldener Rahmen, in denen Mädchenbrustbilder aufgeklebt waren: ovale, dicke Pappstücke, die eine Mädchenfotografie trugen. Der erste Jahrgang war der Jahrgang 1918. 1918 schien das erste Abitur gewesen zu sein. Die Mädchen hatte steife weiße Blusen an, und sie lächelten traurig. Feinhals hatte sie schon oft angesehen, fast eine Woche lang jeden Tag. Mitten in den Mädchenbrustbildern drin klebte eine schwarze, strenge Dame, die einen Kneifer trug, sie mußte die Direktorin sein. Von 1918 bis 1932 war es dieselbe, sie schien sich in diesen vierzehn Jahren nicht verändert zu haben. Es war immer dasselbe Bild, wahrscheinlich nahm sie immer wieder das gleiche Foto und ließ es vom Fotografen in die Mitte kleben. Vor dem Jahrgang 1928 blieb Feinhals stehen. Hier war ihm ein Mädchen durch seine Figur aufgefallen, sie hieß Maria Kartök, trug ein langes Pony, fast bis auf die Brauen, und ihr Gesicht sah selbstbewußt und hübsch aus. Feinhals lächelte. Er war schon im zweiten Aufgang und ging weiter bis zum Jahrgang 1932. Er hatte auch 1932 Abitur gemacht. Er sah die Mädchen der Reihe nach an, die damals neunzehn gewesen sein mochten, so alt wie er, und jetzt zweiunddreißig waren: in diesem Jahrgang war wieder ein Mädchen, das ein Pony trug, nur über die halbe Stirn, und ihr Gesicht war selbstbewußt und von einer gewissen strengen Zärtlichkeit. Sie hieß Ilona Kartök und glich ihrer Schwester sehr, nur schien sie schmaler und weniger eitel gewesen zu sein. Die steife Bluse stand ihr gut, und sie war die einzige auf dem Bild, die nicht lächelte. Feinhals blieb einige Sekunden stehen, lächelte wieder und stieg langsam zum dritten Stock empor. Er schwitzte, hatte aber keine Hand frei, um die Mütze abzunehmen, und ging weiter. An der Querseite im Treppenhaus war eine Muttergottesstatue in eine Nische gesetzt. Sie war aus Gips, frische Blumen standen in einer Vase davor; am Morgen waren Tulpen in der Vase gewesen, jetzt standen gelbe und rote Rosen da, mit knappen, kaum geöffneten Knospen. Feinhals blieb stehen und blickte in den Flur hinunter. Im ganzen gesehen, sah dieser Flur voller Mädchenbilder eintönig aus: sie sahen alle aus, diese Mädchen, wie Schmetterlinge, unzählige Schmetterlinge mit etwas dunkleren Köpfen, präpariert und in großen Rahmen gesammelt. Es schienen immer dieselben zu sein, nur das große dunkle Mittelstück wechselte hin und wieder. Es wechselte 1932, 1940 und 1944. Ganz oben links am Ende des dritten Aufgangs hing noch der Jahrgang 1944, Mädchen in steifen, weißen Blusen, lächelnd und unglücklich, und in ihrer Mitte eine dunkle, ältere Dame, die ebenfalls lächelte und ebenfalls unglücklich zu sein schien. Feinhals blickte im Vorübergehen flüchtig auf den Jahrgang 1942; dort war wieder eine Kartök, sie hieß Szorna, aber sie fiel nicht auf: ihre Frisur unterschied sich nicht von den anderen, ihr Gesicht war rund und rührend. Als er oben angekommen war, auf diesem Flur, der still war wie das ganze Haus, hörte er, daß auf der Straße Autos vorfuhren. Er warf seinen Kram auf eine Fensterbank, öffnete ein Fenster und sah hinaus. Der Spieß stand unten auf der Straße vor einer Wagenkolonne, die Motoren waren nicht abgestellt. Landser mit Verbänden sprangen auf die Straße, und hinten aus einem rotlackierten, großen Möbelwagen kamen sehr viele Landser mit ihrem Gepäck. Die Straße füllte sich schnell. Der Spieß schrie: »Hier – hierhin – alles in den Flur gehen – warten.« Ein unregelmäßiger grauer Zug bewegte sich langsam in die Türen hinein. Auf der anderen Straßenseite wurden Fenster aufgerissen, Leute blickten hinaus, und an der Ecke stauten sich Menschen.

Manche Frauen weinten.

Feinhals schloß das Fenster. Im Hause war es noch still – nur schwach kam der erste Lärm unten aus dem Flur; er ging langsam bis zum Ende des Flures, stieß dort einmal mit dem Fuß gegen eine Tür, und drinnen sagte eine Frauenstimme: »Ja?«; er spürte, daß er rot wurde, als er mit dem Ellenbogen die Klinke heruntersdrückte. Zuerst sah er sie nicht, das Zimmer stand voller ausgestopfter Tiere, auf großen Regalen lagen zusammengerollte Landkarten, große, sauber verzinkte Kästen mit Gesteinsproben unter gläsernen Deckeln, und an der Wand hing ein bunter Druck mit Stickmustern und eine laufend numerierte Bildfolge, die alle Stadien der Säuglingspflege zeigte.

»Hallo«, rief Feinhals.

»Ja?« rief sie. Er ging ans Fenster, wo ein schmaler Gang zwischen Schränken und Ständern frei war. Sie saß an einem kleinen Tisch. Ihr Gesicht war runder als unten auf dem Bild, die Strenge schien gemildert und die Zärtlichkeit größer geworden zu sein. Sie war verlegen und zugleich belustigt, als er »guten Tag« sagte, und nickte ihm zu. Er warf die große Papierrolle auf die Fensterbank, auch das Paket aus seiner linken Hand, warf die Mütze daneben und trocknete sich den Schweiß.

»Sie müssen mir helfen, Ilona«, sagte er, »es wäre nett, wenn Sie etwas Tusche für mich hätten.«

Sie stand auf und klappte das Buch, das vor ihr lag, zu.

»Tusche«, sagte sie, »Tusche kenne ich nicht.«

»Ich denke, Sie haben Deutsch als Fach?«

Sie lachte.

»Tusche«, sagte er, »ist so etwas wie Tinte. Wissen Sie denn, was eine Rundschriftfeder ist?«

»Ich kann es mir denken«, sagte sie lächelnd, »Rund-Schreiben-Feder – das kenne ich.«

»Würden Sie mir so etwas leihen können?«

»Ich glaube doch.« Sie zeigte auf den Schrank, der hinter ihm stand, aber er sah, daß sie niemals aus der Ecke hinter dem Tisch herauskommen würde.

Er hatte sie vor drei Tagen in diesem Zimmer entdeckt und war jeden Tag stundenlang bei ihr gewesen, aber noch nie war sie in seine Nähe gekommen: sie schien Angst vor ihm zu haben. Sie war sehr fromm, sehr unschuldig und klug, er hatte schon viel mit ihr gesprochen, und er spürte, daß sie Sympathien für ihn hatte – aber in seine Nähe gekommen, so daß er sie hätte plötzlich umarmen und küssen können, in seine Nähe gekommen war sie noch nicht; er hatte sehr viel mit ihr gesprochen, stundenlang drückte er sich bei ihr herum, und ein paarmal hatten sie über Religion gesprochen, aber er hätte sie gern geküßt; nur kam sie nie in seine Nähe.

Er runzelte die Stirn und zuckte die Schultern. »Nur ein Wort«, sagte er heiser, »Sie brauchen nur ein Wort zu sagen, und ich komme nie mehr in Ihr Zimmer.«

Ihr Gesicht wurde ernst. Sie senkte die Lider, kniff die Lippen zusammen, sah wieder auf: »Ich weiß nicht«, sagte sie leise, »ob ich das möchte – und außerdem, es würde nichts nutzen, nicht wahr?«

»Nein«, sagte er. Sie nickte.

Er ging auf den Gang zurück, der zur Tür führte, und sagte: »Ich verstehe nicht, wie man Lehrerin an einer Schule werden kann, die man selbst neun Jahre besucht hat.«

»Warum nicht«, sagte sie, »ich bin immer gern zur Schule gegangen, auch jetzt noch.«

»Jetzt ist keine Schule?«

»Doch – wir sind mit einer anderen Schule zusammen.«

»Und Sie müssen hierbleiben und aufpassen, ich weiß – sehr klug von Ihrer Direktorin, die hübscheste Lehrerin hier im Hause zu lassen«, er sah, daß sie rot wurde, »und zugleich die zuverlässigste, ich weiß...«, er warf einen Blick rund auf das Lehrmaterial. »Haben Sie eine Karte von Europa da?«

»Gewiß«, sagte sie.

»Und Stecknadeln?« Sie sah ihn erstaunt an und nickte.

»Seien Sie nett zu mir«, sagte er, »geben Sie mir die Karte von Europa und ein paar Stecknadeln.« Er knöpfte seine linke Tasche auf, suchte ein Pergamenttütchen heraus und schüttete den Inhalt vorsichtig in seine Hand; es waren kleine, rote Pappfähnchen, eins hob er hoch und zeigte es ihr. »Kommen Sie«, rief er, »wir spielen Generalstab, ein wunderbares Spiel.« Er sah, daß sie zögerte. »Kommen Sie«, rief er, »ich verspreche Ihnen, daß ich Sie nicht anrühre.«

Sie kam langsam heraus und ging zu dem Ständer hin, wo die Karten lagen. Er blickte in den Hof hinaus, als sie an ihm vorbeiging, dann wandte er sich um und half ihr, den Kartenständer, den sie irgendwo herauszerrte, aufzustellen. Sie klemmte die Karte ein, löste die Schnur und kurbelte langsam hoch. Er stand neben ihr, die roten Fähnchen in der Hand. »Mein Gott«, murmelte er, »sind wir denn wie Tiere, daß ihr solche Angst habt?«

»Ja«, sagte sie leise und sah ihn an; er sah, daß sie immer noch Angst hatte. »Wie Wölfe«, sagte sie, mühsam atmend. »Wölfe, die jeden Augenblick von Liebe anfangen können. Ein beunruhigender Menschentyp. Bitte«, sagte sie sehr leise, »tun Sie das nicht.«

»Was?«

»Von Liebe sprechen«, sagte sie sehr leise...

»Vorläufig nicht, ich verspreche es Ihnen.« Er blickte gespannt auf die Karte und sah nicht, daß sie ihm von der Seite zulächelte.

»Bitte«, sagte er, ohne sich umzuwenden, »die Nadeln.« Er blieb ungeduldig vor der Karte stehen, starrte auf die lebhaft bedruckte, unregelmäßige Fläche und fuhr mit den Händen darüber. Die große Linie von Ostpreußens Ostecke führte fast genau und gerade hinunter bis Großwardein, nur in der Mitte, bei Lemberg, war eine Ausbuchtung, aber niemand wußte etwas Genaues.

Er blickte ungeduldig zu ihr hinüber; sie wühlte in einer großen Schublade eines schweren Nußbaumschrankes: Wäschestücke, Windeln, eine große, nackte Puppe – dann kam sie schnell zurück und hielt ihm eine große Blechschachtel voller Stecknadeln hin. Er suchte hastig mit den Fingern darin herum und nahm die heraus, die rote oder blaue Köpfe hatten. Sie sah ihm gespannt zu, wie er die Nadeln durch die Pappfähnchen bohrte und sie vorsichtig in die Karte steckte.

Sie blickten sich an; draußen auf dem Flur war Lärm, Türenschlagen, Stiefelschritte, die Stimme vom Spieß und von Landsern.

»Was ist los?« fragte sie erschreckt.

»Nichts«, sagte er ruhig, »die ersten Patienten sind angekommen.«

Er pflanzte ein Fähnchen unten hin, wo ein dicker Punkt war: Nagyvarad – fuhr vorsichtig mit der Hand über Jugoslawien und steckte vorsichtig eins auf Belgrad, dann drüben eins auf Rom und war erstaunt, wie nahe Paris der deutschen Grenze war. Seine Linke ließ er auf Paris ruhen und fuhr langsam mit der Rechten den langen Weg bis Stalingrad zurück. Die Strecke zwischen Stalingrad und Großwardein war länger als die zwischen Paris und Großwardein. Er zuckte die Schultern und steckte vorsichtig die Zwischenräume zwischen den markierten Punkten mit Fähnchen aus.

»Oh«, rief sie – er sah sie an –, sie sah gespannt aus, erregt, ihr Gesicht schien schmaler geworden, es war glatt und braun, und der Flaum war auf ihren hübschen Wangen sichtbar bis nahe an die dunklen Augen heran. Sie trug immer noch ein Pony, nur war es höher noch als unten auf dem Bild. Sie atmete schwer. »Ist es nicht ein wunderbares Spiel?« fragte er leise.

»Ja«, sagte sie, »schrecklich – es ist alles so – sagen Sie es – so – wie Relief.«

»Plastisch meinen Sie«, sagte er.

»Jaja«, sagte sie lebhaft, »sehr plastisch – man sieht wie in ein Zimmer hinein.«

Der Lärm im Flur war geringer geworden, die Türen schienen geschlossen zu sein, aber Feinhals hörte plötzlich seinen Namen sehr deutlich. »Feinhals«, schrie der Spieß, »verflucht, wo sind Sie?«

Ilona sah ihn fragend an.

»Ruft man Sie?«

»Ja.«

»Gehen Sie«, sagte sie leise, »bitte, ich will nicht, daß man Sie hier findet.«

»Wie lange sind Sie hier?«

»Bis sieben.«

»Warten Sie auf mich – ich komme noch einmal.«

Sie nickte, wurde glühend rot und blieb vor ihm stehen, bis er ihr Platz machte, um sie in ihre Ecke zu lassen.

»Es ist Kuchen in dem Paket da auf der Fensterbank«, sagte er, »er ist für Sie.« Er öffnete die Tür, blickte hinaus und ging schnell auf den Flur.

Er ging langsam die Treppe hinunter, obwohl er im mittleren Flur den Spieß »Feinhals« schreien hörte. Er lächelte Szorna zu, als er am Jahrgang 42 vorbeikam, aber es war schon dunkler geworden, und er konnte Ilonas Gesicht nicht erkennen; der große Rahmen hing mitten im Flur, und die Schatten waren schon dicht. Und unten am Ende der Treppe stand der Spieß, der ihm zurief: »Mein Gott, wo stecken Sie bloß, ich suche Sie seit einer Stunde.«

»Ich war doch in der Stadt, habe Pappe gekauft für die Schilder.«

»Jaja, aber Sie sind schon seit einer halben Stunde im Haus. Kommen Sie.« Er nahm Feinhals beim Arm und ging mit ihm ins untere Stockwerk hinunter. In den Zimmern wurde gesungen, und die russischen Pflegerinnen rannten mit Tabletts über den Flur.

Der Spieß war sehr milde zu Feinhals, seit dieser aus Szokarhely zurückgekommen war, er war milde zu allen und zugleich nervös, seitdem er beauftragt war, eine Krankensammelstelle zu organisieren. Den Spieß beunruhigten Dinge, die Feinhals nicht kennen konnte. Seit einigen Wochen war etwas geschehen in dieser Armee, das Feinhals nicht kontrollieren und dessen Folgen er nicht ermessen konnte. Aber der Spieß lebte von diesen Dingen, nur durch sie, und daß sie nicht mehr funktionierten, beunruhigte ihn sehr. Früher war die Möglichkeit einer Versetzung oder einer ungünstigen Kommandierung verhältnismäßig unwahrscheinlich gewesen, jeder Befehl war schon umgangen, bevor er an die Truppe ging. Die Instanz, die den Befehl schuf, umging ihn als erste, und vertrauliche Gespräche unterrichteten die Einheiten, an die er weiterging, von der Möglichkeit, ihn zu umgehen – und während die Befehle und Gesetze immer drohender wurden, finster formuliert, wurde gleichzeitig die Möglichkeit, an ihnen vorbeizukommen, immer leichter, in Wirklichkeit richtete sich niemand danach, der sie nicht benutzen wollte, um unbeliebte Leute loszuwerden. Im äußersten Fall eine ärztliche Untersuchung oder ein Telefongespräch – und alles lief weiter. Aber diese Dinge hatten sich geändert: Telefongespräche nützten nichts mehr, weil die Leute, mit denen zu sprechen man gewöhnt war, nicht mehr existierten oder irgendwo existierten, wo sie nicht erreichbar waren – und die, mit denen man jetzt telefonierte, kannten einen nicht und hatten kein Interesse, einem zu helfen, weil sie wußten, daß man selbst ihnen nicht würde helfen können. Die Fäden waren verwirrt oder verknotet, und das einzige, was einem zu tun blieb, war, täglich seine eigene Haut zu retten. Bisher hatte sich der Krieg am Telefon abgespielt, aber jetzt fing der Krieg an, das Telefon zu beherrschen. Zuständigkeiten, Decknamen, Vorgesetzte wechselten täglich, und es kam vor, daß man einer Division zugeteilt war, die am anderen Tage nur noch aus einem General, drei Stabsoffizieren und ein paar Schreibern bestand...

Der Spieß ließ Feinhals' Arm los, als sie unten angekommen waren, öffnete selbst die Tür. Otten saß am Tisch und rauchte. Der Tisch, an dem er saß, hatte eine schwarze, scharfe Brandspur von einer Zigarette. Otten las in einer Zeitung.

»Na endlich«, sagte er und legte die Zeitung weg.

Der Spieß blickte Feinhals, Feinhals blickte Otten an.

»Es ist nichts zu machen«, sagte der Spieß achselzuckend, »ich muß alle Leute abgeben, die jünger als vierzig sind, weder zum Stammpersonal gehören noch länger als Patienten zu betrachten sind. Wirklich – nichts zu machen. Ihr müßt weg.«

»Wohin?« fragte Feinhals.

»Zur Frontleitstelle, und zwar sofort«, sagte Otten. Er reichte Feinhals den Marschbefehl. Feinhals las ihn durch.

»Sofort«, sagte Feinhals. »Sofort – sofort ist noch nie etwas Vernünftiges geschehen.« Er hielt den Marschbefehl in der Hand und sagte: »Müssen wir beide auf einem Marschbefehl stehen – ich meine zusammen...?«

Der Spieß sah ihn aufmerksam an: »Wieso? Machen Sie keinen Unsinn!« sagte er leise.

»Wie spät ist es?« fragte Feinhals.

»Gleich sieben«, sagte Otten. Er stand auf, er hatte schon das Koppel umgeschnallt und seinen Tornister am Tisch stehen.

Der Spieß setzte sich an den Tisch, zog die Schublade heraus und sah Otten an. »Mir ist es Wurscht«, sagte er. »Wenn ihr in Marsch gesetzt seid, geht ihr mich nichts mehr an.« Er zuckte die Schultern.

»Meinetwegen, ich schreibe also jedem einen aus.«

»Ich hole mein Gepäck«, sagte Feinhals.

Als er Ilona oben sah, blieb er im Flur stehen und sah ihr zu, wie sie die Tür schloß, dann aber an der Klinke rüttelte und mit dem Kopf nickte. Sie hatte Hut und Mantel an und hielt das Kuchenpaket in der Hand. Sie hatte einen grünen Mantel und eine braune Kappe an, und er fand, daß sie noch hübscher aussah als in ihrer rötlichen Weste. Sie war klein, fast etwas zu üppig, aber wenn er ihr Gesicht sah, die Linie ihres Halses, fühlte er etwas, was er noch nie beim Anblick einer Frau gefühlt hatte: er liebte sie und wollte sie besitzen. Sie rüttelte noch einmal an der Klinke, um sich zu vergewissern, ob die Tür wirklich verschlossen war, und kam dann langsam den Flur hinab. Er beobachtete sie gespannt und bemerkte, daß sie lächelte und zugleich erschrocken war, als er plötzlich vor ihr stand.

»Sie wollten doch warten«, sagte er.

»Ich hatte vergessen, daß ich sehr dringend weg muß. Ich wollte unten hinterlassen, daß ich in einer Stunde zurück bin.«

»Sie wollten wirklich zurückkommen?«

»Ja«, sagte sie. Sie sah ihn an und lächelte.

»Ich gehe mit Ihnen«, sagte er. »Warten Sie. Nur eine Minute.«

»Sie können nicht mitgehen. Lassen Sie.« Sie schüttelte müde den Kopf. »Ich komme bestimmt zurück.«

»Wohin gehen Sie?«

Sie schwieg, blickte sich um, aber der Flur war leer, es war Essenszeit, und aus den Zimmern kam verhaltener Lärm. Dann sah sie ihn wieder an. »Ins Getto«, sagte sie, »ich muß mit meiner Mutter ins Getto.« Sie blickte ihn gespannt an, aber er fragte nur: »Was tun Sie da?«

»Es wird heute geräumt. Unsere Verwandten sind dort. Wir bringen ihnen noch etwas. Auch den Kuchen.« Sie sah auf das Paket, das sie in der Hand hielt, und zeigte es ihm. »Sie sind doch nicht böse, daß ich es verschenke.«

»Ihre Verwandten«, sagte er, er faßte sie am Arm. »Kommen Sie – wir gehen.« Er ging neben ihr die Treppe hinunter und hielt sie am Arm fest.

»Ihre Verwandten sind Juden? Ihre Mutter?«

Sie nickte. »Ich auch«, sagte sie, »wir alle.« Sie blieb stehen. »Warten Sie einen Augenblick.« Sie löste sich von seinem Arm, nahm den Strauß aus der Vase vor dem Muttergottesbild und entfernte sorgfältig die welken Blüten. »Versprechen Sie mir, daß

Sie frisches Wasser in die Vase tun? Ich bin morgen nicht da. Ich muß zur Schule. Versprechen Sie es mir – vielleicht auch Blumen?«

»Ich kann es nicht versprechen. Ich muß heute abend weg. Sonst...«

»Sonst würden Sie es tun?«

Er nickte. »Ich würde alles tun, um Ihnen eine Freude zu machen.«

»Nur um mir eine Freude zu machen?« sagte sie.

Er lächelte. »Ich weiß nicht – ich würde es auch so tun, glaube ich, aber ich wäre nie auf den Gedanken gekommen, es zu tun. Warten Sie!« sagte er heftig.

Sie waren auf dem zweiten Flur angekommen. Er lief in den Flur hinein, auf sein Zimmer, und stopfte schnell einige Kleinigkeiten, die herumlagen, in seine Packtasche. Dann schnallte er das Koppel um und lief hinaus. Sie war langsam weitergegangen, und er holte sie vor dem Bild des Jahrgangs 1932 ein. Sie schien nachdenklich zu sein.

»Was ist?« fragte er.

»Nichts«, sagte sie leise. »Ich möchte gern sentimental sein – ich kann es nicht. Dieses Bild berührt mich nicht, es ist mir ganz fremd. Gehen wir weiter.«

Sie versprach ihm, vor der Tür zu warten, und er lief schnell auf die Schreibstube, seinen Marschbefehl zu holen. Otten war schon weg. Der Spieß hielt Feinhals am Ärmel fest: »Machen Sie keine Dummheiten«, sagte er, »und alles Gute.«

»Danke«, sagte Feinhals und lief schnell hinaus.

Sie wartete an der Straßenecke auf ihn. Er faßte sie am Arm und ging mit ihr langsam in die Stadt hinein. Es hatte aufgehört zu regnen, aber die Luft war noch feucht, es roch süß, und sie gingen durch sehr stille Nebenstraßen, die fast parallel zu den Hauptstraßen liefen, aber sehr still waren, kleine Häuser mit niedrigen Bäumchen davor.

»Wie kommt es, daß Sie nicht im Getto sind?« fragte er.

»Wegen meines Vaters. Er war Offizier im Krieg und hat hohe Auszeichnungen bekommen und beide Beine verloren. Aber er hat gestern seine Auszeichnungen dem Stadtkommandanten zurückgeschickt, auch seine Prothesen – ein großes braunes Paket. Lassen Sie mich jetzt allein«, sagte sie heftig.

»Warum?«

»Ich will allein nach Hause gehen.«

»Ich gehe mit.«

»Es ist zwecklos. Man wird Sie sehen, irgendeiner von der Familie wird Sie sehen...«, sie sah ihn an, »und man wird mich nicht mehr gehen lassen nachher.«

»Sie kommen wieder?«

»Ja«, sagte sie ruhig. »Bestimmt. Ich verspreche es Ihnen.«

»Geben Sie mir einen Kuß«, sagte er.

Sie wurde rot und blieb stehen. Die Straße war leer und still. Sie standen an einer Mauer, über die welke Rotdornzweige herüberhingen.

»Wozu küssen?« sagte sie leise; sie sah ihn traurig an, und er hatte Angst, sie würde weinen. »Ich habe Angst vor der Liebe.«

»Warum?« fragte er leise.

»Weil es sie nicht gibt – nur für Augenblicke.«

»Viel mehr als ein paar Augenblicke werden wir nicht haben«, sagte er leise. Er setzte seine Tasche auf die Erde, nahm ihr das Paket aus der Hand und umarmte sie. Er küßte sie auf den Hals, hinter die Ohren und spürte ihren Mund auf seiner Wange. »Geh nicht weg«, sagte er ihr leise ins Ohr, »geh nicht weg. Es ist nicht gut, wegzugehen, wenn Krieg ist. Bleib hier.« Sie schüttelte den Kopf. »Ich kann nicht«, sagte sie, »meine Mutter stirbt vor Angst, wenn ich nicht pünktlich bin.« Sie küßte ihn noch einmal auf die Wange und wunderte sich, daß es ihr nichts ausmachte – sie fand es schön. »Komm«, sagte sie. Sie beugte seinen Kopf herunter, der auf ihrer Schulter lag, und küßte ihn in die Mundwinkel. Sie fühlte jetzt, daß sie sich wirklich freute, gleich wieder bei ihm zu sein.

Sie küßte ihn noch einmal in die Mundwinkel und sah ihn einen Augenblick an; früher hatte sie immer gedacht, es müßte schön sein, einen Mann und Kinder zu haben; sie hatte immer an beides zugleich gedacht, aber jetzt dachte sie nicht mehr an Kinder — nein, sie hatte nicht an Kinder gedacht, als sie ihn küßte und sich bewußt wurde, daß sie ihn bald wiedersah. Es machte sie traurig, und doch fand sie es schön. »Komm«, sagte sie leise, »ich muß wirklich gehen...«

Er sah über ihre Schulter in die Straße hinein, sie war leer und still, und der Lärm der Nebenstraße schien sehr weit entfernt. Die kleinen Bäume waren sorgsam gestutzt. Ilonas Hand tastete nach seinem Nacken, und er fühlte, daß diese Hand sehr klein war, fest und schmal. »Bleib hier«, sagte er, »oder laß mich mitgehen. Ganz gleich, was passiert. Es wird nicht gut gehen — du kennst den Krieg nicht — nicht die, die ihn machen. Es ist nicht gut, sich nur eine Minute zu trennen, wenn es nicht nötig ist.«

»Es ist nötig«, sagte sie, »versteh doch.«

»Dann laß mich mitgehen.«

»Nein, nein«, sagte sie heftig, »ich kann es meinem Vater nicht antun, verstehst du?«

»Ich verstehe«, sagte er und küßte ihren Hals, »ich verstehe alles, viel zuviel. Aber ich liebe dich, und ich möchte, daß du hierbleibst. Bleib hier.«

Sie löste sich von ihm, sah ihn an und sagte: »Bitte mich nicht darum. Bitte.«

»Nein«, sagte er leise, »geh. Wo soll ich warten?«

»Geh noch ein Stück mit mir, ich zeige dir eine kleine Wirtschaft, wo du warten kannst.«

Er versuchte langsam zu gehen, aber sie zog ihn mit sich fort, und er war erstaunt, als sie plötzlich eine belebte Straße kreuzten. Sie zeigte auf ein kleines schmales Haus und sagte: »Warte da auf mich.«

»Kommst du zurück?«

»Bestimmt«, sagte sie lächelnd, »sobald ich kann. Ich liebe

dich.« Sie faßte ihn plötzlich um den Hals und küßte ihn auf den Mund. Dann ging sie sehr schnell weg, und er wollte ihr nicht nachsehen und ging auf das kleine Gasthaus zu. Als er eintrat, fühlte er sich sehr elend, sehr leer, und er hatte das Gefühl, etwas versäumt zu haben. Er wußte, daß es sinnlos war, zu warten, und wußte zugleich, daß er warten mußte. Er mußte Gott diese Chance geben, alles so zu wenden, wie es schön gewesen wäre, obwohl es für ihn sicher war, daß es sich längst anders gewendet hatte: sie würde nicht zurückkommen. Es würde irgend etwas geschehen, wodurch verhindert wurde, daß sie zurückkam – es war vielleicht Anmaßung, eine Jüdin zu lieben in diesem Krieg und zu hoffen, daß sie wiederkommen würde. Er wußte nicht einmal ihre Adresse, und er mußte die Hoffnung praktizieren, indem er hier auf sie wartete, obwohl er keine Hoffnung hatte. Vielleicht hätte er ihr nachlaufen und sie zwingen können, zu bleiben – aber man konnte keinen Menschen zwingen, man konnte die Menschen nur töten, das war der einzige Zwang, den man ihnen antun konnte. Zum Leben konnte man keinen zwingen, auch nicht zur Liebe, es war sinnlos; das einzige, was wirklich Macht über sie hatte, war der Tod. Und er mußte nun warten, obwohl er wußte, daß es sinnlos war. Er wußte auch, daß er länger warten würde als eine Stunde, länger als diese Nacht, weil dies das einzige war, was sie miteinander verband: diese kleine Kneipe, auf die ihr Finger gewiesen hatte, und das einzige Gewisse war, da sie nicht gelogen hatte. Sie würde kommen, sofort und sehr schnell, so schnell sie konnte, wenn sie Macht hatte, darüber zu bestimmen...

Auf der Uhr über der Theke sah er, daß es zwanzig vor acht war. Er hatte keine Lust, etwas zu essen oder zu trinken, und er bestellte Sprudel, als die Wirtin kam, und als er sah, daß sie enttäuscht war, bestellte er eine Karaffe Wein. Vorn in der Kneipe saß ein ungarischer Soldat mit seinem Mädchen und in der Mitte ein dicker Kerl mit gelbem Gesicht und einer pechschwarzen Zigarre im Mund. Er trank die Karaffe Wein sehr schnell leer, um die Wirtin zu beruhigen, und bestellte noch eine. Die Wirtin lächelte ihm freundlich zu; sie war ältlich, schmal und blond.

Für Augenblicke glaubte er auch, daß sie kommen würde. Dann stellte er sich vor, wohin er mit ihr gehen würde: sie würden irgendwo ein Zimmer nehmen, und er würde ihr vor der Zimmertür sagen, daß sie seine Frau sei. Das Zimmer war dunkel, das Bett darin alt und braun und breit, und es hing ein frommes Bild an der Wand, es gab eine Kommode mit einer blauen Porzellanschüssel, in der lauwarmes Wasser war, und das Fenster führte in einen Obstgarten. Es gab dieses Zimmer, er wußte es, er brauchte nur in die Stadt zu gehen, es zu suchen, und er würde es finden, dieses Zimmer, ganz gleich wo, er würde es finden, genau dieses Zimmer, in einem Absteigequartier, in einem Hotel, einer Pension, es gab dieses Zimmer, das einen Augenblick lang bestimmt gewesen war, sie beide aufzunehmen diese Nacht – aber sie würden nie in dieses Zimmer kommen: er sah mit schmerzlicher Deutlichkeit den schmutzigen Läufer vor dem Bett und das kleine Fenster, das in den Obstgarten führte, die braune Farbe war abgebröckelt am Fensterkreuz; es war ein reizendes Zimmer mit einem großen braunen und breiten Bett, in dem sie beide fast zusammen gelegen hätten. Aber dieses Zimmer würde nun leer bleiben.

Trotzdem, es gab Augenblicke, in denen er glaubte, daß es noch nicht entschieden sei. Wenn sie keine Jüdin gewesen wäre – es war sehr schwer, in diesem Kriege eine Jüdin zu lieben, ausgerechnet eine Jüdin, aber er liebte sie, er liebte sie sehr, so daß er mit ihr schlafen und auch mit ihr würde sprechen können, sehr lange und sehr oft und immer wieder – und er wußte, daß es nicht viel Frauen gab, mit denen man schlafen gehen und mit denen man auch sprechen konnte. Mit ihr wäre es möglich gewesen – sehr vieles wäre mit ihr möglich gewesen.

Er bestellte noch eine Karaffe Wein. Die Flasche Sprudel hatte er noch nicht aufgemacht. Der Kerl mit der pechschwarzen Zigarre ging hinaus, und er war jetzt allein in der Kneipe mit der ältlichen, blonden Wirtin, die einen mageren Hals hatte, und dem ungarischen Soldaten und seinem Mädchen. Er trank Wein und versuchte, an etwas anderes zu denken. Er dachte an zu Hause – aber er war fast nie zu Hause gewesen. Seitdem er aus der Schule war, war er fast nie zu Hause gewesen; zu Hause hatte er auch Angst – das kleine Nest lag zwischen der Eisenbahn und dem Fluß wie in einer großen Schleife, die Straßen, die dorthin und hindurch führten, waren baumlos, Asphalt, und es gab nur den muffigen, schwülen Schatten der Obstbäume im Sommer. Nicht einmal abends wurde es kühl. Im Herbst war er meistens nach Hause gefahren und hatte bei der Ernte geholfen, weil es ihm Spaß machte: diese großen Gärten voller Obst, große Lastwagen voll, viele Lastwagen voll Birnen und Äpfel und Pflaumen wurden am Rhein vorbei in die großen Städte gefahren; es war schön zu Hause im Herbst, und er verstand sich gut mit seiner Mutter und dem Vater, und es war ihm gleichgültig, als seine Schwester irgendeinen Obstbauern heiratete – aber im Herbst war es schön zu Hause. Im Winter lag das Nest wieder flach und verlassen zwischen Fluß und Eisenbahn in der Kälte, und der schwere süßliche Geruch aus der Marmeladenfabrik zog in tiefen Wolken über die Ebene und benahm einem den Atem. Nein, er war froh, wenn er wieder draußen war. Er baute Häuser und Schulen, Fabriken und Wohnblocks im Auftrag einer großen Firma, auch Kasernen...

Aber es war zwecklos, an diese Dinge denken zu wollen. Er mußte jetzt daran denken, daß er vergessen hatte, sich Ilonas Adresse geben zu lassen – für alle Fälle. Aber er konnte sie erfahren, vom Hausmeister in der Schule oder von ihrer Direktorin, und es gab immerhin noch die Möglichkeit, nach ihr zu forschen, sie zu suchen, sie zu sprechen, sie vielleicht zu besuchen. Aber das alles gehörte zu den sinnlosen Dingen, die man tun mußte, um Gott eine Chance zu geben, man mußte sie unbedingt tun, und es kam vor, daß sie sinnvoll wurden. Schon wenn man zugeben mußte, daß sie sinnvoll werden konnten, erfolgreich, schon wenn man das zugeben mußte, war man verloren. Und man mußte sie immer wieder tun. Suchen und warten – das war die ganze Hoffnung, und sie war schrecklich. Er wußte nicht, was sie mit den ungarischen Juden machten. Er hatte gehört, daß es deswegen Streit gegeben hatte zwischen der ungarischen und deutschen Regierung, aber man konnte nie wissen, was die Deutschen taten. Und er hatte vergessen, sich Ilonas Adresse geben zu lassen. Das Wichtigste, was man im Krieg tun mußte, sich gegenseitig seine Adresse zu geben, das hatten sie vergessen, und für sie war es noch wichtiger, eine Adresse zu haben. Aber das war alles zwecklos: sie würde nicht wiederkommen.

Er wollte lieber an das Zimmer denken, in dem sie zusammen gewesen wären...

Er sah, daß es bald neun wurde: die Stunde war längst um. Der Zeiger der Uhr ging sehr langsam, wenn man auf ihn sah, aber wenn man ihn für einen Augenblick nur aus den Augen ließ, schien er zu springen. Es war neun, und er wartete fast schon einundeinehalbe Stunde hier, er mußte weiter warten, oder er konnte schnell zur Schule laufen und den Hausmeister nach ihrer Adresse fragen und dorthin gehen. Er bestellte noch eine Karaffe Wein und sah, daß die Wirtin zufrieden war.

Um fünf nach neun kam die Streife durch das Lokal. Es war ein Offizier mit einem Landser, einem Obergefreiten, und sie blickten erst nur flüchtig ins Lokal und wollten wieder hinausgehen – er sah sie sehr genau, weil er angefangen hatte, auf die Tür zu starren. Es hatte etwas Wunderbares, auf die Tür zu starren: die Tür war die Hoffnung, aber das einzige, was er sah, war dieser Offizier im Stahlhelm und der Landser hinter ihm, die nur hineinblickten, dann wieder gehen wollten, bis der Offizier ihn plötzlich entdeckt hatte und nun langsam auf ihn zukam. Er wußte, daß es aus war: diese Leute hatten das einzige Mittel, das wirksam war, sie verwalteten den Tod, er gehorchte ihnen aufs Wort. Und tot zu sein, das bedeutete, nichts mehr tun zu können auf dieser Welt, und er hatte vor, noch etwas zu tun auf dieser Welt: er wollte auf Ilona warten, sie suchen und sie lieben – wenn er auch wußte, daß es sinnlos war, er wollte es tun, weil es eine geringe Chance gab, daß es erfolgreich sein könnte. Diese Männer im Stahlhelm hatten den Tod in der Hand, er saß in ihren kleinen Pistolen, ihren ernsten Gesichtern, und wenn sie ihn selbst nicht bemühen wollten, so standen hinter ihnen Tausende, die bereit waren, gern bereit, auch dem Tod eine Chance zu geben, mit Galgen und Maschinenpistolen – sie verwalteten den Tod. Der Offizier sah ihn an, sagte nichts, sondern streckte nur die Hand aus. Der Offizier war müde, gleichgültig fast, er tat alles mechanisch, wahrscheinlich machte es ihm wenig Spaß, aber er tat es, und er tat es konsequent und ernst. Feinhals reichte ihm sein Soldbuch und den Marschbefehl. Der Obergefreite machte Feinhals' Zeichen, daß er aufstehen solle. Feinhals zuckte die Schultern und stand auf. Er sah, daß die Wirtin zitterte und der ungarische Soldat erschrocken war.

»Kommen Sie mit«, sagte der Offizier leise.

»Ich muß noch zahlen«, sagte Feinhals.

»Zahlen Sie vorn.«

Feinhals schnallte sein Koppel um, nahm seine Packtasche und ging zwischen den beiden nach vorn. Die Wirtin nahm das Geld entgegen, und der Obergefreite ging vor und öffnete die Tür. Feinhals ging hinaus: er wußte, daß sie ihm nichts tun konnten; er hätte trotz allem Angst haben können, aber er hatte keine Angst. Draußen war es dunkel, die Läden und Gasthäuser waren erleuchtet, und es sah alles sehr schön und sommerlich aus. Auf der Straße vor der Kneipe stand ein großer roter Möbelwagen: seine hintere Tür war geöffnet, und ein Teil war herabgelassen und lag auf dem groben Pflaster wie eine Rampe. Leute standen auf der Straße und sahen ängstlich zu: vor der Öffnung stand ein Posten, der die Maschinenpistole in der Hand hielt.

»Einsteigen«, sagte der Offizier. Feinhals kletterte über die Rampe in den Wagen hinein, er sah im Dunkeln viele Köpfe, Waffen – aber keiner drinnen sagte ein Wort. Als er ganz drinnen war, merkte er, daß der Wagen voll war.

VI

Der rote Möbelwagen fuhr langsam durch die Stadt; er war dicht verschlossen, die Polstertüren verriegelt, und er trug auf beiden Seiten die schwarze Aufschrift: »Gebr. Göros, Budapest, Transporte aller Art«. Der Wagen hielt nicht mehr. Aus der Luke in der Decke des Wagens sah der Kopf eines Mannes heraus, der aufmerksam die Umgebung musterte, sich manchmal nach unten beugte und etwas zu rufen schien. Der Mann sah beleuchtete Cafés, Eissalons, sommerlich gekleidete Menschen, aber plötzlich wurde seine Aufmerksamkeit durch einen grünen Möbelwagen gefesselt, der sie auf dem breiten Boulevard zu überholen versuchte, aber nicht an ihnen vorbei konnte. Der Fahrer des grünen Möbelwagens war ein Mann in Feldgrau, neben ihm saß ein zweiter Mann in Feldgrau, der eine Maschinenpistole auf dem Schoß hielt, aber die Luke in der Decke des grünen Möbelwagens war mit Stacheldraht dicht zugenagelt. Der Fahrer des grünen Möbelwagens hupte heftig hinter dem roten Möbelwagen her, der sich schwerfällig durch die Stadt schleppte. Erst als sie eine große Kreuzung erreichten, die Straße breiter und offener wurde, konnte sie der grüne Möbelwagen überholen, er fuhr flink an ihnen vorbei, und der Mann, der oben aus der Luke heraussah, beobachtete, wie der grüne Wagen in eine breite Straße schwenkte, die nördlich führen mußte, während der rote Möbelwagen südlich fuhr, fast genau südlich. Das Gesicht des Mannes in der Luke wurde immer ernster. Er war klein und schmal, und sein Gesicht war ältlich, und als der rote Möbelwagen wieder ein Stück weitergefahren war, beugte er den Kopf und brüllte unten in den Wagen hinein: »Es ist ziemlich klar, daß wir aus der Stadt herausfahren, die Häuser stehen nicht mehr so dicht.« Von unten antwortete ihm ein dumpfes Gemurmel, und der rote Möbelwagen fuhr jetzt schneller, schneller, als man ihm zugetraut hätte. Die Straße war leer und dunkel, und zwischen den dichten Ästen der Bäume hing die Luft feucht und schwer und süß, und der Mann oben in der Luke beugte sich herunter und schrie: »Keine Häuser mehr zu sehen, Landstraße – Richtung: südlich.« Das Geheul unten wurde noch stärker, aber der Möbelwagen fuhr noch schneller. Der Mann in der Luke war müde, er hatte eine weite Bahnfahrt hinter sich, und er stand auf den Schultern zweier Männer, die verschieden groß waren, das ermüdete ihn noch mehr, und er hatte keine Lust mehr, aber er war der kleinste und schmalste unten aus dem Wagen, und sie hatten ihn ausgesucht, um zu sehen, was draußen los war. Er sah jetzt lange Zeit nichts. Sehr lange schien es ihm – und als sie unten an seinem Bein rissen und wissen wollten, was los war, sagte er, es sei nichts los, er sehe nur die Bäume der Landstraße und die dunklen Felder. Dann sah er zwei Landser bei einem Krad an der Straße stehen, die Landser leuchteten mit einer Taschenlampe auf einer Landkarte herum. Sie blickten auf, als der große Möbelwagen an ihnen vorbeifuhr. Dann sah der Mann in der Luke wieder eine Zeitlang nichts, bis sie an einer stehenden Panzerkolonne vorbeifuhren. Ein Panzer schien defekt zu sein, jemand lag auf dem Bauch unter ihm, und ein anderer leuchtete mit einer Karbidlampe daran herum. Bauernhäuser glitten sehr schnell an ihnen vorbei, dunkle Bauernhäuser, und links überholte sie eine Lastwagenkolonne, die sehr schnell fuhr; auf den Lastwagen saßen Landser. Hinter den Lastwagen her fuhr ein kleiner, grauer Wagen mit einer Kommandeurflagge. Der Kommandeurwagen fuhr noch schneller als die Lastwagen. An einer Scheune hockten Landser, Infanteristen, die sehr müde zu sein schienen, manche lagen auf der Erde und rauchten. Dann kamen sie durch ein Dorf, und kurz hinter dem Dorf hörte der Mann in der Luke zum ersten Male schießen: es war eine schwere Batterie, die rechts von der Straße stand; große Rohre ragten steil und schwarz in den dunklen blauen Himmel. Das blutige Mündungsfeuer bleckte aus den Rohren und warf einen sanften rötlichen Widerschein auf die Wand einer Scheune. Der Mann erschrak, er hatte noch nie Schießen gehört, und er hatte Angst. Er war magenkrank, sehr schwer magenkrank, hieß Unteroffizier Finck und war Kantinenwirt eines großen Lazaretts bei Linz an der Donau, und es war ihm gleich nicht geheuer gewesen, als der Chef ihn nach Ungarn schickte, um echten Tokaier zu holen, Tokaier und Likör und möglichst viel Sekt. Ausgerechnet nach Ungarn wegen Sekt. Immerhin: er, Finck, war der einzige Mann im Lazarett, von dem man annahm, daß er echten von falschem Tokaier würde unterscheiden können, und letzten Endes: in Tokai mußte es ja echten Tokaier geben. Sein Chef, Oberstabsarzt Ginzler, trank sehr gern echten Tokaier, aber vor allem ging es wohl um seinen Saufkumpan und Skatgenossen, diesen Oberst, der Bressen hieß, zu dem man aber unwillkürlich von Bressen sagte, weil er so vornehm aussah mit seinem schmalen, ernsten Gesicht und dem seltenen Orden am Hals. Er, Finck, hatte eine Kneipe zu Haus, und er kannte die Menschen, und er wußte, daß es nichts als Angabe vom Chef war, daß er ihn losschickte, fünfzig Flaschen echten Tokaier zu holen – irgendeine Wette oder so etwas, zu der dieser Oberst den Chef wahrscheinlich gereizt hatte.

Finck war in Tokai gewesen und hatte dort fünfzig Flaschen Tokaier geholt, echten sogar, sehr zu seinem Erstaunen – er war Wirt, Wirt in einer Weinstadt, und er hatte auch Weinberge, und er wußte, was Wein war. Er traute auch dem Tokaier nicht, den er in Tokai als echten gekauft hatte, einen Koffer und einen Schließkorb voll hatte er davon gekauft. Den Koffer hatte er mitnehmen können, er stand unten im Möbelwagen, aber den Schließkorb hatte er nicht mitnehmen können. In Szentgyörgy hatte er keine Zeit dazu gehabt, sie waren gleich vom Zug aus in den Möbelwagen getrieben worden, kein Protest nützte etwas, kein Hinweis auf Krankheit, der ganze Bahnsteig war abgesperrt gewesen, und es nützte alles nichts, sie mußten in den Möbelwagen hineinmarschieren, der draußen vor dem Bahnhof stand. Manche hatten zu meutern und zu schreien angefangen, aber die Posten schienen stumm und taub zu sein.

Finck hatte Angst um seinen Tokaier – der Chef war ein empfindlicher Mann, was Wein betraf, und er war noch empfindlicher, was das betraf, was er seine Ehre nannte. Es war ziemlich sicher, daß er diesem Oberst sein Wort oder etwas Ähnliches gegeben hatte, daß er am Sonntag mit ihm Tokaier trinken würde. Wahrscheinlich hatte er sogar die Uhrzeit angegeben. Aber es war jetzt schon Donnerstag, wahrscheinlich Freitag früh – es mußte mindestens auf Mitternacht gehen –, und sie fuhren jetzt südlich, ziemlich schnell, und es war aussichtslos, daß er Sonntag mit dem Wein an Ort und Stelle sein würde. Finck hatte Angst, er hatte Angst vor dem Chef und vor dem Oberst. Dieser Oberst gefiel ihm nicht. Er wußte etwas von diesem Oberst, das er noch niemand gesagt hatte und das er niemals jemand würde sagen können, weil niemand es glauben würde, etwas Widerwärtiges, was Finck nie für möglich gehalten hätte. Er, Finck, hatte es selbst gesehen, ganz deutlich – und er wußte, was es für ihn bedeutete, daß der Oberst nicht wußte, daß er es gesehen hatte. Er mußte jeden Tag ein paarmal zu diesem Oberst ins Zimmer, ihm Essen bringen, etwas zu trinken oder Bücher. Und man behandelte den Oberst mit großer Vorsicht. Einmal war er abends zu dem Oberst gegangen, ohne anzuklopfen, da hatte er es gesehen, im Halbdunkel, dieser grauenhafte Ausdruck auf dem Gesicht des blassen Greises – Finck schmeckte das Essen nicht mehr an diesem Abend. Wenn zu Hause ein junger Bursche bei so etwas ertappt wurde, wurde er sofort mit kaltem Wasser übergossen, und es half ...

Sie rissen ihn unten wieder am Bein, und er schrie ihnen hinunter, daß er Kanonen gesehen habe, schießende Kanonen, und das Geheul wurde noch stärker unten. Das Mündungsfeuer der Geschütze, an denen sie vorbeigefahren waren, verschwand immer mehr, und die Abschüsse, die erst gräßlich nah gewesen waren, hörten sich jetzt so fern an wie eben die Einschläge, während sie jetzt immer näher an die Einschläge heranfuhren. Sie fuhren wieder an Panzern vorbei, haltenden Kolonnen – und dann kamen wieder Geschütze, es schienen kleinere zu sein, sie standen neben einem Ziehbrunnen, und ihr Mündungsfeuer beleuchtete scharf und knapp diesen finsteren Galgen. Dann kam wieder eine Zeitlang nichts, bis sie wieder an Kolonnen vorbeifuhren, wieder kam nichts – und dann hörte Finck das Schießen der Maschinengewehre. Sie fuhren genau dorthin, wo die Maschinengewehre schossen.

Und sie hielten plötzlich in einem Dorf. Finck kletterte nach unten und stieg mit den anderen aus. Im Dorf herrschte Durcheinander, überall standen Wagen herum, es wurde gebrüllt, Landser rannten über die Straße, und das Schießen der Maschinengewehre wurde immer lauter. Feinhals ging hinter dem kleinen Unteroffizier her, der oben in der Luke gestanden hatte, der seinen schweren Koffer mitschleppte, so klein war und so gebückt ging, daß der Kolben seines Gewehrs über die Erde schleifte. Feinhals knöpfte seine Tasche am Tragegurt fest, machte einen großen Schritt, um den kleinen Unteroffizier einzuholen: »Gib her«, sagte er, »was ist denn da drin?«

»Wein«, sagte der Kleine keuchend, »Wein für unseren Chef.«

»Laß ihn stehen, Unsinn«, sagte Feinhals, »du kannst doch keinen Koffer voll Wein mit nach vorn schleppen.«

Der Kleine schüttelte eigensinnig den Kopf. Er konnte vor Müdigkeit kaum gehen, er wackelte, schüttelte traurig den Kopf und nickte dankend, als Feinhals nach dem Griff packte. Der Koffer erschien Feinhals unwahrscheinlich schwer.

Das Maschinengewehr rechts hatte aufgehört zu schießen, die Panzer schossen jetzt ins Dorf. Es krachte hinter ihnen von zersplitternden Balken, und ein milder Feuerschein beleuchtete sanft die schmutzige, aufgewühlte Straße.

»Schmeiß doch das Ding weg«, sagte Feinhals, »du bist verrückt.«

Der Unteroffizier antwortete ihm nicht; er schien den Griff noch fester zu packen. Hinter ihnen fing ein zweites Haus an zu brennen.

Plötzlich hielt der Leutnant, der vor ihnen ging, und rief: »Stellt euch nahe ans Haus.« Sie gingen nahe an das Haus, vor dem sie hielten. Der kleine Unteroffizier taumelte gegen die Hauswand und hockte sich auf seinen Koffer. Auch links schoß jetzt das Maschinengewehr nicht mehr. Der Leutnant ging ins Haus und kam gleich wieder mit einem Oberleutnant heraus. Feinhals erkannte den Oberleutnant. Sie mußten sich aufstellen, und Feinhals wußte, daß der Oberleutnant nun in diesem rötlichen Dämmer ihre Orden zu erkennen versuchte. Er selbst hatte einen mehr auf der Brust, jetzt einen richtigen, wenigstens das Band davon, das schwarzweißrot seine Brust zierte. Gott sei Dank, dachte Feinhals, daß er wenigstens diesen Orden hat. Der Oberleutnant sah sie einen Augenblick lächelnd an, sagte dann: »Schön«, lächelte wieder, sagte noch einmal »Schön, nicht wahr?« zu dem Leutnant, der hinter ihm stand. Aber der Leutnant sagte nichts. Sie sahen ihn jetzt genau. Er war klein und blaß, schien nicht mehr sehr jung zu sein, und sein Gesicht war schmutzig und ernst. Er hatte keinen einzigen Orden auf der Brust.

»Herr Brecht«, sagte der Oberleutnant zu ihm, »nehmen Sie zwei Mann zur Verstärkung. Auch Panzerfäuste mit raus. Die anderen schicken wir Undolf – vier denke ich –, den Rest halte ich hier.«

»Zwei«, sagte Brecht, »jawohl, zwei, und Panzerfäuste mitnehmen.«

»Ganz recht«, sagte der Oberleutnant, »Sie wissen, wo die Dinger liegen.«

»Jawohl.«

»Meldung in einer halben Stunde bitte.«

»Jawohl«, sagte der Leutnant.

Er tippte Feinhals und Finck, die als erste dort standen, auf die Brust, sagte: »Kommen Sie«, wandte sich um und ging sofort los. Sie mußten sich beeilen, um ihm beizukommen. Der kleine Unteroffizier schnappte seinen Koffer, Feinhals half ihm, und sie gingen, so schnell sie konnten, hinter dem kleinen Leutnant her. Rechts hinterm Haus bogen sie in eine schmale Gasse ein, die zwischen Hecken und Wiesen ins freie Feld zu führen schien. Dort, wo sie hingingen, war es still, aber hinter ihnen schoß immer noch dieser Panzer regelmäßig ins Dorf, und die kleine Batterie, an der sie zuletzt vorbeigefahren waren, schoß immer noch nach rechts, ungefähr in die Richtung, in die sie jetzt gingen.

Feinhals warf sich plötzlich hin und rief den beiden anderen zu: »Vorsicht.« Es klirrte, als sie den Koffer losließen, und auch der Leutnant vorn warf sich hin. Von vorn, wo sie hinmarschierten, schossen Granatwerfer ins Dorf, sie schossen jetzt schnell hintereinander, es schienen viele zu ein; die Splitter surrten durch die Luft, klatschten gegen die Hauswände, und größere Stücke segelten brummend nicht weit von ihnen vorbei.

»Aufstehen«, rief der Leutnant vorn, »weiter.«

»Moment«, rief Feinhals. Er hatte wieder dieses feine, fast heitere, spröde Klack gehört, und er hatte Angst. Es gab einen ungeheuren Krach, als die Granate in Fincks Koffer schlug – der Deckel des Koffers, der absegelte, verursachte ein wildes Fauchen, schlug zwanzig Meter von ihnen entfernt gegen einen Baum, Scherben rasten wie ein Schwarm irrer Vögel durch die Luft, Feinhals fühlte, wie ihm der Wein in den Nacken spritzte, er duckte sich erschreckt: diese Abschüsse hatte er überhört, es krachte vor ihnen in die Wiese, die oberhalb einer kleinen Böschung lag. Ein Heuschober, der sich schwarz vor dem rötlichen Hintergrund abzeichnete, brach auseinander und fing an zu schwelen, wie Zunder glimmte es in seiner Mitte auf, bleckte sich hoch, bis die Flammen schlugen.

Der Leutnant kam den Hohlweg heruntergekrochen: »Scheiße«, flüsterte er Feinhals zu, »was ist denn hier los?«

»Er hatte Wein im Koffer«, flüsterte Feinhals. »Hallo«, rief er leise zu Finck hinüber – ein dunkler Klumpen, der geduckt neben dem Koffer lag. Nichts rührte sich. »Verflucht«, sagte der Leutnant leise, »er wird doch nicht...«

Feinhals kroch die zwei Schritte an Finck heran, stieß mit dem Kopf gegen seinen Fuß, stützte sich auf den Ellenbogen und zog sich näher. Das Licht aus dem brennenden Heuschober erreichte diese Mulde, die wie ein Hohlweg war, nicht, es war finster in der flachen Ausbuchtung, während die Wiese am Rand schon ganz in rötlichem Licht lag. »Hallo«, sagte Feinhals leise. Er roch den starken süßlichen Dunst einer Weinpfütze, zog die Hände zurück, weil sie in Glassplitter packten, tastete vorsichtig, an den Schuhen anfangend, hoch und war erstaunt, wie klein dieser Unteroffizier war; seine Beine waren kurz, sein Körper mager. »Hallo«, rief er leise, »hallo, Kumpel«, aber Finck antwortete nicht. Der Leutnant war herangekrochen und sagte: »Was ist denn?« Feinhals tastete weiter, bis er in Blut packte – das war kein Wein, er zog die Hand zurück und sagte leise: »Ich glaube, er ist tot. Eine große Wunde im Rücken, ganz naß von Blut, haben Sie 'ne Lampe?«

»Meinen Sie, man könnte...«

»Oder ihn vorn auf die Wiese heben...«

»Wein«, sagte der Leutnant, »einen Koffer Wein... was wollte er damit...«

»Für eine Kantine, glaube ich.«

Finck war nicht schwer. Sie trugen ihn, geduckt gehend, über den Weg, wälzten ihn über die Rasenböschung, bis er oben flach lag, im Licht dunkel und flach. Der Rücken war ganz schwarz von Blut. Feinhals drehte ihn vorsichtig herum – er sah zum erstenmal das Gesicht, es war zart, sehr zart, schmal, noch etwas feucht vom Schweiß, die dichten schwarzen Haare klebten an der Stirn.

»Mein Gott«, sagte Feinhals.

»Was ist?«

»Er hat ihn vorn in die Brust gekriegt. Einen Splitter so groß wie 'ne Faust.«

»In die Brust?«

»Bestimmt – er muß gekniet haben über seinem Koffer.«

»Unvorschriftsmäßig«, sagte der Leutnant, aber der eigene Witz schien ihm nicht zu schmecken. »Nehmen Sie ihm Soldbuch und Erkennungsmarke ab...«

Feinhals knöpfte vorsichtig die blutige Bluse auf, tastete zum Hals hin, bis er ein blutiges Stück Blech in der Hand hielt. Auch das Soldbuch fand er sofort, es war in der linken Brusttasche und schien sauber zu sein.

»Verflucht«, sagte der Leutnant hinter ihm, »ist der Koffer schwer – jetzt noch.« Er hatte ihn über den Weg geschleift und zog auch Fincks Gewehr am Riemen hinter sich her. »Haben Sie die Sachen?«

»Ja«, sagte Feinhals.

»Gehn wir weiter.« Der Leutnant schleppte den Koffer an einer Ecke hinter sich her, bis die Mulde aufhörte und es eben wurde, dann flüsterte er Feinhals zu: »Links hinter die Mauer«, und kroch vor. »Schieben Sie den Koffer nach.« Feinhals schob den Koffer nach und kroch langsam die kleine Steigung hinauf. Hinter der Mauer, die quer zu ihrem Weg verlief, konnten sie sich aufrecht stellen, und sie sahen sich jetzt an. Der Feuerschein aus dem Heuschober war stark genug, daß sie sich erkennen konnten, und sie blickten sich einen Augenblick an. »Wie heißen Sie?« fragte der Leutnant.

»Feinhals.«

»Brecht heiße ich«, sagte der Leutnant. Er lächelte ungeschickt. »Ich muß gestehen, daß ich einen mörderischen Durst habe.« Er beugte sich über den Koffer, zog ihn auf den dichten Rasenstreifen und kippte ihn vorsichtig aus. Es klirrte und klatschte leise. »Menschenskind«, sagte der Leutnant und hob eine unversehrte kleine Flasche auf: »Tokaier«, das Etikett war blutbeschmiert und naß von Wein. Feinhals sah zu, wie der Leutnant vorsichtig die Scherben aussortierte – fünf oder sechs Flaschen schienen noch heil zu sein. Brecht zog sein Taschenmesser und öffnete eine. Er trank. »Wunderbar«, sagte er, als er die Flasche absetzte. »Wollen Sie?«

»Danke«, sagte Feinhals. Er nahm die Flasche und trank einen Schluck, es war ihm zu süß, er gab die Flasche zurück und sagte noch einmal »danke«.

Die Granatwerfer schossen wieder ins Dorf, weiter weg jetzt, und plötzlich schoß wieder ein Maschinengewehr ganz nahe vor ihnen. »Gott sei Dank«, sagte Brecht, »ich dachte schon, sie wären auch futsch.«

Er trank die Flasche leer, ließ sie in den Hohlweg hineinkullern. »Wir müssen links an dieser Mauer vorbei.«

Der Schober brannte jetzt lichterloh, aber die unterste Schicht glimmte nur noch. Funken sprühten.

»Sie sehen ganz vernünftig aus«, sagte der Leutnant.

Feinhals schwieg.

»Ich meine«, sagte der Leutnant und fing an, die zweite Flasche aufzumachen, »ich meine, vernünftig genug, um zu wissen, daß dies ein Scheißkrieg ist.«

Feinhals schwieg.

»Wenn ich sage Scheißkrieg«, sagte der Leutnant, »so meine ich, daß ein Krieg, den man gewinnt, kein Scheißkrieg ist, und dies hier – meine ich – ist ein sehr, sehr schlechter Krieg.«

»Ja«, sagte Feinhals. »Es ist ein sehr, sehr schlechter Krieg.« Das heftige Schießen des Maschinengewehrs so nahe vor ihnen machte ihn nervös.

»Wo ist das MG?« fragte er leise.

»Da, wo diese Mauer zu Ende ist – es ist ein Gutshof – wir stehen jetzt davor – das MG ist dahinter...«

Das Maschinengewehr schoß noch ein paarmal kurze scharfe Feuerstöße, dann schoß es nicht mehr. Dann schoß ein russisches Maschinengewehr, dann hörten sie Gewehrschüsse, und wieder schossen das deutsche und das russische MG zusammen. Und plötzlich war es still.

»Scheiße«, sagte der Leutnant.

Der Schober fing an, in sich zusammenzusacken, die Flammen schlugen nicht mehr hoch, es knisterte leise, und die Dunkelheit fiel tiefer. Der Leutnant hielt Feinhals eine Flasche hin. Feinhals schüttelte den Kopf. »Danke, ist mir zu süß«, sagte er.

»Sind Sie schon lange Infanterist?« fragte der Leutnant.

»Ja«, sagte Feinhals, »vier Jahre.«

»Menschenskind«, sagte der Leutnant, »das Dumme ist, daß ich nicht viel Ahnung von Infanterie habe – nicht praktisch, und es käme mir blöd vor, wenn ich das Gegenteil behaupten würde. Ich habe eine zweijährige Ausbildung als Nachtjäger hinter mir – eben abgeschlossen –, meine Ausbildung hat den Staat einige nette Einfamilienhäuser gekostet, damit ich mir jetzt als Infanterist die Hucke vollmachen lasse, meine Seele aushauche, um nach Walhall zu fahren. Scheiße, nicht wahr?« Er trank wieder. Feinhals schwieg.

»Was macht man praktisch, wenn der Gegner überlegen ist«, fuhr der Leutnant hartnäckig fort. »Vor zwei Tagen waren wir zwanzig Kilometer von hier, und es hieß immer, wir weichen nicht. Aber wir sind gewichen, ich kenne die Vorschrift zu genau, die heißt: der deutsche Infanterist weicht nicht von der Stelle, läßt sich totschlagen – so ähnlich, glaube ich, aber ich bin nicht blind und nicht taub. Ich bitte Sie«, fragte er ernst, »was machen wir?«

»Wahrscheinlich stiftengehen«, sagte Feinhals.

»Ausgezeichnet«, sagte der Leutnant. »Stiftengehen. Ausgezeichnet – stiftengehen«, lachte er leise. »Unser gutes preußisches Reglement hat eine Lücke: Rückzug ist in der Ausbildung gar nicht vorgesehen, deshalb müssen wir ihn praktisch so gut durchüben. Ich glaube, unser Reglement ist das einzige, das nichts von Rückzug enthält, nur hinhaltenden Widerstand, aber diese Brüder lassen sich nicht länger hinhalten. Kommen Sie«, sagte er. Er stopfte sich zwei Flaschen in die Rocktaschen. »Kommen Sie, wir gehen wieder in diesen schönen Krieg. Mein Gott«, sagte er, »schleppte dieser arme Kerl den Wein hierher – dieser arme Kerl...«

Feinhals folgte ihm langsam. Als sie um die Mauerecke bogen, hörten sie, daß Männer ihnen entgegengelaufen kamen. Man hörte die Schritte sehr deutlich, nahe schon. Der Leutnant sprang hinter die Mauerecke zurück, nahm seine Maschinenpistole unter den Arm und flüsterte Feinhals zu: »Ich glaube, es gibt für achtzehn Pfennig Blech an die Brust zu verdienen.« Aber Feinhals sah, daß er zitterte. »Verflucht«, flüsterte der Leutnant, »jetzt wird's ernst, jetzt gibt's Krieg.«

Die Schritte kamen näher, die Männer liefen jetzt nicht mehr.

»Unsinn«, sagte Feinhals leise, »es sind keine Russen.«

Der Leutnant schwieg.

»Ich wüßte nicht, warum die laufen sollten – und so laut...«

Der Leutnant schwieg.

»Es sind Ihre Leute«, sagte Feinhals. Die Schritte waren jetzt ganz nahe.

Obwohl sie an den Umrissen erkannten, daß es Deutsche waren mit ihren Stahlhelmen, die um die Ecke bogen, rief der Leutnant leise: »Halt, Parole.« Die Männer erschraken; Feinhals sah, wie sie stockten und zusammenzuckten. »Scheiße«, sagte einer. »Parole Scheiße.«

»Tannenberg«, sagte eine andere Stimme.

»Verflucht«, sagte der Leutnant, »was wollt ihr hier? Kommt schnell hinter die Mauer. Einer bleibt an der Ecke und horcht.«

Feinhals war erstaunt, wie viele es waren. Er versuchte, sie im Dunkeln zu zählen, es schienen sechs oder sieben zu sein. Sie setzten sich auf den Grasstreifen. »Das ist Wein«, sagte der Leutnant, tastete nach den Flaschen und reichte sie weiter. »Teilt ihn euch.«

»Prinz«, sagte er, »Feldwebel Prinz, was ist los?«

Prinz war der, der an der Ecke stehengeblieben war. Feinhals sah im Dunkeln seine Orden schillern, als er sich umwandte.

»Leutnant«, sagte Prinz, »das ist doch Unsinn hier. Links und rechts sind sie schon an uns vorbei, und Sie wollen mir doch nicht weismachen, daß hier, ausgerechnet hier, an diesem dreckigen Gutshof, ausgerechnet hier, wo unser MG steht, die Front zum

Stehen gebracht werden soll, Leutnant, die Front ist ein paar hundert Kilometer breit und rutscht jetzt schon eine ganze Weile – und ich glaube nicht, daß diese hundertfünfzig Meter hier dazu bestimmt sind, ein Ritterkreuz einzubringen – es ist Zeit, daß wir wegkommen, sonst hängen wir mittendrin, und keine Sau kümmert sich um uns...«

»Irgendwo muß ja nun die Front zum Stehen kommen – seid ihr alle da?«

»Ja«, sagte Prinz, »alle da – ich glaube nicht, daß man mit Urlaubern und Genesenden eine Front zum Stehen bringt. Übrigens, der kleine Genzki ist verwundet – hat einen Durchschuß – Genzki«, rief er leise, »wo bist du?«

Eine schmale Gestalt löste sich von der Mauer.

»Gut«, sagte der Leutnant, »Sie gehen zurück, Feinhals, gehn Sie mit, der Verbandsplatz ist da, wo Ihr Omnibus gehalten hat. Melden Sie dem Chef, daß ich das MG dreißig Meter zurückgenommen habe – und bringen Sie Panzerfäuste mit – geben Sie noch einen Mann mit, Prinz.«

»Wecke«, sagte Prinz, »geh mit. Seid ihr auch mit dem Möbelwagen gekommen?« fragte er Feinhals.

»Ja.«

»Wir auch.«

»Los«, sagte der Leutnant, »gehen Sie, geben Sie das Soldbuch dem Chef ab...«

»Einer tot?« fragte Prinz.

»Ja«, sagte der Leutnant ungeduldig. »Los, gehen Sie.«

Feinhals ging langsam mit den beiden ins Dorf. Jetzt schossen mehrere Panzer vom Süden und Osten hinein. Links vor ihnen, wo die Hauptstraße ins Dorf führte, hörten sie wüstes Geknalle, Schreien, und sie blieben einen Augenblick stehen und sahen sich an.

»Prachtvoll«, sagte der Kleine mit dem verwundeten Arm.

Sie gingen schnell weiter, aber als sie aus dem Hohlweg heraus waren, rief eine Stimme: »Parole?«

»Tannenberg«, brummten sie.
»Brecht? Kampfgruppe Brecht?«
»Ja«, rief Feinhals.
»Zurück! Alles sofort zurück ins Dorf, auf der Hauptstraße sammeln.«

»Lauf zurück«, sagte Wecke zu Feinhals, »lauf du zurück...«
Feinhals lief den Hohlweg hinunter, wieder hinauf und rief auf halber Höhe: »Hallo, Leutnant Brecht!«
»Was ist los?«
»Alles zurück – alles ins Dorf, auf der Hauptstraße sammeln...«

Sie gingen alle zusammen langsam zurück.

Der rote Möbelwagen war schon wieder fast voll. Feinhals kletterte langsam die Rampe hinauf, setzte sich vorn hin, lehnte sich mit dem Rücken an und versuchte zu schlafen. Das wilde Knallen kam ihm irgendwie lächerlich vor – er hörte jetzt, daß es deutsche Panzer waren, die die Straße freizuhalten versuchten. Sie knallten viel zuviel, überhaupt wurde in diesem Krieg mehr geknallt, als notwendig war, aber wahrscheinlich gehörte es zu diesem Krieg. Es waren jetzt alle eingestiegen bis auf einen Major, der Orden verteilte, und die paar Mann, an die er die Orden verteilte. Ein Feldwebel, ein Unteroffizier und drei Landser standen vor dem grauhaarigen kleinen Major, der keine Kopfbedeckung trug und ihnen hastig die Kreuze und die Urkunden überreichte. Zwischendurch schrie er immer wieder: »Dr. Greck – Oberleutnant Dr. Greck.« Dann schrie er: »Brecht, wo ist Leutnant Brecht?« Aus dem Innern des Möbelwagens schrie Brecht: »Jawohl!«, kam dann langsam nach vorn, legte die Hand an die Mütze und rief, vorn auf der Rampe stehend: »Leutnant Brecht, Herr Major.« – »Wo ist Ihr Kompaniechef?« fragte der Major. Der Major sah nicht wütend, aber ärgerlich aus. Die Soldaten, die er ausgezeichnet hatte, erstiegen langsam die Rampe und drückten sich an Brecht vorbei ins Innere.

Und der Major stand ganz allein auf der Dorfstraße mit seinem EK 1 in der Hand, und Brecht machte ein sehr törichtes Gesicht und sagte: »Keine Ahnung, Herr Major. Herr Dr. Greck gab mir soeben noch den Befehl, die Kompanie zur Sammelstelle zu führen, er mußte...«, Brecht schwieg und druckste: »Dr. Greck litt an einer schweren Kolik...«

»Greck!« schrie der Major ins Dorf. »Greck!« er wandte sich kopfschüttelnd ab, sagte zu Brecht: »Ihre Kompanie hat sich ausgezeichnet geschlagen – aber wir müssen raus...«

Ein zweiter deutscher Panzer knallte von der Straße vor ihnen raus nach rechts, und die kleine Batterie hinten schien geschwenkt zu haben, sie schoß dorthin, wo die Panzer hinschossen. Im Dorf brannten jetzt viele Häuser – auch die Kirche, die mitten im Dorf stand und alle Häuser überragte, war erfüllt von einer rötlichen Transparenz. Der Motor des Möbelwagens fing an zu brummen. Der Major stand unschlüssig am Straßenrand und schrie dem Fahrer des Möbelwagens zu: »Abfahren...«

Feinhals schlug das Soldbuch auf und las: »Finck, Gustav, Unteroffizier, Zivilberuf: Gastwirt, Wohnort: Heidesheim...«

Heidesheim, dachte Feinhals – er erschrak. Heidesheim lag drei Kilometer von seiner Heimat entfernt, und er kannte die Gaststube mit dem bräunlich gemalten Schild »Fincks Weinstuben seit 1710«. Er war oft da vorbeigefahren, aber nie eingekehrt – die Tür wurde ihm vor der Nase zugeschlagen, und der rote Möbelwagen fuhr ab.

Greck versuchte immer wieder, aufzustehen und zum Dorfausgang zu laufen, wo man auf ihn wartete, aber er konnte nicht mehr. Wenn er sich erhob, zwang ihn ein bohrender Leibschmerz, den Bauch zu krümmen, und er spürte den Drang, Stuhlgang zu lassen – er hockte sich an die kleine Mauer, die die Jauchegrube einfaßte: der Stuhlgang kam nur in winzigen, kaum eßlöffelgroßen Portionen, während der Drang in seinem gequälten Leib riesengroß war; er konnte nicht richtig sitzen, die einzig erträgliche Position war die, vollkommen gekrümmt dazuhocken und eine geringe Linderung zu spüren, wenn der Stuhlgang in kleinen

Portionen seinen Darm verließ – in diesen Augenblicken schöpfte er Hoffnung, Hoffnung, der Krampf könnte vorüber sein, aber er war nur für diesen Augenblick vorüber. Dieser bohrende Krampf lähmte ihn so, daß er nicht gehen konnte, nicht einmal langsam hätte kriechen können, die einzige Möglichkeit, sich fortzubewegen, wäre die gewesen, sich vornüber fallen zu lassen und mit den Händen sich mühsam vorwärts zu ziehen, aber auch dann wäre er nicht mehr rechtzeitig gekommen. Es waren noch dreihundert Meter bis zur Abfahrtsstelle, und durch das Geknalle hörte er manchmal, wie Major Krenz seinen Namen rief – aber es war ihm jetzt schon fast alles gleichgültig: er hatte Leibschmerzen, sehr, sehr heftige Leibschmerzen. Er hielt sich an der Mauer fest, während sein nacktes Gesäß fror und in seinem Darm sich dieser wühlende Schmerz immer neu bildete wie langsam sich ansammelnder Explosionsstoff, der ungeheuerlich wirken würde, aber dann nur winzig blieb, sich immer wieder ansammelte, immer wieder die endgültige Befreiung zu bringen versprach, sich aber auf die Freigabe eines winzigen Bröckchens Stuhlgang beschränkte...

Die Tränen liefen ihm übers Gesicht: er dachte an nichts mehr, was mit diesem Krieg zu tun hatte, obwohl rings um ihn die Granaten einschlugen und er deutlich hörte, wie die Wagen das Dorf verließen. Sogar die Panzer zogen sich auf die Straße zurück und bewegten sich schießend zur Stadt hin, er hörte alles, es war sehr plastisch, und die Einkreisung des Dorfes stellte sich ihm deutlich dar. Aber der Schmerz in seinem Bauch war größer, näher, wichtiger, ungeheuerlich, und er dachte an diesen Schmerz, der nicht nachließ, ihn lähmte – und in wilder, grinsender Prozession zogen alle Ärzte an ihm vorüber, die er jemals wegen seines schmerzhaften Leidens zu Rate gezogen, angeführt von seinem widerwärtigen Vater, sie kreisten ihn ein, die hoffnungslosen Köpfe, die ihm nie deutlich zu sagen gewagt hatten, daß seine Krankheit einfach auf anhaltenden Nahrungsmangel in seiner Jugend zurückzuführen war.

Eine Granate schlug in die Jauchegrube, eine Welle ergoß sich über ihn und tränkte ihn völlig mit dieser widerlichen Flüssigkeit, er schmeckte sie auf seinen Lippen und weinte heftiger, bis er merkte, daß das Gehöft unter direktem Beschuß der Panzer lag. Die Geschosse pufften haarscharf an ihm vorbei, über ihn hin, unglaublich harte Bälle, die einen ungeheuren Sog verursachten. Scheiben klirrten hinter ihm, Fachwerk spritzte auseinander, und im Hause schrie eine Frau auf, Lehmbrocken und Balkensplitter flogen um ihn herum. Er ließ sich fallen, duckte sich hinter die Mauer, die die Jauchegrube einfaßte, und knöpfte vorsichtig seine Hose zu. Obwohl sein Darm immer noch konvulsivisch winzige Mengen des ungeheuren Schmerzes freigab – er kroch langsam den kleinen abschüssigen Steinweg hinunter, um aus dem Bereich des Hauses zu kommen. Seine Hose war zu. Aber er konnte nicht mehr weiterkriechen, der Schmerz lähmte ihn, er blieb liegen – und für Augenblicke kreiste sein ganzes Leben vor ihm – ein Kaleidoskop unsagbar eintöniger Qualen und Demütigungen. Nur die Tränen erschienen ihm wichtig und wirklich, die heftig über sein Gesicht herab in den Dreck flossen, diesen Dreck, den er auf seinen Lippen schmeckte – Stroh, Jauche, Schmutz und Heu. Er weinte noch, als ein Geschoß den Stützbalken einer Scheunenüberdachung durchschlug und das große hölzerne Gehäuse mit seinen Ballen gepreßten Strohs ihn unter sich begrub.

VII

Der grüne Möbelwagen hatte einen ausgezeichneten Motor. Die beiden Männer vorn im Führerhaus, die sich am Steuerrad abwechselten, sprachen nicht viel miteinander, aber wenn sie miteinander sprachen, sprachen sie fast nur von dem Motor. »Dolles Ding«, sagten sie hin und wieder, schüttelten erstaunt die Köpfe und lauschten gebannt diesem starken, dunklen, sehr regelmäßigen Brummen, in dem kein falscher oder beunruhigender Ton aufkam. Die Nacht war warm und dunkel, und die Straße, auf der sie unentwegt nördlich fuhren, war manchmal verstopft von Heeresfahrzeugen, Pferdefuhrwerken, und es geschah ein paarmal, daß sie plötzlich bremsen mußten, weil sie marschierende Kolonnen zu spät erkannten und fast hineingefahren wären in diese merkwürdige formlose Masse dunkler Gestalten, deren Gesichter sie mit ihren Scheinwerfern anstrahlten. Die Straßen waren schmal, zu schmal, um Möbelwagen, Panzer, marschierende Kolonnen aneinander vorbeizulassen, aber je weiter sie nördlich kamen, um so leerer wurde die Straße, und sie konnten lange Zeit unbehelligt den grünen Möbelwagen auf Höchsttouren laufen lassen: der Lichtkegel ihres Scheinwerfers beleuchtete Bäume und Häuser, schoß manchmal in einer Kurve in ein Feld, ließ scharf und klar die Pflanzen herausspringen, Maisstauden oder Tomaten. Zuletzt blieb die Straße leer, die Männer gähnten nun, und sie hielten irgendwo in einem Dorf auf einer Nebenstraße, um eine Rast zu machen; sie packten ihre Brotbeutel aus, schlürften den heißen und sehr starken Kaffee aus ihren Feldflaschen, öffneten dünne runde Blechbüchsen, aus denen sie Schokolade nahmen, und schmierten sich in aller Ruhe Butterbrote, sie öffneten ihre Butterdosen, rochen am Inhalt, schmierten dick die Butter aufs Brot, bevor sie große Scheiben Wurst darüberwarfen, die Wurst war rot und mit Pfefferkörnern durchsetzt. Die Männer aßen gemütlich. Ihre grauen und müden Gesichter belebten sich, und der eine, der jetzt links saß und zuerst fertig war, zündete sich eine Zigarette an und nahm einen Brief aus der Tasche; er entfaltete ihn und nahm aus den Falten des Papiers ein Foto: das Foto zeigte ein reizendes kleines Mädchen, das mit einem Kaninchen auf einer Wiese spielte. Er hielt das Bild dem hin, der neben ihm saß, und sagte: »Guck mal, nett, nicht wahr – meine Kleine«, er lachte, »ein Urlaubskind.« Der andere antwortete kauend, starrte auf das Bild und murmelte: »Nett – Urlaubskind? – Wie alt ist sie denn?«

»Drei Jahre.«

»Hast du kein Bild von deiner Frau?«

»Doch.« Der links saß, nahm seine Brieftasche heraus – stockte aber plötzlich und sagte:

»Hör mal, die sind wohl verrückt geworden...« Aus dem Inneren des grünen Möbelwagens kamen ein sehr heftiges dunkles Gemurmel und die schrillen Schreie einer Frauenstimme.

»Mach mal Ruhe«, sagte der, der am Steuer saß.

Der andere öffnete die Wagentür und blickte auf die Dorfstraße hinaus – es war warm und dunkel draußen, und die Häuser waren unbeleuchtet, es roch nach Mist, sehr stark nach Kuhmist, und in einem der Häuser bellte ein Hund. Der Mann stieg aus, fluchte leise über den tiefen und weichen Dreck der Dorfstraße und ging langsam um den Wagen herum. Draußen war das Gemurmel nur sehr schwach zu hören, es war eher wie ein sanftes Brummen im Inneren eines Kastens, aber jetzt bellten schon zwei Hunde im Dorf, dann drei, und irgendwo wurde ein Fenster plötzlich hell, und die Silhouette eines Mannes wurde sichtbar. Der Fahrer – er hieß Schröder – hatte keine Lust, die schweren Polstertüren hinten zu öffnen, es schien ihm nicht der Mühe wert, er nahm seine Maschinenpistole und schlug ein paarmal heftig mit dem stählernen Griff gegen die Wand des Möbelwagens, es wurde sofort still. Dann sprang Schröder auf den Reifen, um nachzusehen, ob der Stacheldraht über der verschlossenen Luke noch fest war. Der Stacheldraht war noch fest.

Er ging ins Fahrerhaus zurück: Plorin war mit dem Essen fertig, trank jetzt Kaffee und rauchte und hatte das Bild des dreijährigen Mädchens mit dem Kaninchen vor sich liegen. »Wirklich ein nettes Kind«, sagte er und hob für einen Augenblick seinen Kopf. »Sie sind jetzt still – hast du kein Bild von deiner Frau?«

»Doch.« Schröder nahm jetzt seine Brieftasche wieder heraus, schlug sie auf und entnahm ihr ein zerschlissenes Foto: das Foto zeigte eine kleine, etwas breit gewordene Frau in einem Pelzmantel. Die Frau lächelte töricht, ihr Gesicht war etwas ältlich und müde, und man hätte glauben können, daß die schwarzen Schuhe mit den viel zu hohen Absätzen ihr Schmerzen bereiteten. Ihr dichtes und schweres dunkelblondes Haar lag in Dauerwellen. »Hübsche Frau«, sagte Plorin. – »Fahren wir weiter.«

»Ja«, sagte Schröder, »mach voran.« Er warf noch einen Blick hinaus: es bellten jetzt viele Hunde im Dorf, und viele Fenster waren erleuchtet, und die Leute riefen sich irgend etwas im Dunkeln zu.

»Los«, sagte er und warf die Wagentür fest zu, »mach voran.« Plorin fing an zu schalten, der Motor sprang sofort an; Plorin ließ ihn ein paar Sekunden laufen, gab dann Gas, und langsam schob sich der grüne Möbelwagen auf die Landstraße. »Ganz dolles Ding«, sagte Plorin, »ganz dolles Ding, dieser Motor.«

Das Geräusch des Motors erfüllte das ganze Führerhaus, ihre Ohren waren voll von diesem Summen, aber als sie ein Stück weitergefahren waren, hörten sie doch wieder dieses dunkle Gemurmel aus dem Inneren des Wagens. »Sing etwas«, sagte Plorin zu Schröder.

Schröder sang. Er sang laut und kräftig, nicht sehr schön und nicht ganz richtig, aber mit inniger Teilnahme. Die gefühlvollen Stellen der Lieder sang er besonders innig, und man hätte an manchen Stellen annehmen können, er würde weinen, so gefühlvoll sang er, aber er weinte nicht. Ein Lied, das ihm besonders zu gefallen schien, war »Heidemarie«, es schien sein Lieblingslied zu sein. Er sang fast eine ganze Stunde lang sehr laut, und nach einer Stunde wechselten die beiden ihre Plätze, und jetzt sang Plorin.

»Gut, daß der Alte uns nicht singen hört«, sagte Plorin lachend. Auch Schröder lachte, und Plorin sang wieder. Er sang fast dieselben Lieder, die Schröder gesungen hatte, aber er sang offenbar am liebsten »Graue Kolonnen«, er sang dieses Lied am häufigsten, er sang es langsam, er sang es schnell, und die besonders schönen Stellen, an denen die Trostlosigkeit und Größe des Heldenlebens am deutlichsten herauskommen, diese Stellen sang er besonders langsam und betont und manchmal mehrmals hintereinander. Schröder, der jetzt am Steuer saß, blickte starr auf die Straße, ließ den Wagen auf Höchsttouren laufen und pfiff leise mit. Sie hörten jetzt nichts mehr aus dem Inneren des grünen Möbelwagens.

Es wurde langsam kühl vorn, sie schlugen sich Decken um die Beine und tranken während der Fahrt hin und wieder einen Schluck Kaffee aus ihren Flaschen. Sie hatten aufgehört zu singen, aber im grünen Möbelwagen drin war es jetzt still. Es war überhaupt still; alles schlief draußen, die Landstraße war leer und naß, es schien geregnet zu haben hier, und die Dörfer, durch die sie fuhren, waren wie tot. Sie leuchteten kurz in der Dunkelheit auf, einzelne Häuser, manchmal eine Kirche an der Hauptstraße – für einen Augenblick tauchten sie aus der Dunkelheit hoch und wurden hinter ihnen gelassen.

Morgens gegen vier machten sie die zweite Pause. Sie waren jetzt beide müde, ihre Gesichter grau und schmal und verschmutzt, und sie sprachen kaum noch miteinander; die Stunde, die sie noch zu fahren hatten, kam ihnen unendlich vor. Sie hielten nur kurz an der Straße, wuschen sich mit etwas Schnaps durchs Gesicht, aßen widerwillig ihre Butterbrote und spülten den Rest des Kaffees hinterher. Sie aßen den Rest der erfrischenden Schokolade aus ihren schmalen Blechbüchsen und steckten sich Zigaretten an. Es war ihnen wohler, als sie weiterfuhren, und Schröder, der jetzt wieder am Steuer saß, pfiff leise vor sich hin, während Plorin, in eine Decke eingewickelt, schlief. Im Inneren des grünen Möbelwagens war es ganz still.

Es fing leise an zu regnen, und es dämmerte, als sie von der Hauptstraße abbogen, sich durch die engen Gassen eines Dorfes ins freie Feld wühlten und langsam durch einen Wald zu fahren begannen. Nebel stieg auf, und als der Wagen aus dem Wald herausfuhr, kam eine Wiese, auf der Baracken standen, und wieder kam ein kleiner Wald, eine Wiese, und der Wagen hielt und hupte heftig vor einem großen Tor, das aus Balken und Stacheldraht bestand. Neben dem Tor waren ein schwarzweißrotes Schilderhaus und ein großer Wachtturm, auf dem ein Mann mit Stahlhelm an einem MG stand. Die Tür wurde vom Posten geöffnet, der Posten grinste ins Fahrerhaus hinein, und der grüne Möbelwagen fuhr langsam in die Umzäunung.

Der Fahrer stieß seinen Nachbarn an, sagte zu ihm: »Wir sind da«, und sie öffneten das Fahrerhaus und stiegen mit ihrem Gepäck aus.

Im Walde zwitscherten die Vögel, die Sonne kam im Osten herauf und beleuchtete die grünen Bäume. Sanfter Dunst lag über allem.

Schröder und Plorin gingen müde auf eine Baracke zu, die hinter dem Wachtturm stand. Als sie die paar Stufen zur Baracke hinaufstiegen, sahen sie eine ganze Kolonne abfahrbereiter Wagen auf der Lagerstraße stehen. Im Lager war es still, nichts bewegte sich, nur die Kamine des Krematoriums qualmten heftig.

Der Oberscharführer hockte an einem Tisch und war eingeschlafen. Die beiden Männer grinsten ihn müde an, als er aufschreckte, und sagten: »Wir sind da.«

Er erhob sich, reckte sich und sagte gähnend: »Gut«, er steckte sich schläfrig eine Zigarette an, strich sich durchs Haar, setzte eine Mütze auf, rückte das Koppel gerade und warf einen Blick in den Spiegel und rieb sich den Dreck aus den Augenwinkeln. »Wieviel sind es?« fragte er.

»Siebenundsechzig«, sagte Schröder; er warf einen Packen Papier auf den Tisch.

»Der Rest?«

»Ja – der Rest«, sagte Schröder. »Was gibt's Neues?«

»Wir hauen ab – heute abend.«

»Sicher?«

»Ja – die Luft wird zu heiß.«

»Wohin?«

»Richtung Großdeutschland, Abteilung Ostmark.«

Der Oberscharführer lachte. »Geht schlafen«, sagte er, »es wird wieder eine anstrengende Nacht; wir fahren pünktlich heute abend um sieben.«

»Und das Lager?« fragte Plorin.

Der Scharführer nahm seine Mütze ab, kämmte sich sorgfältig und legte mit der rechten Hand seine Tolle zurecht. Er war ein hübscher Bursche, braunhaarig und schmal. Er seufzte.

»Das Lager«, sagte er, »es gibt kein Lager mehr – bis heute abend wird's kein Lager mehr geben – es ist leer.«

»Leer?« fragte Plorin; er hatte sich gesetzt und strich langsam mit seinem Ärmel über die Maschinenpistole, die feucht geworden war.

»Leer«, sagte der Oberscharführer, er grinste leicht, zuckte die Schultern, »ich sage euch, das Lager ist leer – genügt euch das nicht?«

»Abtransportiert?« fragte Schröder, der schon an der Tür stand.

»Verflucht«, sagte der Scharführer, »laßt mich endlich in Frieden, ich sagte leer, nicht abtransportiert – bis auf den Chor.« Er grinste. »Der Alte ist ja verrückt mit seinem Chor. Paßt auf, er schleppt ihn wieder mit...«

»Ach so«, sagten die beiden zusammen, »ach so...«, und Schröder fügte hinzu: »Der Alte ist wirklich verrückt mit seiner Singerei.« Sie lachten alle drei.

»Also wir gehen«, sagte Plorin, »ich lasse die Kiste stehen, ich kann nicht mehr.«

»Laß sie stehen«, sagte der Oberscharführer. »Willi kann sie wegfahren.«

»Also – wir sind weg...« Die beiden Fahrer gingen hinaus.

Der Oberscharführer nickte und trat ans Fenster und blickte auf den grünen Möbelwagen, der auf der Lagerstraße stand, da, wo die fahrbereite Kolonne anfing. Das Lager war ganz still. Der grüne Möbelwagen wurde erst eine Stunde später geöffnet, als Obersturmführer Filskeit ins Lager kam. Filskeit war schwarzhaarig, mittelgroß, und sein blasses und intelligentes Gesicht strömte ein Fluidum von Keuschheit aus. Er war streng, sah auf Ordnung und duldete keinerlei Unkorrektheit. Er handelte nur nach den Vorschriften. Er nickte, als der Posten ihn grüßte, warf einen Blick auf den grünen Möbelwagen und trat in die Wachstube. Der Oberscharführer grüßte und meldete.

»Wieviel sind es?« fragte Filskeit.

»Siebenundsechzig, Herr Obersturmführer.«

»Schön«, sagte Filskeit, »ich erwarte sie in einer Stunde zum Singen.« Er nickte lässig, verließ die Wachstube wieder und ging über den Lagerplatz. Das Lager war viereckig, ein Quadrat aus vier mal vier Baracken mit einer kleinen Lücke an der Südseite, dort, wo das Tor war. An den Ecken waren Wachttürme. In der Mitte standen Küchenbaracken, eine Klobaracke, und in der einen Ecke des Lagers neben dem südöstlichen Wachtturm war das Bad, neben dem Bad das Krematorium. Das Lager war vollkommen still, nur einer der Posten – es war der auf dem nordöstlichen Wachtturm – sang leise etwas vor sich hin, sonst war vollkommene Stille. Aus der Küchenbaracke stieg jetzt dünner blauer Rauch auf, und aus dem Krematorium kam dicker schwarzer Qualm, der zum Glück südlich abzog; das Krematorium qualmte schon lange in dichten heftigen Schwaden – Filskeit überblickte alles, nickte und ging in seinen Dienstraum, der neben der Küche lag. Er warf seine Mütze auf den Tisch und nickte befriedigt: alles war in Ordnung. Er hätte lächeln können bei diesem Gedanken, aber Filskeit lächelte nie. Er fand das Leben sehr ernst, den Dienst noch ernster, aber am ernstesten die Kunst.

Obersturmführer Filskeit liebte die Kunst, die Musik. Er war mittelgroß, schwarzhaarig, und manche fanden sein blasses, intelligentes Gesicht schön, aber das kantige und zu große Kinn zog den zarten Teil seines Gesichts zu sehr nach unten und gab seinem intelligenten Gesicht den Ausdruck einer ebenso erschreckenden wie überraschenden Brutalität.

Filskeit war früher einmal Musikstudent gewesen, aber er liebte die Musik zu sehr, um jene Spur von Nüchternheit aufzubringen, die dem Professional nicht fehlen darf: er wurde Bankbeamter und blieb ein leidenschaftlicher Liebhaber der Musik. Sein Steckenpferd war der Chorgesang.

Er war ein fleißiger und ehrgeiziger Mensch, sehr zuverlässig, und er hatte es als Bankbeamter sehr bald zum Abteilungsleiter gebracht. Aber seine wirkliche Leidenschaft galt der Musik, dem Chorgesang. Zuerst dem reinen Männergesang.

In einer Zeit, die schon sehr lange zurücklag, war er Chorleiter des MGV Concordia gewesen, damals war er achtundzwanzig, aber das war fünfzehn Jahre her – und man hatte ihn zum Chorleiter erwählt, obwohl er Laie war. Man hätte keinen Berufsmusiker finden können, der leidenschaftlicher und genauer die Ziele des Vereins gefördert hätte. Es war faszinierend, sein blasses, leise zuckendes Gesicht zu sehen und seine schmalen Hände, wenn er den Chor dirigierte. Die Sangesbrüder fürchteten ihn wegen seiner Genauigkeit, kein falscher Ton entging ihm, er brach in Raserei aus, wenn jemandem eine Schlampigkeit unterlief, und es war eine Zeit gekommen, in der diese biederen und braven Sänger seiner Strenge und seines unermüdlichen Fleißes überdrüssig wurden und einen anderen Chorleiter wählten. Gleichzeitig hatte er den Kirchenchor seiner Pfarre geleitet, obwohl die Liturgie ihm nicht zusagte. Aber damals hatte er nach jeder Möglichkeit gegriffen, einen Chor unter seine Hände zu bekommen. Der Pfarrer wurde im Volk der »Heilige« genannt, es war ein milder, etwas törichter Mann, der gelegentlich sehr streng aussehen konnte: weißhaarig schon und alt, und von Musik verstand er nichts. Aber er wohnte immer den Chorproben bei, und manchmal lächelte er leise, und Filskeit haßte dieses Lächeln: es war das Lächeln der Liebe, einer mitleidigen, schmerzlichen Liebe. Auch wurde manchmal das Gesicht des Pfarrers streng, und Filskeit fühlte, wie sein Widerwille gegen die Liturgie gleichzeitig mit seinem Haß gegen dieses Lächeln stieg. Dies Lächeln des

»Heiligen« schien zu sagen: zwecklos – zwecklos – aber ich liebe dich. Er wollte nicht geliebt werden, und er haßte diese kirchlichen Gesänge und das Lächeln des Pfarrers immer mehr, und als die Concordia ihn wegschickte, verließ er den Kirchenchor. Er dachte oft an dieses Lächeln, diese schemenhafte Strenge und diesen »jüdischen« Liebesblick, wie er es nannte, der ihm zugleich nüchtern und liebevoll erschien, und es bohrte in seiner Brust von Haß und Qual ...

Nachfolger wurde ein Studienrat, der gern gute Zigarren rauchte, Bier trank und sich schmutzige Witze erzählen ließ. All dies hatte Filskeit verabscheut: er rauchte nicht, trank nicht und hatte für Frauen nichts übrig.

Angezogen vom Rassegedanken, der seinen geheimen Idealen entsprach, trat er bald darauf in die Hitler-Jugend ein, avancierte dort schnell zum Singleiter eines Gebietes, schuf Chöre, Sprechchöre und entdeckte seine Liebhaberei: den gemischten Chor. Wenn er zu Hause war – er hatte ein schlichtes, kasernenmäßig eingerichtetes Zimmer in einer Vorstadt von Düsseldorf –, widmete er sich der Chorliteratur und allen Schriften über den Rassegedanken, die er bekommen konnte. Das Ergebnis dieses langen und eingehenden Studiums war eine eigene Schrift, die er »Wechselbeziehungen zwischen Chor und Rasse« nannte. Er reichte sie einer staatlichen Musikhochschule ein und bekam sie, mit einigen ironischen Randbemerkungen versehen, zurück. Erst später erfuhr Filskeit, daß der Direktor dieser Schule Neumann hieß und Jude war.

1933 verließ er endgültig den Bankdienst, um sich ganz seinen musikalischen Aufgaben innerhalb der Partei zu widmen. Seine Schrift wurde von einer Musikschule positiv begutachtet und nach einigen Kürzungen in einer Fachzeitschrift abgedruckt. Er hatte den Rang eines Oberbannführers der Hitler-Jugend, betreute aber auch die SA und die SS, er war Spezialist für Sprechchor, Männerchor und gemischten Chor. Seine Führereigenschaften waren unbestritten. Als der Krieg ausbrach, sträubte er sich, unabkömmlich gestellt zu werden, bewarb sich mehrmals bei den Totenkopfverbänden und wurde zweimal nicht angenommen, weil er schwarzhaarig war, zu klein und offenbar dem pyknischen Typus angehörte. Niemand wußte, daß er oft stundenlang verzweifelt zu Hause vor dem Spiegel stand und sah, was nicht zu übersehen war: er gehörte nicht dieser Rasse an, die er glühend verehrte und der Lohengrin angehört hatte.

Aber bei seiner dritten Meldung nahmen die Totenkopfverbände ihn an, weil er ausgezeichnete Zeugnisse von allen Parteiorganisationen vorlegte.

In den ersten Kriegsjahren litt er unter seinem musikalischen Ruf sehr: statt an die Front wurde er auf Kurse geschickt, später Kursusleiter und dann Leiter eines Kursus für Kursusleiter, er leitete die gesangliche Ausbildung ganzer SS-Armeen, und eine seiner Meisterleistungen war ein Chor von Legionären, die dreizehn verschiedenen Nationen und achtzehn verschiedenen Sprachen angehörten, aber in ausgezeichneter gesanglicher Übereinstimmung eine Chorpartie aus dem »Tannhäuser« sangen. Er bekam später das Kriegsverdienstkreuz erster Klasse, eine der seltensten Auszeichnungen in der Armee, aber erst als er sich zum zwanzigsten Male freiwillig für den Truppendienst meldete, wurde er zu einem Kursus abkommandiert und kam endlich an die Front: er bekam ein kleines Konzentrationslager in Deutschland 1943, und endlich 1944 wurde er Kommandant eines Gettos in Ungarn, und später, als dieses Getto wegen des Heranrückens der Russen geräumt werden mußte, bekam er dieses kleine Lager im Norden.

Es war sein Ehrgeiz, alle Befehle korrekt auszuführen. Er hatte bald entdeckt, welche ungeheure musikalische Kapazität in den Häftlingen steckte: das überraschte ihn bei Juden, und er wandte das Auswahlprinzip in der Weise an, daß er jeden Neuankömmling zum Vorsingen bestellte und seine gesangliche Leistung auf der Karteikarte mit Noten versah, die zwischen null und zehn lagen. Null bekamen nur wenige – sie kamen sofort in den Lagerchor, und wer zehn hatte, hatte wenig Aussicht, länger als zwei Tage am Leben zu bleiben. Wenn er Transporte abstellen mußte, wählte er die Häftlinge so aus, daß er immer einen Stamm an guten Sängern und Sängerinnen behielt und sein Chor immer vollzählig blieb. Auf diesen Chor, den er selbst mit einer Strenge leitete, die noch aus der Zeit des MGV Concordia stammte, auf diesen Chor war er stolz. Er hätte mit diesem Chor jede Konkurrenz bezwungen, aber leider blieben die einzigen Zuhörer die sterbenden Häftlinge und die Wachmannschaften.

Aber Befehle waren ihm heiliger als selbst die Musik, und es waren in der letzten Zeit viele Befehle gekommen, die seinen Chor geschwächt hatten: die Gettos und Lager in Ungarn wurden geräumt, und weil die großen Lager, in die er früher Juden geschickt hatte, nicht mehr existierten und sein kleines Lager keinen Bahnanschluß hatte, mußte er sie alle im Lager töten, aber es blieben auch jetzt noch Kommandos genug – Küche und Krematorium und Badeanstalt –, Kommandos genug, um wenigstens die ausgezeichneten Sänger sicherzustellen.

Filskeit tötete nicht gern. Er selbst hatte noch nie getötet, und das war eine seiner Enttäuschungen: er konnte es nicht. Er sah ein, daß es notwendig war, und bewunderte die Befehle, die er strikte ausführen ließ; es kam wohl nicht darauf an, daß man die Befehle gern ausführte, sondern daß man ihre Notwendigkeit einsah, sie ehrte und sie ausführte ...

Filskeit trat ans Fenster und blickte hinaus: hinter dem grünen Möbelwagen waren zwei Lastwagen vorgefahren, die Fahrer waren eben abgestiegen und stiegen müde die Stufen zur Wachstube hinauf.

Hauptscharführer Blauert kam mit fünf Mann durchs Tor und öffnete die großen, schweren Polstertüren des Möbelwagens: die Leute drinnen schrien – das Tageslicht schmerzte ihren Augen –, sie schrien lange und laut, und die jetzt absprangen, taumelten dorthin, wo Blauert sie hinwies.

Die erste war eine junge Frau in grünem Mantel und dunklem

Haar; sie war schmutzig, und ihr Kleid schien zerrissen zu sein, sie hielt ängstlich ihren Mantel zu und hatte ein zwölf- oder dreizehnjähriges Mädchen am Arm. Die beiden hatten kein Gepäck.

Die Leute, die aus dem Wagen taumelten, stellten sich auf dem Appellplatz auf, und Filskeit zählte sie leise mit: es waren einundsechzig Männer, Frauen und Kinder, sehr verschieden in Kleidung, Haltung und Alter. Aus dem grünen Möbelwagen kam nichts mehr – sechs schienen tot zu sein. Der grüne Möbelwagen fuhr langsam an und hielt oben vor dem Krematorium. Filskeit nickte befriedigt: sechs Leichen wurden dort abgeladen und in die Baracke geschleppt.

Das Gepäck der Ausgeladenen wurde vor der Wachstube gestapelt. Auch die beiden Lastwagen wurden entladen: Filskeit zählte die Fünferreihen, die sich langsam füllten: es waren neunundzwanzig Fünferreihen. Hauptscharführer Blauert sagte durchs Megaphon: »Alle herhören! Sie befinden sich in einem Durchgangslager. Ihr Aufenthalt hier wird sehr kurz sein. Sie werden einzeln zur Häftlingskartei gehen, dann zum Herrn Lagerkommandanten, der Sie einer persönlichen Prüfung unterziehen wird – später müssen alle zum Bad und zur Entlausung, dann wird es für alle heißen Kaffee geben. Wer den geringsten Widerstand leistet, wird sofort erschossen.« Er zeigte auf die Wachttürme, deren MG jetzt auf den Appellplatz geschwenkt hatten, und auf die fünf Mann, die mit entsicherten Maschinenpistolen hinter ihm standen.

Filskeit ging ungeduldig hinter seinem Fenster auf und ab. Er hatte einige blonde Juden entdeckt. Es gab viele blonde Juden in Ungarn. Filskeit liebte sie noch weniger als die dunklen, obwohl Exemplare darunter waren, die jedes Bilderbuch der nordischen Rasse hätten schmücken können.

Er sah, wie die erste Frau, diese in dem grünen Mantel und dem zerrissenen Kleid, in die Baracke trat, wo die Kartei war, und er setzte sich und legte seine entsicherte Pistole neben sich auf den

Tisch. In wenigen Minuten würde sie hier sein und ihm vorsingen.

Ilona wartete schon seit zehn Stunden auf die Angst. Aber die Angst kam nicht. Sie hatte viele Dinge über sich ergehen lassen müssen und empfunden in diesen zehn Stunden: Ekel und Entsetzen, Hunger und Durst, Atemnot und Verzweiflung, als das Licht sie traf, und eine merkwürdig kühle Art von Glück, wenn es für Minuten oder Viertelstunden gelang, allein zu sein – aber auf die Angst hatte sie vergeblich gewartet. Die Angst kam nicht. Diese Welt, in der sie seit zehn Stunden lebte, war gespenstisch, so gespenstisch wie die Wirklichkeit – gespenstisch wie die Dinge, die sie davon gehört hatte. Aber davon zu hören, hatte ihr mehr Angst gemacht, als nun darin zu sein. Sie hatte nicht mehr viel Wünsche, einer dieser Wünsche war, allein zu sein, um wirklich beten zu können.

Sie hatte sich ihr Leben ganz anders vorgestellt. Es war bisher sauber und schön verlaufen, planmäßig, ziemlich genau so, wie sie es sich vorgestellt hatte – auch, wenn sich ihre Pläne als falsch herausgestellt hatten –, aber dies hier hatte sie nicht erwartet. Sie hatte damit gerechnet, davon verschont zu bleiben.

Wenn alles gut ging, war sie in einer halben Stunde tot. Sie hatte Glück, sie war die erste. Sie wußte wohl, was es für Badeanstalten waren, von denen dieser Mensch gesprochen hatte, sie hatte damit zu rechnen, zehn Minuten Todesqualen auszustehen, aber das schien ihr noch so weit entfernt, daß auch das ihr keine Angst machte. Auch im Auto hatte sie viele Dinge erduldet, die sie persönlich betrafen, aber nicht in sie drangen. Jemand hatte sie zu vergewaltigen versucht, ein Kerl, dessen Geilheit sie im Dunkeln roch und den sie vergebens jetzt wiederzuerkennen versuchte. Ein anderer hatte sie vor ihm geschützt, ein älterer Mann, der ihr später zugeflüstert hatte, er sei wegen einer Hose verhaftet worden, wegen einer einzigen Hose, die er einem Offizier abgekauft hatte; aber auch diesen hatte sie jetzt nicht wiedererkannt. Der andere Kerl hatte ihre Brüste im Dunkeln gesucht, ihr Kleid zerrissen und sie in den Nacken geküßt – aber zum Glück hatte der andere sie von ihm getrennt. Auch den Kuchen hatte man ihr aus der Hand geschlagen, dieses kleine Paket, das einzige, was sie mitgenommen hatte – es war auf den Boden gefallen, und im Dunkeln, auf der Erde herumtastend, hatte sie nur noch einige Teigbrocken erwischt, die mit Schmutz und Butterkrem durchsetzt waren. Mit Maria zusammen hatte sie sie gegessen – ein Teil des Kuchens war in ihrer Manteltasche zerquetscht worden – aber Stunden später hatte sie gefunden, daß er wunderbar schmeckte, sie zog kleine klebrige Klumpen aus der Tasche, gab dem Kind davon und aß selbst, und sie fand, daß er wunderbar schmeckte, dieser zerdrückte schmutzige Kuchen, den sie restlos aus ihrer Manteltasche herauskratzte. Einige hatten sich das Leben genommen, sie verbluteten fast lautlos, seltsam keuchend und stöhnend in der Ecke, bis ihre Nachbarn in dem ausfließenden Blut ausglitten und irrsinnig schrien. Aber sie hatten aufgehört zu schreien, als der Posten gegen die Wand klopfte – es klang drohend und schrecklich, dieses Pochen, es konnte kein Mensch sein, der klopfte, sie waren schon lange nicht mehr unter Menschen...

Sie wartete auch vergebens auf die Reue; es war sinnlos gewesen, daß sie sich von diesem Soldaten trennte, den sie sehr gern hatte, dessen Namen sie nicht einmal genau wußte, es war vollkommen sinnlos. Die Wohnung der Eltern war schon leer, und sie fand dort nur das verwirrte und erschreckte Kind ihrer Schwester, die kleine Maria, die aus der Schule gekommen war und die Wohnung leer gefunden hatte. Die Eltern und Großeltern waren schon weg – Nachbarn erzählten, daß sie mittags schon abgeholt worden seien. Und es war sinnlos, daß sie dann ins Getto liefen, um dort die Eltern und Großeltern zu suchen: sie betraten es wie immer durch die Hinterzimmer eines Friseurgeschäftes und rannten durch die leeren Straßen und kamen gerade recht, um in diesen Möbelwagen gepackt zu werden, der abfahrbereit dort stand und in dem sie die Angehörigen zu finden hofften. Sie fanden Eltern und Großeltern nicht, sie waren nicht in diesem Wagen. Ilona fand es erstaunlich, daß niemand von den Nachbarn auf die Idee gekommen war, in die Schule zu laufen und sie zu warnen, aber auch Maria war nicht auf die Idee gekommen. Es hätte wahrscheinlich auch nichts genützt, wenn jemand sie gewarnt hätte... Im Auto hatte ihr jemand eine brennende Zigarette in den Mund gesteckt, später erfuhr sie, daß es der Mann war, der wegen der Hose mitgenommen worden war. Es war die erste Zigarette, die sie rauchte, und sie fand, daß es sehr erfrischend und sehr wohltuend war. Sie wußte nicht, wie ihr Wohltäter hieß, niemand gab sich zu erkennen, weder dieser keuchende, geile Bursche noch ihr Wohltäter, und wenn ein Streichholz aufflammte, schienen die Gesichter alle gleich zu sein: entsetzliche Gesichter voller Angst und Haß.

Aber sie hatte auch lange Zeit beten können: im Kloster hatte sie alle Gebete, alle Litaneien und große Teile der Liturgie hoher Festtage auswendig gelernt, und sie war jetzt froh, sie zu kennen. Zu beten erfüllte sie mit einer kühlen Heiterkeit. Sie betete nicht, um irgend etwas zu bekommen oder von irgend etwas verschont zu werden, nicht um einen schnellen, schmerzlosen Tod oder um ihr Leben, sie betete einfach, und sie war froh, als sie sich hinten an die Polstertür lehnen konnte und wenigstens am Rücken allein war – erst hatte sie umgekehrt gestanden, mit dem Rücken in die Masse hinein, und als sie müde war und sich fallen ließ, einfach nach hinten, hatte ihr Körper wohl in dem Mann, auf den sie fiel, diese tolle Begierde erweckt, die sie erschreckte, aber nicht kränkte – fast im Gegenteil, sie spürte etwas, wie wenn sie teil an ihm hätte, an diesem Unbekannten...

Sie war froh, als sie frei stand, wenigstens mit dem Rücken allein gegen dieses Polster, das für die Schonung guter Möbel gedacht war. Sie hielt Maria fest an sich gedrückt und war froh, daß das Kind schlief. Sie versuchte, mit der gleichen Andacht zu beten wie sonst, aber es gelang ihr nicht, es blieb wie ein kühles gedankliches Meditieren. Sie hatte sich ihr Leben ganz anders vorgestellt: mit dreiundzwanzig hatte sie ihr Staatsexamen gemacht, dann war sie ins Kloster gegangen – die Verwandten waren enttäuscht, aber billigten ihren Entschluß. Sie war ein ganzes Jahr im Kloster gewesen, es war eine schöne Zeit, und wenn sie wirklich Nonne geworden wäre, wäre sie jetzt Schulschwester in Argentinien, in einem sehr schönen Kloster gewiß; aber sie war nicht Nonne geworden, der Wunsch zu heiraten und Kinder zu haben war so stark in ihr, daß er auch nach einem Jahr nicht überwunden war – und sie war in die Welt zurückgekehrt. Sie wurde eine sehr erfolgreiche Lehrerin, und sie war es gern, sie liebte ihre beiden Fächer Deutsch und Musik sehr und hatte die Kinder gern, sie konnte sich kaum etwas Schöneres denken als einen Kinderchor, sie war sehr erfolgreich mit ihrem Kinderchor, den sie in der Schule gründete, und die Gesänge der Kinder, diese lateinischen Gesänge, die sie zu den Festen einübte, hatten eine wirklich engelhafte Neutralität – eine freie innere Freude war es, aus der heraus die Kinder sangen, Worte sangen, die sie nicht verstanden und die schön waren. Das Leben erschien ihr schön – lange Zeit, fast immer. Was sie schmerzte, war nur dieser Wunsch nach Zärtlichkeit und Kindern, es schmerzte sie, weil sie niemanden fand; es gab viele Männer, die sich für sie interessierten, manche gestanden ihr auch ihre Liebe, und von einigen ließ sie sich küssen, aber sie wartete auf etwas, das sie nicht hätte beschreiben können, sie nannte es nicht Liebe – es gab viele Arten von Liebe, eher hätte sie es Überraschung nennen mögen, und sie hatte geglaubt, diese Überraschung zu spüren, als der Soldat, dessen Namen sie nicht kannte, neben ihr an der Landkarte stand und die Fähnchen einsteckte. Sie wußte, daß er in sie verliebt war, er kam schon zwei Tage lang für Stunden zu ihr und plauderte mit ihr, und sie fand ihn nett, obwohl seine Uniform sie etwas beunruhigte und erschreckte, aber plötzlich, in diesen paar Minuten, als sie neben ihm stand, er sie vergessen zu haben schien, hatten sein ernstes und schmerzliches Gesicht und seine Hände, mit denen er die Karte von Europa absuchte, sie überrascht, sie hatte Freude empfunden und hätte singen können. Er war der erste, den sie wiederküßte ...

Sie ging langsam die Stufen zur Baracke hinauf und zog Maria hinter sich her; erstaunt blickte sie auf, als der Posten ihr die Mündung der Maschinenpistole in die Seite stieß und schrie: »Schneller – schneller.« Sie ging schneller. Drinnen saßen drei Schreiber an den Tischen: große Packen Karteikarten lagen vor ihnen, die Karten waren so groß wie Deckel von Zigarrenkisten. Sie wurde zum ersten Tisch gestoßen, Maria zum zweiten, und an den dritten Tisch kam ein alter Mann, der zerlumpt und unrasiert war und ihr flüchtig zulächelte, sie lächelte zurück; es schien ihr Wohltäter zu sein.

Sie nannte ihren Namen, ihren Beruf, ihr Geburtsdatum und ihre Religion und war erstaunt, als der Schreiber sie nach ihrem Alter fragte. »Dreiundzwanzig«, sagte sie.

Noch eine halbe Stunde, dachte sie. Vielleicht würde sie doch Gelegenheit haben, noch ein wenig allein zu sein. Sie war erstaunt, wie gelassen es in dieser Verwaltung des Todes zuging. Alles ging mechanisch, etwas gereizt, ungeduldig: diese Menschen taten ihre Arbeit mit der gleichen Mißlaune, wie sie jede andere Büroarbeit getan hätten, sie erfüllten lediglich eine Pflicht, eine Pflicht, die ihnen lästig war, die sie aber erfüllten. Man tat ihr nichts, sie wartete immer noch auf die Angst, vor der sie sich gefürchtet hatte. Sie hatte damals große Angst gehabt, als sie aus dem Kloster zurückkam, große Angst, als sie mit dem Koffer zur Straßenbahn ging und mit ihren nassen Fingern das Geld umklammert hielt: diese Welt war ihr fremd und häßlich vorgekommen, in die sie sich zurückgesehnt hatte, um einen Mann und Kinder zu haben – eine Reihe von Freuden, die sie im Kloster nicht finden konnte und die sie jetzt, als sie zur Straßenbahn ging, nicht mehr zu finden hoffte, aber sie schämte sich sehr, schämte sich dieser Angst ...

Als sie zur zweiten Baracke ging, suchte sie in den Reihen der Wartenden nach Bekannten, aber sie entdeckte keinen, sie stieg die Stufen hinauf, der Posten winkte ihr ungeduldig, einzutreten, als sie vor der Tür zögerte, und sie trat ein und zog Maria hinter sich her: das schien verkehrt zu sein, zum zweiten Male entdeckte sie Brutalität, als der Posten das Kind von ihr wegriß und es, als es sich sträubte, an den Haaren zog. Sie hörte Maria schreien und trat mit ihrer Karteikarte ins Zimmer. Im Zimmer war nur ein Mann, der die Uniform eines Offiziers trug; er hatte einen sehr eindrucksvollen schmalen, silbernen Orden in Kreuzform auf der Brust, sein Gesicht sah blaß und leidend aus, und als er den Kopf hob, um sie anzusehen, erschrak sie über sein schweres Kinn, das ihn fast entstellte. Er streckte stumm die Hand aus, sie gab ihm die Karte und wartete: noch immer keine Angst. Der Mann las die Karte durch, sah sie an und sagte ruhig: »Singen Sie etwas.«

Sie stutzte. »Los«, sagte er ungeduldig, »singen Sie etwas – ganz gleich was...«

Sie sah ihn an und öffnete den Mund. Sie sang die Allerheiligenlitanei nach einer Vertonung, die sie erst kürzlich entdeckt und herausgelegt hatte, um sie mit den Kindern einzustudieren. Sie sah den Mann während des Singens genau an, und nun wußte sie plötzlich, was Angst war, als er aufstand und sie anblickte.

Sie sang weiter, während das Gesicht vor ihr sich verzerrte wie ein schreckliches Gewächs, das einen Krampf zu bekommen schien. Sie sang schön, und sie wußte nicht, daß sie lächelte, trotz der Angst, die langsam höher stieg und ihr wie zum Erbrechen im Hals saß...

Seitdem sie angefangen hatte zu singen, war es still geworden, auch draußen, Filskeit starrte sie an: sie war schön – eine Frau – er hatte noch nie eine Frau gehabt – sein Leben war in tödlicher Keuschheit verlaufen – hatte sich, wenn er allein war, oft vor dem Spiegel abgespielt, in dem er vergebens Schönheit und Größe und rassische Vollendung suchte – hier war es: Schönheit und Größe und rassische Vollendung, verbunden mit etwas, das ihn vollkommen lähmte: Glauben. Er begriff nicht, daß er sie weitersingen ließ, noch über die Antiphon hinaus – vielleicht träumte er – und in ihrem Blick, obwohl er sah, daß sie zitterte – in ihrem Blick war etwas fast wie Liebe – oder war es Spott – Fili, Redemptor mundi, Deus, sang sie – er hatte noch nie eine Frau so singen hören.

Spiritus Sancte, Deus – kräftig war ihre Stimme, warm und von unglaublicher Klarheit. Offenbar träumte er – jetzt würde sie singen: Sancta Trinitas, unus Deus – er kannte es noch – und sie sang es:

Sancta Trinitas – Katholische Juden? dachte er – ich werde wahnsinnig. Er rannte ans Fenster und riß es auf: draußen standen sie und hörten zu, keiner rührte sich. Filskeit spürte, daß er zuckte, er versuchte zu schreien, aber aus seinem Hals kam nur ein heiseres tonloses Fauchen, und von draußen kam diese atemlose Stille, während die Frau weitersang:

Sancta Dei Genitrix... er nahm mit zitternden Fingern seine Pistole, wandte sich um, schoß blindlings auf die Frau, die stürzte und zu schreien anfing – jetzt fand er seine Stimme wieder, nachdem die ihre nicht mehr sang. »Umlegen«, schrie er, »alle umlegen, verflucht – auch den Chor – raus mit ihm – raus aus der Baracke –«, er schoß sein ganzes Magazin leer auf die Frau, die am Boden lag und unter Qualen ihre Angst erbrach...

Draußen fing die Metzelei an.

VIII

Frau Susan beobachtete den Krieg jetzt schon drei Jahre. Damals waren zuerst deutsche Soldaten und Militärautos gekommen, auch Reiterei – sie zogen über die Brücke in diesem staubigen Herbst und bewegten sich auf die Pässe zu, die ins Polnische führten. Das hatte richtig nach Krieg ausgesehen, schmutzige

Soldaten, müde Offiziere auf Pferden und Motorrädern, die hin und her fuhren, einen ganzen Nachmittag lang Krieg, mit gewissen Pausen: fast ein schönes Bild – und die Soldaten waren über die Brücke marschiert, die Autos ihnen vorangefahren, hinterdrein und vorneweg die Motorräder, und Frau Susan hatte sie nie mehr wiedergesehen.

Danach war es wieder ruhiger geworden: nur hin und wieder kam ein deutscher Militärlastwagen, der über die Brücke fuhr, drüben in den Wäldern verschwand, und dessen Motorengeräusch sie noch lange hörte in der Stille, wenn er drüben den Berg hinauffuhr, mühsam fauchend, ächzend, mit gewissen Pausen dazwischen – eine lange Zeit –, bis er über dem Kamm verschwunden zu sein schien. Sie dachte daran, daß die Autos an ihrem Heimatdorf vorbeifuhren, dort oben, wo sie ihre Kindheit verbracht hatte, den Sommer auf den Weideplätzen und den Winter am Spinnrocken – sehr hoch oben, ganz allein, im Sommer auf diesen mageren felsigen Wiesen. Sie hatte sich oft stundenlang über den Grat gebeugt, um zu sehen, ob sich etwas die Straße hinauf- oder hinabbewege. Aber damals hatte es hier noch keine Autos gegeben, nur selten kam ein Fuhrwerk, meistens waren es Zigeuner oder Juden, die ins Polnische hinübermachten. Sehr viel später erst, als sie schon lange weg war, war die Eisenbahn gelegt worden, die über die Brücke bei Szarny fuhr und genau durch das Tal lief, in das sie früher von den Weideplätzen hintergesehen hatte. Sie war lange nicht mehr oben gewesen, fast zehn Jahre, und sie horchte den Autos nach, solange sie sie hören konnte – und sie hörte sie noch, wenn sie über den Kamm schon weg waren und auf der Straße oben fuhren, in die jetzt vielleicht die Jungen ihres Neffen von oben hinuntersahen auf die Militärautos der Deutschen, die sich mühsam bewegten. Aber es kamen nur selten Autos. Der Lastwagen kam regelmäßig alle zwei Monate, und zwischendurch kamen wenige, manchmal eins mit Soldaten drauf, die bei ihr hielten und Bier tranken, bevor sie ins Gebirge hinauf mußten, und abends kam dann das Auto mit den anderen Soldaten herunter, die bei ihr hielten und Bier tranken, bevor sie in die Ebene hinausfuhren. Aber es waren nicht viele Soldaten dort oben, der Lastwagen kam nur dreimal im ganzen, denn ein halbes Jahr, nachdem der Krieg an ihr vorbei ins Gebirge gezogen war, wurde die Brücke gesprengt, die kurz hinter ihrem Haus über den Fluß führte. Es geschah nachts, und sie würde diesen Krach nie vergessen und den Schrei, den sie selbst ausstieß, das Rufen der Nachbarn von drüben und das anhaltende Geschrei ihrer Tochter Maria, die damals achtundzwanzig war und immer seltsamer wurde. Die Fensterscheiben waren zerbrochen, die Kühe im Stall brüllten, und der Hund bellte die ganze Nacht hindurch, und als es Tag wurde, sahen sie es: die Brücke war weg, die Betonpfeiler standen noch da, Gehsteig, Fahrbahn und Geländer waren sauber weggesprengt, und das rostige Eisenwerk lag unten im Fluß und ragte an einigen Stellen heraus. Noch am Morgen kam ein deutscher Offizier mit fünf Soldaten, die ganz Berczaba durchsuchten, zuerst ihr Haus, alle Zimmer, die Ställe und sogar bei ihrer Tochter Maria im Bett nachsahen, die seit dem Krach in der Nacht jammernd in ihrem Zimmer lag. Auch bei Temanns drüben sahen sie nach; jedes Zimmer, jeder Ballen Heu und Stroh in der Scheune, und sogar Brachys Haus wurde durchsucht, obwohl es schon seit drei Jahren unbewohnt war und langsam verfiel. Brachys waren nach Preßburg gegangen, arbeiteten dort, und bisher hatte keiner sich eingefunden, der das Haus und den Acker kaufen wollte.

Die Deutschen waren sehr wütend gewesen, aber sie hatten nichts und niemand gefunden, und sie hatten sich den Kahn aus ihrem Schuppen geholt und waren über den Fluß nach Tzenkoschik gefahren, dem kleinen Dorf, das dort lag, wo die Steigung der Straße anfing: man sah den Kirchturm hinter den Wäldern von ihrem Dachfenster aus. Aber auch in Tzenkoschik hatten sie nichts gefunden und niemand, auch nicht in Tesarzy – freilich wußten sie vielleicht nicht, daß die beiden Swortschiks-Jungen verschwunden waren, seitdem die Brücke gesprengt worden war.

Sie fand es lächerlich, die Brücke zu sprengen: nur alle zwei Monate ungefähr fuhr das deutsche Lastauto hinüber und zwischendurch sehr selten einmal ein Auto mit Soldaten, und die Brücke diente nur den Bauern, die drüben Weiden hatten und Wald. Es machte den Deutschen bestimmt nichts aus, alle zwei Monate einen Umweg von einer halben Stunde zu machen bis Szarny, nur fünf Kilometer weit, wo die Eisenbahnbrücke über den Fluß führte.

Erst nach ein paar Tagen begriff sie, was es für sie bedeutete, daß die Brücke zerstört war. Zuerst war eine Menge Neugieriger gekommen, die bei ihr Schnaps tranken und Bier und alles erzählt haben wollten, aber dann wurde es still in Berczaba, sehr still, die Bauern und Knechte kamen nicht mehr, die drüben in den Wald oder auf die Weiden mußten, auch die Leute nicht, die sonntags nach Tzenkoschik fuhren, die Paare, die in die Wälder gingen, und auch nicht mehr die Soldaten, und das einzige, was sie in vierzehn Tagen verkaufte, war ein Bier an Temann drüben, diesen Geizkragen, der seinen Schnaps selbst brannte. Es war sehr betrüblich, daran zu denken, daß sie in Zukunft nur alle vierzehn Tage ein Glas Bier an den geizigen Temann verkaufen sollte. Jedermann wußte ja, wie geizig er war.

Aber diese sehr stille Zeit dauerte nur drei Wochen. Eines Tages kam ein graues, kleines, sehr flinkes deutsches Militärauto mit drei Offizieren, die die zerstörte Brücke besichtigten, eine halbe Stunde am Ufer auf und ab marschierten, mit dem Fernglas in der Hand, in die Gegend guckten, zuerst bei Temanns, dann bei ihr aufs Dach stiegen, von oben mit dem Fernglas in die Gegend guckten und dann wegfuhren, ohne auch nur einen Schnaps bei ihr getrunken zu haben.

Und zwei Tage darauf bewegte sich eine langsame Staubwolke von Tesarzy auf Berczaba zu – es waren müde Soldaten, sieben und ein Feldwebel, die ihr klarzumachen versuchten, daß sie bei ihr wohnen, schlafen und essen sollten. Zuerst bekam sie einen Schreck, aber dann begriff sie, wie gut es für sie war, und sie lief schnell zu Maria hinauf, die immer noch im Bett lag.

Die Soldaten schienen Zeit zu haben, sie warteten geduldig, ältere Männer, die ihre Pfeifen stopften, Bier tranken, ihr Gepäck ablegten und es sich bequem machten. Sie warteten geduldig, bis sie oben drei kleine Kammern ausgeräumt hatte: die Knechtskammer, die schon drei Jahre leer stand, weil sie keinen Knecht mehr bezahlen konnte; das Zimmerchen, von dem ihr Mann einmal gesagt hatte, es sei für Besuch oder Gäste, aber es war nie Besuch und nie waren Gäste gekommen, und ihr Eheschlafzimmer. Sie selbst zog zu Maria ins Zimmer. Später, als sie herunterkam, fing der Feldwebel an, ihr zu erklären, daß die Gemeinde ihr das bezahlen müßte, eine ganze Menge Kronen, und daß sie auch gegen Bezahlung für die Soldaten kochen sollte.

Die Soldaten waren die besten Kunden, die sie je gehabt hatte: diese acht verzehrten mehr im Monat als alle Leute zusammen, die einzeln über die Brücke gegangen waren. Die Soldaten schienen viel Geld und sehr viel Zeit zu haben. Was sie zu tun hatten, fand sie lächerlich, zwei hatten immer zusammen einen bestimmten Weg abzugehen – am Ufer vorbei, dann mit dem Kahn rüber, wieder zurück, ein anderes Stück am Ufer vorbei –, sie wurden alle zwei Stunden abgelöst; und auf dem Dach saß einer, der mit dem Fernglas in der Gegend herumguckte und alle drei Stunden abgelöst wurde. Sie machten es sich da oben auf dem Dach bequem, erweiterten das Dachfenster, indem sie ein paar Ziegel herausnahmen, legten nachts eine Blechplatte drüber, und da saßen sie nun den ganzen Tag auf einem alten Sessel mit Kissen drauf, der auf einem Tisch stand. Dort saß nun einer von ihnen den ganzen Tag und guckte ins Gebirge hinauf, in den Wald, auf das Ufer, manchmal auch zurück nach Tesarzy, und die anderen lungerten herum und langweilten sich. Sie war entsetzt, als sie erfuhr, wieviel Geld die Soldaten dafür bekamen, und auch ihre Familien zu Hause bekamen noch Geld. Einer von ihnen war

Lehrer, der rechnete ihr genau vor, wieviel seine Frau bekam, aber es war so viel, daß sie es nicht glaubte. Es war zu viel, was diese Lehrersfrau dafür bekam, daß ihr Mann hier herumhockte, Gulasch, Gemüse, Kartoffeln aß, Kaffee trank und Brot mit Wurst aß – sogar Tabak bekamen sie jeden Tag –, und wenn er nicht aß, hockte er in ihrer Gaststube herum, trank ganz langsam sein Bier und las, las ständig, er schien einen ganzen Tornister voll Bücher zu haben, und wenn er nicht aß oder las, hockte er oben mit dem Fernglas auf dem Dach, vollkommen sinnlos, und starrte die Wälder und Wiesen an oder beobachtete die Bauern auf dem Felde. Dieser Soldat war sehr freundlich zu ihr, er hieß Becker, aber sie mochte ihn nicht, weil er nur las, nichts tat als Bier trinken und lesen und herumhocken.

Aber das war alles schon lange her. Diese ersten Soldaten waren nicht lange geblieben, vier Monate, dann waren andere gekommen, die ein halbes Jahr blieben, wieder andere fast ein Jahr, und dann wurden sie regelmäßig alle halbe Jahre abgelöst, und es kamen manche wieder, die früher schon bei ihr gewesen waren, und sie taten alle dasselbe, drei Jahre lang: herumlungern, Bier trinken, Karten spielen und oben auf dem Dach hocken oder drüben auf der Wiese und im Wald sinnlos mit ihren Gewehren auf dem Rücken herumspazieren. Sie bekam viel Geld dafür, daß sie den Soldaten kochte und sie beherbergte. Es kamen auch noch andere Gäste zu ihr; die Gaststube war zum Wohnzimmer für die Soldaten geworden.

Der Feldwebel, der jetzt seit vier Monaten bei ihr wohnte, hieß Peter, seinen Nachnamen wußte sie nicht, er war schwer gebaut, hatte den Gang eines Bauern, sogar einen Schnurrbart, und sie dachte oft, wenn sie ihn sah, an ihren Mann, Wenzel Susan, der aus dem einen Krieg nicht wiedergekommen war: auch damals waren Soldaten über die Brücke gezogen, staubbedeckt, zu Fuß und auf Pferden, mit verschmutzten Bagagewagen, Soldaten, die nicht wieder zurückkamen – erst Jahre später kamen sie wieder zurück, und sie wußte nicht mehr, ob es dieselben waren, die damals hinaufgezogen waren. Sie war noch jung, zweiundzwanzig, eine hübsche Frau, als Wenzel Susan sie vom Berg herunterholte und zu seiner Frau machte: sie kam sich sehr reich vor, sehr glücklich als Frau eines Wirtes, der einen Knecht für die Feldarbeit hatte und ein Pferd, und sie liebte Wenzel Susan mit seinem schwerfälligen Gang, dem Schnurrbart und seinen sechsundzwanzig Jahren. Wenzel war Korporal gewesen in Preßburg bei den Jägern, und kurz nachdem die fremden Soldaten staubbedeckt durch den Wald den Berg hinaufgezogen waren, an ihrem Heimatdorf vorbei, kurz danach war Wenzel Susan wieder nach Preßburg gefahren, als Korporal zu den Jägern, und sie hatten ihn hinuntergeschickt in ein Land, das Rumänien hieß, in die Berge, von dort hatte er ihr drei Postkarten geschrieben, auf denen stand, daß es ihm gut ging, und auf der letzten Karte hatte er davon berichtet, daß er Sergeant geworden war. Danach kam vier Wochen keine Post, und sie bekam einen Brief aus Wien, in dem stand, daß er gefallen war.

Kurz danach wurde Maria geboren, Maria, die jetzt schwanger war, von diesem Feldwebel, der Peter hieß und Wenzel Susan glich. In ihrer Erinnerung lebte Wenzel als junger Mann, sechsundzwanzig Jahre alt, und dieser Feldwebel, der Peter hieß und fünfundvierzig Jahre alt war – sieben Jahre jünger als sie – kam ihr sehr alt vor. Sie hatte manche Nacht im Bett gelegen und auf Maria gewartet, die erst gegen Morgen kam, mit bloßen Füßen ins Zimmer schlich und sich schnell ins Bett legte, kurz bevor die Hähne anfingen zu krähen – manche Nacht hatte sie gewartet und gebetet, und sie hatte viel mehr Blumen vor das Muttergottesbild unten getan als früher, aber Maria war schwanger geworden, und der Feldwebel kam zu ihr, verlegen, unbeholfen wie ein Bauer, und machte ihr klar, daß er Maria heiraten würde, wenn der Krieg vorüber war.

Nun, sie konnte nichts ändern, und sie tat weiter sehr viel Blumen vor das Muttergottesbild unten im Flur und wartete. Es wurde still in Berczaba, es kam ihr viel stiller vor, obwohl sich nichts verändert hatte: die Soldaten lungerten in der Gaststube herum, schrieben Briefe, spielten Karten, tranken Schnaps und Bier, und einige von ihnen hatten angefangen, mit Dingen Handel zu treiben, die es hier nicht gab: mit Taschenmessern, Rasiermessern, Scheren – wunderbaren Scheren – und mit Socken. Sie nahmen Geld dafür oder tauschten es gegen Butter und Eier, sie taten es, weil sie mehr freie Zeit hatten als Geld in dieser freien Zeit zu vertrinken. Jetzt war wieder einer bei ihnen, der den ganzen Tag las und der sogar von der Bahn in Tesarzy eine ganze Kiste Bücher mit dem Wagen herübergefahren bekam. Er war Professor, auch er saß den halben Tag oben auf dem Dach und blickte mit dem Fernglas ins Gebirge hinüber, in den Wald, auf das Ufer und manchmal nach Tesarzy zurück oder sah den arbeitenden Bauern auf dem Feld zu, und auch er erzählte ihr, daß seine Frau viel Geld bekam, sehr viel Geld, es waren einige zigtausend Kronen im Monat – und sie glaubte auch diesem nicht, es war zuviel Geld, unsinnig viel Geld, es mußte gelogen sein, so viel konnte seine Frau nicht dafür bekommen, daß ihr Mann hier herumsaß, Bücher las und schrieb, den halben Tag und oft die halbe Nacht, und dann ein paar Stunden am Tag mit dem Fernglas oben auf dem Dach saß. Einer war dabei, der zeichnete: wenn schönes Wetter war, saß er draußen am Fluß, zeichnete die Berge, die man so schön sehen konnte von hier aus, den Fluß, den Brückenrest, und ein paarmal zeichnete er auch sie – und sie fand die Bilder schön und hing eines davon in der Gaststube auf. Nun lagen sie schon drei Jahre hier, diese Soldaten, acht Mann immer, und taten nichts. Sie bummelten am Fluß vorbei, fuhren mit ihrem Kahn hinüber, bummelten durch den Wald, bis nach Tzenkoschik hinauf, kamen zurück, fuhren wieder über den Fluß, gingen am Ufer vorbei, dann ein Stück bis nach Tesarzy hinunter und wurden abgelöst. Sie aßen gut, schliefen viel und hatten Geld genug, und sie dachte oft daran, daß man Wenzel Susan damals vielleicht weggeholt hatte, um in einem anderen Lande nichts zu tun – Wenzel, den sie sehr nötig hatte, der arbeiten konnte und gern arbeitete. Ihn hatten sie wohl weggeholt, um in diesem Land, das Rumänien hieß, nichts zu tun, nichtstuend zu warten, bis er erschossen wurde. Aber diese Soldaten bei ihr wurden nicht erschossen: solange sie hier waren, hatten sie nur ein paarmal geschossen, es gab jedemal große Aufregung, und jedesmal hatte sich herausgestellt, daß es ein Irrtum war – sie hatten meistens auf Wild geschossen, das sich im Wald bewegte und auf ihren Anruf nicht stehengeblieben war, aber auch das nicht sehr oft, nur vier- oder fünfmal in diesen drei Jahren, und einmal auf eine Frau, die nachts von Tzenkoschik heruntergefahren kam, dann durch den Wald lief, um in Tesarzy den Arzt für ihr Kind zu holen, auch auf diese Frau hatten sie geschossen, aber sie hatten sie zum Glück nicht getroffen und ihr später geholfen, in den Kahn zu kommen, und hatten sie sogar hinübergefahren – und der Professor, der noch auf war, in der Gaststube saß und las und schrieb, der Professor war mit ihr gegangen bis Tesarzy. Aber sie hatten in diesen drei Jahren keinen einzigen Partisan gefunden – jedes Kind wußte, daß es hier keine mehr gab, seit die Swortschiks-Jungen weg waren; nicht einmal in Szarny tauchten Partisanen auf, wo die große Brücke mit der Eisenbahn war... Obwohl sie Geld verdiente am Krieg, war es bitter für sie, daran zu denken, daß Wenzel Susan wahrscheinlich nichts getan hatte in diesem Land, das Rumänien hieß, daß er gar nichts hatte tun können. Wahrscheinlich bestand der Krieg daraus, daß die Männer nichts taten und zu diesem Zweck in andere Länder fuhren, damit niemand es sah – jedenfalls widerwärtig war es ihr und lächerlich, diese Männer zu sehen, drei Jahre lang, die nichts taten, als die Zeit stehlen, und viel Geld dafür bekamen, daß sie nachts alle Jahre einmal irrtümlich auf Wild schossen und auf eine arme Frau, die den Arzt zu ihrem Kind holen wollte; widerwärtig und lächerlich war es, daß diese Männer faulenzen mußten, während sie vor Arbeit nicht aus noch ein wußte. Sie mußte kochen, die Kühe versorgen, die Schweine, die Hühner, und viele von den Soldaten ließen sich sogar gegen

Geld von ihr die Stiefel putzen, die Strümpfe stopfen und die Wäsche waschen; sie hatte so viel Arbeit, daß sie wieder einen Knecht dingen mußte, einen Mann aus Tesarzy, denn Maria tat nichts mehr, seitdem sie schwanger war. Sie war mit diesem Feldwebel wie mit ihrem Mann: sie schlief in seinem Zimmer, bereitete ihm das Frühstück, hielt seine Kleider sauber und schimpfte manchmal mit ihm.

Aber eines Tages, fast genau nach drei Jahren, kam ein sehr hoher Offizier mit roten Streifen an der Hose und einem goldenen Kragen – sie hörte später, daß es ein richtiger General war –, dieser hohe Offizier kam mit ein paar anderen in einem sehr schnellen Auto von Tesarzy herübergefahren; er war ganz gelb im Gesicht, sah traurig aus und brüllte vor ihrem Haus den Feldwebel Peter an, weil er ohne Koppel und Pistole herausgekommen war, um zu melden – und dann stand er wütend draußen und wartete. Sie sah, daß er mit dem Fuß aufstampfte, sein Gesicht schien kleiner und noch gelber zu werden, und er sprach heftig schimpfend auf einen anderen Offizier ein, der neben ihm stand und die zitternde Hand an der Mütze hielt, einen grauhaarigen, müden Mann, der über sechzig war und den sie kannte, weil er manchmal mit dem Fahrrad von Tesarzy herunterkam und sehr milde und freundlich mit dem Feldwebel und den Soldaten in der Gaststube sprach – und dann später, vom Professor begleitet, das Fahrrad an der Hand, langsam nach Tesarzy zurückging. Dann kam endlich Peter mit seinem Koppel und seiner Pistole und ging mit den Männern an den Fluß. Sie fuhren mit dem Kahn hinüber, gingen durch den Wald, kamen zurück und standen lange an der Brücke – dann stiegen sie aufs Dach, und endlich fuhren die Offiziere wieder weg, und Peter stand noch vorn vor dem Haus mit zwei Soldaten, sie hatten die Arme hoch erhoben, noch eine lange Zeit, bis das Auto schon fast in Tesarzy war. Dann kam Peter wütend ins Haus zurück, warf seine Mütze auf den Tisch, und das einzige, was er zu Maria sagte, war: »Es scheint, die Brücke wird aufgebaut.«

Und zwei Tage später kam wieder ein Auto, ein Lastwagen, sehr schnell von Tesarzy her, und von diesem Auto sprangen sieben junge Soldaten und ein junger Offizier, der schnell ins Haus ging und mit dem Feldwebel eine halbe Stunde auf dessen Zimmer blieb. Maria versuchte, an diesem Gespräch teilzunehmen, sie ging einfach ins Zimmer, aber der junge Offizier wies sie hinaus, und sie ging wieder hinein, und wieder wies sie der junge Offizier streng hinaus; sie blieb weinend an der Treppe stehen, während sie zusehen mußte, wie die alten Soldaten ihr Gepäck zusammensuchten und die jungen in ihre Zimmer zogen. Sie wartete eine halbe Stunde weinend, wurde wütend, als der Professor ihr auf die Schulter klopfte, und sie hing sich schreiend und weinend an Peter, der endlich mit seinem Gepäck aus dem Zimmer kam und mit rotem Kopf auf sie einredete, sie tröstete – sie hing an ihm, bis er ins Auto gestiegen war; dann stand sie weinend auf der Treppe und sah dem Auto nach, das sehr schnell nach Tesarzy zurückfuhr. Sie wußte, daß er nicht wiederkommen würde, obwohl er es ihr versprochen hatte...

Feinhals kam nach Berczaba zwei Tage bevor mit dem Aufbau der Brücke begonnen wurde. Das Nest bestand aus einer Kneipe und zwei Häusern, von denen eins verlassen und halbverfallen war, und als er mit den anderen ausstieg, war alles ringsum eingehüllt von dem bitteren Rauch der Kartoffelfeuer, die auf den Feldern schwelten. Es war still und friedlich, und nirgendwo schien Krieg zu sein...

Erst bei der Rückfahrt im roten Möbelwagen hatte sich herausgestellt, daß er einen Splitter im Bein hatte, einen Glassplitter, wie sich nach der Operation zeigte, ein winziges Stück von einer Tokaierflasche, und es hatte eine merkwürdige peinliche Verhandlung gegeben, weil er das silberne Verwundetenabzeichen hätte beanspruchen können, der Chefarzt aber für Glassplitter keine Verwundetenabzeichen verlieh und der Verdacht der Selbstverstümmelung einige Tage auf ihm ruhte, bis Leutnant

Brecht, den er als Zeugen nannte, seinen Bericht geschickt hatte. Die Wunde heilte schnell, obwohl er viel Schnaps trank, und er wurde nach einem Monat an irgendeine Leitstelle geschickt, die ihn nach Berczaba verfrachtete. Er wartete unten in der Kneipe, bis das Zimmer frei war, das Gress für sie beide ausgesucht hatte. Er trank Wein, dachte an Ilona und hörte den Lärm des Aufbruchs im Haus: die alten Landser suchten in allen Ecken ihre Klamotten, die Wirtin stand hinter der Theke und sah düster drein, eine ältere Frau, die hübsch aussah, immer noch hübsch, und im Flur drinnen weinte sehr laut und heftig eine andere Frau.

Dann hörte er die Frau noch heftiger schreien und weinen, und hörte, wie das Lastauto in das Nest zurückfuhr, aus dem sie gekommen waren. Gress kam und holte ihn in sein Zimmer hinauf. Das Zimmer war niedrig, mit stellenweise abgebröckeltem Putz und einer schwarzen Balkendecke, und es roch muffig; draußen war es schwül, und aus dem Fenster blickte man in einen Garten: eine Wiese mit alten Obstbäumen, am Rande Blumenbeete, Stallungen und hinten vor einem Schuppen ein aufgepflocktes Boot, dessen Farbe abgeblättert war. Es war still draußen. Links über die Hecke hinweg war die Brücke zu sehen, rostiges Gestänge ragte aus den Fluten heraus, und die Betonpfeiler waren mit Moos bewachsen. Das Flüßchen schien vierzig oder fünfzig Meter breit zu sein.

Nun lag er mit Gress zusammen. Gestern auf der Leitstelle hatte er ihn kennengelernt und beschlossen, kein überflüssiges Wort mit ihm zu sprechen: Gress hatte vier Orden auf der Brust, und er erzählte gern, die ganze Zeit schon, von Polinnen, Rumäninnen, Französinnen und Russinnen, die er offenbar alle mit gebrochenem Herzen hinterlassen hatte. Feinhals hatte keine Lust, ihm zuzuhören, es war ihm lästig und zugleich langweilig, auch peinlich, und Gress schien einer von denen zu sein, die glaubten, man würde ihnen zuhören, weil sie Orden auf der Brust hatten, mehr Orden als üblich.

Er, Feinhals, hatte nur einen Orden, einen einzigen, und er war zum Zuhören wie geschaffen, weil er nichts sagte, fast nie, und keinerlei Erklärungen verlangte. Er war froh, als er erfuhr, daß er mit Gress zusammen den Beobachtungsposten bestreiten sollte: auf diese Weise würde er tagsüber wenigstens von ihm befreit sein... Er legte sich sofort ins Bett, als Gress seinen Entschluß verkündete, einer Slowakin, irgendeiner, das Herz zu brechen.

Er war müde, und jeden Abend, wenn er sich irgendwo hinlegte, um zu schlafen, hoffte er, er würde von Ilona träumen, aber er träumte nie von ihr. Er beschwor jedes Wort herauf, das er mit ihr gesprochen hatte, dachte sehr intensiv an sie, aber wenn er eingeschlafen war, kam sie nicht. Oft schien ihm, bevor er einschlief, er brauche sich nur umzudrehen, um ihren Arm zu spüren, aber sie war nicht bei ihm, sie war sehr weit entfernt, und es war zwecklos, daß er sich herumdrehte. Er konnte sehr lange nicht schlafen, weil er sehr heftig an sie dachte und sich das Zimmer vorstellte, das bestimmt gewesen war, sie aufzunehmen – und wenn er einschlief, schlief er schlecht, und er wußte morgens nicht mehr, was er geträumt hatte. Von Ilona hatte er nicht geträumt.

Er betete auch abends im Bett und dachte an die Gespräche, die er mit ihr gehabt hatte an den Tagen, bevor sie weg mußten – sie war immer rot geworden, und es schien ihr peinlich zu sein, daß er bei ihr im Zimmer war, zwischen ausgestopften Tieren, Gesteinsproben, Landkarten und hygienischen Wandtafeln. Aber vielleicht war es ihr nur peinlich gewesen, von Religion zu sprechen, immer war sie glühend rot geworden, es schien ihr Pein zu verursachen, sich zu bekennen, und sie bekannte sich zu Glauben, Hoffnung und Liebe und war empört darüber, daß er sagte, er könne nicht in die Kirche gehen, weil die Gesichter und die Predigten der meisten Priester unerträglich seien. »Man muß beten, um Gott zu trösten«, hatte sie gesagt...

Er hätte niemals gedacht, daß sie sich würde küssen lassen,

aber er hatte sie geküßt, sie ihn, und er wußte, sie wäre mit ihm gegangen in dieses Zimmer, das er jetzt oft vor sich sah: ein wenig schmutzig, mit der bläulichen Waschschüssel, in der abgestandenes Wasser war, einem breiten braunen Bett und dem Blick in einen verwahrlosten Obstgarten, in dem das Fallobst faulend unter den Bäumen lag. Er stellte sich immer vor, er läge mit ihr im Bett und spräche mit ihr, aber er träumte nie davon... Am anderen Morgen fing der Dienst an. Er hockte in dem Sessel auf dem wackeligen Tisch, im dumpfen Speicher dieses Hauses, und blickte mit dem Fernglas zur Dachluke hinaus, ins Gebirge hinauf, in den Wald, suchte das Ufer ab und manchmal zurück in das Nest, aus dem sie mit dem Lastwagen gekommen waren: er konnte keinen Partisanen entdecken – aber vielleicht waren die Bauern auf den Feldern Partisanen, nur reichte das Fernglas nicht aus, das festzustellen. Es war so still, daß es ihn schmerzte, und er hatte das Gefühl, schon jahrelang hier zu hokken, und er hob das Glas, schraubte es zurecht und blickte über den Wald an der gelblichen Kirchturmspitze vorbei ins Gebirge. Die Luft war sehr klar, und er konnte sehr weit dort oben zwischen aufragenden Graten eine Ziegenherde sehen: die Tiere waren verstreut wie winzige, weiße, hartumrandete Wölkchen, sehr weiß auf diesem grauen, mattgrünen Untergrund, und er spürte, daß er durch das Fernglas die Stille aufnahm, auch die Einsamkeit: die Tiere bewegten sich nur sehr langsam, sehr selten – als würden sie an knappen Schnüren gezogen. Mit dem Fernglas konnte er sie so sehen, wie er sie mit bloßen Augen auf drei oder vier Kilometer gesehen hätte, es kam ihm weit vor, unendlich weit, still und einsam, diese Tiere – den Hirten konnte er nicht sehen; er erschrak, als er das Glas absetzte und sie nicht mehr sah, keine Spur von ihnen, obwohl er scharf über die Kirchturmspitze hinweg auf den Berg blickte. Nicht einmal ihr Weiß war zu sehen, es mußte sehr weit sein, er nahm das Glas wieder hoch und blickte auf die weißen Ziegen, deren Einsamkeit er spürte – aber die Kommandos unten im Garten erschreckten ihn, er nahm das Glas herunter, blickte erst mit bloßen Augen in den Garten, sah dem Exerzieren zu. Leutnant Mück kommandierte selbst. Feinhals nahm das Glas vor die Augen, schraubte die Gläser zurecht und sah Mück genau an; er kannte Mück erst zwei Tage, aber er hatte schon gemerkt, daß Mück es ernst nahm, sein schmales, dunkles Profil war starr von tödlichem Ernst, die Hände auf dem Rücken bewegten sich nicht, und die Muskeln des mageren Halses zuckten. Mück sah schlecht aus, sein Gesicht hatte eine dumpfe, fast graue Farbe, die Lippen waren fahl und bewegten sich nur knapp, wenn sie »links um« sagten, »rechts um« und »kehrt«. Feinhals sah nur Mücks Profil jetzt, diese tödlich ernste, unbewegliche Hälfte seines Gesichts, die Lippen, die sich kaum bewegten, das traurige linke Auge, das nicht auf die übenden Soldaten, sondern weit weg zu sehen schien, irgendwohin – vielleicht rückwärts. Dann sah er Gress an; sein Gesicht war gequollen, irgendwie verstört.

Als er mit bloßen Augen wieder hinunter sah in den Garten, in dem die Soldaten »linksum«, »rechtsum« und »kehrt« machten, auf dieser fetten, wunderbaren Wiese – sah er eine Frau, die Wäsche an einer Leine zwischen den Ställen aufhing. Es schien die Tochter zu sein, die gestern im Flur geweint und geschrien hatte. Sie sah ernst aus, fast düster, so düster, daß sie nicht hübsch, sondern schön war, ein schmales, sehr dunkles Gesicht mit zusammengekniffenem Mund. Sie warf keinen Blick auf die vier Soldaten und den Leutnant.

Als er am anderen Morgen wieder aufs Dach stieg, gegen acht, schien er schon Monate, fast Jahre dort zu sein. Die Stille und die Einsamkeit waren selbstverständlich: das sanfte Muhen der Kühe im Stall und der Geruch der Kartoffelfeuer, der immer noch in der Luft hing, einzelne Feuer schwelten noch, und als er die Gläser zurechtschraubte, sie in die Ferne richtete, genau über die Spitze des gelblichen Kirchturms hinweg, fing er nur Einsamkeit ein. Dort oben war es leer – eine graue, mattgrüne Fläche, in der die schwarzen Felsen standen... Mück war mit den vier

Leuten ans Flußufer gegangen, um Anschläge zu üben. Seine kurzen, traurigen Kommandos klangen leise herüber, zu schwach, um die Stille zu stören – sie erhöhten sie fast; und unten im Haus sang die junge Frau in der Küche ein schleppendes slowakisches Volkslied. Die Alte war mit dem Knecht aufs Feld gegangen, um Kartoffeln zu ernten. Auch drüben in dem anderen Bauernhaus war es still. Er suchte eine ganze Zeitlang das Gebirge ab, fand aber nichts als stumme, einsame Flächen, steile Felsen, nur rechts sah er aus den Wäldern den weißen Qualm der Eisenbahn, der sich schnell verflüchtigte – im Fernglas sah der Qualm aus wie Staub, der sich über die Baumkronen senkte; zu hören war nichts – nur Mücks kurze Kommandos am Flußufer und der traurige Gesang der jungen Frau aus dem Hause unten...

Dann kamen sie vom Flußufer zurück, und er hörte sie singen. Es war traurig, diese vier Mann singen zu hören, es war ein jämmerliches, zerrissenes, sehr dünnes Quartett, das »Graue Kolonnen« sang. Auch hörte er, wie Mück »links zwei – links zwei« kommandierte, Mück schien verzweifelt gegen die Einsamkeit zu kämpfen, aber es war zwecklos. Die Stille war stärker als seine Kommandos, stärker als der Gesang.

Als sie unten vorm Haus hielten, hörte er das erste Auto, das aus dem Nest kam, in dem sie vorgestern abgefahren waren. Er erschrak und richtete das Fernglas auf die Straße: eine Staubwolke kam rasch näher, er erkannte das Fahrerhaus und etwas Großes, Schweres, das über dem Dach hinausragte...

»Was ist los?« riefen sie von der Straße her.

»Ein Auto«, sagte er und hielt das heranfahrende Auto im Fernglas fest, folgte ihm und hörte gleichzeitig, daß unten auch die junge Frau aus dem Haus gekommen war. Sie sprach mit den Soldaten und rief irgend etwas zu ihm hinauf. Er verstand sie nicht, aber er rief hinunter: »Der Fahrer ist Zivilist, daneben sitzt ein Brauner, scheint von der Partei zu sein, hinten auf dem Auto ist eine Betonmischmaschine!«

»Betonmischmaschine?« riefen sie hinauf.

»Ja!« sagte er.

Die unten sahen jetzt mit bloßen Augen das Führerhaus, den Mann in Braun, auch die Betonmischmaschine, und sie sahen, daß noch ein Auto vom Dorf her kam, eine kleinere Staubwolke, dann noch eins und noch eins, eine ganze Kolonne, die sich vom Dorf auf den Brückenrest zu bewegte. Als das erste Auto kurz vor der Auffahrt zur Brücke hielt, war das zweite schon so nahe, daß sie auch dort das Fahrerhaus und die Ladung erkennen konnten: es waren Barackenteile. Aber sie liefen jetzt alle an das erste Auto heran, auch Maria, nur der Leutnant nicht, als die Wagentür sich öffnete und ein Mann in Braun heraussprang. Der Mann hatte keine Mütze auf, war braun gebrannt und hatte ein sympathisches, offenes Gesicht. »Heil Hitler, Jungens«, rief er, »ist das hier Berczaba?«

»Ja«, sagten die Soldaten. Sie nahmen zögernd ihre Hände aus den Taschen. Der Mann hatte Majorsschulterstücke auf der braunen Bluse. Sie wußten nicht, wie sie ihn anreden sollten.

Er rief ins Führerhaus: »Wir sind da, stell den Motor ab!« Dann blickte er über die Soldaten hinweg auf den Leutnant, wartete einen Augenblick, ging dann einige Schritte näher. Auch der Leutnant kam einige Schritte näher, dann blieb der Mann stehen und wartete, und Leutnant Mück kam ganz schnell die übrigen Schritte heran, bis er vor dem Mann in Braun stand. Mück nahm erst die Hand an die Mütze, dann hoch zum Heil und sagte: »Mück!« – und der Mann in Uniform hob auch die Hand hoch, reichte sie dann Mück, drückte sie und sagte: »Deussen – Bauführer – wir sollen die Brücke hier aufbauen.«

Der Leutnant sah die Soldaten an, die Soldaten sahen Maria an, Maria lief ins Haus, und Deussen sprang munter davon und dirigierte die ankommenden Wagen.

Deussen nahm alles sehr bestimmt, sehr energisch, aber mit einer gewissen Liebenswürdigkeit vor. Er ließ sich die Küche von Frau Susan zeigen, lächelte, schürzte die Lippen, sagte nichts, ging hinüber in das verlassene Haus, besichtigte es sehr eingehend, und als er herauskam, lächelte er, und kurz darauf fuhren zwei Wagen, die Barackenteile geladen hatten, in Richtung Tesarzy zurück. Er selbst nahm Quartier bei Temanns, lag kurz darauf rauchend im Fenster und beobachtete, wie die Wagen abgeladen wurden. Bei den Wagen war noch ein junger Mann in Braun, der Feldwebelachselklappen trug. Deussen rief ihm manchmal vom Fenster aus etwas zu. Inzwischen waren alle Wagen angekommen, insgesamt zehn, und es wimmelte von Arbeitern, Eisenträgern, Balken, Zementsäcken, und eine Stunde später kam von Szarny herunter auf dem Fluß ein kleines Motorboot. Aus dem Boot stiegen ein dritter Mann in Braun und zwei hübsche, braungebrannte Slowakinnen, die von den Arbeitern lachend begrüßt wurden.

Feinhals sah allem sehr genau zu. Zuerst wurde der große Küchenofen in das verfallene Haus gebracht, dann wurde weiter abgeladen: fertige Geländerteile, Nieten, Schrauben, geteerte Balken, Peilgeräte und Küchenvorräte. Um elf waren die Slowakinnen schon beim Kartoffelschälen, und um zwölf waren alle Materialien schon abgeladen, sogar eine Baracke für den Zement war aufgestellt, und aus dem Dorf kamen noch drei Lastwagen, die Kies vorn an die Brückenrampe schütteten. Als er zum Essen hinunterging, von Gress abgelöst, sah er, daß über der Wirtsstube ein Schild genagelt war, auf dem »Kantine« stand.

Auch in den folgenden Tagen beobachtete er den Bau sehr genau und war erstaunt, mit welcher Präzision alles geplant schien: keine Arbeit wurde überflüssig gemacht, kein Material lag weiter von der Stelle entfernt, wo es gebraucht wurde, als nötig war. Feinhals hatte viele Bauplätze im Leben betreten, er selbst hatte manchen Bau geleitet, aber er war erstaunt, wie sauber und flink hier gearbeitet wurde. Schon nach drei Tagen waren die Brückenpfeiler sorgfältig mit Beton ausplombiert, und während am letzten Pfeiler noch gegossen wurde, fingen sie am ersten schon an, das schwere Eisenträgergerüst zu montieren. Am vierten Tage war schon ein Laufsteg über die Brücke fertig, und nach einer Woche sah er, wie auf der anderen Seite des Flusses Lastwagen mit Brückenteilen anfuhren, schwere Wagen, die Deussen gleichzeitig als Rampe und Basis für die Montage des letzten Gerüstteiles benutzte. Seit der Laufsteg fertig war, ging alles schneller, und Feinhals sah nur selten noch in die Berge hinauf oder in den Wald. Er betrachtete den Brückenbau sehr genau, und auch wenn er mitexerzieren mußte, sah er meistens den Arbeitern zu: er liebte diese Arbeit.

Abends, wenn es dämmerte und der Beobachtungsposten eingezogen wurde, saß er unten im Garten und hörte dem Balalaikaspiel eines jungen Russen zu, der Stalin hieß, Stalin Gadlenko. Drinnen in der Kneipe wurde gesungen, getrunken, auch getanzt, obwohl das Tanzen verboten war, aber Deussen schien das alles nicht zu sehen. Er war sehr gut gelaunt: er hatte vierzehn Tage Frist, um die Brücke zu bauen, und wenn es so weiterging, war er schon in zwölf Tagen fertig. Er sparte eine Menge Benzin, weil er alles für die Küche bei Temann und Frau Susan kaufen konnte, ohne einen Lkw in die Gegend zu schicken, und er sorgte dafür, daß die Arbeiter zu rauchen hatten, gut zu essen bekamen und sich wohl fühlten, er wußte, daß das besser war, als auf einer Macht zu bestehen, die zwar Angst einflößte, aber im Grunde genommen die Arbeit hemmte. Er hatte schon eine Menge Brücken gebaut – Brücken, die fast alle inzwischen schon wieder gesprengt worden waren, aber eine Zeitlang hatten sie doch Dienst getan, und noch niemals war er mit seinen Terminen in Schwierigkeiten gekommen.

Frau Susan freute sich: die Brücke würde wieder dasein, sie würde noch dasein, auch wenn kein Krieg mehr war, und wenn sie stand, würden die Soldaten wohl bleiben und auch die Leute aus den Dörfern wiederkommen. Auch die Arbeiter schienen glücklich zu sein. Jeden dritten Tag kam ein kleines, flinkes, hellbraun gestrichenes Auto aus Tesarzy die Straße hinuntergefahren, das knirschend vor der Kneipe hielt, und dem Auto entstieg ein Mann in Braun, der alt und müde aussah und Hauptmannsschulterstücke hatte, und sie wurden zusammengerufen und bekamen Geld ausgezahlt; sie bekamen viel Geld ausgezahlt, so viel, daß sie von den Soldaten Socken kaufen konnten, auch Hemden, und trinken konnten sie abends, tanzen mit den hübschen Slowakinnen, die in der Küche arbeiteten.

Am zehnten Tage sah Feinhals, daß die Brücke fertig war: das Geländer war befestigt, das Gerüst der Fahrbahn fertiggestellt, und er beobachtete, wie Zement und Eisenträger aufgeladen und weggefahren wurden, auch die Baracke, in der der Zement gelegen hatte. Außerdem fuhr die Hälfte der Arbeiter zurück, auch eine Küchenfrau, und es wurde etwas stiller in Berczaba. Es waren nur noch fünfzehn Arbeiter da, Deussen und der junge Mann in Braun mit den Feldwebelachselklappen und eine einzige Frau in der Küche, die er sehr oft ansah. Sie saß den ganzen Morgen am Fenster und schälte Kartoffeln, sang vor sich hin, klopfte das Fleisch und putzte Gemüse und sie war sehr hübsch: wenn sie lächelte, schmerzte es ihn, und durch das Fernglas konnte er drüben auf der Straßenseite sehr genau ihren Mund, ihre feinen dunklen Brauen und die weißen Zähne sehen. Sie sang immer leise vor sich hin – und an diesem Tage ging er abends in die Kneipe und tanzte mit ihr. Er tanzte sehr oft mit ihr, und er sah ihre dunklen Augen sehr nahe, fühlte ihre festen, weißen Arme in seinen Händen und war etwas enttäuscht, daß sie nach Küche roch – in der Kneipe war es schwül und dunstig – sie war die einzige Frau, außer Maria, die an der Theke saß und mit niemand tanzte. In der Nacht träumte er von dieser Slowakin, deren Namen er nicht wußte, er träumte sehr genau von ihr, obwohl er abends im Bett wieder sehr lange und intensiv an Ilona gedacht hatte.

Am Tage darauf sah er nicht mehr mit seinem Fernglas zu ihr hinüber, obwohl er sie singen hörte, leise und summend, er blickte in die Berge, war glücklich, als er wieder eine Ziegenherde entdeckte, jetzt rechts von der Kirchturmspitze, weiße, sich langsam ruckweise bewegende Flecken auf einem grauen, mattgrünen Hintergrund.

Plötzlich setzte er das Fernglas ab: er hatte einen Schuß gehört, das Echo einer entfernten Explosion, das aus den Bergen herunterkam. Dann wieder, sehr deutlich, nicht laut, sehr entfernt. Die Arbeiter an der Brücke hielten inne, die Slowakin sang nicht mehr, und Leutnant Mück kam aufgeregt auf den Speicher gelaufen, riß ihm das Fernglas aus der Hand und blickte in die Berge. Er blickte sehr lange in die Berge, aber es kam keine Explosion mehr, und Mück gab ihm das Fernglas zurück, murmelte: »Aufpassen jetzt – aufpassen«, lief in den Hof zurück, wo er das Waffenreinigen beaufsichtigte.

Am Nachmittag schien es stiller zu sein als an den Tagen vorher, obwohl die Geräusche dieselben blieben: die Arbeiter an der Brücke, die geteerte Balken zurechtschnitten, aneinanderschoben und aufschraubten, die Stimme der alten Frau, die unten in der Küche auf ihre Tochter einredete, lange und eindringlich, ohne Antwort zu bekommen, und das sanfte Summen der Slowakin, die am offenen Fenster das Abendbrot für die Arbeiter richtete: große, gelbe Kartoffeln rösteten in der Pfanne, und eine Tonschüssel mit Tomaten leuchtete in der Dämmerung. Feinhals blickte in die Berge hinauf, in den Wald, suchte das Flußufer ab, alles war still drüben, nichts bewegte sich. Die beiden Posten waren im Wald verschwunden, er sah zu den Arbeitern an der Brücke: sie waren schon zur Hälfte fertig, die schwarze, solide Fahrbahn aus Balken schloß sich allmählich, und als er das Glas schwenkte, konnte er auf der Straße sehen, wie alles restliche Material verladen wurde, Werkzeug und Träger, Betten, Stühle und der Küchenofen, und kurz darauf fuhr der Wagen mit acht Arbeitern in Richtung Tesarzy davon. Die Slowakin lag im Fenster und winkte ihnen nach, es schien stiller zu werden, auch das Motorboot fuhr gegen Abend den Fluß hinauf, und in der Fahrbahn der Brücke fehlte nur noch ein schmales Stück: drei oder vier Balken. Etwa zwei Meter klafften noch, als die Arbeiter

Feierabend machten. Feinhals sah, daß sie das Werkzeug auf der Brücke liegenließen. Das Auto kam von Tesarzy zurück, hielt vor der Küche und lud einen kleinen Korb Obst und ein paar Flaschen ab, und kurz bevor Feinhals abgelöst wurde, kam wieder das Echo dunkler Explosionen von oben: es hallte wie Theaterdonner aus den Bergen, künstlich vervielfältigt, sich brechend, abschwächend, dreimal – viermal –, dann war Stille. Und wieder kam Leutnant Mück heraufgelaufen, blickte mit zuckendem Gesicht durchs Fernglas. Von links nach rechts schwenkend, suchte er die Felsen ab, die Kämme, setzte kopfschüttelnd das Glas ab, schrieb eine Meldung auf einen Zettel, und kurz darauf fuhr Gress mit Deussens Fahrrad nach Tesarzy hinunter.

Als Gress abgefahren war, hörte Feinhals deutlich ein Maschinengewehrduell aus den Bergen: das dumpfe und harte Sägen eines russischen MGs gegen das helle, nervöse Bellen eines deutschen, das wie eine durchgedrehte Bremse knirschte – die Schüsse schienen auszugleiten, so schnell waren sie. Das Gefecht war kurz, der Wechsel einiger Stöße nur, dann platzten Handgranaten, drei oder vier, deren Lärm sich wieder vervielfältigte. Zigfach, sich abschwächend, gaben sie ihr Echo in die Ebene hinunter. Irgendwie kam es Feinhals lächerlich vor: wo der Krieg auftrat, war er mit völlig überflüssigem Lärm verbunden. Mück kam diesmal nicht herauf, er stand auf der Brücke und starrte in die Berge, noch ein einziger Schuß kam von oben, es schien ein Gewehrschuß zu sein, das Echo kam dünn wie das Geräusch eines rollenden Steins; dann blieb es still, bis der Dämmer kam, Feinhals die Blechplatte aufs Dach legte und langsam nach unten ging.

Gress war noch nicht zurück, und unten in der Gaststube hielt Mück eine nervöse Belehrung ab, in der er für die Nacht erhöhte Bereitschaft ankündigte. Er stand da mit seinem todernsten Gesicht und fummelte unruhig an seinen beiden Orden herum, die geladene Maschinenpistole hatte er um den Hals und den Stahlhelm am Koppel hängen.

Noch bevor Gress zurück war, kam ein graues Auto aus Tesarzy herunter, dem ein dicker Hauptmann mit rotem Gesicht entstieg und ein schmaler, streng aussehender Oberleutnant, die mit Mück über die Brücke gingen. Feinhals stand vor dem Haus und sah ihnen nach. Es sah aus, als ob die drei Gestalten sich endgültig entfernten, aber sie kamen bald zurück, der Wagen drehte. Drüben sah Deussen aus dem Fenster, und im Erdgeschoß der Arbeiterunterkunft saßen die Männer im Halbdunkel um einen rohen Tisch: Tomaten und Kartoffeln auf ihren Tellern. In der Ecke des Zimmers stand die Slowakin, eine Hand in den Hüften, in der anderen die Zigarette – der Bogen, mit dem sie die weiße Zigarette an den Mund führte, kam Feinhals ein wenig zu schwungvoll vor. Dann kam sie näher, als der Motor des grauen Autos ansprang, legte sich mit der Zigarette ins Fenster und lächelte Feinhals zu. Er blickte aufmerksam in ihr Gesicht und vergaß, die beiden davonfahrenden Offiziere zu grüßen – die Frau hatte ein dunkles Mieder an, und die Weiße ihrer Brust leuchtete herzförmig unter ihrem braunen Gesicht. Mück ging an Feinhals vorbei ins Haus und sagte: »Holen Sie das MG rüber.« Feinhals sah jetzt, daß dort, wo das Auto der Offiziere gestanden hatte, ein schwarzes, schlankes MG neben Munitionskästen auf der Straße lag. Er überquerte langsam die Straße und holte das MG, dann ging er ein zweites Mal und nahm die Munitionskästen. Die Slowakin lag immer noch im Fenster, sie schnippte die Glut von ihrer Zigarette und steckte den Rest in die Schürzentasche. Sie sah immer noch Feinhals an, lächelte aber nicht mehr – sie sah traurig aus, ihr Mund war schmerzlich hellrot. Dann schürzte sie plötzlich die Lippen ein wenig, wandte sich um und fing an, den Tisch abzuräumen. Die Arbeiter kamen aus dem Haus und gingen auf die Brücke zu.

Sie arbeiteten noch dort, als Feinhals eine halbe Stunde später mit dem MG über die Brücke ging. Sie montierten den letzten Balken im Dunkeln. Die allerletzte Niete schraubte Deussen selbst an. Er ließ sich mit einer Karbidlampe leuchten, und Feinhals schien es, er habe den Schraubenschlüssel wie den Schwengel einer Drehorgel in der Hand. Er sah aus, als bohre er an einem großen, dunklen Kasten herum, der kein Geräusch von sich gab. Feinhals setzte das MG ab, sagte zu Gress »Moment«, und ging noch einmal zurück. Er hatte gehört, daß in dem Wagen vor der Arbeiterunterkunft der Motor angestellt wurde, er ging bis zur Rampe zurück und sah zu, wie die restlichen Einrichtungsgegenstände verladen wurden. Es war nicht mehr viel: ein Ofen, ein paar Stühle, ein Korb Kartoffeln, Geschirr und das Gepäck der Arbeiter. Die Arbeiter kamen von der Brücke zurück und stiegen alle auf. Sie hatten Schnapsflaschen in der Hand und tranken. Als letzte stieg die Slowakin auf. Sie hatte ein rotes Kopftuch um, und ihr Gepäck war nicht umfangreich: ein mit blauem Tuch umwickeltes Paket. Feinhals zögerte einen Augenblick, als er sie aufsteigen sah, dann ging er schnell zurück. Deussen kam als letzter von der Brücke: er hatte den Schraubenschlüssel in der Hand und ging langsam in Temanns Haus.

Die halbe Nacht hockten sie dort mit dem nagelneuen MG hinter der kleinen Mauer, die die Rampe einsäumte, und lauschten in die Nacht. Es blieb still – manchmal kam die Streife aus dem Wald, sie wechselten müde ein paar Worte und blieben stumm dort hocken und starrten in die schmale Straße hinein, die in den Wald führte. Aber es kam nichts. Auch oben in den Bergen blieb es still. Sie gingen gegen Mitternacht, als sie abgelöst wurden, zurück und schliefen sofort ein. Erst gegen Morgen hörten sie Lärm und standen auf. Gress zog sich die Stiefel noch an, und Feinhals stand mit bloßen Füßen am Fenster und sah auf die andere Seite hinüber: dort standen viele Leute und redeten auf den Leutnant ein, der sie offenbar nicht über die Brücke lassen wollte. Sie schienen aus den Bergen zu kommen und aus dem Dorf, dessen Kirchturmspitze man hinter dem Wald sah, ein ziemlich langer Zug von Menschen mit Wagen und Bündeln, der auch dort, wo der Wald anfing, nicht zu Ende zu sein schien. Das helle Kreischen ihrer Stimmen war von Angst erfüllt, und Feinhals sah, wie Frau Susan, in Pantoffeln, einen Mantel umgehängt, über die Brücke ging. Sie blieb beim Leutnant stehen und redete lange mit den Leuten, dann sprach sie auf den Leutnant ein. Auch Deussen kam, er ging langsam, die Zigarette im Mund, auch er sprach mit dem Leutnant, dann mit Frau Susan, redete auf die Leute ein – bis sich endlich der Zug der Flüchtlinge auf der anderen Seite langsam in Bewegung setzte und auf Szarny zu marschierte. Es waren viele Wagen, hoch bepackt mit Kindern und Kisten, Geflügel in Körben, ein langer Zug, der nur langsam vorwärts kam; Deussen kam mit Frau Susan zurück und versuchte ihr kopfschüttelnd etwas klarzumachen.

Feinhals zog sich langsam an und legte sich wieder aufs Bett. Er versuchte zu schlafen, aber Gress rasierte sich umständlich und pfiff leise vor sich hin, und ein paar Minuten später hörten sie zwei Wagen heranfahren. Erst hörte es sich an, als ob sie nebeneinander fuhren, dann schien der eine den anderen zu überholen, man hörte den einen kaum noch, als der andere schon unten vorfuhr. Feinhals stand auf und ging die Treppe hinunter: es war der braune Personenwagen, mit dem der Zahlmeister manchmal gekommen war, um den Arbeitern Geld zu bringen. Er stand drüben vor Temanns Haus, und eben ging Deussen mit einem Mann in Braun, der auch Majorsschulterstücke trug, auf die Brücke zu. Aber auch der zweite Wagen kam jetzt angefahren. Dieser Wagen war grau und dreckxüberzogen, vollgespritzt, und lahm schien er zu sein, er hielt vor Frau Susans Haus, und ein kleiner munterer Leutnant sprang heraus, der Feinhals zurief: »Macht euch abmarschbereit, es wird mulmig hier. Wo ist euer Chef?« Feinhals sah, daß der kleine Leutnant Pionierschulterstücke trug. Er zeigte auf die Brücke und sagte: »Da.«

»Danke«, sagte der Leutnant. Er rief dem Landser im Wagen zu: »Mach alles fertig«, und lief schnell auf die Brücke zu. Feinhals ging ihm nach. Der Mann in der braunen Uniform mit den Majorsschulterstücken sah die Brücke ganz genau an, ließ sich von Deussen alles zeigen, nickte anerkennend, schüttelte sogar anerkennend den Kopf und ging dann langsam mit Deussen zurück. Deussen kam sofort mit seinem Gepäck aus Temanns Haus, den Schraubenschlüssel in der Hand, und der braune Wagen fuhr schnell zurück.

Mück kam mit den beiden MG-Schützen, dem Pionierleutnant und einem Artillerieunteroffizier zurück, der keine Waffe trug, dreckig aussah und abgehetzt schien: dem Mann lief der Schweiß übers Gesicht, er hatte auch kein Gepäck, nicht einmal eine Mütze, und zeigte immer wieder aufgeregt in den Wald, über den Wald hinweg in die Berge. Feinhals hörte es jetzt: es waren Fahrzeuge, die langsam die Straße herunterkamen. Der kleine Pionierleutnant lief zu seinem Wagen und rief: »Schnell, schnell!« Der Landser kam mit grauen Blechschachteln, braunen Papppaketen und einem Bündel von Drähten gelaufen. Der Leutnant sah auf seine Uhr: »Sieben«, sagte er, »wir haben zehn Minuten Zeit.« Er warf Mück einen Blick zu: »Punkt zehn nach soll sie in die Luft fliegen. Es wird nichts mit dem Gegenangriff.«

Feinhals ging langsam die Treppe hinauf, suchte oben sein Gepäck zusammen, nahm sein Gewehr, legte alles draußen vor die Tür und ging ins Haus zurück. Die beiden Frauen, immer noch nicht angekleidet, rannten aufgeregt durch die Flure, sie zerrten wahllos Gegenstände aus den Zimmern und schrien sich gegenseitig an. Feinhals blickte auf die Madonna: die Blumen waren welk – er suchte vorsichtig die welken Stengel heraus, lockerte die restlichen frischen Blumen zu einem Strauß und sah auf seine Uhr. Es war acht nach, und drüben auf der anderen Seite war das Geräusch der herankommenden Fahrzeuge deutlich zu hören, sie mußten schon an dem Dorf vorbei und im Wald sein. Draußen standen alle abmarschbereit. Leutnant Mück hatte einen Meldeblock in der Hand und schrieb die Personalien des abgehetzten Artillerieunteroffiziers auf, der müde auf der Bank saß.

»Schniewind«, sagte der Unteroffizier, »Arthur Schniewind... wir gehören zur 912.« Mück nickte und schob den Meldeblock in seine Ledertasche. In diesem Augenblick kam der kleine Pionierleutnant mit dem Landser zurückgerannt und schrie: »Volle Deckung – volle Deckung!« Sie warfen sich alle auf die Straße, möglichst nahe an das Haus, dessen Front schräg zur Brückenrampe stand. Der Pionierleutnant sah auf seine Uhr – dann flog die Brücke in die Luft. Es gab keinen großen Krach, nichts schwirrte durch die Luft, es schien zu knirschen, dann explodierte es wie ein paar Handgranaten, und sie hörten das Klatschen der schweren Fahrbahn. Sie warteten noch einen Augenblick, bis der kleine Leutnant sagte: »Es ist vorbei.« Sie standen auf und sahen auf die Brücke: die Betonpfeiler standen noch da, sauber waren Gehsteig und Fahrbahn abgesprengt, nur drüben war ein Teil des Geländers hängengeblieben.

Das Geräusch der heranfahrenden Wagen war schon ganz nahe, dann wurde es plötzlich still: sie schienen im Wald zu halten.

Der kleine Pionierleutnant war eingestiegen, kurbelte in seinem Wagen herum und rief Mück zu: »Was warten Sie noch? Sie haben keinen Befehl, hier zu warten.«

Er grüßte kurz und fuhr mit seinem schmutzigen kleinen Wagen davon.

»Antreten«, rief Leutnant Mück. Sie stellten sich auf der Straße auf, Mück stand da und blickte auf die beiden Häuser, aber in beiden Häusern rührte sich nichts. Nur hörte man jetzt das Weinen einer Frau, aber es schien die Alte zu sein.

»Marsch«, rief Mück, »Marsch, ohne Tritt marsch.« Er ging ihnen voran: todernst und traurig – er schien irgendwohin zu blicken, sehr weit weg – oder rückwärts, irgendwohin.

IX

Feinhals wunderte sich, wie groß das Anwesen der Fincks war. Von vorn hatte er nur dieses schmale alte Haus mit dem Schild »Fincks Weinstuben und Hotel seit 1710« gesehen, eine baufällig aussehende Treppe, die in die Gaststube führte, ein Fenster links, zwei rechts von der Tür, und neben dem äußersten Fenster rechts die Einfahrt, wie sie an allen Weinbauernhäusern war: ein grüngestrichenes wackeliges Tor, durch das mit knapper Not ein Fuhrwerk fahren konnte.

Aber jetzt, als er die Tür zum Flur geöffnet hatte, sah er in einen großen, sauber gepflasterten Hof, der durch ein regelmäßiges Geviert sehr solider Bauten gebildet wurde. Im ersten Stock lief ein hölzernes Geländer um einen Rundgang, und durch ein weiteres Tor wurde ein zweiter Hof sichtbar, in dem Schuppen standen, und rechts ein einstöckiges Gebäude, offenbar ein Saal. Er blickte aufmerksam alles an, horchte und stockte plötzlich, als er die beiden amerikanischen Posten sah: sie bewachten die zweite Durchfahrt, liefen aneinander vorbei wie Tiere in einem Käfig, die einen bestimmten Rhythmus gefunden haben, um aneinander vorbeizukommen, einer hatte eine Brille auf, und seine Lippen bewegten sich unaufhörlich, der andere rauchte eine Zigarette, sie trugen ihre Stahlhelme in den Nacken geschoben und sahen ziemlich müde aus.

Feinhals rüttelte links an der Tür, auf die ein Zettel »Privat« aufgeklebt war, und rechts an der anderen, die das Schild »Gaststube« trug. Beide Türen waren verschlossen. Er blieb wartend stehen und sah den Posten zu, die unermüdlich auf und ab gingen. In der Stille war nur selten einmal ein Schuß zu hören, die Gegner schienen Granaten zu wechseln wie Bälle, die nicht ernst gemeint waren, nur andeuten sollten, daß noch Krieg war; sie stiegen auf wie Lärmsignale, die irgendwo krepierten, krachten und in der Stille verständlich machten: »Krieg, es ist Krieg. Vorsicht: Krieg!« Ihr Echo drang nur schwach herüber. Aber als Feinhals einige Minuten diesem harmlosen Lärm lauschte, bemerkte er, daß er sich getäuscht hatte: die Granaten kamen nur von der amerikanischen Seite, von der deutschen fiel kein Schuß. Es war kein Feuerwechsel, ein sehr einseitiges Loslassen von Explosionen, das sehr regelmäßig erfolgte und in der bergigen Landschaft drüben auf der anderen Seite des Flüßchens ein vielfältiges, leise drohendes Echo weckte. Feinhals ging langsam ein paar Schritte vor, bis in die dunkle Ecke des Flures, wo es links in den Keller und rechts an eine kleine Tür führte, auf die ein Pappschild »Küche« genagelt war. Er klopfte an die Küchentür, hörte ein sehr schwaches »Herein – bitte« und drückte die Klinke herunter. Vier Gesichter blickten ihn an, und ihn schreckte die Ähnlichkeit zweier Gesichter mit diesem leblosen, erschöpften Gesicht, das er sehr weit entfernt, auf dieser Wiese eines ungarischen Dorfes, schwach beleuchtet von rötlichem Feuerschein, für einige Augenblicke gesehen hatte. Der alte Mann am Fenster mit der Pfeife im Mund glich diesem Gesicht sehr, er war schmal und alt, und eine müde Weisheit war in seinen Augen. Das zweite Gesicht, dessen Ähnlichkeit ihn erschreckte, war das Gesicht eines spielenden Jungen, der sechs Jahre alt sein mochte, mit einem hölzernen Wagen in der Hand am Boden hockte und nun zu ihm aufblickte: auch das Kind war schmal und sah alt aus, müde und weise, seine dunklen Augen blickten Feinhals an, dann senkte es gleichgültig seinen Blick und schob den Wagen mit müden Bewegungen über den Boden.

Die beiden Frauen saßen am Tisch und schälten Kartoffeln. Die eine war alt, aber ihr Gesicht war breit und braun, sehr gesund, und man sah, daß sie eine schöne Frau gewesen war. Die neben ihr saß, sah verblüht und ältlich aus, obwohl man bemerkte, daß sie jünger sein mußte, als sie aussah: sie war müde und niedergeschlagen, die Bewegungen ihrer Hände erfolgten wie zögernd. Blonde Strähnen fielen ihr über die blasse Stirn ins Gesicht, während die Alte straff gekämmt war.

»Guten Morgen«, sagte Feinhals.

»Guten Morgen«, antworteten sie.

Feinhals schloß die Tür hinter sich und zögerte, er räusperte sich und spürte, daß ihm der Schweiß ausbrach, ein dünner Schweiß, der ihm das Hemd unter den Achseln und auf dem Rücken festklebte. Die jüngere Frau, die am Tisch saß, sah ihn an, und er stellte fest, daß sie die gleichen sehr zarten, weißen Hände hatte wie der Junge, der am Boden hockte und ruhig seinen Wagen um eine brüchige Stelle in den Fliesen herumlenkte. In dem kleinen Raum roch es muffig nach unzähligen Mahlzeiten. Pfannen und Kochtöpfe hingen rundherum an der Wand.

Die beiden Frauen sahen den Mann an, der am Fenster saß und in den Hof blickte, er zeigte mit der Hand auf einen Stuhl und sagte: »Nehmen Sie Platz, bitte.«

Feinhals setzte sich neben die alte Frau und sagte: »Ich heiße Feinhals – bin aus Weidesheim – ich möchte nach Hause.«

Die beiden Frauen sahen auf, der Alte schien lebhafter zu werden. »Feinhals«, sagte er, »aus Weidesheim – der Sohn von Jacob Feinhals?«

»Ja – wie geht es in Weidesheim?«

Der Alte zuckte die Schultern, paffte eine Rauchwolke aus und sagte: »Es geht ihnen nicht schlecht – die warten darauf, daß die Amerikaner ihren Ort besetzen, aber sie tun es nicht. Sie sind schon drei Wochen hier, aber die zwei Kilometer bis Weidesheim gehen sie nicht, auch die Deutschen sind nicht dort, es ist Niemandsland, keiner kümmert sich drum, es liegt wohl nicht gut...«

»Man hört, daß die Deutschen manchmal reinschießen«, sagte die junge Frau, »aber nur selten.«

»Ja, man hört es«, sagte der Alte; er blickte Feinhals aufmerksam an.

»Wo kommen Sie her?«

»Von drüben – ich habe drüben drei Wochen gewartet, daß die Amerikaner kommen.«

»Genau gegenüber?«

»Nein – weiter südlich – bei Grinzheim.«

»In Grinzheim. So? Dort sind Sie rübergegangen?«

»Ja – diese Nacht.«

»Und haben Zivil angezogen?«

Feinhals schüttelte den Kopf. »Nein«, sagte er, »ich habe drüben schon Zivil angehabt – sie entlassen jetzt viele Soldaten.«

Der Alte lachte leise und blickte die junge Frau an. »Hörst du, Trude«, sagte er, »sie entlassen jetzt viele Soldaten – oh, was soll man anders als lachen ...«

Die Frauen waren fertig mit Kartoffelschälen; die junge Frau nahm den Topf, ging zum Wasserhahn in die Ecke und schüttete die Kartoffeln in ein Sieb. Sie ließ Wasser laufen und fing an, mit müden Bewegungen die Kartoffeln zu waschen.

Die alte Frau berührte Feinhals am Arm. Er wandte sich ihr zu.

»Entlassen sie viele?« fragte sie.

»Viele«, sagte Feinhals, »manche Einheiten entlassen alle – mit der Verpflichtung, sich im Ruhrgebiet zu sammeln. Aber ich bin nicht ins Ruhrgebiet gegangen.«

Die Frau am Wasserhahn fing an zu weinen. Sie weinte lautlos, leise bewegten sich ihre mageren Schultern.

»Oder weinen«, sagte der Alte am Fenster, »lachen oder weinen.« Er sah Feinhals an. »Ihr Mann ist gefallen – mein Sohn.« Er zeigte mit der Pfeife auf die Frau, die am Wasserhahn stand, sehr sorgfältig und langsam die Kartoffeln wusch und weinte. »In Ungarn«, sagte der Alte, »vorigen Herbst.«

»Im Sommer«, sagte die alte Frau, die neben Feinhals saß, »er sollte entlassen werden – ein paarmal stand er kurz davor, er war krank, sehr krank, aber sie mochten ihn wohl nicht gehenlassen. Er hatte die Kantine.« Sie schüttelte den Kopf und blickte auf die jüngere Frau am Wasserhahn. Die jüngere Frau schüttete die gewaschenen Kartoffeln vorsichtig in einen sauberen Kessel und ließ Wasser nachlaufen. Sie weinte immer noch, sehr still und fast lautlos, und sie setzte den Kessel auf den Herd und ging in die Ecke, um aus der Tasche eines Kittels ihr Taschentuch zu holen.

Feinhals spürte, daß sein Gesicht zusammenfiel. Er hatte nicht oft an Finck gedacht, nur ein paarmal sehr flüchtig, aber jetzt dachte er so intensiv daran, daß er es deutlicher vor sich sah als damals, als er es wirklich gesehen hatte: diesen unwahrscheinlich schweren Koffer, in den plötzlich die Granate einschlug, das Hochsausen des Kofferdeckels und wie der Wein im Dunkeln auf den Weg und in seinen Nacken spritzte, wie die Scherben klirrten – und wie klein und wie mager dieser Mann gewesen war, den er langsam abtastete, bis er in die große blutige Wunde fühlte und die Hand zurückzog...

Er sah dem Kind zu, das auf dem Boden spielte. Es zog mit seinen schmalen, weißen Fingern den Wagen ruhig um die Stelle herum, wo die Fliesen defekt waren – kleine Brennholzklötze lagen da, die aufgeladen, abgeladen, aufgeladen, abgeladen wurden. Das Kind war sehr zart und hatte die gleichen müden Bewegungen wie seine Mutter, die jetzt am Tisch saß und das Taschentuch vors Gesicht hielt. Feinhals blickte gequält rund und überlegte, ob er ihnen erzählen müsse, aber er senkte den Kopf wieder und beschloß, es ihnen später zu sagen. Er würde es dem alten Mann sagen. Jetzt wollte er nicht darüber sprechen: sie schienen sich jedenfalls keinen Gedanken zu machen, wie Finck aus seinem Lazarett nach Ungarn gekommen war. Die alte Frau berührte wieder seinen Arm. »Was ist«, fragte sie leise, »haben Sie Hunger? Ist Ihnen schlecht?«

»Nein«, sagte Feinhals, »vielen Dank.« In ihren eindringlichen Blick hinein wiederholte er: »Nein, wirklich nicht, danke.«

»Ein Glas Wein«, fragte der Alte vom Fenster, »oder einen Schnaps?«

»Ja«, sagte Feinhals, »einen Schnaps gern.«

»Trude«, sagte der Alte, »gib dem Herrn einen Schnaps.«

Die junge Frau stand auf und ging ins Nebenzimmer. »Wir wohnen sehr eng«, sagte die alte Frau zu Feinhals, »nur diese

Küche und die Gaststube, aber es heißt, daß sie bald weitermarschieren, sie haben viele Panzer hier, und die Gefangenen sollen abtransportiert werden.«

»Haben Sie Gefangene im Haus?«

»Ja«, sagte der Alte, »es sind Gefangene vorn im Saal, nur hohe Offiziere, die hier verhört werden. Wenn sie verhört sind, kommen sie weg. Sogar ein General ist dabei. Sehen Sie, da!«

Feinhals ging zum Fenster, und der Alte zeigte mit den Fingern an den Posten vorbei durch die Einfahrt in den zweiten Hof, auf die Fenster des Sälchens, die mit Stacheldraht vernagelt waren.

»Da«, sagte der Alte, »wird wieder einer zur Vernehmung geführt.«

Feinhals erkannte den General sofort: er sah besser aus, entspannter, und er hatte jetzt das Kreuz am Hals, er schien sogar leise zu lächeln und ging ruhig und gehorsam vor den beiden Posten her, die die Läufe ihrer Maschinenpistolen auf ihn gerichtet hatten. Der General war fast gar nicht mehr gelb im Gesicht, und er sah auch nicht mehr müde aus, sein Gesicht war ebenmäßig, ruhig, gebildet und human, das sehr sanfte Lächeln verschönte sein Gesicht. Er kam aus der Durchfahrt, ging ruhig über den Hof und stieg vor den beiden Posten die Treppe hinauf.

»Das war der General«, sagte Finck, »sie haben auch Obersten da, Majore, nur Stabsoffiziere, fast dreißig.«

Die junge Frau kam mit den Gläsern und der Schnapsflasche aus dem Gastzimmer zurück. Sie stellte ein Glas vor den alten Finck auf die Fensterbank und das andere vor Feinhals' Platz auf den Tisch. Feinhals blieb am Fenster stehen. Er konnte von hier aus auch über den zweiten Hof hinwegsehen bis auf die Straße, die an der Hinterseite des Hauses vorbeiführte. Dort standen wieder zwei Posten mit Maschinenpistolen, und gegenüber der Stelle, wo die Posten standen, erkannte Feinhals jetzt das Schaufenster des Sarggeschäftes, und er wußte, daß dies die Straße war, in der das Gymnasium lag. Der Sarg stand immer noch im Schaufenster: schwarz poliert mit silbernen Beschlägen und einem schwarzen Tuch, das schwere silberne Troddeln hatte. Vielleicht war es noch derselbe Sarg, der vor dreizehn Jahren dort gestanden hat, als er ins Gymnasium ging.

»Prost«, sagte der Alte und hob sein Glas.

Feinhals ging schnell zum Tisch, nahm sein Glas, sagte »Danke« zu der jungen Frau und »Prost« zu dem Alten und trank. Der Schnaps war gut. »Wann – glauben Sie – ist es günstig für mich, nach Hause zu kommen?«

»Sie müssen sehen, daß Sie an einer Stelle durchkommen, wo keine Amerikaner liegen – am besten am Kerpel – kennen Sie den Kerpel?«

»Ja«, sagte Feinhals, »sind dort keine?«

»Nein, dort sind keine. Es kommen oft Leute von drüben, die hier Brot holen – nachts –, Frauen, sie kommen alle durch den Kerpel...«

»Tagsüber schießen sie schon mal rein«, sagte die junge Frau.

»Ja«, sagte der Alte, »sie schießen tagsüber schon mal rein...«

»Danke«, sagte Feinhals, »vielen Dank.« Er trank sein Glas leer.

Der Alte stand auf. »Ich fahre auf den Berg«, sagte er, »am besten, Sie kommen mit. Von oben können Sie alles gut sehen, auch das Haus Ihres Vaters...«

»Ja«, sagte Feinhals, »ich komme mit.«

Er blickte die Frauen an, die am Tisch saßen und Gemüse putzten, sie entblätterten vorsichtig zwei Kohlköpfe, besahen die Blätter, zerschnitten sie und warfen sie in ein Sieb.

Das Kind blickte auf, es ließ den Wagen plötzlich stehen und fragte: »Kann ich mitkommen?«

»Ja«, sagte Finck, »geh mit.« Er legte die Pfeife auf die Fensterbank.

»Jetzt kommt der nächste dran«, rief er, »sehen Sie.«

Feinhals lief zum Fenster: der Oberst hatte jetzt einen schlappen Gang, sein spitzes Gesicht sah krank aus, und der Kragen, an dem die Orden baumelten, war ihm viel zu weit. Er hob kaum die Knie, schlackerte mit den Armen. »Eine Schande«, murmelte Finck, »eine Schande.« Er nahm seinen Hut vom Haken und zog ihn an.

»Auf Wiedersehen«, sagte Feinhals.

»Auf Wiedersehen«, sagten die Frauen.

»Wir sind zum Essen zurück«, sagte der alte Finck.

Der Soldat Berchem liebte den Krieg nicht. Er war Kellner und Mixer in einem Nachtlokal gewesen, und es war ihm gelungen, bis Ende 1944 der Einberufung zu entgehen, und er hatte während des Krieges in diesem Nachtlokal eine Menge Dinge gelernt, die sich ihm aber in fast fünfzehnhundert Kriegsnächten unabänderlich bestätigten. Er hatte immer gewußt, daß die meisten Männer weniger Alkohol vertragen, als sie glauben, und daß die meisten Männer eine große Zeit ihres Lebens damit verbringen, sich einzureden, daß sie wilde Säufer sind, und daß sie das auch den Frauen einzureden versuchten, die sie mit in die Nachtlokale brachten. Aber es gab nur sehr wenig Männer, die wirklich saufen konnten und denen beim Saufen zuzusehen einem Spaß machte. Und auch im Krieg blieben diese Männer selten.

Und die meisten Menschen begingen den Irrtum, anzunehmen, daß ein Stück glänzenden Metalls auf der Brust oder am Halse eines Menschen diesen verändern könne. Sie schienen zu glauben, daß ein Dummkopf intelligent und ein Schwächling stark werden könne, wenn er an irgendeiner dekorativen Stelle seiner Uniform mit einer Auszeichnung behangen wurde, die er möglicherweise verdient hatte. Aber Berchem hatte eingesehen, daß es nicht wahr war: wenn es schon möglich sein sollte, einen Menschen durch eine Dekoration zu verändern, dann höchstens negativ. Aber er hatte diese Männer meistens nur eine Nacht gesehen, und er hatte sie vorher nicht gekannt, und er wußte nur, daß die meisten von ihnen keinen Alkohol vertrugen, obwohl sie alle glaubten, sie vertrügen ihn, und zu erzählen wußten, wieviel sie dann und dann und da und da auf einen Ritt getrunken hatten. Es war nicht schön, zu sehen, wenn sie betrunken waren, und dieses Nachtlokal, in dem er fünfzehnhundert Kriegsnächte als Kellner zugebracht hatte, wurde nicht sehr streng nach Schwarzhandelsware kontrolliert: irgendwo mußte es ja für die Helden etwas zu trinken und zu rauchen und zu essen geben, und sein Chef war achtundzwanzig Jahre alt, kerngesund, und wurde auch im Dezember 1944 noch nicht Soldat. Dem Chef machten auch die Bomben nichts, die allmählich die ganze Stadt zerstörten, der Chef hatte eine Villa draußen im Wald, sogar mit Bunker, und manchmal machte es ihm Spaß, ein paar besonders sympathische Helden zu einem privaten Trunk einzuladen, sie in seinen Wagen zu packen und sie draußen in seiner Villa zu bewirten.

Berchem hatte fünfzehnhundert Kriegsnächte hindurch sehr aufmerksam zugesehen, und er hatte oft zuhören müssen, obwohl es ihm langweilig war. Er wußte nicht, wieviel Sturmangriffe und Einkesselungen er aus Erzählungen kannte. Eine Zeitlang hatte er dran gedacht, es sich aufzuschreiben, aber es waren zu viele Sturmangriffe, zu viele Einkesselungen, und es gab zu viele Helden, die keine Auszeichnungen trugen und erzählen mußten, daß sie sie eigentlich verdient hätten, weil – er hatte viele von diesen Weil-Erzählungen angehört, und er hatte genug vom Krieg. Aber manche erzählten auch die Wahrheit, wenn sie betrunken waren – er erfuhr auch die Wahrheit von manchen Helden und von den Barfrauen, die aus Frankreich und Polen, aus Ungarn und Rumänien waren. Er hatte sich immer gut mit Barfrauen verstanden. Die meisten von ihnen konnten Alkohol vertragen, und er hatte eine Schwäche für Frauen, mit denen man einen trinken konnte.

Aber jetzt lag er in einer Scheune in einem Ort, der Auelberg hieß, er hatte ein Fernglas, ein Schulheft und ein paar Bleistifte und eine Armbanduhr, und er hatte alles aufzuschreiben, was er in dem Ort beobachten konnte, der Weidesheim hieß und hundertfünfzig Meter von ihm entfernt auf der anderen Seite des Flüßchens lag. In Weidesheim war nicht viel zu sehen: die halbe Front des Ortes wurde durch die Mauer der Marmeladenfabrik gebildet, und die Marmeladenfabrik lag jetzt still. Manchmal gingen Leute über die Straße, sehr selten, sie entfernten sich westlich in Richtung Heidesheim und waren bald in den engen Gassen unsichtbar geworden. Die Leute stiegen in ihre Weinberge und ihre Obstgärten hinauf, und er sah sie dort oben arbeiten, hinter Weidesheim, aber alles, was hinter Weidesheim geschah, brauchte er nicht in sein Schulheft zu schreiben. Das Geschütz, für das er hier den Beobachter spielte, bekam nur sieben Granaten am Tag, und diese Granaten mußten irgendwie verschossen werden, weil das Geschütz sonst gar keine bekam, und die sieben Granaten langten nicht zu einem Duell mit den Amerikanern, die in Heidesheim lagen – es war zwecklos, sogar verboten, auf die Amerikaner zu schießen, weil sie jeden Schuß hundertfach zurückgaben, sie waren sehr empfindlich. So nützte es nichts, wenn Berchem in sein Schulheft eintrug: »10.30 amerikanischer Pkw aus Richtung Heidesheim nach Haus neben Eingang Marmeladenfabrik. Wagen parkt vor Marmeladenfabrik. Rückfahrt 11.15.« Dieser Wagen kam jeden Tag und stand fast eine Stunde hundertfünfzig Meter von ihm entfernt, aber es war zwecklos, es ins Heft zu schreiben: auf diesen Wagen wurde nie geschossen. Jedesmal entstieg ihm ein amerikanischer Soldat, der fast immer eine Stunde im Haus blieb und dann wegfuhr.

Der Geschützführer, den Berchem zuerst gehabt hatte, war ein Leutnant gewesen, er hieß Gracht, und man sagte von ihm, er sei Pastor. Berchem hatte nicht viel mit Pastoren zu tun gehabt, aber er fand, daß dieser sehr nett war. Gracht hatte seine sieben Granaten immer in die Flußmündung geschickt, die links von Heidesheim lag, ein versandetes und versumpftes kleines Delta, in dem nur Schilf wuchs, das die Bewohner Kerpel nannten, dort schadeten seine Granaten bestimmt niemand, und Berchem hatte daraufhin angefangen, in sein Schulheft zu schreiben, mehrmals am Tage: »Auffällige Bewegungen Flußmündung«. Der Leutnant hatte dazu nichts gesagt und hatte seine sieben Granaten in den Sumpf geschickt. Aber seit zwei Tagen war ein anderer Geschützführer oben, ein Wachtmeister, der Schniewind hieß und der es sehr genau mit seinen sieben Granaten nahm. Auch Schniewind schoß nicht auf den amerikanischen Wagen, der immer vor der Marmeladenfabrik parkte, er hatte es auf die weißen Fahnen abgesehen: offenbar rechneten die Bewohner von Weidesheim immer noch jeden Tag damit, daß die Amerikaner ihren Ort besetzten, aber die Amerikaner besetzten den Ort nicht. Er lag sehr ungünstig, in einer Schleife, und er war sehr gut einzusehen, während Heidesheim fast gar nicht einzusehen war, und die Amerikaner hatten offenbar nicht den Plan, vorzugehen. Sie waren an anderen Stellen schon zweihundert Kilometer in Deutschland hineinmarschiert, schon fast in Mitteldeutschland, aber hier in Heidesheim lagen sie schon drei Wochen, und für jeden Schuß, der Heidesheim traf, hatten sie mehr als hundert zurückgeschickt, aber jetzt schoß niemand mehr nach Heidesheim: die sieben Granaten waren für Weidesheim und seine Umgebung bestimmt, und der Wachtmeister Schniewind hatte beschlossen, die mangelhafte patriotische Gesinnung der Weidesheimer zu bestrafen. Weiße Fahnen konnte er nicht dulden.

Trotzdem schrieb Berchem auch an diesem Tage in sein Schulheft: »9 Uhr auffällige Bewegung in Flußmündung«. Und er schrieb dasselbe um 10.15 – und wieder um 11.45 schrieb er: »Amerikanischer Pkw von H. nach W. Marmeladenfabrik«. Um zwölf verließ er seinen Posten für ein paar Minuten, um sich sein Essen zu holen. Als er die Leiter hinunterklettern wollte, rief ihm von unten Schniewind entgegen: »Moment, bleiben Sie noch oben.« Berchem kroch an das Scheunenfenster zurück und nahm das Fernglas in die Hand. Schniewind nahm ihm das Glas aus der Hand, warf sich gefechtsmäßig auf den Bauch und äugte hinaus. Berchem sah ihn von der Seite an: Schniewind gehörte zu dem Typ von Männern, die nichts vertrugen, aber sich einredeten und andere zu überzeugen vermochten, daß sie eine Menge vertrügen. Der Eifer war nicht ganz echt, mit dem er da auf dem Bauch lag und in das trostlose, leblose Weidesheim starrte, und Berchem sah, daß der Stern auf seiner Achselklappe noch ganz neu war und auch das Stück Litze, das seine Achselklappe mit einem vollendeten Hufeisen umrandete. Schniewind reichte Berchem das Fernglas zurück und sagte: »Schweine, diese verfluchten Schweine mit ihren weißen Fahnen – geben Sie mir das Heft.« Berchem gab es ihm. Schniewind sah es durch. »Quatsch«, sagte er, »ich weiß nicht, was ihr mit eurer versumpften Flußmündung habt, da sind nur Frösche, geben Sie her.« Er riß Berchem das Fernglas aus der Hand und richtete es auf die Flußmündung. Berchem sah, daß eine leichte Spur von Speichel um Schniewinds Mund zu sehen war und daß ein sehr dünner Faden von Speichel nach unten hing. »Nichts«, murmelte Schniewind, »rein gar nichts in dieser Flußmündung – nichts rührt sich – Quatsch.« Er riß sich ein Blatt aus dem Schulheft, nahm einen Bleistiftstummel aus der Tasche, und während er aus dem Fenster blickte, schrieb er auf den Zettel. »Schweine«, murmelte er, »diese Schweine.« Dann ging er, ohne zu grüßen, weg und stieg die Leiter hinunter. Berchem stieg eine Minute später nach, um sein Essen zu holen.

Von oben, vom Weinberg aus, war alles gut zu übersehen, und Feinhals begriff, warum Weidesheim weder von Deutschen noch Amerikanern besetzt war: es lohnte sich nicht. Fünfzehn Häuser und eine Marmeladenfabrik, die stillag. Die Eisenbahnstation war in Heidesheim, und drüben auf der anderen Seite, die Station Auelberg, war von Deutschen besetzt: Weidesheim lag in einer toten Schleife. Zwischen Weidesheim und den Bergen, in einem Loch, lag Heidesheim, und er sah, daß auf jedem größeren Platz die Panzer dichtgedrängt standen; auf dem

Schulhof des Gymnasiums, an der Kirche, auf dem Markt und dem großen Parkplatz am Hotel zum Stern, überall standen Panzer und Fahrzeuge, die nicht einmal getarnt waren. Im Tal blühten schon die Bäume, Hänge und Wiesen waren bedeckt mit blühenden Baumkronen, weiß, rötlich und bläulichweiß, und die Luft war mild: es war Frühling. Das Fincksche Grundstück konnte er von oben wie einen Riß sehen, die beiden viereckigen Höfe zwischen den engen Straßen, sogar die vier Posten konnte er erkennen, und im Hof des Sargladens sah er einen Mann, der an einer großen, weißlichgelben, etwas schrägen Kiste zimmerte, die offenbar ein Sarg werden sollte – das frisch gehobelte Holz war gut zu erkennen, es leuchtete rötlichgelb, und die Frau des Meisters saß auf einer Bank in der Sonne, nahe bei ihrem Mann, und putzte Gemüse.

Auf den Straßen war Leben, einkaufende Frauen, Soldaten, und eben verließ eine Schulklasse das Schulgebäude, das am Ende des Ortes lag. Aber in Weidesheim war es vollkommen still. Zwischen den großen Baumkronen waren die Häuser wie versteckt, aber er kannte jedes Haus dort und sah beim ersten Blick, daß die Häuser von Bergs und Hoppenraths beschädigt waren, das Haus seines Vater aber unbeschädigt, es lag breit und gelb dort an der Hauptstraße mit seiner behäbigen Front, und die weiße Fahne, die im ersten Stock aus dem Schlafzimmer der Eltern heraushing, war besonders groß, größer als die weißen Fahnen, die er an anderen Häusern sah. Die Linden waren schon grün. Aber kein Mensch war zu sehen, und die weißen Fahnen hingen steif und tot in der Windstille. Auch der große Hof der Marmeladenfabrik war leer, rostige Eimer lagen haufenweise unordentlich umher, die Schuppen war verschlossen. Plötzlich sah er, daß vom Heidesheimer Bahnhof ein amerikanischer Wagen schnell durch die Wiesen und Obstgärten auf Weidesheim zufuhr. Der Wagen verschwand manchmal unter den weißen Baumkronen, wurde wieder sichtbar, fuhr in die Weidesheimer Hauptstraße und hielt am Tor der Marmeladenfabrik.

»Verflucht«, sagte Feinhals leise zu Finck und zeigte mit dem Finger auf das Auto. »Was ist das?«

Finck saß neben ihm auf der Bank vor dem Geräteschuppen und schüttelte ruhig seinen Kopf. »Nichts«, sagte er, »nichts Bedeutendes, das ist der Liebhaber von Fräulein Merzbach, er fährt jeden Tag einmal rüber.«

»Ein Amerikaner?«

»Natürlich«, sagte Finck, »sie hat Angst, zu ihm hierhin zu kommen, weil die Deutschen manchmal in den Ort schießen – deshalb fährt er zu ihr.«

Feinhals lächelte. Er kannte Fräulein Merzbach gut: sie war wenige Jahre jünger als er, und damals, als er wegging von zu Hause, war sie vierzehn Jahre alt gewesen, ein magerer, unruhiger Backfisch, der viel zuviel und schlecht Klavier spielte – er erinnerte sich manches Sonntagnachmittags, an dem sie unten im Salon der Direktorswohnung gespielt hatte, während er nebenan im Garten saß und las, und wenn ihr Spiel aufhörte, war ihr mageres, blasses Gesicht am Fenster erschienen, und sie hatte in die Gärten gesehen, traurig und unzufrieden. Einige Minuten war es dann still, bis sie wieder ans Klavier zurückgegangen war, um weiterzuspielen. Sie mußte jetzt siebenundzwanzig sein, und irgendwie freute es ihn, daß sie einen Liebhaber hatte.

Er dachte daran, daß er bald unten sein würde, zu Hause, direkt neben Merzbachs, und daß er morgen mittag wahrscheinlich diesen Amerikaner sehen würde. Vielleicht würde man mit ihm sprechen können, und es gab vielleicht eine Möglichkeit, durch ihn an Papiere zu kommen – er war sicher Offizier. Es war nicht wahrscheinlich, daß Fräulein Merzbach einen gewöhnlichen Soldaten zum Liebhaber hatte.

Er dachte auch an seine kleine Wohnung in der Stadt, von der er wußte, daß sie nicht mehr existierte. Die Leute dort hatten ihm geschrieben, das Haus stünde nicht mehr, und er versuchte sich das vorzustellen, aber er konnte es sich nicht vorstellen, obwohl er viele Häuser gesehen hatte, die nicht mehr existierten.

Aber daß seine Wohnung nicht mehr existierte, konnte er sich nicht vorstellen. Er war nicht einmal hingefahren, als er Urlaub wegen des Schadens bekam, er sah nicht ein, warum er hinfahren sollte, nur um zu sehen, daß nichts mehr da war. Als er das letzte Mal da gewesen war, 1943, hatte das Haus noch gestanden, er hatte die zerstörten Fenster mit Pappe zugenagelt und war in das Nachtlokal gegangen, das ein paar Häuser weiter lag – dort hatte er drei Stunden gesessen, bis der Zug nach Hause fuhr, und er hatte sich eine Zeitlang mit dem Kellner unterhalten, der sehr nett war, ein nüchterner, ruhiger Mann, der noch jung war und ihm die Zigaretten für vierzig Pfennig und eine Flasche französischen Kognak für fünfundsechzig Mark verkaufte. Das war billig, und der Kellner hatte ihm sogar seinen Namen genannt – er wußte ihn nicht mehr – und hatte ihm eine Frau empfohlen, deren Reiz in einer echt wirkenden deutschen Biederkeit bestand. Sie hieß Grete, und alle nannten sie Mutter, und der Kellner hatte gesagt, es wäre sehr nett, mit ihr einen zu trinken und zu plaudern. Er hatte drei Stunden mit Grete geplaudert, die wirklich bieder zu sein schien, ihm von ihrem Elternhaus in Schleswig-Holstein erzählte und ihn über den Krieg zu trösten versuchte. In diesem Nachtlokal war es wirklich nett gewesen, obwohl ein paar besoffene Offiziere und Landser dort nach Mitternacht anfingen, Parademarsch zu üben.

Er war froh, daß er jetzt nach Hause gehen und dort bleiben konnte. Er würde lange dableiben und nichts tun, bis sich zeigen würde, was es gab. Arbeit würde es sicher genug geben nach dem Krieg, aber er hatte nicht vor, viel zu arbeiten. Er hatte keine Lust – er wollte nichts tun, vielleicht ein bißchen bei der Ernte helfen, unverbindlich, so wie Feriengäste, die schon mal eine Heugabel in die Hand nehmen. Vielleicht würde er später anfangen, in der Nachbarschaft ein paar Häuser aufzubauen, wenn er die Aufträge bekommen konnte. Er übersah mit einem schnellen Blick Heidesheim: es war manches zerstört, am Bahnhof eine ganze Häuserzeile und auch der Bahnhof selbst. Es stand noch ein Güterzug da, dessen Lokomotive zerschossen neben den Gleisen lag, aus einem Waggon wurde Holz auf ein amerikanisches Auto entladen, die frischen Bretter waren so deutlich zu sehen wie der Sarg im Garten des Tischlers, der heller und leuchtender war als die Blüten auf den Bäumen, sein gelbliches Weiß leuchtete deutlich herauf...

Er überlegte, welchen Weg er gehen sollte. Finck hatte ihm erklärt, daß die amerikanischen Posten an der Bahnlinie standen, auch Stellungen hatten sie dort, und daß sie nichts gegen einzelne Leute unternahmen, die zur Feldarbeit gingen. Aber wenn er ganz sicher gehen wollte, konnte er durch den Kanal kriechen, in dem der versandende Fluß für einige hundert Meter aufgefangen wurde; man konnte gebückt hindurchgehen, und viele Leute, die aus irgendeinem Grund nach drüben wollten, hatten ihn benutzt – und am Ende des Kanals war das unübersichtliche Buschwerk des Kerpels, das an die Gärten von Weidesheim grenzte. Wenn er einmal in den Gärten war, würde ihn keiner mehr sehen, dort kannte er jeden Schritt des Weges. Er konnte auch eine Hacke oder einen Spaten auf die Schulter nehmen. Finck versicherte, daß täglich viele Leute von Weidesheim herüberkämen, um in den Weinbergen und Obstgärten zu arbeiten.

Er wollte nur Ruhe: zu Hause im Bett liegen, wissen, daß niemand ihn belästigen konnte, an Ilona denken, vielleicht von ihr träumen. Später würde er anfangen zu arbeiten, irgendwann – erst wollte er sich ausschlafen und sich von der Mutter verwöhnen lassen; sie würde sich sehr freuen, wenn er für lange Zeit kam. Wahrscheinlich würden sie zu Hause auch etwas zu rauchen haben, und er würde nach langer Zeit wieder Gelegenheit haben zu lesen. Fräulein Merzbach konnte jetzt sicher besser Klavier spielen. Es fiel ihm ein, daß er sehr glücklich gewesen war, damals, als er im Garten sitzen und lesen konnte und dem schlechten Klavierspiel von Fräulein Merzbach zuhören mußte, er war glücklich gewesen, obwohl er es damals nicht gewußt hatte. Heute wußte er es – er hatte davon geträumt, Häuser zu bauen, wie sie noch kein Mensch gebaut hatte, aber später hatte er Häuser gebaut, die sich kaum von denen unterschieden, die andere Leute bauten. Er war ein sehr mittelmäßiger Architekt geworden und wußte es, aber es war doch schön, sein Handwerk zu verstehen und einfache, gute Häuser zu bauen, die einem manchmal sogar noch gefielen, wenn sie fertig waren. Es kam nur darauf an, sich selbst nicht allzu ernst zu nehmen – das war alles. Der Weg nach Hause kam ihm sehr weit vor jetzt, obwohl es nicht viel mehr als eine halbe Stunde sein konnte; er war sehr müde und faul, und er hätte sich gewünscht, sehr schnell mit einem Wagen dorthin gefahren zu werden, nach Hause, sich ins Bett zu legen und zu schlafen. Es war ihm sehr lästig, diesen Weg zu gehen, den er bald gehen mußte: durch die Front der Amerikaner hindurch. Es konnte Schwierigkeiten geben, und er wollte keine Schwierigkeiten mehr, er war müde, und alles war ihm lästig.

Er nahm seine Mütze vom Kopf und faltete die Hände, als es Mittag läutete – Finck und der Junge taten das gleiche; auch der Tischler unten im Hof, der den Sarg zimmerte, ließ sein Werkzeug liegen, und die Frau stellte den Gemüsekorb beiseite und stand jetzt mit gefalteten Händen im Hof. Die Menschen schienen sich nicht mehr zu schämen, öffentlich zu beten, und es kam ihm irgendwie widerwärtig vor, auch bei sich selbst: er hatte auch früher gebetet – auch Ilona hatte gebetet, eine sehr fromme und kluge Frau, die sogar schön war und so klug, daß sie nicht einmal durch die Priester an ihrem Glauben hätte irre werden können. Als er jetzt betete, ertappte er sich dabei, daß er um etwas betete, fast gewohnheitsmäßig, obwohl es nichts gab, was er sich wünschte: Ilona war tot, um was hätte er beten sollen? Aber er betete um ihre Rückkehr – von irgendwoher, um seine glückliche Heimkehr, obwohl diese schon fast vollzogen war. Er hatte alle diese Leute in Verdacht, daß sie um etwas beteten, um die Erfüllung irgendeines Wunsches, aber Ilona hatte ihm gesagt:» Wir müssen beten, um Gott zu trösten...«, sie hatte das gelesen und es außerordentlich gefunden, und während er die Hände gefaltet hatte, nahm er sich vor, erst richtig zu beten, wenn er um nichts mehr beten konnte. Er wollte dann auch in die Kirche gehen, obwohl es ihm schwerfiel, die Gesichter der meisten Priester und ihre Predigten zu ertragen, aber er wollte es tun, um Gott zu trösten – vielleicht Gott auch über die Gesichter und Predigten der Priester zu trösten. Er lächelte, nahm seine Hände wieder auseinander und setzte die Mütze auf...

»Sehen Sie da«, sagte Finck, »jetzt werden sie abtransportiert.« Er zeigte nach Heidesheim hinunter, und Feinhals sah, daß ein Lastwagen vor dem Hause des Sargtischlers stand, ein Lastwagen, der sich langsam mit Offizieren aus Fincks Sälchen füllte: sogar von oben waren ihre Orden gut zu sehen. Dann entfernte sich der Lastwagen auf der baumreichen Landstraße sehr schnell nach Westen, dorthin, wo kein Krieg mehr war...

»Man erzählt sich, daß sie bald vorgehen werden«, sagte Finck, »sehen Sie die Panzer alle?«

»Ich hoffe, sie werden Weidesheim recht bald erobern«, sagte Feinhals. Finck nickte. »Es wird nicht mehr lange dauern – besuchen Sie uns einmal?«

»Ja«, sagte Feinhals, »ich werde oft zu Ihnen kommen.«

»Es würde mich freuen«, sagte Finck, »wollen Sie Tabak?«

»Danke«, sagte Feinhals; er stopfte sich eine Pfeife, Finck gab ihm Feuer, und sie sahen eine Zeitlang in die blühende Ebene hinunter, während der alte Finck seine Hand auf dem Kopf des Enkelkindes liegen hatte.

»Ich werde jetzt gehen«, sagte Feinhals plötzlich, »ich muß gehen, ich will nach Hause...«

»Gehen Sie« sagte Finck, »gehen Sie ruhig, es besteht keine Gefahr.«

Feinhals gab ihm die Hand. »Vielen Dank«, sagte er und sah ihn an, »vielen Dank – ich hoffe, ich kann Sie bald wieder besuchen.« Er gab auch dem Jungen die Hand, und das Kind sah ihn aus seinen dunklen, schmalen Augen nachdenklich und etwas mißtrauisch an.

»Nehmen Sie die Hacke mit«, sagte Finck, »es ist besser.«

»Danke«, sagte Feinhals und nahm die Hacke aus Fincks Hand.

Eine Zeitlang schien es, als stiege er genau dem Sarg entgegen, der unten im Hof gezimmert wurde, er ging genau senkrecht darauf zu, er sah die gelbe leuchtende Kiste größer und deutlicher werden, wie durch die Gläser eines Fernglases hindurch, bis er rechts abschwenkte, am Dorf vorbeiging; er tauchte im Strom der Schulkinder unter, die gerade das Schulgebäude verließen, blieb in einer Gruppe von Kindern bis zum Stadttor und war allein, als er ruhig über die Straße zur Unterführung ging. Er wollte nicht durch den Kanal kriechen, es war ihm zu lästig. Auch durch den unwegsamen, sumpfigen Kerpel zu gehen war ihm zu lästig – und außerdem würde es höchstens auffällig aussehen, wenn er erst rechts, dann wieder links in das Dorf hineinging. Er nahm den geraden Weg, der durch Wiesen und Obstgärten führte, und war vollkommen ruhig, als er hundert Meter vor sich jemand mit einer Hacke gehen sah.

Die Amerikaner hatten an der Unterführung nur einen Doppelposten stehen. Die beiden Männer hatten die Stahlhelme abgenommen, rauchten und blickten gelangweilt in die blühenden Gärten zwischen Heidesheim und Weidesheim; sie beachteten Feinhals nicht, sie lagen schon drei Wochen hier, und seit zwei Wochen war kein Schuß mehr nach Heidesheim gekommen. Feinhals ging ruhig an ihnen vorbei, nickte ihnen zu, sie nickten gleichgültig zurück.

Er hatte nur noch zehn Minuten zu gehen, geradeaus durch die Gärten, dann links herum zwischen Heusers und Hoppenraths durch, ein Stück Hauptstraße hinunter, und er war zu Hause. Vielleicht würde er unterwegs noch jemand treffen, den er kannte, aber es begegnete ihm niemand, es war vollkommen still, nur die entfernten Geräusche fahrender Lastwagen erreichten ihn, aber ans Schießen schien um diese Zeit keiner zu denken. Nicht einmal die regelmäßigen Explosionen von Granaten, die ihm wie Warnsignale erschienen waren, erfolgten jetzt.

Er dachte mit einer gewissen Bitterkeit an Ilona: irgendwie schien es ihm, sie habe sich gedrückt, sie war tot, und zu sterben war vielleicht das einfachste – sie hätte jetzt bei ihm sein müssen, und ihm schien, sie hätte auch bei ihm sein können. Aber sie schien gewußt zu haben, daß es besser war, nicht sehr alt zu werden und sein Leben nicht auf eine Liebe zu bauen, die nur für Augenblicke wirklich war, während es eine andere, ewige Liebe gab. Sie schien vieles gewußt zu haben, mehr als er, und er fühlte sich betrogen, weil er jetzt bald zu Hause war, dort leben würde, lesen, möglichst nicht viel arbeiten, und beten, um Gott zu trösten, nicht um ihn um etwas zu bitten, das er nicht geben konnte, weil er einen liebte: Geld oder Erfolg, oder irgend etwas, das einem half, sich durchs Leben zu pfuschen – die meisten Menschen pfuschten sich irgendwie durchs Leben, auch er würde es tun müssen, denn er würde keine Häuer bauen, die unbedingt von ihm gebaut werden mußten – jeder andere mittelmäßige Architekt konnte sie bauen...

Er lächelte, als er an Hoppenraths Garten vorbeikam: sie hatten immer noch nicht ihre Bäume mit diesem weißen Zeug bespritzt, von dem der Vater behauptete, es sei unbedingt nötig. Er hatte immer Krach mit dem alten Hoppenrath deswegen, aber der alte Hoppenrath hatte immer noch nicht dieses weiße Zeug auf seinen Bäumen. Jetzt war es nicht mehr weit bis zu Hause – links lag Heusers Haus, rechts Hoppenraths, und er brauchte nur noch durch diese schmale Gasse zu gehen, dann links ein Stück die Hauptstraße hinunter. Heusers hatten das weiße Zeug an ihren Bäumen. Er lächelte. Er hörte drüben den Abschuß genau und warf sich hin – sofort –, und er versuchte weiterzulächeln, erschrak aber doch, als die Granate in Hoppenraths Garten schlug. Sie krepierte in einer Baumkrone, und ein milder dichter Regen von weißen Blüten fiel auf die Wiese. Die zweite Granate schien weiter vorn zu liegen, mehr auf Bäumers Haus zu, dem Haus seines Vaters fast gegenüber, die dritte und vierte lagen in gleicher Höhe, aber mehr links, es schien mittleres Kaliber zu sein. Er stand langsam auf, als auch die fünfte dorthin schlug – und dann nichts mehr kam. Er horchte eine Zeitlang, hörte keinen Abschuß mehr und ging schnell weiter – im ganzen Dorf bellten die Hunde, und er hörte das wilde Flügelschlagen der Hühner und Enten in Heusers Stall – auch die Kühe brüllten dumpf in manchen Ställen, und er dachte: sinnlos, wie sinnlos. Aber vielleicht schossen sie auf den amerikanischen Wagen, den er nicht hatte zurückfahren hören, doch als er um die Ecke der Hauptstraße bog, sah er, daß der Wagen schon weg war – die Straße war ganz leer –, und das dumpfe Gebrüll der Kühe und das Bellen der Hunde begleiteten ihn die wenigen Schritte, die er noch zu gehen hatte.

Die weiße Fahne am Haus seines Vaters war die einzige in der ganzen Straße, und er sah jetzt, daß sie sehr groß war – es schien eins von Mutters riesigen Tischtüchern zu sein, die sie bei Festlichkeiten aus dem Schrank holte. Er lächelte wieder, warf sich aber plötzlich hin und wußte, daß es zu spät war. Sinnlos, dachte er, wie vollkommen sinnlos. Die sechste Granate schlug in den Giebel seines Elternhauses – Steine fielen herunter, Putz bröckelte auf die Straße, und er hörte unten im Keller seine Mutter schreien. Er kroch schnell ans Haus heran, hörte den Abschuß der siebenten Granate und schrie schon, bevor sie einschlug, er schrie sehr laut, einige Sekunden lang, und er wußte plötzlich, daß Sterben nicht das einfachste war – er schrie laut, bis die Granate ihn traf, und er rollte im Tod auf die Schwelle des Hauses. Die Fahnenstange war zerbrochen, und das weiße Tuch fiel über ihn.

Erzählungen

ÜBER DIE BRÜCKE

Die Geschichte, die ich Ihnen erzählen will, hat eigentlich gar keinen Inhalt, vielleicht ist es gar keine Geschichte, aber ich muß sie Ihnen erzählen. Vor zehn Jahren spielte sich eine Art Vorgeschichte ab, und vor wenigen Tagen rundete sich das Bild...

Denn vor wenigen Tagen fuhren wir über jene Brücke, die einst stark und breit war, eisern wie die Brust Bismarcks auf zahlreichen Denkmälern, unerschütterlich wie die Dienstvorschriften; es war eine breite, viergleisige Brücke über den Rhein und auf viele schwere Strompfeiler gestützt, und damals fuhr ich dreimal wöchentlich mit demselben Zug darüber: montags, mittwochs und samstags. Ich war damals Angestellter beim Reichsjagdgebrauchshundverband; eine bescheidene Stellung, so eine Art Aktenschlepper. Ich verstand von Hunden natürlich nichts, ich bin ein ungebildeter Mensch. Ich fuhr dreimal in der Woche von Königstadt, wo unser Hauptbüro war, nach Gründerheim, wo wir eine Nebenstelle hatten. Dort holte ich dringende Korrespondenz, Gelder und »schwebende Fälle«. Letztere waren in einer großen gelben Mappe. Niemals erfuhr ich, was in der Mappe drin war, ich war ja nur Bote...

Morgens ging ich gleich von zu Hause zum Bahnhof und fuhr mit dem Achtuhrzug nach Gründerheim. Die Fahrt dauerte dreiviertel Stunden. Ich hatte auch damals Angst, über die Brücke zu fahren. Alle technischen Versicherungen informierter Bekannter über die vielfache Tragfähigkeit der Brücke nützten mir nichts, ich hatte einfach Angst: die bloße Verbindung von Eisenbahn und Brücke verursachte mir Angst; ich bin ehrlich genug, es zu gestehen. Der Rhein ist sehr breit bei uns. Mit einem leisen Bangen im Herzen nahm ich jedesmal das leise Schwanken der Brücke wahr, dieses schauerliche Wippen sechshundert Meter lang; dann kam endlich das vertrauenerweckende dumpfere Rattern, wenn wir wieder den Bahndamm erreicht hatten, und dann kamen

Schrebergärten, viele Schrebergärten – und endlich, kurz vor Kahlenkatten, ein Haus: an dieses Haus klammerte ich mich gleichsam mit meinen Blicken. Dieses Haus stand auf der Erde; meine Augen stürzten sich auf das Haus. Das Haus hatte einen rötlichen Bewurf, war sehr sauber, die Umrandungen der Fenster und alle Sockel waren mit dunkelbrauner Farbe abgesetzt. Zwei Stockwerke, oben drei Fenster und unten zwei, in der Mitte die Tür, zu der eine Freitreppe von drei Stufen emporführte. Und jedesmal, wenn es nicht allzusehr regnete, saß auf dieser Freitreppe ein Kind, ein kleines Mädchen von neun oder zehn Jahren, ein spinnendürres Mädchen mit einer großen, sauberen Puppe im Arm, und blinzelte mißvergnügt zum Zuge herauf. Jedesmal fiel ich gleichsam mit meinen Blicken über das Kind, dann stolperte mein Blick ins linke Fenster, und dort sah ich jedesmal eine Frau, die, neben sich den Putzeimer, mühevoll nach unten gebückt war, den Scheuerlappen in den Händen hielt und putzte. Jedesmal, auch wenn es sehr, sehr regnete, auch wenn das Kind nicht dort auf der Treppe saß. Immer sah ich die Frau: einen mageren Nacken, an dem ich die Mutter des Mädchens erkannte, und dieses Hin- und Herbewegen des Scheuerlappens, diese typische Bewegung beim Putzen. Oft nahm ich mir vor, auch einmal die Möbel in Augenschein zu nehmen, oder die Gardinen, aber mein Blick saugte sich fest an dieser mageren, ewig putzenden Frau, und ehe ich mich besonnen hatte, war der Zug vorbeigefahren. Montags, mittwochs und samstags, es mußte jedesmal so gegen zehn Minuten nach acht sein, denn die Züge waren damals furchtbar pünktlich. Wenn der Zug dann vorbeigefahren war, blieb mir nur ein Blick auf die saubere Rückseite des Hauses, die stumm und verschlossen war.

Ich machte mir selbstverständlich Gedanken über diese Frau und dieses Haus. Alles andere am Wege des Zuges interessierte mich wenig. Kahlenkatten – Bröderkotten – Suhlenheim – Gründerheim, diese Stationen bargen wenig Interessantes. Meine Gedanken spielten immer um jenes Haus. Warum putzt die Frau dreimal in der Woche, so dachte ich. Das Haus sah gar nicht so aus, als ob viel dort schmutzig gemacht würde; auch nicht, als ob dort viele Gäste ein und aus gingen. Es sah fast ungastlich aus, dieses Haus, obwohl es sauber war. Es war ein sauberes und doch unfreundliches Haus.

Wenn ich aber mit dem Elfuhrzug von Gründerheim wieder zurückfuhr und kurz vor zwölf hinter Kahlenkatten die Rückseite des Hauses sah, dann war die Frau dabei, im letzten Fenster rechts die Scheiben zu putzen. Seltsamerweise war sie montags und samstags am letzten Fenster rechts, und mittwochs war sie am mittleren Fenster. Sie hatte das Fensterleder in der Hand und rieb und rieb. Um den Kopf hatte sie ein Tuch von dumpfer, rötlicher Farbe. Das Mädchen sah ich aber bei der Rückfahrt nie, und nun, so gegen Mittag – es muß so kurz vor zwölf gewesen sein, denn die Züge waren damals furchtbar pünktlich –, war die Vorderseite des Hauses stumm und verschlossen.

Obwohl ich mich bei meiner Geschichte bemühen will, nur das zu beschreiben, was ich wirklich sah, so sei doch die bescheidene Andeutung gestattet, daß ich mir nach drei Monaten die Kombination erlaubte, daß die Frau wahrscheinlich dienstags, donnerstags und freitags die anderen Fenster putzte. Diese Kombination, so bescheiden sie auch war, wurde allmählich zur fixen Idee. Manchmal grübelte ich den ganzen Weg von kurz vor Kahlenkatten bis Gründerheim darüber nach, an welchen Nachmittagen und Vormittagen wohl die anderen Fenster der beiden Stockwerke geputzt würden. Ja – ich setzte mich hin und machte mir schriftlich eine Art Putzplan. Ich versuchte aus dem, was ich an drei Vormittagen beobachtet hatte, zusammenzustellen, was an den übrigen drei Nachmittagen und vollen Tagen wohl geputzt würde. Denn ich hatte die seltsam fixe Vorstellung, daß die Frau dauernd beim Putzen war. Ich sah sie ja nie anders, immer nur gebückt, mühevoll gebückt, so daß ich sie keuchen zu hören glaubte – um zehn Minuten nach acht; und eifrig reibend mit dem Fensterleder, so daß ich oft die Spitze ihrer Zunge zwischen den zusammengepreßten Lippen zu sehen glaubte – kurz vor zwölf.

Die Geschichte dieses Hauses verfolgte mich. Ich wurde nachdenklich. Das machte mich nachlässig im Dienst. Ja, ich ließ nach. Ich grübelte zu viel. Eines Tages vergaß ich sogar die Mappe »schwebende Fälle«. Ich zog mir den Zorn des Bezirkschefs des Reichsjagdgebrauchshundverbandes zu; er zitierte mich zu sich; er zitterte vor Ärger. »Grabowski«, sagte er zu mir, »ich hörte, Sie haben die ›schwebenden Fälle‹ vergessen. Dienst ist Dienst, Grabowski.« Da ich verstockt schwieg, wurde der Chef strenger. »Bote Grabowski, ich warne Sie. Der Reichsjagdgebrauchshundverband kann keine vergeßlichen Leute gebrauchen, verstehen Sie, wir können uns nach qualifizierteren Leuten umsehen.« Er blickte mich drohend an, aber dann wurde er plötzlich menschlich. »Haben Sie persönliche Sorgen?« Ich gestand leise: »Ja.« »Was ist es?« fragte er milde. Ich schüttelte nur den Kopf. »Kann ich Ihnen helfen? – Womit?«

»Geben Sie mir einen Tag frei, Herr Direktor«, bat ich schüchtern, »sonst nichts.« Er nickte großzügig. »Erledigt! Und nehmen Sie meine Worte nicht allzu ernst. Jeder kann einmal etwas vergessen, sonst waren wir ja zufrieden mit Ihnen...«

Mein Herz aber jubelte. Diese Unterredung fand an einem Mittwoch statt. Und den nächsten Tag, Donnerstag, sollte ich frei haben. Ich wollte es ganz geschickt machen. Ich fuhr mit dem Achtuhrzug, zitterte mehr vor Ungeduld als vor Angst, als wir über die Brücke fuhren: Sie war dabei, die Freitreppe zu putzen. Mit dem nächsten Gegenzug fuhr ich von Kahlenkatten wieder zurück und kam so gegen neun Uhr an ihrem Hause wieder vorbei: oberes Stockwerk, mittleres Fenster, Vorderfront. Ich fuhr viermal hin und zurück an diesem Tage und hatte den ganzen Donnerstagsplan fertig: Freitreppe, mittleres Fenster Vorderfront, mittleres Fenster oberes Stockwerk Hinterfront, Boden, vordere Stube oben. Als ich zum letzten Male um sechs Uhr das Haus passierte, sah ich einen kleinen gebückten Mann mit bescheidenen Bewegungen im Garten arbeiten. Das Kind, die saubere Puppe im Arm, blickte ihm zu wie eine Wächterin. Die Frau war nicht zu sehen...

Aber das alles spielte sich vor zehn Jahren ab. Vor einigen Tagen fuhr ich wieder über jene Brücke. Mein Gott, wie gedankenlos war ich in Königstadt in den Zug gestiegen! Ich hatte die ganze Geschichte vergessen. Wir fuhren mit einem Zug aus Güterwagen, und als wir uns dem Rhein näherten, geschah etwas Seltsames: Ein Waggon vor uns verstummte nach dem anderen; es war ganz merkwürdig, so als sei der ganze Zug von fünfzehn oder zwanzig Waggons wie eine Reihe von Lichtern, von denen nun eins nach dem andern erlosch. Und wir hörten ein scheußliches, hohles Rattern, ein ganz windiges Rattern; und plötzlich war es, als werde mit kleinen Hämmern unter den Boden unseres Waggons geklopft, und auch wir verstummten und sahen es: nichts, nichts... nichts; links und rechts von uns war nichts, eine gräßliche Leere... ferne sah man die Uferwiesen des Rheines... Schiffe... Wasser, aber der Blick wagte sich gleichsam nicht zu weit hinaus: Der Blick sogar schwindelte. Nichts, einfach nichts! Am Gesicht einer blassen, stummen Bauernfrau sah ich, daß sie betete, andere steckten sich mit zitternden Händen Zigaretten an; sogar die Skatspieler in der Ecke waren verstummt...

Dann hörten wir, daß die vorderen Wagen schon wieder auf festem Boden fuhren, und wir dachten alle das gleiche: die haben es hinter sich. Wenn uns etwas passiert, die können vielleicht abspringen, aber wir, wir fuhren im vorletzten Wagen, und es war fast sicher, daß wir abstürzen würden. Die Gewißheit stand in unseren Augen und in unseren blassen Gesichtern. Die Brücke war ebenso breit wie der Schienenstrang, ja, der Schienenstrang selbst war die Brücke, und der Rand des Wagens ragte noch über die Brücke hinaus ins Nichts, und die Brücke wankte, als wolle sie uns abwippen ins Nichts...

Aber dann kam plötzlich ein solideres Rattern, wir hörten es näher kommen, ganz deutlich, und dann wurde es auch unter unserem Wagen gleichsam dunkler und fester, dieses Rattern, wir atmeten auf und wagten einen Blick hinaus: Da waren Schrebergärten! Oh, Gott segne die Schrebergärten! Aber dann erkannte ich plötzlich die Gegend, mein Herz zitterte seltsam, je näher wir Kahlenkatten kamen. Für mich gab es nur eine Frage: würde jenes Haus noch dort stehen? Und dann sah ich es; erst von ferne durch das zarte, dünne Grün einiger Bäume in den Schrebergärten, die rote, immer noch saubere Fassade des Hauses, die näher und näher kam. Eine namenlose Erregung ergriff mich; alles, alles, was damals vor zehn Jahren gewesen war, und alles, was dazwischen gewesen war, tobte wie ein wildes, reißendes Durcheinander in mir. Und dann kam das Haus mit Riesenschritten ganz nahe, und dann sah ich sie, die Frau: sie putzte die Freitreppe. Nein, sie war es nicht, die Beine waren jünger, etwas dicker, aber sie hatte die gleichen Bewegungen, die eckigen, ruckartigen Bewegungen beim Hin- und Herbewegen des Scheuerlappens. Mein Herz stand ganz still, mein Herz trat auf der Stelle. Dann wandte die Frau nur einen Augenblick das Gesicht, und ich erkannte sofort das kleine Mädchen von damals; dieses spinnenartige, mürrische Gesicht, und im Ausdruck ihres Gesichtes etwas Säuerliches, etwas häßlich Säuerliches wie von abgestandenem Salat...

Als mein Herz langsam wieder zu klopfen anfing, fiel mir ein, daß an diesem Tage wirklich Donnerstag war...

Kumpel mit dem langen Haar

Es war merkwürdig: Genau fünf Minuten, bevor die Razzia losging, beschlich mich ein Gefühl der Unsicherheit... ich blickte scheu um mich, ging dann langsam am Rhein vorbei auf den Bahnhof zu, und ich war gar nicht erstaunt, als ich auch schon die kleinen Flitzer mit den rotbemützten Polizisten heranrasen sah, die das Häuserviertel umstellten, absperrten und zu untersuchen begannen. Es ging unheimlich schnell. Ich stand gerade außerhalb des Kreises und steckte mir ruhig eine Zigarette an. Es ging alles so lautlos. Viele Zigaretten flogen auf die Erde. Schade... dachte ich und machte unwillkürlich einen kleinen Überschlag, wieviel bares Geld da wohl auf der Erde lag. Der Lastwagen füllte sich schnell mit denen, die sie geschnappt hatten. Franz war auch dabei... er machte mir von weitem eine hoffnungslose Geste, die soviel bedeuten sollte wie: Schicksal. Einer der Polizisten drehte sich nach mir um. Da ging ich weg. Aber langsam, ganz langsam. Mein Gott, sollten sie mich doch mitnehmen!

Ich hatte keine Lust mehr, auf meine Bude zu gehen, so schlenderte ich langsam weiter zum Bahnhof. Ich schlug mit meinem Stock ein kleines Steinchen aus dem Weg. Die Sonne schien warm, und vom Rhein her kam ein kühler, sanfter Wind.

Im Wartesaal gab ich Fritz, dem Kellner, die zweihundert Zigaretten und steckte das Geld in die hintere Tasche. Nun war ich ganz ohne Ware, nur eine Packung für mich hatte ich noch. Dann fand ich im Gedränge schließlich doch noch einen Platz und bestellte mir Fleischbrühe und etwas Brot. Und wieder sah ich von weitem Fritz winken, aber ich hatte keine Lust aufzustehen. Da kam er eilig auf mich zu. Hinter ihm sah ich den kleinen Mausbach, den Schlepper; sie schienen beide ziemlich aufgeregt zu sein. »Mensch, hast du eine Ruhe«, murmelte Fritz, dann ging er kopfschüttelnd weg und machte dem kleinen Mausbach Platz.

Der war ganz außer Atem. »Du«, stotterte er, »du... mußt verduften... sie haben deine Bude untersucht und den Koks gefunden... Mensch!« Er verschluckte sich fast. Ich klopfte ihm beruhigend auf die Schulter und gab ihm zwanzig Mark. »Es ist gut«, sagte ich – und er trollte davon. Da aber fiel mir noch etwas ein, und ich rief ihn zurück. »Hör mal, Heini«, sagte ich, »wenn du die Bücher und den Mantel, die in meiner Bude sind, irgendwo sicherstellen könntest... ich komme in vierzehn Tagen mal wieder vorbei, ja?... was sonst noch von mir ist, kannst du behalten.« Er nickte. Ich würde mich auf ihn verlassen können. Das wußte ich.

Schade... dachte ich wieder... achttausend Mark zum Teufel... nirgendwo, nirgendwo war man sicher...

Ein paar neugierige Blicke streiften mich, während ich mich langsam wieder hinsetzte und gleichgültig nach meiner Tasche griff. Dann schlug das Summen der Menge um mich zusammen, und ich wußte, nirgendwo hätte ich so wunderbar allein sein können mit meinen Gedanken wie hier, mitten im Gedränge und im kreisenden Trubel des Wartesaales.

Mit einem Male spürte ich, daß meine Augen, die, ohne irgend etwas zu sehen, fast automatisch rundgingen, immer am gleichen Fleck haftenblieben, als würden sie gegen meinen Willen dort gebannt. Immer wieder im Kreisen meines gleichgültigen Blickes war da eine Stelle, wo sie stockten und dann hastig weiterglitten. Ich erwachte wie aus einem tiefen Schlaf und blickte nun sehend dorthin. Zwei Tische von mir entfernt saß ein junges Mädchen in einem hellen Mantel, mit einer gelblichbraunen Mütze auf dem schwarzen Haar, und las in einer Zeitung. Ich sah nur ihre etwas zusammengekrümmte hockende Gestalt, ein winziges Stück ihrer Nase und die schmalen, ganz ruhigen Hände. Auch die Beine sah ich, schöne, schlanke und... ja, saubere Beine. Ich weiß nicht, wie lange ich sie angestarrt habe, manchmal sah ich flüchtig die schmale Scheibe ihres Gesichts, wenn sie ein Blatt wendete. Plötzlich hob sie den Kopf und sah mich einen Augenblick voll an, mit großen grauen Augen, ernst und gleichgültig, dann las sie weiter.

Dieser kurze Blick hatte mich getroffen.

Geduldig und doch mit klopfendem Herzen hielt ich sie mit meinen Augen fest, bis sie endlich die Zeitung ausgelesen hatte, sich auf den Tisch stützte und mit einer merkwürdig verzweifelten Geste an ihrem Bierglas nippte.

Nun konnte ich auch ihr ganzes Gesicht sehen. Blaß war sie, ganz blaß, ein schmaler, kleiner Mund und eine gerade, edle Nase... aber die Augen, diese großen, ernsten, grauen Augen! Wie ein Vorhang der Trauer hing ihr das schwarze Haar in langen Locken auf die Schulter.

Ich weiß nicht, wie lange ich sie anstarrte, waren es zwanzig Minuten, eine Stunde oder mehr. Während sie immer unruhiger, immer kürzer mein Gesicht mit ihrem traurigen Blick streifte, war nicht diese Empörung in ihrem Gesicht, die man sonst bei jungen Mädchen in solchen Fällen findet. Unruhe ja... und Angst.

Ach, ich wollte sie ja gar nicht unruhig und ängstlich machen, aber ich konnte meinen Blick nicht von ihr lassen.

Sie stand schließlich hastig auf, hing sich einen alten Brotbeutel um und verließ schnell den Wartesaal. Ich folgte ihr. Ohne sich umzuwenden, ging sie die Treppe hinauf auf die Sperre zu. Ich hielt sie fest, fest in der Linie meines Blickes, während ich schnell im Vorübergehen eine Bahnsteigkarte löste. Sie hatte einen großen Vorsprung gewonnen, und ich mußte meinen Stock unter den Arm klemmen und ein wenig zu laufen versuchen. Fast hätte ich sie verloren in dem düsteren Schacht, der zum Bahnsteig hochführte. Ich fand sie oben gegen die Reste eines zertrümmerten Wartehäuschens gelehnt. Starr sah sie auf die Schienen. Nicht *ein* Mal wandte sie sich um.

Vom Rhein her fuhr ein kühler Wind quer in die Halle. Der Abend kam. Viele Leute mit Packen und Rucksäcken, Kisten und Koffern standen mit gehetzten Gesichtern auf dem Bahnsteig. Sie wandten erschreckt die Köpfe in die Richtung, woher der

Wind kam, und fröstelten. Dunkelblau und ruhig gähnte vorne der große Halbkreis des Himmels, vom eisernen Gitterwerk der Halle durchstoßen.

Langsam humpelte ich auf und ab, manchmal mit einem Blick mich der Gegenwart des Mädchens vergewissernd. Aber immer, immer stand sie so da, mit durchgedrückten Beinen an den Mauerrest gestützt, die Augen auf die flache, schwarze Mulde gerichtet, in der der blanke Schienenstrang verlief.

Endlich kroch der Zug langsam rückwärts in die Halle. Während ich der Lokomotive entgegensah, war das Mädchen auf den einfahrenden Zug gesprungen und in einem Abteil verschwunden. Ich sah sie für Minuten nicht mehr in all den Knäueln von drängenden Menschen vor den Abteilen. Bald jedoch entdeckte ich die gelbliche Mütze im letzten Waggon. Ich stieg ein und setzte mich ihr gerade gegenüber, so nahe, daß unsere Knie sich fast berührten. Als sie mich anblickte, ganz ernst und ruhig, nur die Brauen etwas zusammengezogen, da las ich es in ihren großen grauen Augen: sie wußte, daß ich die ganze Zeit über hinter ihr gewesen war. Immer wieder hingen meine Blicke hilflos an ihrem Gesicht, während der Zug in den sinkenden Abend fuhr. Ich brachte kein Wort über meine Lippen. Die Felder versanken, und die Dörfer wurden von der Nacht allmählich eingehüllt. Ich fror. Wo würde ich diese Nacht schlafen, dachte ich ... wo einmal wieder nur etwas zur Ruhe kommen. Ach, könnte ich doch mein Gesicht in diesen schwarzen Haaren verbergen. Nichts, sonst nichts ... Ich zündete mir eine Zigarette an. Da warf sie einen flüchtigen, aber merkwürdig wachen Blick auf die Packung. Ich hielt sie ihr einfach hin und sagte mit rauher Stimme: »Bitte«, und es schien mir, als müsse mein Herz aus dem Halse springen. Sie zögerte eine halbe Sekunde, und ich sah trotz der Dunkelheit, daß sie flüchtig errötete. Dann griff sie zu. Sie rauchte mit tiefen, hungrigen Zügen.

»Sie sind sehr großzügig«, ihre Stimme war dunkel und spröde. Als dann der Schaffner im Nebenabteil zu hören war, warfen wir uns wie auf Kommando zurück und stellten uns schlafend in unseren Ecken. Ich sah jedoch durch meine Lider, daß sie lachte. Ich beobachtete den Schaffner, der mit seiner grellen Lampe die Fahrkarten beleuchtete und zeichnete. Und dann fiel der Schein mir mitten ins Gesicht. Ich spürte an dem Zittern des Lichtes, daß er zögerte. Dann fiel der Schein auf sie. Ach, wie blaß sie war und wie traurig die weiße Fläche ihrer Stirn.

Eine dicke Frau, die neben mir saß, zupfte den Schaffner am Ärmel und flüsterte ihm etwas ins Ohr, von dem ich verstand: »Ami-Zigaretten... schwarzfahren...« Da stieß mich der Schaffner böse in die Seite.

Es war ganz still im Abteil, als ich sie leise fragte, wohin sie fahren wollte. Sie nannte einen Ort. Ich löste zwei Fahrkarten dorthin und zahlte die Strafe. Eisig und verächtlich war das Schweigen der Leute, als der Schaffner gegangen war. Ihre Stimme aber war so seltsam, warm und doch spöttisch, als sie mich fragte:

»Wollen Sie denn auch dorthin?«

»Oh, ich kann ganz gut dorthin fahren. Ich habe ein paar Freunde dort. Eine feste Bleibe habe ich nicht...«

»So«, sagte sie nur... dann sank sie zurück, und in der tiefen Dunkelheit sah ich nur manchmal ihr Gesicht, wenn draußen eine Lampe vorüberhuschte.

Es war ganz finster geworden, als wir ausstiegen. Dunkel und warm. Und als wir aus dem Bahnhof traten, schlief das kleine Städtchen schon fest. Ruhig und geborgen atmeten die kleinen Häuser unter den sanften Bäumen. »Ich begleite Sie«, sagte ich heiser, »es ist so furchtbar finster...«

Da blieb sie plötzlich stehen. Es war unter einer Lampe. Sie blickte mich ganz starr an und sagte mit gepreßtem Mund: »Wüßte ich nur, wohin?« Ihr Gesicht bewegte sich leise wie ein Tuch, worüber der Wind streicht. Nein, wir küßten uns nicht... Wir gingen langsam aus der Stadt heraus und krochen schließlich in einen Heuschober. Ach, ich hatte keine Freunde in dieser stillen Stadt, die mir so fremd war wie alle anderen. Als es kühl wurde, gegen Morgen, kroch ich ganz nahe zu ihr, und sie deckte einen Teil ihres dünnen Mäntelchens über mich. So wärmten wir uns mit unserem Atem und unserem Blut.

Seitdem sind wir zusammen – in dieser Zeit.

Der Mann mit den Messern

Jupp hielt das Messer vorne an der Spitze der Schneide und ließ es lässig wippen, es war ein langes, dünngeschliffenes Brotmesser, und man sah, daß es scharf war. Mit einem plötzlichen Ruck warf er das Messer hoch, es schraubte sich mit einem propellerartigen Surren hinauf, während die blanke Schneide in einem Bündel letzter Sonnenstrahlen wie ein goldener Fisch flimmerte, schlug oben an, verlor seine Schwingung und sauste scharf und gerade auf Jupps Kopf hinunter; Jupp hatte blitzschnell einen Holzklotz auf seinen Kopf gelegt; das Messer pflanzte sich mit einem Ratsch fest und blieb dann schwankend haften. Jupp nahm den Klotz vom Kopf, löste das Messer und warf es mit einem ärgerlichen Zucken in die Tür, wo es in der Füllung nachzitterte, ehe es langsam auspendelte und zu Boden fiel...

»Zum Kotzen«, sagte Jupp leise. »Ich bin von der einleuchtenden Voraussetzung ausgegangen, daß die Leute, wenn sie an der Kasse ihr Geld bezahlt haben, am liebsten solche Nummern sehen, wo Gesundheit oder Leben auf dem Spiel stehen – genau wie im römischen Zirkus –, sie wollen wenigstens wissen, daß Blut fließen *könnte*, verstehst du?« Er hob das Messer auf und warf es mit einem knappen Schwingen des Armes in die oberste Fenstersprosse, so heftig, daß die Scheiben klirrten und aus dem bröckeligen Kitt zu fallen drohten. Dieser Wurf – sicher und herrisch – erinnerte mich an jene düsteren Stunden der Vergangenheit, wo er sein Taschenmesser die Bunkerpfosten hatte hinauf- und hinunterklettern lassen. »Ich will ja alles tun«, fuhr er fort, »um den Herrschaften einen Kitzel zu verschaffen. Ich will mir die Ohren abschneiden, aber es findet sich leider keiner, der sie mir wieder ankleben könnte. Komm mal mit.« Er riß die Tür auf, ließ mich vorgehen, und wir traten ins Treppenhaus, wo die Tapetenfetzen nur noch an jenen Stellen hafteten, wo man sie der Stärke des Leimes wegen nicht hatte abreißen können, um den Ofen mit ihnen anzuzünden. Dann durchschritten wir ein verkommenes Badezimmer und kamen auf eine Art Terrasse, deren Beton brüchig und von Moos bewachsen war.

Jupp deutete in die Luft.

»Die Sache wirkt natürlich besser, je höher das Messer fliegt. Aber ich brauche oben einen Widerstand, wo das Ding gegenschlägt und seinen Schwung verliert, damit es recht scharf und gerade heruntersaust auf meinen nutzlosen Schädel. Sieh mal.« Er zeigte nach oben, wo das Eisenträgergerüst eines verfallenen Balkons in die Luft ragte.

»Hier habe ich trainiert. Ein ganzes Jahr. Paß auf!« Er ließ das Messer hochsausen, es stieg mit einer wunderbaren Regelmäßigkeit und Stetigkeit, es schien sanft und mühelos zu klettern wie ein Vogel, schlug dann gegen einen der Träger, raste mit einer atemberaubenden Schnelligkeit herunter und schlug heftig in den Holzklotz. Der Schlag allein mußte schwer zu ertragen sein. Jupp zuckte mit keiner Wimper. Das Messer hatte sich einige Zentimeter tief ins Holz gepflanzt.

»Das ist doch prachtvoll, Mensch«, rief ich, »das ist doch ganz toll, das müssen sie doch anerkennen, das ist doch eine Nummer!«

Jupp löste das Messer gleichgültig aus dem Holz, packte es am Griff und hieb in die Luft.

»Sie erkennen es ja an, sie geben mir zwölf Mark für den Abend, und ich darf zwischen größeren Nummern ein bißchen mit dem Messer spielen. Aber die Nummer ist zu schlicht. Ein Mann, ein Messer, ein Holzklotz, verstehst du? Ich müßte ein halbnacktes Weib haben, dem ich die Messer haarscharf an der Nase vorbeiflitzen lasse. Dann würden sie jubeln. Aber such solch ein Weib!«

Er ging voran, und wir traten in sein Zimmer zurück. Er legte das Messer vorsichtig auf den Tisch, den Holzklotz daneben und rieb sich die Hände. Dann setzten wir uns auf die Kiste neben dem Ofen und schwiegen. Ich nahm mein Brot aus der Tasche und fragte: »Darf ich dich einladen?«

»O gern, aber ich will Kaffee kochen. Dann gehst du mit und siehst dir meinen Auftritt an.«

Er legte Holz auf und setzte den Topf über die offene Feuerung. »Es ist zum Verzweifeln«, sagte er, »ich glaube, ich sehe zu ernst aus, vielleicht noch ein bißchen nach Feldwebel, was?«

»Unsinn, du bist ja nie ein Feldwebel gewesen. Lächelst du, wenn sie klatschen?«

»Klar – und ich verbeuge mich.«

»Ich könnt's nicht. Ich könnt nicht auf 'nem Friedhof lächeln.«

»Das ist ein großer Fehler, gerade auf 'nem Friedhof muß man lächeln.«

»Ich versteh dich nicht.«

»Weil sie ja nicht tot sind. Keiner ist tot, verstehst du?«

»Ich versteh schon, aber ich glaub's nicht.«

»Bist eben doch noch ein bißchen Oberleutnant. Na, das dauert eben länger, ist klar. Mein Gott, ich freu mich, wenn's ihnen Spaß macht. Sie sind erloschen, und ich kitzele sie ein bißchen und laß mir's bezahlen. Vielleicht wird einer, ein einziger nach Hause gehen und mich nicht vergessen. ›Der mit dem Messer, verdammt, der hatte keine Angst, und ich hab immer Angst, verdammt‹, wird er vielleicht sagen, denn sie haben alle immer Angst. Sie schleppen die Angst hinter sich wie einen schweren Schatten, und ich freu mich, wenn sie's vergessen und ein bißchen lachen. Ist das kein Grund zum Lächeln?«

Ich schwieg und lauerte auf das Brodeln des Wassers. Jupp goß in dem braunen Blechtopf auf, und dann tranken wir abwechselnd aus dem braunen Blechtopf und aßen mein Brot dazu. Draußen begann es leise zu dämmern, und es floß wie eine sanfte graue Milch ins Zimmer.

»Was machst *du* eigentlich?« fragte Jupp mich.

»Nichts ... ich schlage mich durch.«

»Ein schwerer Beruf.«

»Ja – für das Brot habe ich hundert Steine suchen und klopfen müssen. Gelegenheitsarbeiter.«

»Hm ... hast du Lust, noch eins meiner Kunststücke zu sehen?«
Er stand auf, da ich nickte, knipste Licht an und ging zur Wand, wo er einen teppichartigen Behang beiseite schob; auf der rötlich getünchten Wand wurden die mit Kohle grob gezeichneten Umrisse eines Mannes sichtbar: eine sonderbare, beulenartige Erhöhung, dort wo der Schädel sein mußte, sollte wohl einen Hut darstellen. Bei näherem Zusehen sah ich, daß er auf eine geschickt getarnte Tür gezeichnet war. Ich beobachtete gespannt, wie Jupp nun unter seiner kümmerlichen Liegestatt einen hübschen braunen Koffer hervorzog, den er auf den Tisch stellte. Bevor er ihn öffnete, kam er auf mich zu und legte vier Kippen vor mich hin. »Dreh zwei dünne davon«, sagte er.

Ich wechselte meinen Platz, so daß ich ihn sehen konnte und zugleich mehr von der milden Wärme des Ofens bestrahlt wurde. Während ich die Kippen behutsam öffnete, indem ich mein Brotpapier als Unterlage benutzte, hatte Jupp das Schloß des Koffers aufspringen lassen und ein seltsames Etui hervorgezogen; es war eines jener mit vielen Taschen benähten Stoffetuis, in denen unsere Mütter ihr Aussteuerbesteck aufzubewahren pflegten. Er knüpfte flink die Schnur auf, ließ das zusammengerollte Bündel über den Tisch aufgleiten, und es zeigte sich ein Dutzend Messer mit hölzernen Griffen, die in der Zeit, wo unsere Mütter Walzer tanzten, »Jagdbesteck« genannt worden waren.

Ich verteilte den gewonnenen Tabak gerecht auf zwei Blättchen und rollte die Zigaretten. »Hier«, sagte ich.

»Hier«, sagte auch Jupp und: »Danke.« Dann zeigte er mir das Etui ganz.

»Das ist das einzige, was ich vom Besitz meiner Eltern gerettet habe. Alles verbrannt, verschüttet, und der Rest gestohlen. Als ich elend und zerlumpt aus der Gefangenschaft kam, besaß ich nichts – bis eines Tages eine vornehme alte Dame, Bekannte meiner Mutter, mich ausfindig gemacht hatte und mir dieses hübsche kleine Köfferchen überbrachte. Wenige Tage, bevor sie von den Bomben getötet wurde, hatte meine Mutter dieses kleine Ding bei ihr sichergestellt, und es war gerettet worden. Seltsam. Nicht wahr? Aber wir wissen ja, daß die Leute, wenn sie die Angst des Untergangs ergriffen hat, die merkwürdigsten Dinge zu retten versuchen. Nie das Notwendige. Ich besaß also jetzt immerhin den Inhalt dieses kleinen Koffers: den braunen Blechtopf, zwölf Gabeln, zwölf Messer und zwölf Löffel und das große Brotmesser. Ich verkaufte Löffel und Gabeln, lebte ein Jahr davon und trainierte mit den Messern, dreizehn Messern. Paß auf...«

Ich reichte ihm den Fidibus, an dem ich meine Zigarette entzündet hatte. Jupp klebte die Zigarette an seine Unterlippe, befestigte die Schnur des Etuis an einem Knopf seiner Jacke oben an der Schulter und ließ das Etui auf seinen Arm abrollen, den es wie ein merkwürdiger Kriegsschmuck bedeckte. Dann entnahm er mit einer unglaublichen Schnelligkeit die Messer dem Etui, und noch ehe ich mir über seine Handgriffe klargeworden war, warf er sie blitzschnell alle zwölf gegen den schattenhaften Mann an der Tür, der jenen grauenhaft schwankenden Gestalten ähnelte, die uns gegen Ende des Krieges als Vorboten des Untergangs von allen Plakatsäulen, aus allen möglichen Ecken entgegenschaukelten. Zwei Messer saßen im Hut des Mannes, je zwei über jeder Schulter, und die anderen zu je dreien an den hängenden Armen entlang...

»Toll!« rief ich. »Toll! Aber das ist doch eine Nummer, mit ein bißchen Untermalung.«

»Fehlt nur der Mann, besser noch das Weib. Ach«, er pflückte die Messer wieder aus der Tür und steckte sie sorgsam ins Etui zurück. »Es findet sich ja niemand. Die Weiber sind zu bange, und die Männer sind zu teuer. Ich kann's ja verstehen, ist ein gefährliches Stück.«

Er schleuderte nun die Messer wieder blitzschnell so, daß der ganze schwarze Mann mit einer genialen Symmetrie genau in zwei Hälften geteilt war. Das dreizehnte große Messer stak wie ein tödlicher Pfeil dort, wo das Herz des Mannes hätte sein müssen.

Jupp zog noch einmal an dem dünnen, mit Tabak gefüllten Papierröllchen und warf den spärlichen Rest hinter den Ofen.

»Komm«, sagte er, »ich glaub, wir müssen gehen.« Er steckte den Kopf zum Fenster raus, murmelte irgend etwas von »verdammtem Regen« und sagte dann: »Es ist ein paar Minuten vor acht, um halb neun ist mein Auftritt.«

Während er die Messer wieder in den kleinen Lederkoffer packte, hielt ich mein Gesicht zum Fenster hinaus. Verfallene Villen schienen im Regen leise zu wimmern, und hinter einer Wand scheinbar schwankender Pappeln hörte ich das Kreischen der Straßenbahn. Aber ich konnte nirgendwo eine Uhr entdecken.

»Woher weißt du denn die Zeit?«

»Aus dem Gefühl – das gehört mit zu meinem Training.«

Ich blickte ihn verständnislos an. Er half erst mir in den Mantel und zog dann seine Windjacke über. Meine Schulter ist ein wenig gelähmt, und über einen beschränkten Radius hinaus kann ich die Arme nicht bewegen, es genügt gerade zum Steineklopfen. Wir setzten die Mützen auf und traten in den düsteren Flur, und ich war nun froh, irgendwo im Hause wenigstens Stimmen zu hören, Lachen und gedämpftes Gemurmel.

»Es ist so«, sagte Jupp im Hinuntersteigen, »ich habe mich bemüht, gewissen kosmischen Gesetzen auf die Spur zu kommen. So.« Er setzte den Koffer auf einen Treppenabsatz und streckte die Arme seitlich aus, wie auf manchen antiken Bildern Ikarus abgebildet ist, als er zum fliegenden Sprung ansetzt. Auf seinem nüchternen Gesicht erschien etwas seltsam Kühl-Träumerisches, etwas halb Besessenes und halb Kaltes, Magisches, das mich maßlos erschreckte. »So«, sagte er leise, »ich greife einfach hinein in die Atmosphäre, und ich spüre, wie meine Hände länger und länger werden und wie sie hinaufgreifen in einen Raum, in dem andere Gesetze gültig sind, sie stoßen durch eine Decke, und dort oben liegen seltsame, bezaubernde Spannungen, die ich greife, einfach greife ... und dann zerre ich ihre Gesetze, packe sie, halb räuberisch, halb wollüstig, und nehme sie mit!« Seine Hände krampften sich, und er zog sie ganz nahe an den Leib. »Komm«, sagte er, und sein Gesicht war wieder nüchtern. Ich folgte ihm benommen...

Es war ein leiser, stetiger und kühler Regen draußen. Wir klappten die Kragen hoch und zogen uns fröstelnd in uns selbst zurück. Der Nebel der Dämmerung strömte durch die Straßen, schon gefärbt mit der bläulichen Dunkelheit der Nacht. In manchen Kellern der zerstörten Villen brannte ein kümmerliches Licht unter dem überragenden schwarzen Gewicht einer riesigen Ruine. Unmerklich ging die Straße in einen schlammigen Feldweg über, wo links und rechts in der dichtgewordenen Dämmerung düstere Bretterbuden in den mageren Gärten zu schwimmen schienen wie drohende Dschunken auf einem seichten Flußarm. Dann kreuzten wir die Straßenbahn, tauchten unter in den engen Schächten der Vorstadt, wo zwischen Schutt- und Müllhalden einige Häuser im Schmutz übriggeblieben sind, bis wir plötzlich auf eine sehr belebte Straße stießen; ein Stück weit ließen wir uns vom Strom der Menge mittragen und bogen dann in die dunkle Quergasse, wo die grelle Lichtreklame der »Sieben Mühlen« sich im glitzernden Asphalt spiegelte.

Das Portal zum Varieté war leer. Die Vorstellung hatte längst begonnen, und durch schäbigrote Portieren hindurch erreichte uns der summende Lärm der Menge.

Jupp zeigte lachend auf ein Foto in den Aushängekästen, wo er in einem Cowboykostüm zwischen zwei süß lächelnden Tänzerinnen hing, deren Brüste mit schillerndem Flitter bespannt waren.

»Der Mann mit den Messern« stand darunter.

»Komm«, sagte Jupp wieder, und ehe ich mich besonnen hatte, war ich in einen schlecht erkennbaren schmalen Eingang gezerrt. Wir erstiegen eine enge Wendeltreppe, die nur spärlich beleuchtet war und wo der Geruch von Schweiß und Schminke die Nähe der Bühne anzeigte. Jupp ging vor mir – und plötzlich blieb er in einer Biegung der Treppe stehen, packte mich an den Schultern, nachdem er wieder den Koffer abgesetzt hatte, und fragte mich leise: »Hast du Mut?«

Ich hatte diese Frage schon so lange erwartet, daß mich ihre Plötzlichkeit nun erschreckte. Ich mag nicht sehr mutig ausgesehen haben, als ich antwortete: »Den Mut der Verzweiflung.«

»Das ist der richtige«, rief er mit gepreßtem Lachen. »Nun?«

Ich schwieg, und plötzlich traf uns eine Welle wilden Lachens, die aus dem engen Aufgang wie ein heftiger Strom auf uns zuschoß, so stark, daß ich erschrak und mich unwillkürlich fröstelnd schüttelte.

»Ich hab Angst«, sagte ich leise.

»Hab ich auch. Hast du kein Vertrauen zu mir?«

»Doch, gewiß... aber... komm«, sagte ich heiser, drängte ihn nach vorne und fügte hinzu: »Mir ist alles gleich.«

Wir kamen auf einen schmalen Flur, von dem links und rechts eine Menge roher Sperrholzkabinen abgeteilt waren; einige bunte Gestalten huschten umher, und durch einen Spalt zwischen kümmerlich aussehenden Kulissen sah ich auf der Bühne einen Clown, der sein Riesenmaul aufsperrte; wieder kam das wilde Lachen der Menge auf uns zu, aber Jupp zog mich in eine Tür und schloß hinter uns ab. Ich blickte mich um. Die Kabine war sehr eng und fast kahl. Ein Spiegel hing an der Wand, an einem einsamen Nagel war Jupps Cowboykostüm aufgehängt, und auf einem wackelig aussehenden Stuhl lag ein altes Kartenspiel. Jupp war von einer nervösen Hast; er nahm mir den nassen Mantel ab, knallte den Cowboyanzug auf den Stuhl, hing meinen Mantel auf, dann seine Windjacke. Über die Wand der Kabine hinweg sah ich an einer rotbemalten dorischen Säule eine elektrische Uhr, die fünfundzwanzig Minuten nach acht zeigte.

»Fünf Minuten«, murmelte Jupp, während er sein Kostüm überstreifte.

»Sollen wir eine Probe machen?«

In diesem Augenblick klopfte jemand an die Kabinentür und rief: »Fertigmachen!«

Jupp knöpfte seine Jacke zu und setzte einen Wildwesthut auf. Ich rief mit einem krampfhaften Lachen: »Willst du den zum Tode Verurteilten erst probeweise henken?«

Jupp ergriff den Koffer und zerrte mich hinaus. Draußen stand ein Mann mit einer Glatze, der den letzten Hantierungen des Clowns auf der Bühne zusah. Jupp flüsterte ihm irgend etwas ins Ohr, was ich nicht verstand, der Mann blickte erschreckt auf, sah mich an, sah Jupp an und schüttelte heftig den Kopf. Und wieder flüsterte Jupp auf ihn ein.

Mir war alles gleichgültig. Sollten sie mich lebendig aufspießen; ich hatte eine lahme Schulter, hatte eine dünne Zigarette geraucht, morgen sollte ich für fünfundsiebzig Steine dreiviertel Brot bekommen. Aber morgen... Der Applaus schien die Kulissen umzuwehen. Der Clown torkelte mit müdem, verzerrtem Gesicht durch den Spalt zwischen den Kulissen auf uns zu, blieb einige Sekunden dort stehen mit einem griesgrämigen Gesicht und ging dann auf die Bühne zurück, wo er sich mit liebenswürdigem Lächeln verbeugte. Die Kapelle spielte einen Tusch. Jupp flüsterte immer noch auf den Mann mit der Glatze ein. Dreimal kam der Clown heraus, und dreimal ging er hinaus auf die Bühne und verbeugte sich lächelnd! Dann begann die Kapelle einen Marsch zu spielen, und Jupp ging mit forschen Schritten, sein Köfferchen in der Hand, auf die Bühne. Mattes Händeklatschen begrüßte ihn. Mit müden Augen sah ich zu, wie Jupp die Karten an offenbar vorbereitete Nägel heftete und wie er dann die Karten der Reihe nach mit je einem Messer aufspießte, genau in der Mitte. Der Beifall wurde lebhafter, aber nicht zündend. Dann vollführte er unter leisem Trommelwirbel das Manöver mit dem großen Brotmesser und dem Holzklotz, und durch alle Gleichgültigkeit hindurch spürte ich, daß die Sache wirklich ein bißchen mager war. Drüben auf der anderen Seite der Bühne blickten ein paar dürftig bekleidete Mädchen zu... Und dann packte mich plötzlich der Mann mit der Glatze, schleifte mich auf die Bühne, begrüßte Jupp mit einem feierlichen Armschwenken und sagte mit einer erkünstelten Polizistenstimme: »Guten Abend, Herr Borgalewski.«

»Guten Abend, Herr Erdmenger«, sagte Jupp, ebenfalls in diesem feierlichen Ton.

»Ich bringe Ihnen hier einen Pferdedieb, einen ausgesprochenen Lumpen, Herr Borgalewski, den Sie mit Ihren sauberen Messern erst ein bißchen kitzeln müssen, ehe er gehängt wird... einen Lumpen...« Ich fand seine Stimme ausgesprochen lächerlich, kümmerlich künstlich, wie Papierblumen und billigste Schminke. Ich warf einen Blick in den Zuschauerraum, und von diesem Augenblick an, vor diesem flimmernden, lüsternen, vieltausendköpfigen, gespannten Ungeheuer, das im Finstern wie zum Sprung dasaß, schaltete ich einfach ab.

Mir war alles scheißegal, das grelle Licht der Scheinwerfer blendete mich, und in meinem schäbigen Anzug mit den elenden Schuhen mag ich wohl recht nach Pferdedieb ausgesehen haben.

»Oh, lassen Sie ihn mir hier, Herr Erdmenger, ich werde mit dem Kerl schon fertig.«

»Gut, besorgen Sie's ihm und sparen Sie nicht mit den Messern.«

Jupp schnappte mich am Kragen, während Herr Erdmenger mit gespreizten Beinen grinsend die Bühne verließ. Von irgendwoher wurde ein Strick auf die Bühne geworfen, und dann fesselte mich Jupp an den Fuß einer dorischen Säule, hinter der eine blau angestrichene Kulissentür lehnte. Ich fühlte etwas wie einen Rausch der Gleichgültigkeit. Rechts von mir hörte ich das unheimliche, wimmelnde Geräusch des gespannten Publikums, und ich spürte, daß Jupp recht gehabt hatte, wenn er von seiner Blutgier sprach. Seine Lust zitterte in der süßen, fade riechenden Luft, und die Kapelle erhöhte mit ihrem sentimentalen Spannungstrommelwirbel, mit ihrer leisen Geilheit den Eindruck einer schauerlichen Tragikomödie, in der richtiges Blut fließen würde, bezahltes Bühnenblut... Ich blickte starr geradeaus und ließ mich schlaff nach unten sacken, da mich die feste Schnürung des Strickes wirklich hielt. Die Kapelle wurde immer leiser, während Jupp sachlich seine Messer wieder aus den Karten zog und sie ins Etui steckte, wobei er mich mit melodramatischen Blicken musterte. Dann, als er alle Messer geborgen hatte, wandte er sich zum Publikum, und auch seine Stimme war ekelhaft geschminkt, als er nun sagte: »Ich werde Ihnen diesen Herrn mit Messern umkränzen, meine Herrschaften, aber Sie sollen sehen, daß ich nicht mit stumpfen Messern werfe ...« Dann zog er einen Bindfaden aus der Tasche, nahm mit unheimlicher Ruhe ein Messer nach dem anderen aus dem Etui, berührte damit den Bindfaden, den er in zwölf Stücke zerschnitt; jedes Messer steckte er ins Etui zurück.

Währenddessen blickte ich weit über ihn hinweg, weit über die Kulissen, weit weg auch über die halbnackten Mädchen, wie mir schien, in ein anderes Leben ...

Die Spannung der Zuschauer elektrisierte die Luft. Jupp kam auf mich zu, befestigte zum Schein den Strick noch einmal neu und flüsterte mir mit weicher Stimme zu: »Ganz, ganz still halten, und hab Vertrauen, mein Lieber ...«

Seine neuerliche Verzögerung hatte die Spannung fast zur Entladung gebracht, sie drohte ins Leere auszufließen, aber er griff plötzlich seitlich, ließ seine Hände ausschweben wie leise schwirrende Vögel, und in sein Gesicht kam jener Ausdruck magischer Sammlung, den ich auf der Treppe bewundert hatte. Gleichzeitig schien er mit dieser Zauberergeste auch die Zuschauer zu beschwören. Ich glaubte ein seltsam schauerliches Stöhnen zu hören, und ich begriff, daß das ein Warnsignal für mich war.

Ich holte meinen Blick aus der unendlichen Ferne zurück, blickte Jupp an, der mir jetzt so gerade gegenüberstand, daß unsere Augen in einer Linie lagen; dann hob er die Hand, griff langsam zum Etui, und ich begriff wieder, daß das ein Zeichen für mich war. Ich stand still, ganz still, und schloß die Augen ...

Es war ein herrliches Gefühl; es währte vielleicht zwei Sekunden, ich weiß es nicht. Während ich das leise Zischen der Messer hörte und den kurzen heftigen Luftzug, wenn sie neben mir in die Kulissentür schlugen, glaubte ich auf einem sehr schmalen Balken über einem unendlichen Abgrund zu gehen. Ich ging ganz sicher und fühlte doch alle Schauer der Gefahr... ich hatte Angst und doch die volle Gewißheit, nicht zu stürzen; ich zählte nicht, und doch öffnete ich die Augen in dem Augenblick, als das letzte Messer neben meiner rechten Hand in die Tür schoß...

Ein stürmischer Beifall riß mich vollends hoch; ich schlug die Augen ganz auf und blickte in Jupps bleiches Gesicht, der auf mich zugestürzt war und nun mit nervösen Händen meinen Strick löste. Dann schleppte er mich in die Mitte der Bühne vorn an die Rampe; er verbeugte sich, und ich verbeugte mich; er deutete in dem anschwellenden Beifall auf mich und ich auf ihn; dann lächelte er mich an, ich lächelte ihn an, und wir verbeugten uns zusammen lächelnd vor dem Publikum.

In der Kabine sprachen wir beide kein Wort. Jupp warf das durchlöcherte Kartenspiel auf den Stuhl, nahm meinen Mantel vom Nagel und half mir, ihn anzuziehen. Dann hing er sein Cowboykostüm wieder an den Nagel, zog seine Windjacke an, und wir setzten die Mützen auf. Als ich die Tür öffnete, stürzte uns der kleine Mann mit der Glatze entgegen und rief: »Gage erhöht auf vierzig Mark!« Er reichte Jupp ein paar Geldscheine. Da begriff ich, daß Jupp nun mein Chef war, und ich lächelte, und auch er blickte mich an und lächelte.

Jupp faßte meinen Arm, und wir gingen nebeneinander die schmale, spärlich beleuchtete Treppe hinunter, auf der es nach alter Schminke roch. Als wir das Portal erreicht hatten, sagte Jupp lachend: »Jetzt kaufen wir Zigaretten und Brot...«

Ich aber begriff erst eine Stunde später, daß ich nun einen richtigen Beruf hatte, einen Beruf, wo ich mich nur hinzustellen brauchte und ein bißchen zu träumen. Zwölf oder zwanzig Sekunden lang. Ich war der Mensch, auf den man mit Messern wirft...

STEH AUF, STEH DOCH AUF

Ihr Name auf dem roh zusammengehauenen Kreuz war nicht mehr zu lesen; der Pappdeckel des Sarges war schon eingebrochen, und wo vor wenigen Wochen noch ein Hügel gewesen war, war nun eine Mulde, in der die schmutzigen verfaulten Blumen, verwaschene Schleifen, mit Tannennadeln und kahlen Ästen vermengt, einen grauenhaften Klumpen bildeten. Die Kerzenstummel mußten gestohlen worden sein...

»Steh auf«, sagte ich leise, »steh doch auf«, und meine Tränen mischten sich mit dem Regen, diesem eintönig murmelnden Regen, der schon seit Wochen niederrann.

Dann schloß ich die Augen: ich fürchtete, mein Wunsch könne erfüllt werden. Hinter meinen geschlossenen Lidern sah ich deutlich den eingeknickten Pappdeckel, der nun auf ihrer Brust liegen mußte, eingedrückt von den nassen Erdmassen, die an ihm vorbei kalt und gierig sich in den Sarg drängten.

Ich bückte mich nieder, um den schmutzigen Grabschmuck von der klebrigen Erde aufzuheben, da spürte ich plötzlich, wie hinter mir ein Schatten aus der Erde brach, jäh und heftig, so wie aus einem zugedeckten Feuer manchmal die Flamme hochschlägt.

Ich bekreuzigte mich hastig, warf die Blumen hin und eilte dem Ausgang zu. Aus den schmalen, mit dichten Büschen umgebenen Gängen quoll der dicke Dämmer, und als ich den Hauptweg erreicht hatte, hörte ich den Klang jener Glocke, die die Besucher aus dem Friedhof zurückruft. Aber von nirgendwoher hörte ich Schritte, nirgendwo auch sah ich jemanden, nur spürte ich hinter mir jenen gestaltlosen, doch wirklichen Schatten, der mich verfolgte...

Ich beschleunigte meinen Schritt, warf die rostig klirrende Pforte hinter mir zu, überquerte das Rondell, auf dem ein gestürzter Straßenbahnwagen seinen aufgequollenen Bauch dem Regen hinhielt; und die verwünschte Sanftmut des Regens trommelte auf dem blechernen Kasten ...

Schon lange hatte der Regen meine Schuhe durchdrungen, aber ich spürte weder Kälte noch Feuchtigkeit, ein wildes Fieber jagte mein Blut bis in die äußersten Spitzen meiner Glieder, und zwischen der Angst, die mich von hinten anwehte, spürte ich jene seltsame Lust von Krankheit und Trauer ...

Zwischen elenden Wohnhütten, deren Schornsteine kümmerlichen Rauch ausstießen, abenteuerlich zusammengeflickten Zäunen, die schwärzliche Äcker umschlossen, vorbei an morschen Telegrafenstangen, die im Dämmer zu schwanken schienen, führte mein Weg durch die scheinbar endlosen Verzweiflungsstätten der Vorstadt; achtlos in Pfützen tretend, schritt ich immer hastiger der fernen, zerrissenen Silhouette der Stadt zu, die in schmutzigen Dämmerwolken am Horizont hingestreckt lag wie ein Labyrinth der Trübsal.

Schwarze riesige Ruinen tauchten links und rechts auf, seltsam schwüler Lärm aus schwach erhellten Fenstern drang auf mich ein; wieder Äcker aus schwarzer Erde, wieder Häuser, verfallene Villen – und immer tiefer fraß sich das Entsetzen neben meiner fiebrischen Krankheit in mir fest, denn ich spürte etwas Ungeheuerliches: hinter mir wurde es dunkel, während vor meinen Augen der Dämmer sich in der üblichen Weise verdichtete; hinter mir wurde Nacht; ich schleifte die Nacht hinter mir her, zog sie über den fernen Rand des Horizontes, und wo mein Fuß hingetreten war, wurde es dunkel. Nichts sah ich von alledem, aber ich wußte es: vom Grab der Geliebten her, wo ich den Schatten beschworen, schleppte ich das unerbittlich schlappe Segel der Nacht hinter mir her.

Die Welt schien menschenleer zu sein: eine ungeheure, mit Schmutz angefüllte Ebene die Vorstadt, ein niedriges Gebirge aus Trümmern die Stadt, die so ferne geschienen hatte und nun unheimlich schnell näher gerückt war. Einige Male blieb ich stehen, und ich spürte, wie das Dunkle hinter mir verhielt, sich staute und höhnisch zögerte, mich dann mit sanftem und zwingendem Druck weiterschob.

Nun erst spürte ich auch, daß der Schweiß in Strömen an meinem ganzen Körper herunterlief; mein Gang war mühsam geworden, schwer war die Last, die ich zu schleppen hatte, die Last der Welt. Mit unsichtbaren Seilen war ich daran gebunden, sie an mich, und es zog nun und zerrte an mir, wie eine abgerutschte Last das ausgemergelte Maultier unweigerlich in den Abgrund zwingt. Mit allen Kräften stemmte ich mich an gegen jene unsichtbaren Schnüre, meine Schritte wurden kurz und unsicher, wie ein verzweifeltes Tier warf ich mich in die drosselnde Schnürung: meine Beine schienen in der Erde zu versinken, während ich noch Kraft fand, meinen Oberkörper aufrecht zu halten; bis ich plötzlich spürte, daß ich nicht durchhalten konnte, daß ich auf der Stelle zu verhalten gezwungen war, die Last schon so wirksam, mich am Ort zu bannen; und schon glaubte ich zu spüren, daß ich den Halt verlor, ich tat einen Schrei und warf mich noch einmal in die gestaltlosen Zügel – ich fiel vornüber aufs Gesicht, die Bindung war zerrissen, eine unsagbar köstliche Freiheit hinter mir, und vor meinen Augen eine helle Ebene, auf der nun sie stand, sie, die dort hinten in dem kümmerlichen Grab unter schmutzigen Blumen gelegen hatte, und nun war sie es, die mit lächelndem Gesicht zu mir sagte: »Steh auf, steh doch auf...«, aber ich war schon aufgestanden und ihr entgegengegangen...

Damals in Odessa war es sehr kalt. Wir fuhren jeden Morgen mit großen rappelnden Lastwagen über das Kopfsteinpflaster zum Flugplatz, warteten frierend auf die großen grauen Vögel, die über das Startfeld rollten, aber an den beiden ersten Tagen, wenn wir gerade beim Einsteigen waren, kam der Befehl, daß kein Flugwetter sei, die Nebel über dem Schwarzen Meer zu dicht oder die Wolken zu tief, und wir stiegen wieder in die großen rappelnden Lastwagen und fuhren über das Kopfsteinpflaster in die Kaserne zurück.

Die Kaserne war sehr groß und schmutzig und verlaust, und wir hockten auf dem Boden oder lagen über den dreckigen Tischen und spielten Siebzehn-und-Vier, oder wir sangen und warteten auf eine Gelegenheit, über die Mauer zu gehen. In der Kaserne waren viele wartende Soldaten, und keiner durfte in die Stadt. An den beiden ersten Tagen hatten wir vergeblich versucht auszukneifen, sie hatten uns geschnappt, und wir mußten zur Strafe die großen, heißen Kaffeekannen schleppen und Brote abladen; und dabei stand in einem wunderbaren Pelzmantel, der für die sogenannte Front bestimmt war, ein Zahlmeister und zählte, damit kein Brot plattgeschlagen wurde, und wir dachten damals, daß Zahlmeister nicht von Zahlen, sondern von Zählen kommt. Der Himmel war immer noch neblig und dunkel über Odessa, und die Posten pendelten vor den schwarzen, schmutzigen Mauern der Kaserne auf und ab.

Am dritten Tage warteten wir, bis es ganz dunkel geworden war, dann gingen wir einfach an das große Tor, und als der Posten uns anhielt, sagten wir »Kommando Seltschini«, und er ließ uns durch. Wir waren zu drei Mann, Kurt, Erich und ich, und wir gingen sehr langsam. Es war erst vier Uhr und schon ganz dunkel. Wir hatten ja nichts gewollt als aus den großen, schwarzen, schmutzigen Mauern heraus, und nun, als wir draußen waren, wären wir fast lieber wieder drinnen gewesen; wir waren erst seit acht Wochen beim Militär und hatten viel Angst, aber wir wußten auch: wenn wir wieder drinnen gewesen wären, hätten wir unbedingt heraus gewollt, und dann wäre es unmöglich gewesen, und es war doch erst vier Uhr, und wir konnten nicht schlafen, wegen den Läusen und dem Singen und auch, weil wir fürchteten und zugleich hofften, am anderen Morgen könnte gutes Flugwetter sein und sie würden uns auf die Krim hinüberfliegen, wo wir sterben sollten. Wir wollten nicht sterben, wir wollten auch nicht auf die Krim, aber wir mochten auch nicht den ganzen Tag in dieser schmutzigen, schwarzen Kaserne hokken, wo es nach Ersatzkaffee roch und wo sie immerzu Brote abluden, die für die Front bestimmt waren, immerzu, und wo immer Zahlmeister in Mänteln, die für die Front bestimmt waren, dabeistanden und zählten, damit kein Brot plattgeschlagen wurde.

Ich weiß nicht, was wir wollten. Wir gingen sehr langsam in diese dunkle, holprige Vorstadtgasse hinein; zwischen unbeleuchteten, niedrigen Häusern war die Nacht von ein paar verfaulenden Holzpfählen eingezäunt, und dahinter irgendwo schien Ödland zu liegen, Ödland wie zu Hause, wo sie glauben, es wird eine Straße gelegt, Kanäle bauen und mit Meßstangen herumfummeln, und es wird doch nichts mit der Straße, und sie werfen Schutt, Asche und Abfälle dahin, und das Gras wächst wieder, derbes, wildes Gras, üppiges Unkraut, und das Schild »Schutt abladen verboten« ist schon nicht mehr zu sehen, weil sie zu viel Schutt dahingeschüttet haben...

Wir gingen sehr langsam, weil es noch so früh war. Im Dunklen begegneten uns Soldaten, die in die Kaserne gingen, und andere kamen aus der Kaserne und überholten uns; wir hatten Angst vor den Streifen und wären am liebsten zurückgegangen, aber wir wußten ja auch, wenn wir wieder in der Kaserne waren, würden wir ganz verzweifelt sein, und es war besser, Angst zu haben als nur Verzweiflung in den schwarzen, schmutzigen

Mauern der Kaserne, wo sie Kaffee schleppten, immerzu Kaffee schleppten und für die Front Brote abluden, immerzu Brote für die Front, und wo die Zahlmeister in den schönen Mänteln herumliefen, während es uns schrecklich kalt war.

Manchmal kam links oder rechts ein Haus, aus dem dunkelgelbes Licht herausschien, und wir hörten Stimmen, hell und fremd und beängstigend, kreischend. Und dann kam in der Dunkelheit ein ganz helles Fenster, da war viel Lärm, und wir hörten Soldatenstimmen, die sangen: »Ja, die Sonne von Mexiko«.

Wir stießen die Tür auf und traten ein: da drinnen war es warm und qualmig, und es waren Soldaten da, acht oder zehn, und manche hatten Weiber bei sich, und sie tranken und sangen, und einer lachte ganz laut, als wir hereinkamen. Wir waren jung und auch klein, die Kleinsten von der ganzen Kompanie; wir hatten ganz nagelneue Uniformen an, und die Holzfasern stachen uns in Arme und Beine, und die Unterhosen und Hemden juckten schrecklich auf der bloßen Haut, und auch die Pullover waren ganz neu und stachelig.

Kurt, der Kleinste, ging voran und suchte einen Tisch aus; er war Lehrling in einer Lederfabrik, und er hatte uns immer erzählt, wo die Häute herkamen, obwohl es Geschäftsgeheimnis war, und er hatte uns sogar erzählt, was sie daran verdienten, obwohl das ganz strenges Geschäftsgeheimnis war. Wir setzten uns neben ihn.

Hinter der Theke kam eine Frau heraus, eine dicke Schwarze mit einem gutmütigen Gesicht, und sie fragte, was wir trinken wollten; wir fragten zuerst, was der Wein kostete, denn wir hatten gehört, daß alles sehr teuer war in Odessa.

Sie sagte: »Fünf Mark die Karaffe«, und wir bestellten drei Karaffen Wein. Wir hatten beim Siebzehn-und-Vier viel Geld verloren und den Rest geteilt; jeder hatte zehn Mark. Einige von den Soldaten aßen auch, sie aßen gebratenes Fleisch, das noch dampfte, auf Weißbrotschnitten, und Würste, die nach Knoblauch rochen, und wir merkten jetzt erst, daß wir Hunger hatten, und als die Frau den Wein brachte, fragten wir, was das Essen kostete. Sie sagte, daß die Würste fünf Mark kosteten und Fleisch mit Brot acht; sie sagte, das wäre frisches Schweinefleisch, aber wir bestellten drei Würste. Manche von den Soldaten küßten die Weiber oder nahmen sie ganz offen in den Arm, und wir wußten nicht, wo wir hingucken sollten.

Die Würste waren heiß und fett, und der Wein war sehr sauer. Als wir die Würste aufgegessen hatten, wußten wir nicht, was wir tun sollten. Wir hatten uns nichts mehr zu erzählen, vierzehn Tage hatten wir im Waggon nebeneinander gelegen und uns alles erzählt, Kurt war in einer Lederfabrik gewesen, Erich kam von einem Bauernhof, und ich, ich war von der Schule gekommen; wir hatten immer noch Angst, aber es war uns nicht mehr kalt...

Die Soldaten, die die Weiber geküßt hatten, schnallten jetzt ihre Koppel um und gingen mit den Weibern hinaus; es waren drei Mädchen, sie hatten runde, liebe Gesichter, und sie kicherten und zwitscherten, aber sie gingen jetzt mit sechs Soldaten weg, ich glaube, es waren sechs, fünf bestimmt. Es blieben nur noch die Betrunkenen, die gesungen hatten: »Ja, die Sonne von Mexiko«. Einer, der an der Theke stand, ein großer, blonder Obergefreiter, drehte sich jetzt um und lachte uns wieder aus; ich glaube, wir saßen auch sehr still und brav da an unserem Tisch, die Hände auf den Knien, wie beim Unterricht in der Kaserne. Dann sagte der Obergefreite etwas zu der Wirtin, und die Wirtin brachte uns weißen Schnaps in ziemlich großen Gläsern. »Wir müssen ihm jetzt zuprosten«, sagte Erich und stieß uns mit den Knien an, und ich, ich rief so lange: »Herr Obergefreiter«, bis er merkte, daß ich ihn meinte, dann stieß uns Erich mit den Knien wieder an, wir standen auf und riefen zusammen: »Prost, Herr Obergefreiter.« Die anderen Soldaten lachten alle laut, aber der Obergefreite hob sein Glas und rief uns zu: »Prost, die Herren Grenadiere...«

Der Schnaps war scharf und bitter, aber er machte uns warm, und wir hätten gerne noch einen getrunken.

Der blonde Obergefreite winkte Kurt, und Kurt ging hin und winkte uns auch, als er ein paar Worte mit dem Obergefreiten gesprochen hatte. Er sagte, wir wären ja verrückt, weil wir kein Geld hätten, wir sollten doch etwas verscheuern; und er fragte, von wo wir kämen und wo wir hin müßten, und wir sagten ihm, daß wir in der Kaserne warteten und auf die Krim fliegen sollten. Er machte ein ernstes Gesicht und sagte nichts. Dann fragte ich ihn, was wir denn verscheuern könnten, und er sagte: alles.

Verscheuern könnte man hier alles, Mantel und Mütze oder Unterhosen, Uhren, Füllfederhalter.

Wir wollten keinen Mantel verscheuern, wir hatten zuviel Angst, es war ja verboten, und es war uns auch sehr kalt, damals in Odessa. Wir suchten unsere Taschen leer: Kurt hatte einen Füllfederhalter, ich eine Uhr und Erich ein ganz neues, ledernes Portemonnaie, das er bei einer Verlosung in der Kaserne gewonnen hatte. Der Obergefreite nahm die drei Sachen und fragte die Wirtin, was sie dafür geben wollte, und sie sah alles ganz genau an, sagte, daß es schlecht sei, und wollte zweihundertfünfzig Mark geben, hundertachtzig allein für die Uhr.

Der Obergefreite sagte, daß das wenig sei, zweihundertfünfzig, aber er sagte auch, mehr gäbe sie bestimmt nicht, und wenn wir am nächsten Tag vielleicht auf die Krim flögen, wäre ja alles egal, und wir sollten es nehmen.

Zwei von den Soldaten, die gesungen hatten: »Ja, die Sonne von Mexiko...«, kamen jetzt von den Tischen und klopften dem Obergefreiten auf die Schultern; er nickte uns zu und ging mit ihnen hinaus.

Die Wirtin hatte mir das ganze Geld gegeben, und ich bestellte jetzt für jeden zwei Portionen Schweinefleisch mit Brot und einen großen Schnaps, und dann aßen wir noch einmal jeder zwei Portionen Schweinefleisch, und noch einmal tranken wir einen

Schnaps. Das Fleisch war frisch und fett, heiß und fast süß, und das Brot war ganz mit Fett durchtränkt, und wir tranken dann noch einen Schnaps. Dann sagte die Wirtin, sie hätte kein Schweinefleisch mehr, nur noch Wurst, und wir aßen jeder eine Wurst und ließen uns Bier dazu geben, dickes, dunkles Bier, und wir tranken noch einen Schnaps und ließen uns Kuchen bringen, flache, trockene Kuchen aus gemahlenen Nüssen; dann tranken wir noch mehr Schnaps und wurden gar nicht betrunken; es war uns warm und wohl, und wir dachten nicht mehr an die vielen Stacheln aus Holzfasern in den Unterhosen und dem Pullover; und es kamen neue Soldaten herein, und wir sangen alle: »Ja, die Sonne von Mexiko...«

Um sechs Uhr war unser Geld auf, und wir waren immer noch nicht betrunken; wir gingen zur Kaserne zurück, weil wir nichts mehr zu verscheuern hatten. In der dunklen, holprigen Straße brannte nun gar kein Licht mehr, und als wir durch die Wache kamen, sagte der Posten, wir müßten auf die Wachstube. In der Wachstube war es heiß und trocken, schmutzig, und es roch nach Tabak, und der Unteroffizier schnauzte uns an und sagte, die Folgen würden wir schon sehen. Aber in der Nacht schliefen wir sehr gut, und am anderen Morgen fuhren wir wieder auf den großen, rappelnden Lastwagen über das Kopfsteinpflaster zum Flugplatz, und es war kalt in Odessa, das Wetter war herrlich klar, und wir stiegen endgültig in die Flugzeuge ein; und als sie hochstiegen, wußten wir plötzlich, daß wir nie mehr wiederkommen würden, nie mehr...

Wanderer, kommst du nach Spa ...

Als der Wagen hielt, brummte der Motor noch eine Weile; draußen wurde irgendwo ein großes Tor aufgerissen. Licht fiel durch das zertrümmerte Fenster in das Innere des Wagens, und ich sah jetzt, daß auch die Glühbirne oben an der Decke zerfetzt war; nur ihr Gewinde stak noch in der Schrauböffnung, ein paar flimmernde Drähtchen mit Glasresten. Dann hörte der Motor auf zu brummen, und draußen schrie eine Stimme: »Die Toten hierhin, habt ihr Tote dabei?«

»Verflucht«, rief der Fahrer zurück, »verdunkelt ihr schon nicht mehr?«

»Da nützt kein Verdunkeln mehr, wenn die ganze Stadt wie eine Fackel brennt«, schrie die fremde Stimme. »Ob ihr Tote habt, habe ich gefragt?«

»Weiß nicht.«

»Die Toten hierhin, hörst du? Und die anderen die Treppe hinauf in den Zeichensaal, verstehst du?«

»Ja, ja.«

Aber ich war noch nicht tot, ich gehörte zu den anderen, und sie trugen mich die Treppe hinauf. Erst ging es in einen langen, schwach beleuchteten Flur, dessen Wände mit grüner Ölfarbe gestrichen waren; krumme, schwarze, altmodische Kleiderhaken waren in die Wände eingelassen, und da waren Türen mit Emailleschildchen: VI a und VI b, und zwischen diesen Türen hing, sanftglänzend unter Glas in einem schwarzen Rahmen, die Medea von Feuerbach und blickte in die Ferne; dann kamen Türen mit V a und V b, und dazwischen hing ein Bild des Dornausziehers, eine wunderbare rötlich schimmernde Fotografie in braunem Rahmen.

Auch die große Säule in der Mitte vor dem Treppenaufgang war da, und hinter ihr, lang und schmal, wunderbar gemacht, eine Nachbildung des Parthenonfrieses in Gips, gelblich schimmernd, echt, antik, und alles kam, wie es kommen mußte: der griechische Hoplit, bunt und gefährlich, wie ein Hahn sah er aus, gefiedert, und im Treppenhaus selbst, auf der Wand, die hier mit gelber Ölfarbe gestrichen war, da hingen sie alle der Reihe nach: vom Großen Kurfürsten bis Hitler ...

Und dort, in dem schmalen kleinen Gang, wo ich endlich wieder für ein paar Schritte gerade auf meiner Bahre lag, da war das besonders schöne, besonders große, besonders bunte Bild des Alten Fritzen mit der himmelblauen Uniform, den strahlenden Augen und dem großen, golden glänzenden Stern auf der Brust.

Wieder lag ich dann schief auf der Bahre und wurde vorbeigetragen an den Rassegesichtern: da war der nordische Kapitän mit dem Adlerblick und dem dummen Mund, die westische Moselanerin, ein bißchen hager und scharf, der ostische Grinser mit der Zwiebelnase und das lange adamsapfelige Bergfilmprofil; und dann kam wieder ein Flur, wieder lag ich für ein paar Schritte gerade auf meiner Bahre, und bevor die Träger in die zweite Treppe hineinschwenkten, sah ich es noch eben: das Kriegerdenkmal mit dem großen, goldenen Eisernen Kreuz obendrauf und dem steinernen Lorbeerkranz.

Das ging alles sehr schnell: ich bin nicht schwer, und die Träger rasten. Immerhin: alles konnte auch Täuschung sein; ich hatte hohes Fieber, hatte überall Schmerzen. Im Kopf, in den Armen und Beinen, und mein Herz schlug wie verrückt; was sieht man nicht alles im Fieber!

Aber als wir an den Rassegesichtern vorbei waren, kam alles andere: die drei Büsten von Cäsar, Cicero, Marc Aurel, brav nebeneinander, wunderbar nachgemacht, ganz gelb und echt, antik und würdig standen sie an der Wand, und auch die Hermessäule kam, als wir um die Ecke schwenkten, und ganz hinten im Flur – der Flur war hier rosenrot gestrichen – ganz, ganz hinten im Flur hing die große Zeusfratze über dem Eingang zum Zeichensaal; doch die Zeusfratze war noch weit. Rechts sah ich durch das Fenster den Feuerschein, der ganze Himmel war rot, und

schwarze, dicke Wolken von Qualm zogen feierlich vorüber...
Und wieder mußte ich links sehen, und wieder sah ich Schildchen über den Türen O I a und O I b, und zwischen den bräunlichen muffigen Türen sah ich nur Nietzsches Schnurrbart und seine Nasenspitze in einem goldenen Rahmen, denn sie hatten die andere Hälfte des Bildes mit einem Zettel überklebt, auf dem zu lesen war: »Leichte Chirurgie«...

Wenn jetzt, dachte ich flüchtig ... wenn jetzt ... aber da war es schon: das Bild von Togo, bunt und groß, flach wie ein alter Stich, ein prachtvoller Druck, und vorne, vor den Kolonialhäusern, vor den Negern und dem Soldaten, der da sinnlos mit seinem Gewehr herumstand, vor allem war das große, ganz naturgetreu abgebildete Bündel Bananen: links ein Bündel, rechts ein Bündel, und auf der mittleren Banane im rechten Bündel, da war etwas hingekritzelt, ich sah es; ich selbst mußte es hingeschrieben haben...

Aber nun wurde die Tür zum Zeichensaal aufgerissen, und ich schwebte unter der Zeusbürste hinein und schloß die Augen. Ich wollte nichts mehr sehen. Der Zeichensaal roch nach Jod, Scheiße, Mull und Tabak, und es war laut. Sie setzten mich ab, und ich sagte zu den Trägern: »Steck mir 'ne Zigarette in den Mund, links oben in der Tasche.«

Ich spürte, wie einer mir an der Tasche herumfummelte, dann zischte ein Streichholz, und ich hatte die brennende Zigarette im Mund. Ich zog daran. »Danke«, sagte ich.

Alles das, dachte ich, ist kein Beweis. Letzten Endes gibt es in jedem Gymnasium einen Zeichensaal, Gänge, in denen krumme, alte Kleiderhaken in grün- und gelbgestrichene Wände eingelassen sind; letzten Endes ist es kein Beweis, daß ich in meiner Schule bin, wenn die Medea zwischen VI a und VI b hängt und Nietzsches Schnurrbart zwischen O I a und O I b. Gewiß gibt es eine Vorschrift, die besagt, daß er da hängen muß. Hausordnung für humanistische Gymnasien in Preußen: Medea zwischen VI a und VI b, Dornauszieher dort, Cäser, Marc Aurel und

Cicero im Flur und Nietzsche oben, wo sie schon Philosophie lernen. Parthenonfries, ein buntes Bild von Togo. Dornauszieher und Parthenonfries sind schließlich gute, alte, generationenlang bewährte Schulrequisiten, und gewiß bin ich nicht der einzige, der den Einfall gehabt hat, auf eine Banane zu schreiben: Es lebe Togo. Auch die Witze, die sie in den Schulen machen, sind immer dieselben. Und außerdem besteht die Möglichkeit, daß ich Fieber habe, daß ich träume.

Schmerzen hatte ich jetzt nicht mehr. Im Auto war es noch schlimm gewesen; wenn sie durch die kleinen Schlaglöcher fuhren, schrie ich jedesmal; da waren die großen Trichter schon besser: das Auto hob und senkte sich wie ein Schiff in einem Wellental. Aber jetzt schien die Spritze schon zu wirken, die sie mir irgendwo im Dunkeln in den Arm gehauen hatten: ich hatte gespürt, wie die Nadel sich durch die Haut bohrte und wie es unten am Bein ganz heiß wurde.

Es kann ja nicht wahr sein, dachte ich, so viele Kilometer kann das Auto ja gar nicht gefahren sein: fast dreißig. Und außerdem: du spürst nichts; kein Gefühl sagt es dir, nur die Augen; kein Gefühl sagt dir, daß du in deiner Schule bist, in deiner Schule, die du vor drei Monaten erst verlassen hast. Acht Jahre sind keine Kleinigkeit, solltest du nach acht Jahren das alles nur mit den Augen erkennen?

Hinter meinen geschlossenen Lidern sah ich alles noch einmal, wie ein Film lief es ab: unterer Flur, grün gestrichen, Treppe rauf, gelb gestrichen, Kriegerdenkmal, Flur, Treppe rauf, Cäsar, Cicero, Marc Aurel ... Hermes, Nietzscheschnurrbart, Togo, Zeusfratze ...

Ich spuckte meine Zigarette aus und schrie; es war immer gut, zu schreien; man mußte nur laut schreien; schreien war herrlich; ich schrie wie verrückt. Als sich jemand über mich beugte, machte ich immer noch nicht die Augen auf; ich spürte einen fremden Atem, warm und widerlich roch er nach Tabak und Zwiebeln, und eine Stimme fragte ruhig: »Was ist denn?«

»Was zu trinken«, sagte ich, »und noch 'ne Zigarette, die Tasche oben.«

Wieder fummelte einer an meiner Tasche herum, wieder zischte ein Streichholz, und jemand steckte mir 'ne brennende Zigarette in den Mund.

»Wo sind wir?« fragte ich.

»In Bendorf.«

»Danke«, sagte ich und zog.

Immerhin schien ich wirklich in Bendorf zu sein, zu Hause also, und wenn ich nicht außergewöhnlich hohes Fieber hatte, stand wohl fest, daß ich in einem humanistischen Gymnasium war: eine Schule war es bestimmt. Hatte die Stimme unten nicht geschrien: »Die anderen in den Zeichensaal!«? Ich war ein anderer, ich lebte; die lebten, waren offenbar die anderen. Der Zeichensaal war also da, und wenn ich richtig hörte, warum sollte ich nicht richtig sehen, und dann stimmte es wohl auch, daß ich Cäsar, Cicero und Marc Aurel erkannt hatte, und das konnte nur in einem humanistischen Gymnasium sein; ich glaube nicht, daß sie diese Kerle in den anderen Schulen auf den Fluren an die Wand stellen.

Endlich brachte er mir Wasser: wieder roch ich den Tabak- und Zwiebelatem aus seinem Gesicht, und ich machte, ohne es zu wollen, die Augen auf: da war ein müdes, altes, unrasiertes Gesicht über einer Feuerwehruniform, und eine alte Stimme sagte leise: »Trink, Kamerad!«

Ich trank; es war Wasser, aber Wasser ist herrlich; ich spürte den metallenen Geschmack des Kochgeschirrs auf meinen Lippen, und es war schön zu spüren, welch eine Menge Wasser noch nachdrängte, aber der Feuerwehrmann riß mir das Kochgeschirr von den Lippen und ging: ich schrie, aber er wandte sich nicht um, zuckte nur müde die Schultern und ging weiter; einer, der neben mir lag, sagte ruhig: »Hat gar keinen Zweck zu brüllen, sie haben nicht mehr Wasser; die Stadt brennt, du siehst es doch.«

Ich sah es durch die Verdunkelung hindurch, es glühte und

wummerte hinter den schwarzen Vorhängen, Rot hinter Schwarz, wie in einem Ofen, auf den man neue Kohlen geschüttet hat. Ich sah es: ja, die Stadt brannte.

»Wie heißt die Stadt?« fragte ich den, der neben mir lag.

»Bendorf«, sagte er.

»Danke.«

Ich blickte ganz gerade vor mich hin auf die Fensterreihe und manchmal zur Decke. Die Decke war noch tadellos, weiß und glatt, mit einem schmalen klassizistischen Stuckrand; aber sie haben doch in allen Schulen klassizistische Stuckränder an den Decken in den Zeichensälen, wenigstens in den guten, alten humanistischen Gymnasien. Das ist doch klar.

Ich mußte mir jetzt zugestehen, daß ich im Zeichensaal eines humanistischen Gymnasiums in Bendorf lag. Bendorf hat drei humanistische Gymnasien: die Schule »Friedrich der Große«, die Albertus-Schule und – vielleicht brauche ich es nicht zu erwähnen – aber die letzte, die dritte war die Adolf-Hitler-Schule. Hing nicht in der Schule »Friedrich der Große« das Bild des Alten Fritz besonders bunt, besonders schön, besonders groß im Treppenhaus? Ich war auf dieser Schule gewesen, acht Jahre lang, aber warum konnte nicht in den anderen Schulen dieses Bild genauso an derselben Stelle hängen, so deutlich und auffallend, daß es den Blick fangen mußte, wenn man die erste Treppe hinaufstieg?

Draußen hörte ich jetzt die schwere Artillerie schießen. Sonst war es fast ruhig; nur manchmal drang das Fressen der Flammen durch, und im Dunkeln stürzte irgendwo ein Giebel ein. Die Artillerie schoß ruhig und regelmäßig, und ich dachte: Gute Artillerie! Ich weiß, das ist gemein, aber ich dachte es. Mein Gott, wie beruhigend war die Artillerie, wie gemütlich: dunkel und rauh, ein sanftes, fast feines Orgeln. Irgendwie vornehm. Ich finde, die Artillerie hat etwas Vornehmes, auch wenn sie schießt. Es hört sich so anständig an, richtig nach Krieg in den Bilderbüchern... Dann dachte ich daran, wieviel Namen wohl auf dem

Kriegerdenkmal stehen würden, wenn sie es wieder einweihten, mit einem noch größeren goldenen Eisernen Kreuz darauf und einem noch größeren steinernen Lorbeerkranz, und plötzlich wußte ich es: wenn ich wirklich in meiner alten Schule war, würde mein Name auch darauf stehen, eingehauen in Stein, und im Schulkalender würde hinter meinem Namen stehen – »zog von der Schule ins Feld und fiel für ...«

Aber ich wußte noch nicht wofür und wußte noch nicht, ob ich in meiner alten Schule war. Ich wollte es jetzt unbedingt herauskriegen. Am Kriegerdenkmal war auch nichts Besonderes gewesen, nichts Auffallendes, es war wie überall, es war ein Konfektionskriegerdenkmal, ja, sie bekamen sie aus irgendeiner Zentrale ...

Ich sah mir den Zeichensaal an, aber die Bilder hatten sie abgehängt, und was ist schon an ein paar Bänken zu sehen, die in einer Ecke gestapelt sind, und an den Fenstern, schmal und hoch, viele nebeneinander, damit viel Licht hereinfällt, wie es sich für einen Zeichensaal gehört? Mein Herz sagte mir nichts. Hätte es nicht etwas gesagt, wenn ich in dieser Bude gewesen wäre, wo ich acht Jahre lang Vasen gezeichnet und Schriftzeichen geübt hatte, schlanke, feine, wunderbar nachgemachte römische Glasvasen, die der Zeichenlehrer vorne auf einen Ständer setzte, und Schriften aller Art, Rundschrift, Antiqua, Römisch, Italienne? Ich hatte diese Stunden gehaßt wie nichts in der ganzen Schule, ich hatte die Langeweile gefressen stundenlang, und niemals hatte ich Vasen zeichnen können oder Schriftzeichen malen. Aber wo waren meine Flüche, wo war mein Haß angesichts dieser dumpfgetönten, langweiligen Wände? Nichts sprach in mir, und ich schüttelte stumm den Kopf.

Immer wieder hatte ich radiert, den Bleistift gespitzt, radiert ... nichts ...

Ich wußte nicht genau, wie ich verwundet war; ich wußte nur, daß ich meine Arme nicht bewegen konnte und das rechte Bein nicht, nur das linke ein bißchen; ich dachte, sie hätten mir die

Arme an den Leib gewickelt, so fest, daß ich sie nicht bewegen konnte.

Ich spuckte die zweite Zigarette in den Gang zwischen den Strohsäcken und versuchte, meine Arme zu bewegen, aber es tat so weh, daß ich schreien mußte; ich schrie weiter; es war immer wieder schön, zu schreien; ich hatte auch Wut, weil ich die Arme nicht bewegen konnte.

Dann stand der Arzt vor mir; er hatte die Brille abgenommen und blinzelte mich an; er sagte nichts; hinter ihm stand der Feuerwehrmann, der mir das Wasser gegeben hatte. Er flüsterte dem Arzt etwas ins Ohr, und der Arzt setzte die Brille auf: deutlich sah ich seine großen grauen Augen mit den leise zitternden Pupillen hinter den dicken Brillengläsern. Er sah mich lange an, so lange, daß ich wegsehen mußte, und er sagte leise: »Augenblick, Sie sind gleich an der Reihe...«

Dann hoben sie den auf, der neben mir lag, und trugen ihn hinter die Tafel; ich blickte ihnen nach: sie hatten die Tafel auseinandergezogen und quer gestellt und die Lücke zwischen Wand und Tafel mit einem Bettuch zugehängt; dahinter brannte grelles Licht...

Nichts war zu hören, bis das Tuch wieder beiseite geschlagen und der, der neben mir gelegen hatte, hinausgetragen wurde; mit müden, gleichgültigen Gesichtern schleppten die Träger ihn zur Tür.

Ich schloß wieder die Augen und dachte, du mußt doch herauskriegen, was du für eine Verwundung hast und ob du in deiner alten Schule bist.

Mir kam das alles so kalt und gleichgültig vor, als hätten sie mich durch das Museum einer Totenstadt getragen, durch eine Welt, die mir ebenso gleichgültig wie fremd war, obwohl meine Augen sie erkannten, nur meine Augen; es konnte doch nicht wahr sein, daß ich vor drei Monaten noch hier gesessen, Vasen gezeichnet und Schriften gemalt hatte, daß ich in den Pausen hinuntergegangen war mit meinem Marmeladenbutterbrot, vorbei an Nietzsche, Hermes, Togo, Cäsar, Cicero, Marc Aurel, ganz langsam bis in den Flur unten, wo die Medea hing, dann zum Hausmeister, zu Birgeler, um Milch zu trinken, Milch in diesem dämmerigen kleinen Stübchen, wo man es auch riskieren konnte, eine Zigarette zu rauchen, obwohl es verboten war. Sicher trugen sie den, der neben mir gelegen hatte, unten hin, wo die Toten lagen, vielleicht lagen die Toten in Birgelers grauem kleinem Stübchen, wo es nach warmer Milch roch, nach Staub und Birgelers schlechtem Tabak...

Endlich kamen die Träger wieder herein, und jetzt hoben sie mich auf und trugen mich hinter die Tafel. Ich schwebte wieder, jetzt an der Tür vorbei, und im Vorbeischweben sah ich, daß auch das stimmte: über der Tür hatte einmal ein Kreuz gehangen, als die Schule noch Thomas-Schule hieß, und damals hatten sie das Kreuz weggemacht, aber da blieb ein frischer dunkelgelber Fleck an der Wand, kreuzförmig, hart und klar, der fast noch deutlicher zu sehen war als das alte, schwache, kleine Kreuz selbst, das sie abgehängt hatten; sauber und schön blieb das Kreuzzeichen auf der verschossenen Tünche der Wand. Damals hatten sie aus Wut die ganze Wand neu gepinselt, aber es hatte nichts genützt; der Anstreicher hatte den Ton nicht richtig getroffen: das Kreuz blieb da, bräunlich und deutlich, aber die ganze Wand war rosa. Sie hatten geschimpft, aber es hatte nichts genützt: das Kreuz blieb da, braun und deutlich auf dem Rosa der Wand, und ich glaube, ihr Etat für Farbe war erschöpft und sie konnten nichts machen. Das Kreuz war noch da, und wenn man genau hinsah, konnte man sogar noch eine deutliche Schrägspur über dem rechten Balken sehen, wo jahrelang der Buchsbaumzweig gehangen hatte, den der Hausmeister Birgeler dorthinter klemmte, als es noch erlaubt war, Kreuze in die Schulen zu hängen...

Das alles fiel mir in der kleinen Sekunde ein, als ich an der Tür vorbeigetragen wurde hinter die Tafel, wo das grelle Licht brannte.

Ich lag auf dem Operationstisch und sah mich selbst ganz deutlich, aber sehr klein, zusammengeschrumpft, oben in dem klaren Glas der Glühbirne, winzig und weiß, ein schmales, mullfarbenes Paketchen wie ein außergewöhnlich subtiler Embryo: das war also ich da oben.

Der Arzt drehte mir den Rücken zu und stand an einem Tisch, wo er in Instrumenten herumkramte; breit und alt stand der Feuerwehrmann vor der Tafel und lächelte mich an; er lächelte müde und traurig, und sein bärtiges, schmutziges Gesicht war wie das Gesicht eines Schlafenden; an seiner Schulter vorbei auf der schmierigen Rückseite der Tafel sah ich etwas, was mich zum ersten Male, seitdem ich in diesem Totenhaus war, mein Herz spüren machte: irgendwo in einer geheimen Kammer meines Herzens erschrak ich tief und schrecklich, und es fing heftig an zu schlagen: da war meine Handschrift an der Tafel. Oben in der obersten Zeile. Ich kenne meine Handschrift: es ist schlimmer, als wenn man sich im Spiegel sieht, viel deutlicher, und ich hatte keine Möglichkeit, die Identität meiner Handschrift zu bezweifeln. Alles andere war kein Beweis gewesen, weder Medea noch Nietzsche, nicht das dinarische Bergfilmprofil noch die Banane aus Togo, und nicht einmal das Kreuzzeichen über der Tür: das alles war in allen Schulen dasselbe, aber ich glaube nicht, daß sie in anderen Schulen mit meiner Handschrift an die Tafeln schreiben. Da stand er noch, der Spruch, den wir damals hatten schreiben müssen, in diesem verzweifelten Leben, das erst drei Monate zurücklag: Wanderer, kommst du nach Spa...

Oh, ich weiß, die Tafel war zu kurz gewesen, und der Zeichenlehrer hatte geschimpft, daß ich nicht richtig eingeteilt hatte, die Schrift zu groß gewählt, und er selbst hatte es kopfschüttelnd in der gleichen Größe darunter geschrieben: Wanderer, kommst du nach Spa...

Siebenmal stand es da: in meiner Schrift, in Antiqua, Fraktur, Kursiv, Römisch, Italienne und Rundschrift; siebenmal deutlich und unerbittlich: Wanderer, kommst du nach Spa...

Der Feuerwehrmann war jetzt auf einen leisen Ruf des Arztes

hin beiseite getreten, so sah ich den ganzen Spruch, der nur ein bißchen verstümmelt war, weil ich die Schrift zu groß gewählt hatte, der Punkte zu viele.

Ich zuckte hoch, als ich einen Stich in den linken Oberschenkel spürte, ich wollte mich aufstützen, aber ich konnte es nicht: ich blickte an mir herab, und nun sah ich es: sie hatten mich ausgewickelt, und ich hatte keine Arme mehr, auch kein rechtes Bein mehr, und ich fiel ganz plötzlich nach hinten, weil ich mich nicht aufstützen konnte; ich schrie; der Arzt und der Feuerwehrmann blickten mich entsetzt an, aber der Arzt zuckte nur die Schultern und drückte weiter auf den Kolben seiner Spritze, der langsam und ruhig nach unten sank; ich wollte wieder auf die Tafel blicken, aber der Feuerwehrmann stand nun ganz nah neben mir und verdeckte sie; er hielt mich an den Schultern fest, und ich roch nur noch den brandigen, schmutzigen Geruch seiner verschmierten Uniform, sah nur sein müdes, trauriges Gesicht, und nun erkannte ich ihn: es war Birgeler.

»Milch«, sagte ich leise ...

TRUNK IN PETÖCKI

Der Soldat spürte, daß er jetzt endlich betrunken war. Gleichzeitig fiel ihm in aller Deutlichkeit wieder ein, daß er keinen Pfennig in der Tasche hatte, um die Zeche zu bezahlen. Seine Gedanken waren so eisklar wie seine Beobachtungen, er sah alles ganz deutlich; die dicke kurzsichtige Wirtin saß im Düstern hinter der Theke und häkelte sehr vorsichtig; dabei unterhielt sie sich leise mit einem Mann, der einen ausgesprochen magyarischen Schnurrbart hatte: ein richtiges reizendes Pußta-Paprika-Operettengesicht, während die Wirtin bieder und ziemlich deutsch aussah, etwas zu brav und unbeweglich, als daß sie des Soldaten Vorstellungen von einer Ungarin erfüllt hätte. Die Sprache, die die beiden wechselten, war ebenso unverständlich wie gurgelnd, leidenschaftlich wie fremd und schön. Im Raum herrschte ein dicker grüner Dämmer von den vielen dichtstehenden Kastanienbäumen der Allee draußen, die zum Bahnhof führte: ein herrlicher dicker Dämmer, der nach Absinth aussah und auf eine köstliche Weise gemütlich war. Der Mann mit diesem fabelhaften Schnurrbart hockte halb auf einem Stuhl und lehnte breit und bequem über der Theke.

Das alles beobachtete der Soldat ganz genau, während er wußte, daß er nicht ohne umzufallen bis zur Theke hätte gehen können. Es muß sich ein bißchen setzen, dachte er, dann lachte er laut, rief »Hallo!«, hob der Wirtin sein Glas entgegen und sagte auf deutsch: »Bitte schön.« Die Frau stand langsam von ihrem Stuhl auf, legte ebenso langsam das Häkelzeug aus der Hand und kam lächelnd mit der Karaffe auf ihn zu, während der Ungar sich auch umwandte und die Orden auf der Brust des Soldaten musterte. Die Frau, die auf ihn zugewatschelt kam, war so breit wie groß, ihr Gesicht war gutmütig, und sie sah herzkrank aus; ein dicker Kneifer an einer verschlissenen schwarzen Schnur saß auf ihrer Nase. Auch schienen ihr die Füße weh zu tun; während sie das Glas füllte, stützte sie den einen Fuß hoch und eine Hand auf den Tisch; dann sagte sie eine sehr dunkle ungarische Phrase, die sicher »Prost« hieß oder »Wohl bekomm's«, oder vielleicht gar eine allgemeine liebenswürdige mütterliche Zärtlichkeit, wie sie alte Frauen an Soldaten zu verteilen pflegen...

Der Soldat steckte eine Zigarette an und nahm einen tiefen Schluck aus seinem Glas. Allmählich fing die Wirtsstube an, sich vor seinen Augen zu drehen; die dicke Wirtin hing irgendwo quer im Raum, die verrostete alte Theke stand jetzt senkrecht, und der wenig trinkende Ungar turnte oben irgendwo im Raum herum wie ein Affe, der zu feinen Kunststücken abgerichtet ist. Im nächsten Augenblick hing alles auf der anderen Seite quer, der Soldat lachte laut, schrie »Prost!« und nahm noch einen Schluck, dann noch einen, und machte eine neue Zigarette an.

Zur Tür kam jetzt ein anderer Ungar herein, der war dick und klein und hatte ein verschmitztes Zwiebelgesicht und einen sehr winzigen Schnurrbart auf der Oberlippe. Er pustete schwer die Luft aus, schleuderte seine Mütze auf einen Tisch und hockte sich vor die Theke. Die Wirtin gab ihm Bier...

Das sanfte Geplauder der drei war herrlich, es war wie ein stilles Summen am Rande einer anderen Welt. Der Soldat nahm noch einen tiefen Schluck, das Glas war leer, und nun stand alles wieder an seinem richtigen Platz.

Der Soldat war fast glücklich, er hob wieder das Glas, sagte lachend wieder »Bitte schön«.

Die Frau schenkte ihm ein.

Jetzt habe ich fast zehn Glas Wein, dachte der Soldat, und ich will jetzt Schluß machen, ich bin so herrlich betrunken, daß ich fast glücklich bin. Die grüne Dämmerung wurde dichter, die weiter entfernten Ecken der Wirtsstube waren schon von undurchsichtigen, fast tiefblauen Schatten erfüllt. Es ist eine Schande, dachte der Soldat, daß hier keine Liebespaare sitzen. Es wäre eine reizende Kneipe für Liebespaare, in diesem schönen, grünen und blauen Dämmer. Es ist eine Schande um jedes Liebespaar draußen irgendwo in der Welt, das jetzt im Hellen herumhocken oder herumrennen muß, wo hier in der Kneipe Platz wäre, zu plaudern, Wein zu trinken und sich zu küssen ...

Mein Gott, dachte der Soldat, jetzt müßte hier Musik sein und alle diese herrlichen, dunkelgrünen und dunkelblauen Ecken voll Liebespaare, und ich, ich würde ein Lied singen. Verdammt, dachte er, ich würde glatt ein Lied singen. Ich bin sehr glücklich, und ich würde diesen Liebespaaren ein Lied singen, dann würde ich überhaupt nicht mehr an den Krieg denken, jetzt denke ich immer noch ein bißchen an diesen Mistkrieg. Dann würde ich gar nicht mehr an den Krieg denken.

Gleichzeitig beobachtete er genau seine Armbanduhr, die jetzt halb acht zeigte. Er hatte noch zwanzig Minuten Zeit. Dann nahm er einen sehr tiefen und langen Zug von dem herben, kühlen Wein, und es war fast, als habe man ihm eine schärfere Brille aufgesetzt: er sah jetzt alles näher und klarer und sehr fest, und es erfüllte ihn eine herrliche, schöne, fast vollkommene Trunkenheit. Er sah jetzt, daß die beiden Männer da an der Theke arm waren, Arbeiter oder Hirten, mit ihren verschlissenen Hosen, und daß ihre Gesichter müde waren und von einer furchtbaren Ergebenheit trotz des wilden Schnurrbarts und der zwiebeligen Pfiffigkeit ...

Verdammt, dachte der Soldat, das war schrecklich damals, als es kalt war und ich wegfahren mußte, da war es ganz hell und alles voll Schnee, und wir hatten noch ein paar Minuten Zeit, und nirgends war eine Ecke, eine dunkle, schöne, menschliche Ecke, wo wir uns hätten küssen und umarmen können. Alles war hell und kalt ...

»Bitte schön!« rief er der Wirtin zu; dann blickte er, während sie näher kam, auf seine Uhr: er hatte noch zehn Minuten Zeit. Als die Wirtin zugießen wollte, in sein halbgefülltes Glas, hielt er die Hand darüber, schüttelte lächelnd den Kopf und rieb Daumen und Zeigefinger gegeneinander. »Zahlen«, sagte er, »wieviel Pengö?«

Dann zog er sehr langsam seine Jacke aus und streifte den wunderbaren grauen Pullover mit dem Rollkragen ab und legte ihn neben sich auf den Tisch vor die Uhr. Die Männer vorne waren verstummt und blickten ihm zu, auch die Wirtin schien erschrocken. Sie schrieb jetzt sehr vorsichtig eine 14 auf die Tischplatte. Der Soldat legte seine Hand auf ihren dicken, warmen Unterarm, hielt mit der anderen den Pullover hoch und fragte lachend: »Wieviel?« Dabei rieb er wieder Daumen und Zeigefinger gegeneinander und fügte hinzu: »Pengö.«

Die Frau blickte ihn kopfschüttelnd an, aber er zuckte die Schultern und deutete ihr an, daß er kein Geld habe, so lange, bis sie zögernd den Pullover ergriff, ihn links drehte und eifrig untersuchte, sogar daran roch. Sie rümpfte ein wenig die Nase, lächelte dann und schrieb schnell mit dem Bleistift eine 30 neben die 14. Der Soldat ließ ihren warmen Arm los, nickte ihr zu, hob das Glas und trank wieder einen Schluck.

Während die Wirtin auf die Theke zuging und eifrig mit den beiden Ungarn zu gurgeln anfing, öffnete der Soldat einfach den Mund und sang, er sang: »Zu Straßburg auf der Schanz«, und er spürte plötzlich, daß er gut sang, zum erstenmal im Leben gut, und gleichzeitig spürte er, daß er wieder mehr betrunken war, daß alles wieder leise schwankte, und dabei sah er noch einmal auf die Uhr und stellte fest, daß er drei Minuten Zeit hatte zu singen und glücklich zu sein und fing ein neues Lied an: »Innsbruck, ich muß dich lassen«, während er lächelnd die Scheine einsteckte, die die Wirtin vor ihn auf den Tisch legte ...

Es war jetzt ganz still in der Kneipe, die beiden Männer mit den zerschlissenen Hosen und den müden Gesichtern hatten sich ihm zugewandt, und auch die Wirtin war auf ihrem Rückweg stehengeblieben und horchte still und ernst wie ein Kind.

Dann trank der Soldat sein Glas leer, steckte eine neue Zigarette an und spürte jetzt, daß er ein bißchen schwanken würde. Doch bevor er zur Tür hinausging, legte er einen Schein auf die Theke, deutete auf die beiden Männer und sagte »Bitte schön«, und die drei starrten ihm nach, als er endlich die Tür öffnete, um in die Kastanienallee zu treten, die zum Bahnhof führte und voll köstlicher, dunkelgrüner und dunkelblauer Schatten war, in denen man sich zum Abschied hätte küssen und umarmen können...

Unsere gute, alte Renée

Wenn man morgens so gegen zehn oder elf zu ihr kam, sah sie wie eine richtige dicke Frühstücksschlampe aus. Der formlose, großgeblümte Kittel konnte die runden und massigen Schultern nicht bewältigen, die verkratzten Papilloten hingen in dem mürben Haar wie Senkbleie, die an schlammigem Tang hängengeblieben sind, das Gesicht war geschwollen, und Krümel vom Frühstücksbrot klebten um den Halsausschnitt herum. Sie machte auch gar kein Hehl aus ihrer morgendlichen Unschönheit, denn sie empfing nur bestimmte Gäste – meist nur mich –, von denen sie wußte, daß es ihnen nicht um ihre weiblichen Reize, sondern um ihre guten Schnäpse zu tun war. Denn ihre Schnäpse waren gut, auch teuer; damals noch hatte sie einen ausgezeichneten Cognac, und überdies gab sie Kredit. Abends war sie wirklich reizend. Sie war gut geschnürt, ihre Schultern und Brüste waren hoch und fest, sie spritzte sich irgendein feuriges Zeug in Haar und Augen, und es gab fast keinen, der ihr widerstand, und vielleicht war ich einer der wenigen, die sie morgens empfing, weil sie wußte, daß ich auch abends gegen ihre Schönheit standhaft zu bleiben pflegte.

Morgens, so gegen zehn oder elf Uhr, war sie scheußlich. Auch ihre Laune war dann schlecht, moralisch, und sie gab dann tiefsinnige Sentenzen von sich. Wenn ich klopfte oder klingelte (es war ihr lieber, wenn ich klopfte, »Es hört sich so intim an«, sagte sie), dann hörte ich das Schlurfen ihrer Tritte, die Gardine hinter der Milchglastür wurde beiseite geschoben, und ich sah ihren Schatten; sie blickte durch das Blumenmuster, dann hörte ich ihre tiefe Stimme murmeln: »Ach, du bist's«, und sie schob den Riegel beiseite.

Sie sah wirklich abstoßend aus, aber es war die einzig brauchbare Kneipe am Ort zwischen siebenunddreißig dreckigen Häusern und zwei verkommenen Châteaus, und ihre Schnäpse waren gut, überdies gab sie Kredit, und zu all diesen Vorzügen kam hinzu, daß man wirklich nett mit ihr plaudern konnte. Und der bleiern lange Vormittag verging im Nu. Ich blieb meist nur so lange, bis wir ferne die Kompanie singend vom Dienst zurückkommen hörten, und es war jedesmal ein unheimliches Gefühl, wenn man den ewig gleichen Gesang hörte, der näher und näher kam in der ewig gleichen, trägen Stille des furchtbaren Kaffs.

»Da kommt die Scheiße«, sagte sie jedesmal, »der Krieg.«

Und wir beobachteten dann zusammen die Kompanie mit dem Oberleutnant, den Feldwebeln, Unteroffizieren, den Soldaten, wie sie alle müde und mit mißmutigen Gesichtern an diesem Milchglasfenster vorüberzogen, wir beobachteten die Kompanie durch das Blumenmuster. Zwischen den Rosen und Tulpen waren ganze Streifen klaren Glases, und man konnte sie alle sehen, Reihe um Reihe, Gesicht um Gesicht, alle griesgrämig und hungrig und völlig lustlos ...

Sie kannte fast jeden Mann persönlich, wirklich jeden Mann. Auch die Antialkoholiker und die absoluten Weiberfeinde, denn es war die einzig brauchbare Kneipe am Ort, und selbst der wildeste Asket hat manchmal das Bedürfnis, auf eine heiße und schlechte Suppe ein Glas Limonade zu trinken, oder abends gar ein Glas Wein, wenn er gefangen ist in einem Kaff von siebenunddreißig schmutzigen Häusern, zwei verkommenen Châteaus, in einem Kaff, das im Schlamm zu versinken und in Faulheit und Langeweile sich aufzulösen scheint ...

Aber sie kannte nicht nur unsere Kompanie, sie kannte alle ersten Kompanien aller Bataillone des Regiments, denn nach einem genau ausgeklügelten Einsatzplan kehrte jede erste Kompanie jedes Bataillons nach einer gewissen Zeit in dieses Kaff zurück, um hier sechs Wochen »Ruhe und Reserve« abzumachen.

Damals, als wir zum zweiten Male unsere Ruhe und Reserve mit Exerzieren und Langeweile dort abzumachen hatten, ging es bergab mit ihr. Sie hielt nicht mehr auf sich. Sie schlief jetzt meistens bis elf, schenkte mittags im Morgenrock Bier und Limonade aus, schloß nachmittags wieder, denn während der Dienstzeit war das Dorf leer wie eine ausgelaufene Jauchegrube – und erst abends gegen sieben, nachdem sie den Nachmittag verdämmert hatte, öffnete sie ihre Bude. Außerdem gab sie nicht mehr acht auf ihre Einnahmen. Sie pumpte jedem, trank mit jedem, ließ sich zum Tanz verleiten mit ihrem massigen Leib, grölte dann und fiel, wenn der Zapfenstreich nahte, in krampfhaftes Schluchzen.

Damals, als wir zum zweiten Male in das Dorf kamen, hatte ich mich gleich krank gemeldet. Ich hatte mir eine Krankheit ausgesucht, derentwegen der Arzt mich unbedingt zum Spezialarzt nach Amiens oder Paris fahren lassen mußte. Ich war gut gelaunt, als ich so gegen halb elf bei ihr klopfte. Das Dorf war vollkommen still, die leeren Straßen voll Schlamm. Ich hörte das Schlurfen der Pantoffeln wie früher, das Rascheln der Gardine, Renées Murmeln: »Ah, du bist's.« Dann huschte es freudig über ihr Gesicht. »Ah, du bist's«, wiederholte sie, als die Tür auf war, »seid ihr wieder einmal da?«

»Ja«, sagte ich, warf die Mütze auf einen Stuhl und folgte ihr. »Bring das Beste, was du hast.«

»Das Beste, was ich habe?« fragte sie ratlos.

Sie wischte ihre Hände am Kittel ab. »Ich hab Kartoffeln geschält, entschuldige.« Dann gab sie mir ihre Hand; ihre Hand war noch immer klein und fest, eine hübsche Hand. Ich setzte mich auf einen Barstuhl, nachdem ich von innen den Riegel vorgeschoben hatte.

Sie selbst stand ziemlich unschlüssig hinter der Theke.

»Das Beste, was ich habe?« fragte sie ratlos.

»Ja«, sagte ich, »los.«

»Hm«, machte sie, »ist aber sündhaft teuer.«

»Macht nichts, ich hab Geld.«

»Gut«, sie wischte noch einmal ihre Hände ab. Die Zungenspitze erschien zum Zeichen äußerster Ratlosigkeit zwischen den fahlen Lippen.

»Hast du etwas dagegen, wenn ich mich mit meinen Kartoffeln zu dir setze?«

»Aber nein«, sagte ich, »los, und trink einen mit mir.«

Als sie verschwunden war hinter dieser schmalen, braunen, verkratzten Tür, die zu ihrer Küche führte, blickte ich mich um. Es war alles noch wie voriges Jahr. Über der Theke hing das Bild ihres angeblichen Mannes, eines hübschen Marinesoldaten mit schwarzen Schnurrbart, ein buntes Foto, das den Burschen umrahmt von einem Rettungsring zeigte, auf den man »Patrie« gemalt hatte. Dieser Bursche hatte kalte Augen, ein brutales Kinn und einen ausgesprochen patriotischen Mund. Ich mochte ihn nicht. Daneben hingen ein paar Blumenbilder und süßlich sich küssende Paare. Alles war wie vor einem Jahr. Vielleicht war die Einrichtung etwas schäbiger, aber hätte sie noch schäbiger werden können? An dem Barstuhl, auf dem ich hockte, war das eine Bein geleimt – ich wußte noch genau, daß es bei einer Schlägerei Friedrichs mit Hans kaputtgegangen war, einer Schlägerei um ein häßliches Mädchen namens Lisette –, und dieses Bein zeigte noch genau die trostlose Rotznase von der Leimspur, die man vergessen hatte, mit Glaspapier wegzureiben.

»Cherry Brandy«, sagte Renée, die in der Linken eine Pulle und unter den rechten Arm geklemmt eine Spülschüssel mit Kartoffeln und Kartoffelschalen trug.

»Gut?« fragte ich.

Sie schnalzte mit den Lippen. »Beste Qualität, mein Lieber, wirklich gut.«

»Schenk ein, bitte.«

Sie stellte die Flasche auf die Theke, ließ die Schüssel auf einen kleinen Hocker hinter der Theke gleiten und nahm zwei Gläser aus dem Schrank. Dann füllte sie die flachen Schalen mit dem roten Zeug.

»Prost, Renée«, sagte ich.

»Prost, mein Junge!« sagte sie.

»Nun erzähl mir was. Nichts Neues?«

»Ach«, sagte sie, während sie flink die Kartoffeln weiterschälte, »nichts Neues. Ein paar sind wieder mit Geld durchgegangen, Gläser haben sie mir kaputtgeschmissen. Die gute Jacqueline kriegt wieder ein Kind und weiß nicht von wem. Regen hat es geregnet, und Sonne hat es geschienen, ich bin eine alte Frau geworden und mache hier weg.«

»Weg machst du, Renée?«

»Ja«, sagte sie ruhig. »Du kannst es mir glauben, es macht keinen Spaß mehr. Die Jungen haben immer weniger Geld, werden immer frecher, die Schnäpse werden schlechter und teurer. Prost, mein Junge!«

»Prost, Renée!«

Wir tranken beide das wirklich gute, feurige rote Zeug, und ich schenkte sofort wieder ein.

»Prost!«

»Prost!«

»So«, sagte sie endlich und warf die letzte geschälte Kartoffel in einen halb mit Wasser gefüllten Kessel, »das genügt für heute. Jetzt will ich mir die Finger waschen gehen, daß dir der Kartoffelgeruch aus der Nase kommt. Stinken Kartoffeln nicht gräßlich, findest du nicht, daß Kartoffelschalen gräßlich stinken?«

»Ja«, sagte ich.

»Du bist ein guter Junge.«

Sie verschwand wieder in der Küche.

Der Cherry war wirklich großartig. Ein süßes Feuer aus Kirschen floß in mich hinein, und ich vergaß diesen dreckigen Krieg.

»So gefall ich dir besser, wie?«

Sie stand nun richtig angezogen in der Tür mit einer gelblichen Bluse, und man roch, daß sie ihre Finger mit guter Seife gewaschen hatte.

»Prost!« sagte ich.

»Prost!« sagte sie.

»Du machst wirklich weg, das ist nicht dein Ernst?«

»Doch«, sagte sie, »mein voller Ernst.«

»Prost«, sagte ich und schenkte ein.

»Nein«, sagte sie, »erlaube, daß ich Limonade trinke, ich kann so früh nicht.«

»Gut, aber erzähle.«

»Ja«, sagte sie, »ich kann nicht mehr.« Sie blickte mich an, und in ihren Augen, diesen verschwommenen, geschwollenen Augen, war eine furchtbare Angst. »Hörst du, mein Junge, ich kann nicht mehr. Das macht mich verrückt, diese Stille. Horch doch mal.« Sie faßte meinen Arm so fest, daß ich erschrak und wirklich horchte. Und es war seltsam: es war nichts zu hören, und doch war es nicht still, etwas Unbeschreibliches war in der Luft, etwas wie Gurgeln: das Geräusch der Stille.

»Hörst du«, sagte sie, und es war etwas Triumphierendes in ihrer Stimme, »das ist wie ein Misthaufen.«

»Misthaufen?« fragte ich. »Prost!«

»Ja«, sagte sie und trank einen Schluck Limonade. »Es ist genau wie ein Misthaufen, dieses Geräusch. Ich bin vom Lande, weißt du, oben aus einem Nest bei Dieppe, und wenn ich zu Hause abends im Bett lag, dann hörte ich das ganz genau: es war still und doch nicht still, und später hab ich es gewußt: das ist der Misthaufen, dieses unbestimmte Knacken und Gurgeln und Schlurfen und Schmatzen, wenn die Leute meinen, es ist still. Dann arbeitet der Misthaufen, Misthaufen arbeiten immer, es ist genau dasselbe Geräusch. Hör doch mal!« Sie faßte mich wieder so fest am Arm und blickte mich wieder mit ihren verschwommenen und geschwollenen Augen so eindringlich und flehend an...

Aber ich schenkte mir wieder ein und sagte: »Ja«, und obwohl ich sie genau verstand und auch dieses seltsame, scheinbar so sinnlose Geräusch der gurgelnden Stille vernahm, ich fürchtete mich nicht wie sie, ich fühlte mich behütet, obwohl es trostlos war, da zu hocken in diesem dreckigen Nest, in diesem dreckigen Krieg, und mit einer desperaten Kneipenwirtin morgens um elf Uhr Cherry Brandy zu trinken.

»Still«, sagte sie dann, »horch jetzt.« In der Ferne hörte ich jetzt das regelmäßige, sehr eintönige Singen der Kompanie, die vom Dienst zurückkam.

Aber sie hielt sich nur die Ohren zu.

»Nein«, sagte sie, »das nicht! Das ist das Schlimmste. Jeden Morgen um dieselbe Minute dieses lustlose Singen, das macht mich ganz verrückt.«

»Prost«, sagte ich lachend und goß ein, »hör doch mal.«

»Nein«, schrie sie, »deshalb will ich ja weg, das macht mich krank.«

Sie hielt sich standhaft die Ohren zu, während ich ihr zulächelte, weitertrank und den Gesang verfolgte, der immer näher kam und sich wirklich bedrohlich anhörte in der Stille des Dorfes. Auch das Geräusch der Stiefel wurde nun laut, das Schimpfen der Unteroffiziere in den Pausen, wenn nicht gesungen wurde, und das Rufen des Oberleutnants, der immer wieder Mut und Kraft fand, zu schreien: »Ein Lied, ein Lied!«

»Ich kann nicht mehr«, flüsterte Renée, die fast in Tränen ausbrach vor Erschöpfung und sich tapfer die Ohren zuhielt, »das macht mich ganz krank, so auf dem Misthaufen zu liegen und zu hören, wie sie singen ...«

Ich stand ganz allein am Fenster diesmal, als sie vorübermarschierten, Reihe um Reihe, Gesicht um Gesicht, hungrig und müde, mit einer fast begeisterten Verbitterung in den Gesichtern, und doch lustlos und griesgrämig und in ihren Augen irgendwo die Angst ...

»Komm«, sagte ich zu Renée, als sie einmarschiert waren und der Gesang verklungen war. Ich nahm ihr die Hände von den Ohren. »Sei doch nicht dumm.«

»Nein«, sagte sie hartnäckig, »ich bin nicht dumm, ich geh hier weg, ich mach irgendwo ein Kino auf, in Dieppe oder Abbéville.«

»Und was wird aus uns, denk doch an uns.«

»Meine Nichte kommt hierher«, sagte sie und blickte mich an, »ein hübsches, junges Ding, das wird Schwung in den Laden bringen, ich habe mich entschlossen, meiner Nichte den Laden zu geben.«

»Wann«, fragte ich.

»Morgen.«

»Morgen schon?« fragte ich erschreckt.

»Ach«, sagte sie lachend, »sie ist doch jung und hübsch. Sieh hier!« Sie zog ein Foto aus ihrer Schublade, aber das Mädchen auf dem Bild sah gar nicht sympathisch aus, sie war jung und hübsch, aber kalt, und sie hatte genau den patriotischen Mund wie der Mann, der auf dem Bild über der Theke war mit seinem Rettungsring...

»Prost«, sagte ich traurig, »morgen schon.«

»Prost«, sagte sie und schenkte auch sich ein.

Die Flasche war leer, und ich schien auf dem Barstuhl zu schwanken wie ein Schiff auf hoher See, und doch waren meine Gedanken klar.

»Zahlen, bitte«, sagte ich.

»Dreihundert«, sagte sie.

Aber als ich die Scheine zückte, winkte sie ganz plötzlich und sagte: »Nein, laß nur, zum Abschied. Du bist der einzige, der mir je ein bißchen gefallen hat. Versauf es bei meiner Nichte, wenn du willst. Morgen.«

»Auf Wiedersehen«, und sie winkte mir zu, und ich sah im Hinausgehen, wie sie die Gläser in das Nickelbecken tauchte, um sie zu spülen, und ich wußte, daß die Nichte niemals so hübsche, kleine, feste Hände haben würde wie sie, denn die Hände sind fast wie der Mund, und es mußte furchtbar sein, wenn sie patriotische Hände hatte...

Auch Kinder sind Zivilisten

»Es geht nicht«, sagte der Posten mürrisch.

»Warum?« fragte ich.

»Weil's verboten ist.«

»Warum ist's verboten?«

»Weil's verboten ist, Mensch, es ist für Patienten verboten, rauszugehen.«

»Ich«, sagte ich stolz, »ich bin doch verwundet.«

Der Posten blickte mich verächtlich an: »Du bist wohl 's erstemal verwundet, sonst wüßtest du, daß Verwundete auch Patienten sind, na geh schon jetzt.«

Aber ich konnte es nicht einsehen.

»Versteh mich doch«, sagte ich, »ich will ja nur Kuchen kaufen von dem Mädchen da.«

Ich zeigte nach draußen, wo ein hübsches kleines Russenmädchen im Schneegestöber stand und Kuchen feilhielt.

»Mach, daß du reinkommst!«

Der Schnee fiel leise in die riesigen Pfützen auf dem schwarzen Schulhof, das Mädchen stand da, geduldig, und rief leise immer wieder: »Chuchen... Chuchen...«

»Mensch«, sagte ich zu dem Posten, »mir läuft's Wasser im Munde zusammen, dann laß doch das Kind eben reinkommen.«

»Es ist verboten, Zivilisten reinzulassen.«

»Mensch«, sagte ich, »das Kind ist doch ein Kind.«

Er blickte mich wieder verächtlich an. »Kinder sind wohl keine Zivilisten, was?«

Es war zum Verzweifeln, die leere, dunkle Straße war von Schneestaub eingehüllt, und das Kind stand ganz allein da und rief immer wieder: »Chuchen...«, obwohl niemand vorbeikam.

Ich wollte einfach rausgehen, aber der Posten packte mich schnell am Ärmel und wurde wütend. »Mensch«, schrie er, »hau jetzt ab, sonst hol ich den Feldwebel.«

»Du bist ein Rindvieh«, sagte ich zornig.

»Ja«, sagte der Posten befriedigt, »wenn man noch 'ne Dienstauffassung hat, ist man bei euch ein Rindvieh.«

Ich blieb noch eine halbe Minute im Schneegestöber stehen und sah, wie die weißen Flocken zu Dreck wurden; der ganze Schulhof war voll Pfützen, und dazwischen lagen kleine weiße Inseln wie Puderzucker. Plötzlich sah ich, wie das hübsche kleine Mädchen mir mit den Augen zwinkerte und scheinbar gleichgültig die Straße hinunterging. Ich ging auf der Innenseite der Mauer nach.

»Verdammt«, dachte ich, »ob ich denn tatsächlich ein Patient bin?« Und dann sah ich, daß da ein kleines Loch in der Mauer war neben dem Pissoir, und vor dem Loch stand das Mädchen mit dem Kuchen. Der Posten konnte uns hier nicht sehen. Der Führer segne deine Dienstauffassung, dachte ich.

Die Kuchen sahen prächtig aus: Makronen und Buttercremeschnitten, Hefekringel und Nußecken, die von Öl glänzten. »Was kosten sie?« fragte ich das Kind.

Sie lächelte, hob mir den Korb entgegen und sagte mit ihrem feinen Stimmchen: »Dreimarkfinfzig das Stick.«

»Jedes?«

»Ja«, nickte sie.

Der Schnee fiel auf ihr feines, blondes Haar und puderte sie mit flüchtigem silbernem Staub; ihr Lächeln war einfach entzückend. Die düstere Straße hinter ihr war ganz leer, und die Welt schien tot...

Ich nahm einen Hefekringel und kostete ihn. Das Zeug schmeckte prachtvoll, es war Marzipan darin. »Aha«, dachte ich, »deshalb sind die auch so teuer wie die anderen.«

Das Mädchen lächelte.

»Gut?« fragte sie. »Gut?«

Ich nickte nur: mir machte die Kälte nichts, ich hatte einen dicken Kopfverband und sah aus wie Theodor Körner. Ich probierte noch eine Buttercremeschnitte und ließ das prachtvolle Zeug langsam im Munde zerschmelzen. Und wieder lief mir das Wasser im Munde zusammen ...

»Komm«, sagte ich leise, »ich nehme alles, wieviel hast du?«

Sie fing vorsichtig mit einem zarten, kleinen, ein bißchen schmutzigen Zeigefinger an zu zählen, während ich eine Nußecke verschluckte. Es war sehr still, und es schien mir fast, als wäre ein leises sanftes Weben in der Luft von den Schneeflocken. Sie zählte sehr langsam, verzählte sich ein paarmal, und ich stand ganz ruhig dabei und aß noch zwei Stücke. Dann hob sie ihre Augen plötzlich zu mir, so erschreckend senkrecht, daß ihre Pupillen ganz nach oben standen, und das Weiße in den Augen war so dünnblau wie Magermilch. Irgend etwas zwitscherte sie mir auf Russisch zu, aber ich zuckte lächelnd die Schultern, und dann bückte sie sich und schrieb mit ihren schmutzigen Fingerchen eine 45 in den Schnee; ich zählte meine fünf dazu und sagte: »Gib mir auch den Korb, ja?«

Sie nickte und reichte mir den Korb vorsichtig durch das Loch, ich langte zwei Hundertmarkscheine hinaus. Geld hatten wir satt, für einen Mantel bezahlten die Russen siebenhundert Mark, und wir hatten drei Monate nichts gesehen als Dreck und Blut, ein paar Huren und Geld ...

»Komm morgen wieder, ja?« sagte ich leise, aber sie hörte nicht mehr auf mich, ganz flink war sie weggehuscht, und als ich traurig meinen Kopf durch die Mauerlücke steckte, war sie schon verschwunden, und ich sah nur die stille russische Straße, düster und vollkommen leer; die flachdachigen Häuser schienen langsam von Schnee zugedeckt zu werden. Lange stand ich so da wie ein Tier, das mit traurigen Augen aus der Hürde hinausblickt, und erst als ich spürte, daß mein Hals steif wurde, nahm ich den Kopf ins Gefängnis zurück.

Und jetzt erst roch ich, daß es da in der Ecke abscheulich stank, nach Pissoir, und die hübschen kleinen Kuchen waren alle mit einem zarten Zuckerguß von Schnee bedeckt. Ich nahm müde den Korb und ging aufs Haus zu; mir war nicht kalt, ich sah ja aus wie Theodor Körner und hätte noch eine Stunde im Schnee stehen können. Ich ging, weil ich doch irgendwohin gehen mußte. Man muß doch irgendwohin gehen, das muß man doch. Man kann ja nicht stehenbleiben und sich zuschneien lassen. Irgendwohin muß man gehen, auch wenn man verwundet ist in einem fremden, schwarzen, sehr dunklen Land ...

So ein Rummel

Die Frau ohne Unterleib erwies sich als eines der charmantesten Frauenzimmer, das ich je gesehen hatte, sie trug einen entzückenden sombreroartigen Strohhut, denn als bescheidene Hausfrau hatte sie sich an die Sonnenseite jener kleinen Terrasse gesetzt, die neben ihrem Wohnwagen angebracht war. Ihre drei Kinder spielten unter der Terrasse ein sehr originelles Spiel, das nannten sie »Neandertaler«. Die beiden jüngeren, Junge und Mädchen, mußten das Neandertalpaar abgeben, und der größere, acht Jahre alt, ein blonder Bengel, der während des Dienstes den Sohn der »dicken Susi« abgeben mußte, dieser Bursche spielte den modernen Forscher, der die Neandertaler findet. Er wollte mit aller Gewalt seinen jüngeren Geschwistern die Kinnladen aushängen, um sie in sein Museum zu bringen.

Die Frau ohne Unterleib klopfte mehrmals mit ihren Holzsohlen auf den Boden der Terrasse, denn ein wildes Geschrei drohte unsere beginnende Unterhaltung zu ersticken.

Der Kopf des Älteren erschien über der niedrigen Balustrade, die mit rotblühenden Geranien geschmückt war, und fragte mürrisch: »Ja?«

»Laß die Quälerei«, sagte seine Mutter, wobei sie in ihren sanften grauen Augen eine Belustigung unterdrückte, »spielt doch Bunker oder Totalgeschädigt.«

Der Junge murmelte mißmutig etwas, daß sich fast wie »Quatsch« anhörte, tauchte dann unter, schrie unten: »Es brennt, das ganze Haus brennt.« Leider konnte ich nicht verfolgen, wie das Spiel »Totalgeschädigt« weiterging, denn die Frau ohne Unterleib fixierte mich jetzt etwas schärfer; im Schatten ihres breitrandigen Hutes, durch den warm und rot die Sonne leuchtete, sah sie viel zu jung aus, um Mutter dreier Kinder zu sein und täglich bei fünf Vorstellungen die harten Aufgaben der Frau ohne Unterleib zu erfüllen.

»Sie sind...«, sagte sie.

»Nichts«, sagte ich, »absolut nichts. Sehen Sie mich als einen Vertreter des Nichts an...«

»Sie sind«, fuhr sie ruhig fort, »vermutlich Schwarzhändler gewesen.«

»Jawohl«, sagte ich.

Sie zuckte die Schultern. »Es wird nicht viel zu machen sein. Auf jeden Fall, wo wir Sie auch gebrauchen können, müssen Sie arbeiten, arbeiten, verstehen Sie?«

»Meine Dame«, entgegnete ich, »vielleicht stellen Sie sich das Leben eines Schwarzhändlers allzu rosig vor. Ich, ich war sozusagen an der Front.«

»Wie?« Sie klopfte wieder mit dem Holzabsatz auf den Boden der Terrasse, denn die Kinder hatten nun ein ziemlich langanhaltendes wildes Geheul angestimmt. Wieder erschien der Kopf des Jungen über der Balustrade.

»Nun?« fragte er kurz.

»Spielt jetzt Flüchtling«, sagte die Frau ruhig, »ihr müßt jetzt abhauen aus der brennenden Stadt, verstehst du?«

Wieder verschwand der Kopf des Jungen, und die Frau fragte mich: »Wie?«

Oh, sie hatte den Faden durchaus nicht verloren.

»Ganz vorne«, sagte ich, »ich war ganz vorne. Glauben Sie, das war ein leichtes Brot?«

»An der Ecke?«

»Sozusagen am Bahnhof, wissen Sie?«

»Gut. Und nun?«

»Möchte ich irgendeine Beschäftigung haben. Ich bin nicht faul, durchaus nicht faul, meine Dame.«

»Sie verzeihen«, sagte sie. Sie wandte mir jetzt ihr zartes Profil zu und rief in den Wagen hinein: »Carlino, kocht das Wasser noch nicht?«

»Moment«, rief eine gleichgültige Stimme, »ich bin schon beim Aufschütten.«

»Trinkst du mit?«

»Nein.«

»Dann bring zwei Tassen, bitte. Sie trinken doch eine Tasse mit?«

Ich nickte. »Und ich lade Sie zu einer Zigarette ein.«

Das Geschrei unter der Terrasse wurde nun so wild, daß wir kein Wort mehr hätten verstehen können. Die Frau ohne Unterleib beugte sich über den Geranienkasten und rief: »Jetzt müßt ihr fliehen, schnell, schnell ... die Russen stehen schon vor dem Dorf...«

»Mein Mann«, sagte sie, sich zurückwendend, »ist nicht da, aber in Personalfragen kann ich ...«

Wir wurden unterbrochen von Carlino, einem schmalen, stillen, dunklen Burschen mit einem Haarnetz über dem Kopf, der Tassen und Kaffeekanne brachte. Er blickte mich mißtrauisch an.

»Warum willst du nichts trinken?« fragte ihn die Frau, da er sich ganz kurz wieder abwandte.

»Keine Lust«, murmelte er, im Wagen verschwindend.

»In Personalfragen kann ich ziemlich selbständig entscheiden, allerdings etwas müssen Sie schon können. Nichts ist nichts.«

»Meine Dame«, sagte ich demütig, »vielleicht kann ich die Räder schmieren oder die Zelte abbrechen, Traktor fahren oder dem Mann mit den Riesenkräften als Prügelknabe dienen ...«

»Traktor fahren«, sagte sie, »ist nichts, und die Räder schmieren ist eine kleine Kunst.«

»Oder bremsen«, sagte ich. »Schiffschaukel bremsen ...«

Sie zog hochmütig die Brauen hoch, und zum ersten Male blickte sie mich ein wenig verächtlich an. »Bremsen«, sagte sie kalt, »ist eine Wissenschaft, ich vermute, Sie würden allen Leuten die Hälse brechen. Carlino ist Bremser.«

»Oder ...«, wollte ich zaghaft wieder vorschlagen, aber ein kleines dunkelhaariges Mädchen mit einer Narbe über der Stirn kam jetzt eifrig jene kleine Treppe herauf, die mich so lebhaft an ein Fallreep erinnerte.

Sie stürzte sich in den Schoß der Mutter und schluchzte empört: »Ich soll sterben...«

»Wie?« fragte die Frau ohne Unterleib entsetzt.

»Ich soll das Flüchtlingskind sein, das erfriert, und Fredi will meine Schuhe und alles verscheuern...«

»Ja«, sagte die Mutter, »wenn ihr Flüchtling spielt.«

»Aber ich«, sagte das Kind, »ich soll immer sterben. Immer bin ich es, die sterben soll. Wenn wir Bomben spielen, Krieg oder Seiltänzer, immer muß ich sterben.«

»Sag Fredi, er soll sterben, ich hätte gesagt, er sei jetzt an der Reihe mit Sterben.« Das Mädchen entlief.

»Oder?« fragte mich die Frau ohne Unterleib. Oh, sie verlor den Faden nicht so leicht.

»Oder Nägel geradeklopfen, Kartoffeln schälen, Suppe verteilen, was weiß ich«, rief ich verzweifelt, »geben Sie mir eine Chance...«

Sie drückte die Zigarette aus, goß uns beiden noch einmal ein und blickte mich an, lange und lächelnd, dann sagte sie: »Ich werde Ihnen eine Chance geben. Sie können rechnen, nicht wahr, es gehört sozusagen zu ihrem bisherigen Beruf und« – sie druckste ein bißchen – »ich werde Ihnen die Kasse geben.«

Ich konnte nichts sagen, ich war wirklich sprachlos, ich stand nur auf und küßte ihre kleine Hand. Dann schwiegen wir, es war sehr still, und es war nichts zu hören als ein sanftes Singen von Carlino aus dem Wagen, jenes Singen, dem ich entnehmen konnte, daß er sich rasierte...

An der Brücke

Die haben mir meine Beine geflickt und haben mir einen Posten gegeben, wo ich sitzen kann: ich zähle die Leute, die über die neue Brücke gehen. Es macht ihnen ja Spaß, sich ihre Tüchtigkeit mit Zahlen zu belegen, sie berauschen sich an diesem sinnlosen Nichts aus ein paar Ziffern, und den ganzen Tag, den ganzen Tag geht mein stummer Mund wie ein Uhrwerk, indem ich Nummer auf Nummer häufe, um ihnen abends den Triumph einer Zahl zu schenken.

Ihre Gesichter strahlen, wenn ich ihnen das Ergebnis meiner Schicht mitteile, je höher die Zahl, um so mehr strahlen sie, und sie haben Grund, sich befriedigt ins Bett zu legen, denn viele Tausende gehen täglich über ihre neue Brücke...

Aber ihre Statistik stimmt nicht. Es tut mir leid, aber sie stimmt nicht. Ich bin ein unzuverlässiger Mensch, obwohl ich es verstehe, den Eindruck von Biederkeit zu erwecken.

Insgeheim macht es mir Freude, manchmal einen zu unterschlagen und dann wieder, wenn ich Mitleid empfinde, ihnen ein paar zu schenken. Ihr Glück liegt in meiner Hand. Wenn ich wütend bin, wenn ich nichts zu rauchen habe, gebe ich nur den Durchschnitt an, manchmal unter dem Durchschnitt, und wenn mein Herz aufschlägt, wenn ich froh bin, lasse ich meine Großzügigkeit in einer fünfstelligen Zahl verströmen. Sie sind ja so glücklich! Sie reißen mir förmlich das Ergebnis jedesmal aus der Hand, und ihre Augen leuchten auf, und sie klopfen mir auf die Schulter. Sie ahnen ja nichts! Und dann fangen sie an zu multiplizieren, zu dividieren, zu prozentualisieren, ich weiß nicht was. Sie rechnen aus, wieviel heute jede Minute über die Brücke gehen und wieviel in zehn Jahren über die Brücke gegangen sein werden. Sie lieben das zweite Futur, das zweite Futur ist ihre Spezialität – und doch, es tut mir leid, daß alles nicht stimmt...

Wenn meine kleine Geliebte über die Brücke kommt – und sie

kommt zweimal am Tage –, dann bleibt mein Herz einfach stehen. Das unermüdliche Ticken meines Herzens setzt einfach aus, bis sie in die Allee eingebogen und verschwunden ist. Und alle, die in dieser Zeit passieren, verschweige ich ihnen. Diese zwei Minuten gehören mir, mir ganz allein, und ich lasse sie mir nicht nehmen. Und auch wenn sie abends wieder zurückkommt aus ihrer Eisdiele, wenn sie auf der anderen Seite des Gehsteiges meinen stummen Mund passiert, der zählen, zählen muß, dann setzt mein Herz wieder aus, und ich fange erst wieder an zu zählen, wenn sie nicht mehr zu sehen ist. Und alle, die das Glück haben, in diesen Minuten vor meinen blinden Augen zu defilieren, gehen nicht in die Ewigkeit der Statistik ein: Schattenmänner und Schattenfrauen, nichtige Wesen, die im zweiten Futur der Statistik nicht mitmarschieren werden...

Es ist klar, daß ich sie liebe. Aber sie weiß nichts davon, und ich möchte auch nicht, daß sie es erfährt. Sie soll nicht ahnen, auf welche ungeheure Weise sie alle Berechnungen über den Haufen wirft, und ahnungslos und unschuldig soll sie mit ihren langen braunen Haaren und den zarten Füßen in ihre Eisdiele marschieren, und sie soll viel Trinkgeld bekommen. Ich liebe sie. Es ist ganz klar, daß ich sie liebe.

Neulich haben sie mich kontrolliert. Der Kumpel, der auf der anderen Seite sitzt und die Autos zählen muß, hat mich früh genug gewarnt, und ich habe höllisch aufgepaßt. Ich habe gezählt wie verrückt, ein Kilometerzähler kann nicht besser zählen. Der Oberstatistiker selbst hat sich drüben auf die andere Seite gestellt und hat später das Ergebnis einer Stunde mit meinem Stundenplan verglichen. Ich hatte nur einen weniger als er. Meine kleine Geliebte war vorbeigekommen, und niemals im Leben werde ich dieses hübsche Kind ins zweite Futur transponieren lassen, diese meine kleine Geliebte soll nicht multipliziert und dividiert und in ein prozentuales Nichts verwandelt werden. Mein Herz hat mir geblutet, daß ich zählen mußte, ohne ihr nachsehen zu können, und dem Kumpel drüben, der die Autos zählen muß, bin ich sehr dankbar gewesen. Es ging ja glatt um meine Existenz.

Der Oberstatistiker hat mir auf die Schulter geklopft und hat gesagt, daß ich gut bin, zuverlässig und treu. »Eins in der Stunde verzählt«, hat er gesagt, »macht nicht viel. Wir zählen sowieso einen gewissen prozentualen Verschleiß hinzu. Ich werde beantragen, daß sie zu den Pferdewagen versetzt werden.«

Pferdewagen ist natürlich die Masche. Pferdewagen ist ein Lenz wie nie zuvor. Pferdewagen gibt es höchstens fünfundzwanzig am Tage, und alle halbe Stunde einmal in seinem Gehirn die nächste Nummer fallen zu lassen, das ist ein Lenz!

Pferdewagen wäre herrlich. Zwischen vier und acht dürfen überhaupt keine Pferdewagen über die Brücke, und ich könnte spazierengehen oder in die Eisdiele, könnte sie mir lange anschauen oder sie vielleicht ein Stück nach Hause bringen, meine kleine ungezählte Geliebte...

ABSCHIED

Wir waren in jener gräßlichen Stimmung, wo man schon lange Abschied genommen hat, sich aber noch nicht zu trennen vermag, weil der Zug noch nicht abgefahren ist. Die Bahnhofshalle war wie alle Bahnhofshallen, schmutzig und zugig, erfüllt von dem Dunst der Abdämpfe und vom Lärm, Lärm von Stimmen und Wagen.

Charlotte stand am Fenster des langen Flurs, und sie wurde dauernd von hinten gestoßen und beiseite gedrängt, und es wurde viel über sie geflucht, aber wir konnten uns doch diese letzten Minuten, diese kostbarsten letzten gemeinsamen unseres Lebens nicht durch Winkzeichen aus einem überfüllten Abteil heraus verständigen ...

»Nett«, sagte ich schon zum drittenmal, »wirklich nett, daß du bei mir vorbeigekommen bist.«

»Ich bitte dich, wo wir uns schon so lange kennen. Fünfzehn Jahre.«

»Ja, ja, wir sind jetzt dreißig, immerhin ... kein Grund ...«

»Hör auf, ich bitte dich. Ja, wir sind jetzt dreißig. So alt wie die russische Revolution ...«

»So alt wie der Dreck und der Hunger ...«

»Ein bißchen jünger ...«

»Du hast recht, wir sind furchtbar jung.« Sie lachte.

»Sagtest du etwas?« fragte sie nervös, denn sie war von hinten mit einem schweren Koffer gestoßen worden ...

»Nein, es war mein Bein.«

»Du mußt was dran tun.«

»Ja, ich tu was dran, es redet wirklich zu viel ...«

»Kannst du überhaupt noch stehen?«

»Ja ...«, und ich wollte ihr eigentlich sagen, daß ich sie liebte, aber ich kam nicht dazu, schon seit fünfzehn Jahren ...

»Was?«

»Nichts... Schweden, du fährst also nach Schweden...«

»Ja, ich schäme mich ein bißchen... eigentlich gehört das doch zu unserem Leben, Dreck und Lumpen und Trümmer, und ich schäme mich ein bißchen. Ich komme mir scheußlich vor...«

»Unsinn, du gehörst doch dahin, freu dich auf Schweden...«

»Manchmal freu ich mich auch, weißt du, das Essen, das muß herrlich sein, und nichts, gar nichts kaputt. Er schreibt ganz begeistert...«

Die Stimme, die immer sagt, wann die Züge abfahren, erklang jetzt einen Bahnsteig näher, und ich erschrak, aber es war noch nicht unser Bahnsteig. Die Stimme kündigte nur einen internationalen Zug von Rotterdam nach Basel an, und während ich Charlottes kleines, zartes Gesicht betrachtete, kam der Geruch von Seife und Kaffee mir in den Sinn, und ich fühlte mich scheußlich elend.

Einen Augenblick lang fühlte ich den verzweifelten Mut, diese kleine Person einfach aus dem Fenster zu zerren und hier zu behalten, sie gehörte mir doch, ich liebte sie ja...

»Was ist?«

»Nichts«, sagte ich, »freu dich auf Schweden...«

»Ja. Er hat eine tolle Energie, findest du nicht? Drei Jahre gefangen in Rußland, abenteuerliche Flucht, und jetzt liest er da schon über Rubens.«

»Toll, wirklich toll...«

»Du mußt auch was tun, promovier doch wenigstens...«

»Halt die Schnauze!«

»Was?« fragte sie entsetzt. »Was?« Sie war ganz bleich geworden.

»Verzeih«, flüsterte ich, »ich meine nur das Bein, ich rede manchmal mit ihm...«

Sie sah absolut nicht nach Rubens aus, sie sah eher nach Picasso aus, und ich fragte mich dauernd, warum er sie bloß geheiratet haben mochte, sie war nicht einmal hübsch, und ich liebte sie.

Auf dem Bahnsteig war es ruhiger geworden, alle waren untergebracht, und nur noch ein paar Abschiedsleute standen herum. Jeden Augenblick würde die Stimme sagen, daß der Zug abfahren soll. Jeder Augenblick konnte der letzte sein ...

»Du mußt doch etwas tun, irgend etwas tun, es geht so nicht.«
»Nein«, sagte ich.

Sie war das gerade Gegenteil von Rubens: schlank, hochbeinig, nervös, und sie war so alt wie die russische Revolution, so alt wie der Hunger und der Dreck in Europa und der Krieg ...

»Ich kann's gar nicht glauben ... Schweden ... es ist wie ein Traum ...«
»Es ist ja alles ein Traum.«
»Meinst du?«
»Gewiß. Fünfzehn Jahre. Dreißig Jahre ... Noch dreißig Jahre. Warum promovieren, lohnt sich nicht. Sei still, verdammt!«
»Redest du mit dem Bein?«
»Ja.«
»Was sagt es denn?«
»Horch.«

Wir waren ganz still und blickten uns an und lächelten, und wir sagten es uns, ohne ein Wort zu sprechen.

Sie lächelte mir zu: »Verstehst du jetzt, ist es gut?«
»Ja ... ja.«
»Wirklich?«
»Ja, ja.«
»Siehst du«, fuhr sie leise fort, »das ist es ja gar nicht, daß man zusammen ist und alles. Das ist es ja gar nicht, nicht wahr?«

Die Stimme, die sagt, wann die Züge abfahren, war jetzt ganz genau über mir, amtlich und sauber, und ich zuckte zusammen, als schwinge sich eine große, graue, behördliche Peitsche durch die Halle.

»Auf Wiedersehen!«
»Auf Wiedersehen!«

Ganz langsam fuhr der Zug an und entfernte sich im Dunkel der großen Halle ...

Die Botschaft

Kennen Sie jene Drecknester, wo man sich vergebens fragt, warum die Eisenbahn dort eine Station errichtet hat; wo die Unendlichkeit über ein paar schmutzigen Häusern und einer halbverfallenen Fabrik erstarrt scheint; ringsum Felder, die zur ewigen Unfruchtbarkeit verdammt sind; wo man mit einem Male spürt, daß sie trostlos sind, weil kein Baum und nicht einmal ein Kirchturm zu sehen ist? Der Mann mit der roten Mütze, der den Zug endlich, endlich wieder abfahren läßt, verschwindet unter einem großen Schild mit hochtönendem Namen, und man glaubt, daß er nur bezahlt wird, um zwölf Stunden am Tage mit Langeweile zugedeckt zu schlafen. Ein grauverhangener Horizont über öden Äckern, die niemand bestellt.

Trotzdem war ich nicht der einzige, der ausstieg; eine alte Frau mit einem großen braunen Paket entstieg dem Abteil neben mir, aber als ich den kleinen schmuddeligen Bahnhof verlassen hatte, war sie wie von der Erde verschluckt, und ich war einen Augenblick ratlos, denn ich wußte nun nicht, wen ich nach dem Wege fragen sollte. Die wenigen Backsteinhäuser mit ihren toten Fenstern und gelblichgrünen Gardinen sahen aus, als könnten sie unmöglich bewohnt sein, und quer zu dieser Andeutung einer Straße verlief eine schwarze Mauer, die zusammenzubrechen schien. Ich ging auf die finstere Mauer zu, denn ich fürchtete mich, an eins dieser Totenhäuser zu klopfen. Dann bog ich um die Ecke und las gleich neben dem schmierigen und kaum lesbaren Schild »Wirtschaft« deutlich und klar mit weißen Buchstaben auf blauem Grund »Hauptstraße«. Wieder ein paar Häuser, die eine schiefe Front bildeten, zerbröckelnder Verputz, und gegenüber, lang und fensterlos, die düstere Fabrikmauer wie eine Barriere ins Reich der Trostlosigkeit. Einfach meinem Gefühl nach ging ich links herum, aber da war der Ort plötzlich zu Ende; etwa zehn Meter weit lief noch die Mauer, dann begann ein flaches, grauschwarzes Feld mit einem kaum sichtbaren grünen Schimmer, das irgendwo mit dem grauen himmelhohen Horizont zusammenlief, und ich hatte das schreckliche Gefühl, am Ende der Welt wie vor einem unendlichen Abgrund zu stehen, als sei ich verdammt, hineingezogen zu werden in diese unheimlich lockende, schweigende Brandung der völligen Hoffnungslosigkeit.

Links stand ein kleines, wie plattgedrücktes Haus, wie es sich Arbeiter nach Feierabend bauen; wankend, fast taumelnd bewegte ich mich darauf zu. Nachdem ich eine ärmliche und rührende Pforte durchschritten hatte, die von einem kahlen Heckenrosenstrauch überwachsen war, sah ich die Nummer, und ich wußte, daß ich am rechten Haus war.

Die grünlichen Läden, deren Anstrich längst verwaschen war, waren fest geschlossen, wie zugeklebt; das niedrige Dach, dessen Traufe ich mit der Hand erreichen konnte, war mit rostigen Blechplatten geflickt. Es war unsagbar still, jene Stunde, wo die Dämmerung noch eine Atempause macht, ehe sie grau und unaufhaltsam über den Rand der Ferne quillt. Ich stockte einen Augenblick lang vor der Haustür, und ich wünschte mir, ich wäre gestorben, damals... anstatt nun hier zu stehen, um in dieses Haus zu treten. Als ich dann die Hand heben wollte, um zu klopfen, hörte ich drinnen ein girrendes Frauenlachen; dieses rätselhafte Lachen, das ungreifbar ist und je nach unserer Stimmung uns erleichtert oder uns das Herz zuschnürt. Jedenfalls konnte so nur eine Frau lachen, die nicht allein war, und wieder stockte ich, und das brennende, zerreißende Verlangen quoll in mir auf, mich hineinstürzen zu lassen in die graue Unendlichkeit des sinkenden Dämmers, die nun über dem weiten Feld hing und mich lockte, lockte... und mit meiner allerletzten Kraft pochte ich heftig gegen die Tür.

Erst war Schweigen, dann Flüstern – und Schritte, leise Schritte von Pantoffeln, und dann öffnete sich die Tür, und ich sah eine blonde, rosige Frau, die auf mich wirkte wie eins jener unbeschreiblichen Lichter, die die düsteren Bilder Rembrandts erhellen bis in den letzten Winkel. Golden-rötlich brannte sie wie ein Licht vor mir auf in dieser Ewigkeit von Grau und Schwarz. Sie wich mit einem leisen Schrei zurück und hielt mit zitternden Händen die Tür, aber als ich meine Soldatenmütze abgenommen und mit heiserer Stimme gesagt hatte: »'n Abend«, löste sich der Krampf des Schreckens aus diesem merkwürdig formlosen Gesicht, und sie lächelte beklommen und sagte »Ja«. Im Hintergrund tauchte eine muskulöse, im Dämmer des kleinen Flures verschwimmende Männergestalt auf. »Ich möchte zu Frau Brink«, sagte ich leise. »Ja«, sagte wieder diese tonlose Stimme, die Frau stieß nervös eine Tür auf. Die Männergestalt verschwand im Dunkeln. Ich betrat eine enge Stube, die mit ärmlichen Möbeln vollgepfropft war und worin der Geruch von schlechtem Essen und sehr guten Zigaretten sich festgesetzt hatte. Ihre weiße Hand huschte zum Schalter, und als nun das Licht auf sie fiel, wirkte sie bleich und zerflossen, fast leichenhaft, nur das helle rötliche Haar war lebendig und warm. Mit immer noch zitternden Händen hielt sie das dunkelrote Kleid über den schweren Brüsten krampfhaft zusammen, obwohl es fest zugeknöpft war – fast als fürchte sie, ich könne sie erdolchen. Der Blick ihrer wäßrigen blauen Augen war ängstlich und schreckhaft, als stehe sie, eines furchtbaren Urteils gewiß, vor Gericht. Selbst die billigen Drucke an den Wänden, diese süßlichen Bilder, waren wie ausgehängte Anklagen.

»Erschrecken Sie nicht«, sagte ich gepreßt, und ich wußte im gleichen Augenblick, daß das der schlechteste Anfang war, den ich hatte wählen können, aber bevor ich fortfahren konnte, sagte sie seltsam ruhig: »Ich weiß alles, er ist tot... tot.« Ich konnte nur nicken. Dann griff ich in meine Tasche, um ihr die letzten Habseligkeiten zu überreichen, aber im Flur rief eine brutale Stimme »Gitta!« Sie blickte mich verzweifelt an, dann riß sie die Tür auf und rief kreischend: »Warte fünf Minuten – verdammt –«, und krachend schlug die Tür wieder zu, und ich glaubte mir vorstellen zu können, wie sich der Mann feige hinter dem Ofen verkroch. Ihre Augen sahen trotzig, fast triumphierend zu mir auf.

Ich legte langsam den Trauring, die Uhr und das Soldbuch mit den verschlissenen Fotos auf die grüne samtene Tischdecke. Da schluchzte sie plötzlich wild und schrecklich wie ein Tier. Die Linien ihres Gesichtes waren völlig verwischt, schneckenhaft weich und formlos, und helle, kleine Tränen purzelten zwischen ihren kurzen, fleischigen Fingern hervor. Sie rutschte auf das Sofa und stützte sich mit der Rechten auf den Tisch, während ihre Linke mit den ärmlichen Dingen spielte. Die Erinnerung schien sie wie mit tausend Schwertern zu durchschneiden. Da wußte ich, daß der Krieg niemals zu Ende sein würde, niemals, solange noch irgendwo eine Wunde blutete, die er geschlagen hat.

Ich warf alles, Ekel, Furcht und Trostlosigkeit, von mir ab wie eine lächerliche Bürde und legte meine Hand auf die zuckende, üppige Schulter, und als sie nun das erstaunte Gesicht zu mir wandte, sah ich zum ersten Male in ihren Zügen Ähnlichkeit mit jenem Foto eines hübschen, liebevollen Mädchens, das ich wohl viele hundert Male hatte ansehen müssen, damals...

»Wo war es – setzen Sie sich doch –, im Osten?« Ich sah es ihr an, daß sie jeden Augenblick wieder in Tränen ausbrechen würde.

»Nein... im Westen, in der Gefangenschaft... wir waren mehr als hunderttausend...«

»Und wann?« Ihr Blick war gespannt und wach und unheimlich lebendig, und ihr ganzes Gesicht war gestrafft und jung – als hinge ihr Leben an meiner Antwort. »Im Juli 45«, sagte ich leise.

Sie schien einen Augenblick zu überlegen, und dann lächelte sie – ganz rein und unschuldig, und ich erriet, warum sie lächelte.

Aber plötzlich war mir, als drohe das Haus über mir zusammenzubrechen, ich stand auf. Sie öffnete mir, ohne ein Wort zu sagen, die Tür und wollte sie mir aufhalten, aber ich wartete beharrlich, bis sie vor mir hinausgegangen war; und als sie mir ihre kleine, etwas feiste Hand gab, sagte sie mit einem trockenen Schluchzen: »Ich wußte es, ich wußte es, als ich ihn damals – es ist fast drei Jahre her – zum Bahnhof brachte«, und dann setzte sie ganz leise hinzu: »Verachten Sie mich nicht.«

Ich erschrak vor diesen Worten bis ins Herz – mein Gott, sah ich denn wie ein Richter aus? Und ehe sie es verhindern konnte, hatte ich diese kleine, weiche Hand geküßt, und es war das erste Mal in meinem Leben, daß ich einer Frau die Hand küßte.

Draußen war es dunkel geworden, und wie in Angst gebannt wartete ich noch einen Augenblick vor der verschlossenen Tür. Da hörte ich sie drinnen schluchzen, laut und wild, sie war an die Haustür gelehnt, nur durch die Dicke des Holzes von mir getrennt, und in diesem Augenblick wünschte ich wirklich, daß das Haus über ihr zusammenbrechen und sie begraben möchte.

Dann tastete ich mich langsam und unheimlich vorsichtig, denn ich fürchtete jeden Augenblick in einem Abgrund zu versinken, bis zum Bahnhof zurück. Kleine Lichter brannten in den Totenhäusern, und das ganze Nest schien weit, weit vergrößert. Selbst hinter der schwarzen Mauer sah ich kleine Lampen, die unendlich große Höfe zu beleuchten schienen. Dicht und schwer war der Dämmer geworden, nebelhaft dunstig und undurchdringlich.

In der zugigen, winzigen Wartehalle stand außer mir noch ein älteres Paar, fröstelnd in eine Ecke gedrückt. Ich wartete lange, die Hände in den Taschen und die Mütze über die Ohren gezogen, denn es zog kalt von den Schienen her, und immer, immer tiefer sank die Nacht wie ein ungeheures Gewicht.

»Hätte man nur etwas mehr Brot und ein bißchen Tabak«, murmelte hinter mir der Mann. Und immer wieder beugte ich mich vor, um in die sich ferne zwischen matten Lichtern verengende Parallele der Schienen zu blicken.

Aber dann wurde die Tür jäh aufgerissen, und der Mann mit der roten Mütze, diensteifrigen Gesichts, schrie, als ob er es in die Wartehalle eines großen Bahnhofs rufen müsse: »Personenzug nach Köln fünfundneunzig Minuten Verspätung!«

Da war mir, als sei ich für mein ganzes Leben in Gefangenschaft geraten.

Aufenthalt in X

Als ich wach wurde, erfüllte mich das Bewußtsein fast vollkommener Verlorenheit; ich schien in der Dunkelheit zu schwimmen wie in einem träge fließenden Gewässer, dessen Strömung ohne Ziel war; wie ein Leichnam, den die Welle endgültig an die unbarmherzige Oberfläche gespült hat, trudelte ich leise schwankend hin und her in dieser Finsternis, die ohne Halt war. Meine Glieder spürte ich nicht, sie waren ohne Zusammenhang mit mir, auch meine Sinne waren erloschen; es war nichts zu sehen, nichts zu hören, kein Geruch bot mir Anhalt; einzig die sanfte Berührung des Kissens an meinem Kopf gab mir Zusammenhang mit der Wirklichkeit; ich war mir nur meines Kopfes bewußt; die Gedanken waren eisklar, leise nur getrübt von jenem peinvollen Kopfschmerz, den schlechter Wein verursacht.

Nicht einmal ihren Atem hörte ich neben mir; sie schlief so leicht wie ein Kind, und doch mußte ich glauben, daß sie neben mir lag. Es wäre sinnlos gewesen, die Hände auszustrecken und nach ihrem Gesicht oder den sanften Haaren zu tasten, ich hatte keine Hände mehr; die Erinnerung war einzig eine Erinnerung der Gedanken, ein blutloses Gefüge, das keine Spur an meinem Körper hinterlassen hatte.

So war ich oft am Rande der Wirklichkeit einhergegangen mit der Sicherheit eines Trunkenen, der auf der schmalen Kante eines Abgrundes seinen Weg macht, in unerklärlichem Gleichgewicht einem Ziele zutaumelnd, dessen Schönheit auf seinem Munde zu lesen ist; Alleen war ich entlanggeschritten, die nur von spärlichen grauen Lichtern erhellt waren, bleiernen Lichtern, die die Wirklichkeit nur anzudeuten schienen, um sie besser leugnen zu können; blinden Auges war ich in schwarze Straßen hineingesunken, die von Menschen wimmelten, während ich wußte, daß ich allein war, allein.

Allein mit meinem Kopf, nicht einmal mit meinem ganzen

Kopf; Mund, Nase, Augen und Ohren waren tot; allein nur mit meinem Gehirn, das sich bemühte, die Erinnerung wiederherzustellen, so wie ein Kind aus scheinbar sinnlosen Stäbchen scheinbar sinnlose Gebilde errichtet.

Sie mußte neben mir liegen, obwohl ich nichts von ihr spürte.

Tags zuvor war ich dem Zuge entstiegen, der weiterfuhr den Balkan hinunter bis nach Athen, während ich an dieser kleinen Station umzusteigen und auf einen Zug zu warten hatte, der mich den Karpatenpässen näher bringen sollte. Als ich über den Bahnsteig stolperte, ungewiß des Namens der Station, wankte mir ein Betrunkener entgegen, einsam in seiner grauen Uniform unter den buntgekleideten ungarischen Zivilisten; der Kumpel stieß laute Drohungen aus, die sich mir einprägten wie Ohrfeigen, deren brennendes Mal man sein Leben lang auf der Wange trägt.

»Hurenbande«, schrie er, »Schweine, die ganze Horde, ich hab den Kram satt.« Das schrie er ganz deutlich den töricht lächelnden Ungarn entgegen, während er mit einem schweren Tornister auf den Zug losging, dem ich entstiegen war.

Schon rief ein finster bestahlhelmter Kopf aus einem Abteil: »Sie da! He! Sie da!« Der Betrunkene zog die Pistole, zielte auf den Stahlhelm, die Leute schrien, ich fiel dem Kumpel in den Arm, entzog ihm die Waffe und verbarg sie, während ich den eifrig sich Wehrenden mit einem geschickten Griff umfaßt hielt. Der Stahlhelm schrie, die Leute schrien, der Kumpel schrie, doch der Zug fuhr ab, und gegen einen fahrenden Zug ist in den meisten Fällen sogar ein Stahlhelm machtlos. Ich ließ den Kumpel los, gab ihm die Pistole zurück und drängte den Verdutzten zum Ausgang.

Das kleine Nest sah öde aus. Die Leute hatten sich schnell verzogen, der Bahnhofsvorplatz war leer, ein müder und schmutziger Beamter wies uns in eine winzige Kneipe, die jenseits des verstaubten Platzes unter niedrigen Bäumen lag.

Wir legten unser Gepäck nieder, und ich bestellte Wein, jenen schlechten, die Ursache der Übelkeit, die mich nun nach dem Erwachen quälte. Der Kumpel saß stumm und böse da. Ich bot ihm Zigaretten an, wir rauchten, und ich betrachtete ihn: er war in der üblichen Weise dekoriert, war jung, meines Alters, das blonde Haar hing ihm lose aus der flachen, weißen Stirn in dunkle Augen hinein.

»Die Sache ist die«, sagte er plötzlich, »Kumpel, ich hab den Kram satt, verstehst du?«

Ich nickte.

»So satt, wie ich gar nicht sagen kann, verstehst du, ich geh stiften.«

Ich blickte ihn an.

»Ja«, sagte er nüchtern, »ich geh stiften, in die Pußta hinein. Ich kann mit Pferden umgehen, zur Not eine manierliche Suppe kochen, sie können mich alle am Arsch lecken. Machst du mit?«

Ich schüttelte den Kopf.

»Angst, wie?... Nein?... Gut, jedenfalls, ich geh stiften. Wiedersehen.«

Er stand auf, ließ sein Gepäck stehen, legte einen Schein auf den Tisch, nickte mir noch einmal zu und ging.

Ich wartete lange. Ich glaubte nicht, daß er wirklich stiftengegangen war, einfach in die Pußta hinein. Ich bewachte sein Gepäck und wartete, trank den schlechten Wein und versuchte vergebens ein Gespräch mit dem Wirt, starrte auf diesen Vorplatz, über den manchmal, in Staubwolken gehüllt, ein Gefährt mit mageren Pferden raste.

Später aß ich Beefsteak, trank immer wieder den schlechten Wein und rauchte Zigarren dazu. Es wurde dämmerig, durch die offene Tür drang manchmal eine Staubwolke in den Raum, der Wirt gähnte oder unterhielt sich mit Ungarn, die Wein tranken.

Schnell wurde es dunkler; niemals werde ich wissen, was alles ich dachte, während ich dort saß und wartete, Wein trank, Fleisch aß, den dicken Wirt betrachtete, auf den Vorplatz starrte und Zigarren paffte...

Mein Gehirn gab das alles teilnahmslos wieder, spie es aus,

während ich schwindelnd auf diesem dunklen Gewässer einherschwamm, in dieser Nacht ohne Stunde, in einem Haus, das ich nicht kannte, einer namenlosen Straße, neben einem Mädchen, dessen Gesicht ich nicht recht gesehen hatte ...

Später war ich schnell zum Bahnhof hinübergegangen, hatte festgestellt, daß mein Zug weggefahren und der nächste erst am Morgen fällig war; ich hatte meine Zeche bezahlt, mein Gepäck neben dem des Kumpels liegenlassen und war in der Dämmerung in dieses Städtchen hineingetaumelt. Von allen Seiten strömte es grau, dunkelgrau über mich hin, und nur spärliche Lichter ließen die Gesichter der Menschen wie die Gesichter von Lebenden erscheinen.

Irgendwo trank ich besseren Wein, blickte verloren in ein ernstes Frauengesicht hinter der Theke, roch etwas wie Essig aus einer Küchentür, bezahlte und verschwand wieder in der Dämmerung.

Dieses Leben, dachte ich, ist nicht mein Leben. Ich muß dieses Leben spielen, und ich spiele es schlecht. Es war ganz dunkel geworden, und ein milder Himmel hing über der sommerlichen Stadt. Irgendwo war auch der Krieg, unsichtbar, unhörbar in diesen stillen Straßen, wo die niedrigen Häuser neben niedrigen Bäumen schliefen; irgendwo in dieser vollkommenen Stille war der Krieg. Ich war ganz allein in dieser Stadt, diese Menschen gehörten nicht zu mir, diese Bäumchen waren aus Spielzeugschachteln ausgepackt und auf diese sanften, grauen Bürgersteige geklebt, und der Himmel schwebte über allem wie ein lautloses Luftschiff, das stürzen würde ...

Irgendwo stand ein Gesicht unter einem Baum, schwach beleuchtet aus sich selbst. Traurige Augen unter sanften Haaren, die hellbraun sein mußten, obwohl sie grau aussahen in dieser Nacht; eine blasse Haut mit einem runden Mund, der rot sein mußte, obwohl auch er grau aussah in dieser Nacht.

»Komm«, sagte ich zu diesem Gesicht.

Ich faßte ihren Arm, einen menschlichen Arm, unsere Handflächen krampften sich ineinander, unsere Finger fanden sich und schlossen sich zusammen, während wir in dieser unbekannten Stadt in eine unbekannte Straße gingen.

»Mach kein Licht«, sagte ich, als wir dieses Zimmer betraten, in dem ich nun zusammenhanglos in der Dunkelheit schwimmend lag.

Ich spürte im Dunkeln ein weinendes Gesicht und stürzte Abgründe hinab, Abgründe, wie man die Stufen einer Treppe hinunterrollt, einer schwindelerregenden Treppe aus Samt; ich stürzte, endlos, sich immer wieder erneuernde Abgründe hinab ...

Meine Erinnerung sagte mir, daß dies alles geschehen war und daß ich nun auf diesem Kissen liege, in diesem Zimmer, sie neben mir, ohne daß ich ihren Atem höre; sie schläft so leicht wie ein Kind. Mein Gott, war ich nur noch Gehirn?

Oft schien das finstere Gewässer stillzustehen, dann überkam mich die Hoffnung, daß ich erwachen würde, meine Beine spüren, wieder hören, riechen und nicht nur denken würde; und schon diese leise Hoffnung war viel, während sie leise wieder abflaute, denn das finstere Gewässer kreiste wieder, nahm wieder meinen hilflosen Leichnam und ließ ihn zeitlos treiben in der vollkommenen Verlorenheit.

Meine Erinnerung sagte mir auch, daß die Nacht begrenzt war. Es mußte ja wieder Tag werden. Sie sagte auch, daß ich trinken konnte, küssen und weinen, auch beten; aber man kann nicht bloß mit dem Gehirn beten. Während ich wußte, daß ich wach war, wach lag im Bett eines ungarischen Mädchens, auf ihrem sanften Kissen in einer sehr dunklen Nacht; während ich das alles wußte, mußte ich doch glauben, daß ich tot sei ...

Es war wie eine Dämmerung, die sehr leise und langsam kam, so unsagbar langsam, daß man ihr nicht folgen kann. Erst glaubt man sich zu täuschen; wenn man in einem Erdloch steht in einer dunklen Nacht, dann kann man nicht glauben, daß das wirklich der Dämmer ist, dieser ganz sanfte, helle Streifen hinter dem unsichtbaren Horizont; man glaubt sich zu täuschen, die müden

Augen sind überreizt und scheinen sich aus irgendwelchen geheimen Lichtreserven etwas vorzuspiegeln. Und doch ist es wirklich der Dämmer, der nun sogar stärker wird. Es wird wirklich hell, heller, das Licht wird stärker, der graue Flecken dort hinter dem Horizont breitet sich langsam aus, und man muß es glauben, daß nun Tag wird.

Ich spürte plötzlich, daß ich fror; meine Füße waren durch die Decke gerutscht, bloß und kalt, und ich spürte die Wirklichkeit der Kühle; ich seufzte tief, fühlte den eigenen Atem, der mein Kinn berührte, beugte mich vor, tastete nach der Decke, bedeckte meine Füße. Ich hatte wieder Hände, hatte wieder Füße und spürte meinen eigenen Atem.

Dann griff ich links in den Abgrund, fischte meine Hose vom Boden auf und hörte in der Tasche das Geräusch der Streichholzschachtel.

»Mach kein Licht, bitte«, sagte jetzt ihre Stimme neben mir, und auch sie seufzte.

»Willst du rauchen?« fragte ich leise.

»Ja«, sagte sie.

Im Licht des Zündholzes war sie ganz gelb. Ein dunkelgelber Mund, runde, schwarze, ängstliche Augen, die Haut wie feiner, sanftgelber Sand und das Haar wie dunkler Honig.

Es war schwer, zu sprechen; irgendwo anzuknüpfen. Wir hörten beide, wie die Zeit jetzt verrann, ein wunderbares dunkles Rauschen, in dem die Sekunden verschwammen.

»Was denkst du?« fragte sie ganz plötzlich. Es war wie ein sanfter, sehr sicherer Schuß, der das Ziel traf, in meinem Innern einen Damm zerbrach, und noch ehe ich Zeit fand, schnell noch einmal ihr Gesicht zu sehen im Licht der aufblakenden Glut, sprach ich schon. »Ich denke gerade, wer in siebzig Jahren in diesem Zimmer liegen wird, wer auf diesem halben Quadratmeter hier sitzen oder liegen wird und was er wissen wird, von dir und mir. Nichts«, sagte ich, »er wird eben nur wissen, daß Krieg war.«

Wir warfen beide unsere Zigarettenstummel links neben das Bett auf die Erde; sie fielen lautlos auf meine Hose, und ich mußte sie abschütteln, so daß die beiden kleinen Gluten nebeneinanderlagen.

»Und dann habe ich gedacht, wer vor siebzig Jahren hier gewesen ist, oder was. Vielleicht war hier ein Acker, Mais oder Zwiebeln sind hier gewachsen, zwei Meter unter meinem Kopf, und der Wind strich hier rüber, und jeden Morgen kam über den Horizont der Pußta diese traurige Dämmerung. Oder vielleicht hatte jemand hier schon ein Haus.«

»Ja«, sagte sie leise, »vor siebzig Jahren war hier schon ein Haus.«

Ich schwieg.

»Ja«, sagte sie, »ich glaube, vor siebzig Jahren baute mein Großvater dieses Haus. Damals müssen sie hier die Bahn gebaut haben, und er arbeitete bei der Bahn und baute von dem Geld dieses kleine Haus. Und dann zog er in den Krieg, damals, weißt du, 1914, und er fiel in Rußland. Und dann war da mein Vater, der hatte etwas Land und arbeitete auch an der Bahn; er starb in diesem Krieg.«

»Er fiel?«

»Nein, er starb. Meine Mutter war schon früher gestorben. Und jetzt wohnt mein Bruder hier mit seiner Frau und den Kindern. Und in siebzig Jahren werden die Urenkel meines Bruders hier wohnen.«

»Vielleicht«, sagte ich, »aber sie werden nichts wissen von dir und mir.«

»Nein, kein Mensch wird wissen, daß du bei mir warst.«

Ich faßte ihre kleine Hand, diese sehr sanfte Hand, und hielt sie nahe vor mein Gesicht.

Dort, wo das Fenster war, stand jetzt im Ausschnitt eine dunkelgraue Dunkelheit, heller als die Finsternis der Nacht.

Ich spürte plötzlich, daß sie sich an mir vorbeibewegte, ohne mich zu berühren, und ich hörte die leichten Tritte ihrer nackten

Füße auf dem Boden; dann hörte ich, daß sie sich anzog. Ihre Bewegungen und die Geräusche waren so leicht; nur als sie nach hinten auf ihren Rücken griff, um die Knöpfe der Bluse zu schließen, hörte ich ein heftigeres Atmen.

»Jetzt mußt du dich anziehen«, sagte sie.
»Laß mich liegen«, sagte ich.
»Ich möchte kein Licht machen.«
»Mach kein Licht und laß mich liegen.«
»Du mußt doch etwas essen, ehe du gehst.«
»Ich gehe ja nicht.«

Ich spürte, daß sie innehielt im Zuziehen der Schuhe und erstaunt im Dunkeln dorthin blickte, wo ich lag.

»So«, sagte sie nur leise, und ich konnte nicht feststellen, ob sie erstaunt oder erschrocken war.

Wenn ich den Kopf zur Seite wandte, konnte ich jetzt in dieser dunkelgrauen Dämmerung ihre Umrisse sehen. Sie bewegte sich sehr sanft im Raum, suchte Holz und Papier zusammen und nahm die Streichholzschachtel aus meiner Hosentasche.

Diese Geräusche erreichten mich fast wie leise, ängstliche Rufe von jemand, der am Ufer steht und einem anderen nachruft, der von der Strömung in ein großes Gewässer hineingetrieben wird; und ich wußte jetzt, wenn ich nicht aufstand, nicht in den folgenden Minuten mich entschloß, dieses leise schwankende Schiff der Verlorenheit zu verlassen, würde ich in diesem Bett sterben wie ein Gelähmter oder über diesem Kissen erschossen werden von den unermüdlichen Schergen, denen nichts verborgen blieb.

Während ich ihr kleines Summen vernahm, wie sie dort am Herd stand und dem Feuer zublickte, dessen warmer Schein mit stillem Flügelschlag wuchs, schien ich durch mehr als eine Welt von ihr getrennt. Sie stand da irgendwo am Rande meines Lebens, summte leise und freute sich des wachsenden Feuers; ich verstand das alles, sah es, roch den brandigen Qualm versengten Papiers, und doch hätte sie nirgendwo ferner stehen können von mir.

»Steh doch jetzt auf«, sagte das Mädchen vom Ofen her, »du mußt ja gehen.« Ich hörte, daß sie eine Kasserolle aufs Feuer setzte und zu rühren begann, es war ein sehr schönes und stilles Geräusch, dieses sanfte Kratzen des hölzernen Löffels, und der Geruch von geröstetem Mehl erfüllte die Stube.

Ich sah jetzt alles. Die Stube war sehr klein. Ich lag in einem flachen Holzbett, daneben stand ein Schrank, der den Raum bis zur Tür ausfüllte, ein brauner Schrank ohne jede Verzierung. Hinter mir mußte irgendwo ein Tisch sein, Stühle und das Öfchen am Fenster. Es war sehr still, und der Dämmer noch so dicht, daß er wie Schatten in der Stube lag.

»Ich bitte dich«, sagte sie leise, »ich muß ja gehen.«

»Du mußt gehen?«

»Ja, ich muß zur Arbeit, und vorher mußt du weg, mit mir.«

»Arbeiten«, fragte ich, »warum?«

»Oh, was du fragst!«

»Wo denn?«

»An der Bahn.«

»An der Bahn?« fragte ich. »Was macht ihr denn da?«

»Steine aufschütten, Schotter, damit nichts passiert.«

»Es wird nichts passieren«, sagte ich, »wo bist du denn? Nach Großwardein zu?«

»Nein, nach Szegedin zu.«

»Das ist gut.«

»Warum?«

»Weil ich dann nicht an dir vorbeifahren werde.«

Sie lachte leise. »Du willst also doch aufstehen.«

»Ja«, sagte ich. Ich schloß noch einmal die Augen und ließ mich zurückfallen in dieses schaukelnde Nichts, dessen Atem ohne Geruch war und ohne Spur, dessen Plätschern mich nur wie ein leises, kaum spürbares Wehen berührte; dann öffnete ich seufzend die Augen und griff nach meiner Hose, die nun säuberlich neben dem Bett auf einem Stuhl lag.

»Ja«, sagte ich noch einmal und stand auf.

Sie stand mit dem Rücken zu mir, während ich schnell die gewohnten Griffe tat, die Hose hochzog, Schuhe zuband und die graue Jacke überstreifte.

Eine Zeitlang stand ich noch still, die Zigarette kalt im Mund, und blickte auf ihre Gestalt, die klein und schmal nun deutlich sichtbar dort im Fensterausschnitt stand. Ihr Haar war schön und sanft wie eine ruhige Flamme.

Sie wandte sich um und lächelte. »Was denkst du wieder?« fragte sie.

Ich blickte ihr zum ersten Male ins Gesicht: es war so einfach, daß ich es nicht begreifen konnte: runde Augen, in denen Angst Angst und Freude Freude war.

»Was denkst du wieder?« fragte sie nochmals, und sie lächelte nicht mehr.

»Nichts«, sagte ich, »ich kann nichts denken. Ich muß weg. Es gibt kein Entrinnen.«

»Ja«, sagte sie und nickte. »Du mußt weg. Es gibt kein Entrinnen.«

»Und du mußt hierbleiben.«

»Ich muß hierbleiben«, sagte sie.

»Du mußt Steine aufschütten, Schotter, damit nichts passiert und die Züge ruhig dorthin fahren können, wo etwas passiert.«

»Ja«, sagte sie, »das muß ich.«

Wir sind eine sehr stille Straße hinuntergegangen, die zum Bahnhof führte. Alle Straßen führen zu Bahnhöfen, von denen aus es in den Krieg geht. Wir sind in eine Haustür getreten und haben uns geküßt, und ich habe gespürt, während meine Hände auf ihren Schultern lagen, dort habe ich gespürt, daß sie mein ist. Und sie ist weggegangen mit hängenden Schultern, ohne mich noch einmal anzusehen.

Sie ist ganz allein in dieser Stadt, und obwohl ich den gleichen Weg habe, zum Bahnhof, ich kann nicht mit ihr gehen. Ich muß warten, bis sie um jene Ecke verschwunden ist, hinter dem letzten Baum dieser kleinen Allee, die nun unerbittlich im Hellen liegt.

Ich muß warten und kann ihr nur folgen in einem Abstand, und niemals werde ich sie wiedersehen. Ich muß in diesen Zug, in diesen Krieg...

Mein einziges Gepäck, nun, da ich zum Bahnhof gehe, sind die Hände in meinen Taschen und die letzte Zigarette zwischen meinen Lippen, die ich bald ausspucken werde; aber es ist leichter, ohne Gepäck zu sein, wenn man langsam und doch schwankend wieder an den Abgrund tritt, von dessen Rand man in einer bestimmten Sekunde stürzen wird, dorthin, wo wir uns wiedersehen...

Und es war tröstlich, daß der Zug pünktlich kam, fröhlich dampfend zwischen Maisstauden und scharf riechenden Tomatenpflanzen.

Wiedersehen mit Drüng

Der brennende Schmerz an meinem Kopf ließ mich übergangslos in die Wirklichkeit der Zeit und des Ortes treten, aus einem Traum, wo dunkle Gestalten in erdgrünen Mänteln meinen Schädel mit harten Fäusten geschlagen hatten: ich lag in einer niedrigen Bauernstube, deren Decke wie der Deckel eines Grabes aus grünem Dämmer sich auf mich herabzusenken schien; grün waren die wenigen Lichter, die den Raum als solchen überhaupt erkennen ließen; ein sanftes, gelbüberglitzertes Grün dort, wo ein schwarzer Türrahmen von einem hellen Lichtstreifen scharf umzeichnet war, und dieses Grün verdunkelte sich bis zur Farbe alten Mooses in jenen Schatten über meinem Gesicht.

Ich erwachte völlig, als eine plötzliche, würgende Übelkeit mich hochriß, ich mich aufbäumte und auf den unsichtbaren Boden erbrach. Der Inhalt meines Magens schien unendlich tief zu fallen, wie in einen bodenlosen Brunnen, ehe es endlich wie das Aufschlagen einer Flüssigkeit auf Holz zu mir drang; ich erbrach noch einmal, schmerzvoll über den Rand der Bahre gebeugt, und als ich mich erleichtert zurücklehnte, war der Zusammenhang mit dem Vergangenen so klar, daß mir sofort eine Rolle Drops einfiel, die in einer meiner Taschen von der abendlichen Verpflegung noch stecken mußte. Ich tastete mit meinen schmutzigen Fingern meine Manteltaschen ab, ließ klirrend ein paar lose Patronen in den grünen Abgrund fallen, alles durch meine Hände gleiten: Zigarettenschachtel, Pfeife, Zündhölzer, Taschentuch, einen zusammengeknüllten Brief, und als ich in den Manteltaschen das Gesuchte nicht fand, drückte ich das Koppel auf, blechern knallte das Schloß gegen das eiserne Gestänge der Bahre. Endlich fand ich die Rolle in einer Hosentasche, riß das Papier ab und steckte eins der säuerlichen Bonbons in den Mund.

Augenblicksweise, wenn der Schmerz mich bis in die letzte Phase meines Empfindens erfüllte, wurden mir die Zusammenhänge von Zeit, Ort und Geschehen wieder verwirrt, dann schien auch der Abgrund links und rechts von mir sich zu vertiefen, und ich fühlte mich schwebend auf der Bahre wie auf einem unendlich hohen Postament, das sich immer mehr der grünen Decke entgegenhob. In diesen Augenblicken auch glaubte ich manchmal, tot zu sein, hingestellt in eine schmerzvolle Vorhölle der Ungewißheit, und die Tür – eingerahmt von ihrem Lichtstreifen – erschien mir wie eine Pforte zu Licht und Erkenntnis, die eine gütige Hand würde öffnen müssen; denn ich selbst war in diesen Augenblicken unbeweglich wie ein Denkmal, tot, und lebendig war nur der brennende Schmerz, der von meiner Kopfwunde ausstrahlte und mit einer scheußlichen, allgemeinen Übelkeit verbunden war.

Dann wieder ebbte der Schmerz ab, wie wenn jemand eine Zange locker läßt, und ich empfand die Wirklichkeit als weniger grausam: dieses sich abstufende Grün war milde den gequälten Augen, die vollkommene Stille wohltuend den gemarterten Ohren, und die Erinnerung lief in mir ab wie ein Bildstreifen, an dem ich keinen Teil hatte. Alles schien unendlich weit zurückzuliegen, während es erst eine Stunde vergangen sein konnte.

Ich versuchte, Erinnerungen aus meiner Kindheit wach werden zu lassen, schulgeschwänzte Tage in verlassenen Parks, und diese Erlebnisse schienen näher, mich betreffender als jenes Geschehnis vor einer Stunde, obwohl der Schmerz in meinem Kopf davon herrührte und mich anders hätte empfinden lassen müssen.

Was vor einer Stunde geschehen war, sah ich jetzt sehr deutlich, aber fern, als blickte ich vom Rande unseres Erdballs in eine andere Welt, die durch einen himmelweiten glasigklaren Abgrund von der unseren geschieden war. Dort sah ich jemand, der ich selbst sein mußte, in nächtlicher Finsternis über zerwühlte Erde schleichen, manchmal wild angeleuchtet diese trostlose Silhouette durch eine fern abgeschossene Leuchtrakete; ich sah diesen Fremden, der ich selbst sein mußte, sich qualvoll mit offenbar schmerzenden Füßen über die Unebenheiten des Bodens bewegen, oft kriechen, aufstehen, wieder kriechen, wieder aufstehen; endlich einem dunklen Tale zustreben, wo mehrere dieser dunklen Gestalten sich um ein Gefährt versammelten. In diesem gespenstischen Erdteil, der nur Qual und Finsternis enthielt, reihte der Fremde sich stumm einer Schlange ein, die aus blechernen Kanistern Kaffee und Suppe in ihre Töpfe füllen ließ, von irgend jemand, den sie nicht kannten, nie gesehen hatten, einem, der von dichten Schatten verborgen war und stumm löffelte; eine ängstliche Stimme, deren Besitzer auch verborgen blieb, zählte Brot, Zigaretten, Wurststücke und Süßigkeiten in die Hände der Wartenden. Und plötzlich wurde dieses stumme und düstere Spiel im Talgrund jäh erhellt durch eine rötliche Flamme, deren Folge Geschrei war, Wimmern und das erschreckte Wiehern eines verwundeten Pferdes; und neue düsterrote Flammen schlugen immer wieder aus der Erde, Gestank und Krach stiegen auf, dann schrie das Pferd, ich hörte, wie es anzog und mit klapperndem Geschirr davonraste; und ein neues kurzes, wildes Feuer deckte jenen zu, der ich selbst sein mußte.

Und nun lag ich hier auf meiner Bahre, sah diesen grünen, sich stetig stufenden Dämmer in der russischen Bauernstube, in der nur das helle Viereck des beleuchteten Türrandes stand.

Inzwischen war die Übelkeit geringer geworden, wohltuend hatte sich das säuerliche Bonbon in dem widerlichen Schleim, der meine Mundhöhle füllte, ausgebreitet; die Zange des Schmerzes griff nun seltener zu, und ich packte in meine Manteltasche, zog Zigaretten und Zündhölzer heraus und zündete an. Das aufflammende Licht ließ dunkle, feuchte Wände erkennen, giftiggelb beflackert, und als ich das verlöschende Holz beiseite warf, sah ich zum ersten Male, daß ich nicht allein war.

Ich sah neben mir die grauen, grünverschmierten Wülste einer schlampig übergeworfenen Decke, sah den Schirm einer Mütze wie einen sehr harten Schatten über einem blassen Gesicht, und das Hölzchen erlosch.

Jetzt auch fiel mir ein, daß ich weder an Händen noch Füßen

behindert war, ich trat meine Decke beiseite, setzte mich hoch und war nun erschrocken, wie nahe ich dem Erdboden stand; kaum kniehoch war dieser unendlich scheinende Abgrund. Ich zündete ein neues Hölzchen an: mein Nachbar lag unbewegt, sein Gesicht hatte die Farbe sehr zarten Dämmers, der durch dünnes, grünes Glas fällt, doch ehe ich hatte näher treten können, um wirklich unter dem Schatten des Mützenschirms sein Gesicht zu erkennen, war das Zündholz wieder erloschen, und ich entsann mich, daß in einer meiner Taschen auch ein Kerzenrest verborgen sein mußte.

Wieder griff die Zange des Schmerzes fester zu, ich konnte mich noch eben taumelnd im Dunkeln auf den Rand meiner Bahre setzen, die Zigarette zu Boden fallen lassen, und da ich nun der Tür den Rücken zuwandte, sah ich nichts als Finsternis, grüne, dicke Finsternis, die eben Schatten genug enthielt, daß sie mir sich drehend erscheinen konnte, während der Schmerz in meinem Kopf der Motor zu sein schien, der die Drehung verursachte; je mehr der Schmerz in meinem Kopf anschwoll, um so heftiger drehten sich auch diese Finsternisse wie verschiedene Scheiben, deren Drehung sich überschnitt, bis alles wieder stillstand.

Sobald der Anfall vorüber war, tastete ich nach meinem Verband: mein Kopf kam mir sehr dick, sehr geschwollen vor in meinen Händen; ich spürte die harte, fast beulenartige Kruste geronnenen Blutes, fühlte auch die peinlich empfindliche Stelle, an der der Splitter sitzen mußte. Ich wußte jetzt, daß dieser Fremde dort tot war. Es gibt eine Art von Schweigen und Stummheit, die nichts mehr mit Schlaf, nichts mit Ohnmacht mehr zu tun hat, etwas unendlich Eisiges, Feindliches, Verächtliches, das mir im Dunkeln doppelt feindselig erschien.

Ich fand nun endlich den Kerzenrest und zündete ihn an. Das Licht war gelb und milde, es schien sich mit einer Art Bescheidenheit langsam auszubreiten und zur größten Möglichkeit seiner Flamme zu entwickeln, und als die Kerze ihren Radius vollendet hatte, sah ich den festgestampften Lehmboden, die bläulich gekalkten Wände, eine Bank, den erloschenen Ofen, vor dessen ausgeleierter Tür ein Haufen Asche lag.

Dann erst klebte ich die Kerze auf den Rand meiner Bahre fest, so daß das Zentrum ihres Scheins auf des Toten Gesicht fiel. Ich war nicht erstaunt, Drüng zu sehen. Eher war ich erstaunt über mein eigenes Nichterstaunen, denn ich hätte tief erschrocken sein müssen: fünf Jahre hatte ich Drüng nicht mehr gesehen, und auch damals nur flüchtig, kaum daß wir die notwendigsten Höflichkeiten miteinander getauscht hatten. Wir waren Schulkameraden gewesen, neun Jahre lang, aber zwischen uns hatte eine so tiefe, nicht feindselige, sondern gleichgültige Abneigung bestanden, daß wir in diesen neun Jahren insgesamt kaum eine Stunde miteinander gesprochen hatten.

Es war so unverkennbar Drüngs schmales Gesicht, seine spitze Nase, die nun steif und grünlich aus der knappen Ebene seines Gesichtes hervorstieß, seine geschlitzten, stets etwas gequollenen Augen, die nun eine fremde Hand schon geschlossen hatte; so eindeutig war es Drüngs Gesicht, daß es der Bestätigung nicht bedurft hätte, zu der ich nun mich über ihn beugte und zwischen dem Wulst der Decke den Zettel hervorsuchte, der mit einer weißlichen Schnur an einem Knopf seines Mantels befestigt war. Dort las ich im Kerzenschein: Drüng, Hubert, Obergefreiter, die Nummer eines Regiments und in der Rubrik »Art der Verletzung«: mehrere Granatsplitter, Bauch. Unter diese Notiz hatte eine flinke akademische Hand Exitus geschrieben.

Drüng war also wirklich tot, oder hätte ich jemals an dem gezweifelt, was eine flinke, akademische Hand irgendwohin schrieb? Ich las noch einmal die Nummer des Regiments, die mir völlig ungeläufig war; dann nahm ich Drüng die Mütze ab, die seinem Gesicht mit ihrem schwarzen, höhnischen Schatten etwas Grausames gab, und ich erkannte nun sein dunkelblondes, stumpfes Haar, das manchmal im Wechsel der neun Jahre nahe vor meinen Augen gewesen war.

Ich saß ganz nahe neben der Kerze, die flackernd ihren Schein rundschaukeln ließ, während der stärkste Kern ihres gelben Lichtes immer Drüngs Gesicht hielt und die matteren Ausläufer Decke, Wand und Boden streiften. Ich saß Drüng so nahe, daß mein Atem seine fahle Haut streifte, auf der die Bartstoppeln häßlich und rötlich wucherten, und plötzlich sah ich zum ersten Male Drüngs Mund. Während mir seine übrige Erscheinung in der täglichen Begegnung vieler Jahre so bekannt geworden war, daß ich ihn – wohl ohne es zu wissen – auch unter vielen erkannt hätte, sah ich jetzt, daß ich seinen Mund nie betrachtet hatte; er war mir vollkommen fremd: fein und schmal, und in seinen festverkniffenen Winkeln saß noch immer der Schmerz, so lebendig, daß ich glaubte, mich getäuscht zu haben. Dieser Mund schien die mühsam verhaltenen Schreie des Schmerzes auch jetzt noch gewaltsam zurückzuhalten, um sie nicht aufquellen zu lassen wie einen roten Sprudel, der die Welt ersäufen würde.

Neben mir flackerte warm der Atem der Kerze, die immer wieder hochzuckte, immer wieder zurückgeschlagen zu werden schien, sich immer wieder langsam ausbreitete. Ich betrachtete Drüngs Gesicht jetzt, ohne ihn zu sehen. Ich sah ihn lebend, als mickrigen, schüchternen Sextaner, den schweren Ranzen auf den mageren Schultern, wie er frierend darauf wartete, daß die Schultore sich öffneten. Dann stürzte er an dem büffeligen Hausmeister vorbei, postierte sich, ohne den Mantel auszuziehen, an den Ofen, den er mit defensiven Augen bewachte. Drüng hatte immer gefroren, denn er war blutarm, arm überhaupt, Sohn einer Witwe, deren Mann im Krieg gefallen war. Damals war er zehn Jahre alt, und er war immer so geblieben, neun Jahre lang, frierend, blutarm, arm überhaupt, Sohn einer Witwe, deren Mann gefallen war. Niemals hatte er Zeit gehabt zu jenen Torheiten, die die Erinnerung erst erinnernswert machen, während der tierische Ernst der Pflicht uns später oft als Torheit erscheint; niemals war er frech geworden, neun Jahre lang brav, fleißig, immer »in der Mitte mit seinen Leistungen«. Mit vierzehn war er pickelig geworden, mit sechzehn wieder glatt und mit achtzehn wieder pickelig, und er hatte immer gefroren, auch im Sommer, denn er war blutarm, arm überhaupt, Sohn einer Witwe, deren Mann im Weltkrieg gefallen war. Ein paar Freunde hatte er gehabt, mit denen zusammen er fleißig gewesen war, brav und in der Mitte; ich hatte kaum mit ihm gesprochen, er wenig mit mir, und nur manchmal, wie es im Laufe von neun Jahren wahrscheinlich ist, hatte er vor mir gesessen, und sein stumpfes, dunkelblondes Haar war vor mir gewesen, ganz nah, und er hatte immer vorgesagt – jetzt erst fiel mir ein, daß er immer vorgesagt hatte, treu und zuverlässig, und wenn er etwas nicht gewußt hatte, hatte er auf eine ganz bestimmte, bockige Art mit den Schultern gezuckt.

Ich hatte längst angefangen zu weinen, während die Kerze nun ihr erbreitertes Licht wild und mit leisem Stöhnen umherwarf, so daß die kümmerliche Bude zu wackeln schien wie die Kajüte eines Schiffs auf hoher See. Längst spürte ich – ohne daß ich mir dessen bewußt geworden war –, daß die Tränen über mein Gesicht liefen, oben warm und wohltuend, und unten am Kinn kalte Tropfen, die ich automatisch mit der Hand wegwischte wie ein heulendes Kind. Aber nun, als mir einfiel, daß er mir stets treu vorgesagt hatte, völlig unbedankt, pünktlich und zuverlässig, ohne die falsche Tücke von anderen, denen ihr Wissen zu wertvoll schien, es zu verschenken – nun schluchzte ich laut, und die Tränen tropften durch meinen verfilzten Bart in die lehmverschmierten Finger.

Nun auch fiel mir Drüngs Vater ein. Immer, wenn wir Geschichte hatten und die Lehrer mit erhobener Stimme vom Weltkrieg erzählten, falls das Thema auf dem Lehrplan stand und innerhalb dieses Themas wieder Verdun – dann hatten sich alle Blicke Drüng zugewandt, und Drüng erhielt in diesen Stunden einen besonderen, kurz anhaltenden Glanz, denn wir hatten nicht oft Geschichte, nicht so oft stand der Weltkrieg auf dem Lehrplan, und noch weniger war es erlaubt oder angebracht, von Verdun zu erzählen...

Die Kerze zischte jetzt, und es brodelte von heißem Wachs in dem Papptöpfchen, das nach dem großen Heerführer Hindenburg benannt war, dann kippte der haltlos gewordene Docht in den flüssigen Rest der Brühe – doch das Zimmer wurde jetzt strahlend hell, und ich schämte mich meiner Tränen, dieses Licht war kalt und nackt und gab der düsteren Bude eine falsche Helligkeit und Sauberkeit...

Erst als sie mich bei den Schultern packten, merkte ich, daß die Tür geöffnet und zwei geschickt worden waren, mich ins Operationszimmer zu tragen. Ich warf noch einen Blick auf Drüng, der mit zusammengekniffenen Lippen liegenblieb; dann hatten sie mich auf die Bahre zurückgelegt und trugen mich hinaus.

Der Arzt sah müde und ärgerlich aus. Er sah gelangweilt zu, während mich die Träger unter eine grelle Lampe auf einen Tisch legten, der übrige Raum war in rötliches Dunkel gehüllt. Dann trat der Arzt auf mich zu, und ich sah ihn deutlicher: seine dicke Haut war gelblichblaß mit violetten Schatten, und das dichte schwarze Haar lag wie eine Kappe auf dem Kopf. Er las den Zettel, der vorne an meine Brust geheftet war, und ich roch deutlich seinen Zigarettenatem, sah die blassen Wülste seines dicken Halses und die Maske einer müden Verzweiflung über seinem Gesicht.

»Dina«, rief er leise, »abmachen.«

Er trat zurück, und aus dem rötlichen Hintergrund kam eine Frauengestalt in weißem Kittel; ihr Haar war ganz mit einem blaßgrünen Tuch umwickelt, und als sie nun näher gekommen war, sich über mich beugte und den Verband über der Stirn vorsichtig entzweischnitt, sah ich an dem ruhigen und hellen Oval ihres freundlichen Gesichts, daß sie blond sein mußte. Ich weinte immer noch, und durch die Tränen hindurch erschien mir ihr Gesicht schmelzend und schwimmend, und auch ihre großen, sanften hellbraunen Augen schienen zu weinen, während der Arzt mir hart und trocken erschienen war trotz meiner Tränen.

Sie riß mit einem Ruck die harten blutigen Lappen von meiner

Wunde, ich schrie auf und ließ die Tränen weiterlaufen. Der Arzt stand mit bösem Gesicht nun am Rande des Lichtkreises, und der Rauch seiner Zigarette kam in scharfen blauen Stößen bis in unsere Nähe. Still war Dinas Gesicht, die sich nun öfter vorbeugte und mit ihren Fingern meinen Kopf berührte, da sie begonnen hatte, meine verklebten Haare aufzuweichen.

»Rasieren!« sagte der Arzt kurz und warf den Stummel wütend auf die Erde.

Nun griff die Zange des Schmerzes wieder öfter zu, als die Russin rings um die klaffende Wunde das schmutzige, verfilzte Haar zu rasieren anfing. Wieder drehten sich verschiedene Scheiben mit seltsamen Überschneidungen, für Augenblicke war ich ohne Besinnung, wachte wieder auf, und ich spürte in den wachen Sekunden, wie die Tränen immer reichlicher flossen, an meinen Wangen herunterliefen und sich zwischen Hemd und Kragenbinde sammelten, unaufhaltsam, als sei eine Quelle angebohrt.

»Weinen Sie nicht, verflucht!« schrie der Arzt ein paarmal, und da ich nicht mehr aufhören konnte, auch nicht wollte, schrie er: »Schämen Sie sich.« Ich aber schämte mich nicht, ich spürte nur, wie Dina manchmal ihre Hände liebkosend auf meinem Hals ruhen ließ, und ich wußte, daß es sinnlos gewesen wäre, dem Arzt zu erklären, warum ich weinen mußte. Was wußte ich von ihm und er von mir, von Dreck und Läusen, Drüngs Gesicht und neun Schuljahren, die pünktlich zu Ende gewesen waren, als der Krieg ausbrach.

»Verflucht«, schrie er, »seien Sie endlich still!«

Dann kam er plötzlich auf mich zu, sein Gesicht wurde unheimlich groß, zornig hart im Näherkommen, und ich spürte noch das erste Bohren des Messers, sah nichts mehr und schrie nur sehr laut.

Sie hatten hinter mir die Tür geschlossen, den Schlüssel herumgedreht, und ich sah jetzt, daß ich wieder in diesem Warteraum war. Immer noch flackerte meine Kerze, ließ ihr Licht flüchtend über alle Dinge gleiten. Ich ging sehr langsam, ich fürchtete mich, es war alles so still, und ich spürte keine Schmerzen mehr. Niemals war ich so ohne Schmerz gewesen, so leer. Ich erkannte meine Bahre an den zerwühlten Decken, blickte die Kerze an, die immer noch so brannte, wie ich sie verlassen hatte. Der Docht schwamm jetzt in dem flüssigen Wachs, nur noch eine winzige Spitze ragte senkrecht genug heraus, um zu brennen, und jeden Augenblick mußte sie versinken. Ich tastete ängstlich meine Taschen ab, aber meine Taschen waren leer, ich lief zur Tür zurück, rappelte, schrie, rappelte, schrie. Sie konnten uns doch nicht im Dunkeln lassen! Aber draußen schien niemand zu hören; und als ich zurückging, brannte die Kerze immer noch, immer noch schwamm der Docht, immer noch ragte ein kleines Stück steil genug heraus, um zu brennen und ein unregelmäßiges, flackerndes Licht zu erzeugen; mir schien, als sei dieses Stück kleiner geworden; es konnte nur noch eine Sekunde dauern, und wir waren im Dunkeln.

»Drüng«, rief ich ängstlich, »Drüng!«

»Ja«, sagte seine Stimme, »was ist denn?«

Ich spürte, daß mein Herz stillstand, und es war kein anderes Geräusch mehr ringsum als das fürchterlich stille Fressen dieses Kerzenrestes, der kurz vor dem Verlöschen stand.

»Ja?« fragte er wieder, »was ist denn?«

Ich machte einen Schritt nach links, beugte mich über ihn und blickte ihn an: er lag da und lachte. Er lachte sehr leise und schmerzlich, auch Güte war in seinem Lächeln. Er hatte die Decken abgeworfen, und ich sah durch ein großes Loch in seinem Bauch das grünliche Zelttuch der Bahre. Er lag da ganz ruhig und schien zu warten. Ich blickte ihn lange an, den lachenden Mund, das Loch in seinem Bauch, die Haare: es war Drüng.

»Na, was ist?« fragte er noch einmal.

»Die Kerze«, sagte ich leise und blickte wieder ins Licht; es brannte immer noch, ich sah den Schein, der gelb und hastig, ewig verzuckend und immer wieder brennend, das ganze Zimmer erleuchtete. Ich hörte, wie Drüng sich aufrichtete, die Bahre knirschte leise, der Rest einer Decke wurde abgestreift, und nun sah ich ihn wieder an.

»Du brauchst keine Angst zu haben«, er schüttelte den Kopf, »das Licht geht nicht aus, es brennt immer und immer, ich weiß es.«

Aber im nächsten Augenblick verfiel sein blasses Gesicht noch mehr, er packte mich zitternd am Arm; ich fühlte seine schmalen, harten Finger. »Sieh an«, flüsterte er angstvoll, »jetzt geht sie aus.«

In dem Papptöpfchen aber schwamm immer noch der ankerlose Docht, und immer noch nicht war er ganz versunken.

»Nein«, sagte ich, »sie müßte längst aus sein, sie konnte keine zwei Minuten mehr brennen.«

»O verflucht!« schrie er, sein Gesicht verzerrte sich, und er schlug mit der flachen Hand auf das Licht, heftig, die Bahre krachte, und für einen Augenblick fiel grünliches Dunkel über uns, aber als er die zuckende Hand hochnahm, schwamm immer noch der Docht, war immer noch Licht da, und ich blickte durch das Loch in Drüngs Bauch auf einen hellen gelben Flecken an der Wand hinter ihm.

»Nichts zu machen«, sagte er und legte sich zurück, »leg dich auch, wir müssen warten.«

Ich rückte meine Bahre ganz nahe neben seine, die eisernen Stangen berührten sich, und als ich mich hinlegte, war das Licht genau zwischen uns, flackernd und schaukelnd, stets gewiß und stets ungewiß, denn es hätte längst verlöscht sein müssen, ging aber nie aus; und manchmal hoben wir gleichzeitig unsere Köpfe und blickten uns ängstlich an, wenn die zuckende Flamme kürzer zu werden schien; und vor unseren armen Augen war das schwarze Türblatt, von einem hellen Viereck sehr gelben Lichtes umzogen ...

... und so lagen wir dort und warteten, erfüllt von Angst und Hoffnung, frierend und doch warm von dem Schrecken, der uns in die Glieder fuhr, wenn die Flamme zu erlöschen drohte und sich unsere grünen Gesichter oben über dem Papptöpfchen trafen, hingestellt mitten hinein in diese wimmelnden Lichter, die uns umflossen wie lautlose Nebelwesen, und plötzlich sahen wir, daß das Licht verlöscht sein mußte, der Docht war versunken, kein Zipfelchen ragte mehr über die wächserne Oberfläche hinaus, und doch blieb es hell – bis unsere erstaunten Augen Dinas Gestalt sahen, die durch die verschlossene Tür zu uns getreten war, und wir wußten, daß wir nun lächeln durften, und nahmen ihre ausgestreckten Hände und folgten ihr...

DIE ESSENHOLER

Am finsteren Gewölbe des Himmels standen die Sterne wie dumpfe Punkte aus bleiernem Silber. Plötzlich geriet Bewegung in die scheinbare Unordnung; die sanft glänzenden Punkte wanderten aufeinander zu und ordneten sich zu einem spitzbogenartigen Gebilde, dessen beiderseitige, sich oben straffende Spannung durch einen glänzenderen Stern gehalten wurde. Kaum war ich mir dieses milden Wunders bewußt geworden, als sich unten an jedem Ende des Bogens ein Stern löste und die beiden Punkte langsam nach unten glitten, wo sie in der unendlichen Schwärze versanken. Angst wurde in mir wach und breitete sich immer mehr aus, denn nun folgten immer zwei, je einer von links und rechts, und sanken nach unten, und manchmal glaubte ich, sie zischend verlöschen zu hören. So fielen sie alle herunter, Stern um Stern, je zwei ein gemeinsam sinkendes, matt glänzendes Paar, bis jener eine größere allein noch oben stand, der die spitzbogenartige Spannung gehalten hatte. Mir schien, als schwanke, zittere und zögere er... dann sank auch er, langsam und feierlich, mit einer niederdrückenden Feierlichkeit; und je mehr er sich dem schwarzen Untergrund näherte, um so mehr auch blähte sich in mir die Angst wie eine scheußliche Wehe, und im gleichen Augenblick, wo der große Stern unten angekommen war und ich trotz aller Angst mit Neugierde darauf wartete, nun das vollendete Dunkel des Gewölbes zu sehen, in diesem Augenblick barst die Finsternis mit einem gräßlichen Knall...

... Ich erwachte und spürte noch einen Hauch jener wirklichen Detonation, die mich geweckt hatte. Ein Teil der Böschung lag mir auf Kopf und Schultern, und der Atem der Granate schwelte noch in der schwarzen und stillen Luft. Ich streifte den Dreck von mir, beugte mich vor, um die Zeltbahn über den Kopf zu ziehen und eine Zigarette anzuzünden, da hörte ich an Hansens Gähnen, daß auch er geschlafen hatte und nun erwacht war; er hielt mir seinen Unterarm mit dem Leuchtzifferblatt der Uhr entgegen und sagte leise: »Pünktlich wie Satan selbst, auf die Sekunde zwei Uhr, du mußt gehen.« Unsere Köpfe trafen sich vorne unter der Zeltbahn. Während ich das Zündholz über Hansens Pfeife hielt, warf ich einen kurzen Blick in sein schmales und unsagbar gleichgültiges Gesicht.

Wir rauchten schweigend. Im Dunkeln war nichts zu hören als das harmlose Brummen irgendwelcher Zugmaschinen, die Munition anschleppten. Stille und Dunkelheit schienen verschmolzen und lagen wie ein ungeheures Gewicht auf unseren Nacken...

Als meine Zigarette zu Ende war, sagte Hans wieder leise: »Du mußt jetzt gehen, und denk dran, daß ihr ihn mitnehmt, er liegt vorne an der alten Flakstellung.« Und als ich mühsam aus meinem Loch herausgeklettert war, fügte er hinzu: »Weißt du, es ist ein halber, in einer Zeltbahn.«

Ich tastete mich mit Händen und Füßen über die zerwühlte Erde, bis ich jenen Pfad erreichte, den die Melder und Essenholer im Laufe von Monaten getreten hatten. Ich hatte das Gewehr umgehängt und den alten Tuchbeutel mit der Hand in die Tasche festgeklemmt. Als ich einige hundert Schritte gegangen war, unterschied ich in der Dunkelheit schon dunklere Flecke; Bäume und Reste von Häusern und endlich die halbzerschossene Baracke der alten Flakstellung. Angstvoll lauschte ich, ob die Stimmen der anderen nicht zu hören wären, aber auch als ich näher gekommen war und deutlich das dunkle, viereckige Erdloch sah, in dem das Geschütz gestanden hatte, hörte ich noch nichts, doch ich sah sie, die anderen, auf den alten Munitionskisten hockend wie große, stumme Vögel in der Nacht, und ich empfand es als unsagbar bedrückend, daß sie kein Wort miteinander sprachen. In ihrer Mitte lag ein Bündel in einer Zeltbahn, so wie jene Bündel, die wir mitsamt unserer Ausrüstung von den Bekleidungskammern abzuschleppen pflegten, um das nach Mottenpulver stinkende, häßliche Zeug auf unseren Buden zu sortieren und anzupassen. Es war seltsam, daß mir in dieser Nacht, mitten in der

Wirklichkeit des Krieges, die Erinnerung an die Gewohnheiten der Kaserne so greifbar und deutlich wurde wie nie, und ich dachte mit Schaudern daran, daß der, der nun als formlose Masse in der Zeltbahn lag, einmal angeschnauzt worden war wie wir alle, als er ein solches Bündel von der Bekleidungskammer empfangen hatte. »'n Abend«, sagte ich leise, und ein undeutliches Murmeln antwortete mir.

Ich hockte mich auch nieder, irgendwo auf einen Stapel Papphülsen von Zweizentimetermunition, die schon seit Monaten hier herumlagen, teilweise noch mit dem Inhalt, so wie die Flak in wirrer und ängstlicher Flucht sie hatte liegenlassen müssen.

Niemand rührte sich. Wir saßen alle dort, die Hände in den Taschen, und warteten und brüteten, und wohl jeder von uns warf manchmal einen Blick auf das stumme und dunkle Bündel in unserer Mitte. Endlich sagte der Zugmelder, indem er aufstand:

»Sollen wir gehen?«

Statt einer Antwort erhoben wir uns alle, es war so sinnlos, dort zu hocken, wir gewannen nichts dabei; es war ja im Grunde so gleichgültig, ob wir hier hockten oder vorne in unseren Löchern, und außerdem sollte es heute Schokolade geben, vielleicht gar Schnaps, Grund genug, möglichst schnell zum Essenempfang zu gehen.

»Erste Gruppe wieviel?«

»Fünf«, antwortete eine matte Stimme.

»Zweite?«

»Sechs.«

»Und drei?«

»Vier«, antwortete ich.

»Wir sind zwei«, rechnete der Zugmelder leise, »na, sagen wir einundzwanzig, was? Es soll nämlich Schabau geben.«

»Gut.«

Der Zugmelder trat nun als erster an das Bündel heran, wir sahen, daß er sich bückte, dann sagte er: »Jeder nimmt eine Ecke, es ist ein junger Pionier, ein halber Pionier.«

Auch wir bückten uns, und jeder ergriff eine Ecke der Zeltbahn, dann sagte der Zugmelder: »Los«, und wir hoben an und schleppten uns vorwärts, dem Dorfrand entgegen...

Jeder Tote ist so schwer wie die ganze Erde, aber dieser halbe war so schwer wie die Welt. Allen Schmerz und alle Last des ganzen Weltalls schien er in sich aufgesogen zu haben. Wir keuchten und stöhnten, und ohne ein Wort der Verständigung setzten wir nach wenigen dreißig Schritten wieder ab.

Und immer kürzer wurden die Abstände, immer schwerer und schwerer wurde der halbe Pionier, als sauge er immer neue Last in sich hinein. Es schien mir, als müßte die schwache Kruste der Erde einbrechen unter diesem Gewicht, und wenn wir erschöpft das Bündel sinken ließen, schien es mir, als würde es uns niemals wieder gelingen, den Toten aufzuheben. Zugleich dünkte mich, als wüchse das Bündel ins Unermeßliche. Die drei an den anderen Ecken schienen unendlich fern von mir, so weit, daß mein Ruf sie nicht würde erreichen können. Auch ich selber wuchs, meine Hände wurden riesig, und mein Kopf wuchs ins Gräßliche, der Tote aber, das Totenbündel, blähte sich wie ein ungeheurer Schlauch, als sauge und sauge es das Blut aller Schlachtfelder aller Kriege in sich hinein.

Alle Gesetze der Schwere und des Maßes waren aufgehoben und hinausgehoben in die Unendlichkeit, die sogenannte Wirklichkeit war aufgeblasen von den düsteren und schattenhaften Gesetzen einer anderen Wirklichkeit, die ihrer spottete.

Der halbe Pionier schwoll und schwoll wie ein ungeheurer Schwamm, der sich mit bleiernem Blut vollsaugt. Kalter Schweiß brach aus meinem Körper und mischte sich mit jenem schaudervollen Schmutz, der sich in langen Wochen auf meinem Leibe angesammelt hatte. Ich roch mich selbst wie eine Leiche...

Während ich immer weiter und weiter den Pionier schleppte, gehorchend jenem seltsamen Drang, der uns alle gleichmäßig um eine bestimmte Sekunde wieder eine Ecke ergreifen hieß; während wir weiter und weiter, immer in kurzen Stücken, die Last der Welt dem Dorfrand zuschleiften, schwand mir fast das Bewußtsein vor einer grauenvollen Angst, die aus dem wachsenden, immer mehr wachsenden Bündel in mich überging wie ein Gift. Ich sah nichts mehr und hörte nichts, und doch war mir jede Einzelheit des Vorganges bewußt...

Abschuß und Heransausen der Granate hatte ich nicht gehört; die Explosion zerriß alle Gespinste traumhafter, halbbewußter Qual, mit leeren Händen starrte ich ins Leere, während ferne, irgendwo an einem Hügelrand, das Echo der Explosion wie ein vielfaches Gelächter widerhallte; vor mir, hinter mir und zu beiden Seiten vernahm ich jenes seltsame, hellachende Echo, als sei ich in einem Bergkessel gefangen, und es klang in meinen Ohren wie das blecherne Scheppern jener vaterländischen Lieder, die an den Mauern der Kaserne herauf und herunter gekrochen waren. Mit einer fast wesenlosen, neugierigen Spannung wartete ich darauf, daß irgendwo an meinem Körper sich ein Schmerz melden oder das Fließen warmen Blutes spürbar werden würde; nichts, nichts von dem; aber plötzlich spürte ich, daß meine Füße halb über einem Hohlraum standen, daß meine Fußspitzen bis zur Hälfte des Fußes im Leeren schwankten, und da ich mit der nüchternen Neugierde eines Erwachenden niederblickte, sah ich, schwärzer als die Schwärze ringsum, einen großen Trichter zu meinen Füßen...

Ich ging mutig nach vorne in den Trichter hinein, aber ich fiel nicht und sank nicht; weiter, weiter ging ich, immer wieder auf wunderbar sanftem Boden unter dem vollendeten Dunkel des Gewölbes. Lange überlegte ich so im Weiterschreiten, ob ich nun dem Fourier einundzwanzig, siebzehn oder vierzehn melden sollte... bis der große, gelbe, glänzende Stern vor mir aufstieg und sich am Gewölbe des Himmels festpflanzte; und leise strahlend fanden sich auch paarweise die anderen Sterne ein, die sich nun zu einem Dreieck zusammenschlossen. Da wußte ich, daß ich an einem anderen Ziele war und wahrheitsgemäß vier und einen halben würde melden müssen, und als ich lächelnd vor mich hinsagte: viereinhalb, sprach eine große und liebevolle Stimme: Fünf!

Wiedersehen in der Allee

Manchmal, wenn es wirklich still wurde, wenn das heisere Knurren der Maschinengewehre erloschen war und jene gräßlich spröden Geräusche schwiegen, die den Abschuß der Granatwerfer anzeigten, wenn über den Linien etwas für uns Unnennbares schwebte, was unsere Väter vielleicht Frieden genannt hätten, in jenen Stunden unterbrachen wir das Läuseknacken oder unseren schwachen Schlaf, und Leutnant Hecker fingerte mit seinen langen Händen am Verschluß jener Munitionskiste, die in die Wand unseres Erdloches eingelassen war und die wir unseren Barschrank nannten; er zog an dem Lederstückchen, so daß der Nagel der Schnalle aus seinem Loch flutschte und sich unseren Blicken die Herrlichkeit unseres Besitzes bot: links standen des Leutnants und rechts meine Flaschen, und in der Mitte war ein gemeinsamer, besonders köstlicher Besitz, der jenen Stunden vorbehalten war, wo es wirklich still wurde...

Zwischen den dunkelweißen Pullen mit Kartoffelschnaps standen zwei Flaschen echten französischen Kognaks, des prächtigsten, den wir je tranken. Auf eine wahrhaft geheimnisvolle Weise, durch vieltausendfache Möglichkeiten der Unterschlagung, hindurch durch den Dschungel der Korruption, kam in gewissen Abständen wirklicher Hennessy in unsere Löcher vorne, wo wir gegen Dreck, Läuse und Hoffnungslosigkeit zu kämpfen hatten. Wir pflegten den jungen Burschen, die sich vor Schnaps aller Art schüttelten und mit dem Heißhunger bleicher Kinder nach Süßigkeiten verlangten, ihren Anteil an diesem köstlichen gelben Getränk in Schokolade und Bonbons zu vergüten, und wohl selten wurde ein Tauschhandel geschlossen, der beide Partner mehr beglückte.

»Komm«, pflegte Hecker zu sagen, nachdem er möglichst eine saubere Kragenbinde eingeknöpft hatte und sich wohlig über sein rasiertes Kinn gefahren war. Ich richtete mich langsam aus dem düsteren Hintergrund unseres Loches auf, streifte mit matten Handbewegungen die Strohflusen von meiner Uniform und beschränkte mich auf die einzige Zeremonie, zu der ich noch Kraft fand: ich kämmte mich und wusch mir in Heckers Rasierwasser – einem Kaffeerest in einer Blechbüchse – meine Hände lange und mit einer fast perversen Innigkeit. Hecker wartete geduldig, bis ich auch meine Nägel gesäubert hatte, baute unterdes einen Munitionskasten als eine Art Tisch zwischen uns auf und rieb mit einem Taschentuch unsere beiden Schnapsgläser sauber: dickwandig stabile Dinger, die wir ebenso wohl zu behüten pflegten wie unseren Tabak. Wenn er dann die große Schachtel Zigaretten aus den Hintergründen seiner Tasche hervorgesucht hatte, war auch ich mit meinen Vorbereitungen fertig.

Meist war es nachmittags, und wir hatten die Decke vor unserem Loch beiseite geschoben, und manchmal wärmte eine bescheidene Sonne unsere Füße...

Wir blickten uns an, stießen die Gläser gegeneinander, tranken und rauchten. In unserem Schweigen war etwas herrlich Feierliches. Das einzig feindliche Geräusch war der Einschlag eines Scharfschützengeschosses, das mit minutiöser Pünktlichkeit in gewissen Abständen genau vor den Balken schlug, der die Böschung am Eingang unseres Bunkers stützte. Mit einem kleinen und fast liebevollen »Flapp« raschelte das Geschoß in die spröde Erde. Es erinnerte mich oft an das bescheidene und fast lautlose Huschen einer Feldmaus, die an einem stillen Nachmittag über den Weg läuft. Dieses Geräusch hatte etwas Beruhigendes, denn es vergewisserte uns, daß die köstliche Stunde, die nun anbrach, nicht Traum war, nichts Unwirkliches, sondern ein Stück unseres wahrhaften Lebens.

Nach dem vierten oder fünften Glase erst fingen wir zu sprechen an. Unter dem müden Geröll unseres Herzens wurde von diesem wunderbaren Getränk etwas seltsam Kostbares geweckt, das unsere Väter vielleicht Sehnsucht genannt hätten.

Über den Krieg, unsere Gegenwart, hatten wir kein Wort mehr

zu verlieren. Zu oft und zu innig hatten wir seine zähnefletschende Fratze gesehen, und sein grauenhafter Atem, wenn die Verwundeten in dunklen Nächten in zwei verschiedenen Sprachen zwischen den Linien klagten, hatte uns zu oft das Herz erzittern gemacht. Wir haßten ihn zu sehr, als daß wir noch glauben mochten an die Seifenblasen der Phrasen, die das Gesindel hüben und drüben aufsteigen ließ, um ihm den Wert einer »Sendung« zu geben.

Auch die Zukunft konnte nicht Gegenstand dieser Gespräche sein. Sie war ein schwarzer Tunnel voll spitzer Ecken, an denen wir uns stoßen würden, und wir hatten Furcht vor ihr, denn das grauenhafte Dasein, Soldat zu sein und wünschen zu müssen, daß der Krieg verlorengeht, hatte unser Herz ausgehöhlt.

Wir sprachen von der Vergangenheit; von jener kümmerlichen Andeutung dessen, was unsere Väter vielleicht Leben genannt hätten. Jener allzu kleinen einzigen Spanne menschlicher Erinnerungen, die gleichsam eingeklemmt gewesen war zwischen dem verfaulenden Kadaver der Republik und jenem aufgeblähten Ungeheuer Staat, dessen Sold wir einstecken mußten.

»Denk dir ein kleines Café«, sagte Hecker, »vielleicht gar unter Bäumen, im Herbst. Der Geruch von Feuchtigkeit und Fäulnis ist in der Luft, und du übersetzt ein Gedicht von Verlaine; du hast ganz leichte Schuhe an den Füßen, und später, wenn der Dämmer in dichten Wolken niedersinkt, gehst du schlurfend nach Hause, schlurfend, verstehst du; du läßt deine Füße durch das nasse Laub schleifen und siehst den Mädchen ins Gesicht, die dir entgegenkommen...« Er goß die Gläser voll, mit ruhigen Händen wie ein liebevoller Arzt, der ein Kind operiert, stieß mit mir an, und wir tranken... »Vielleicht lächelt dich eine an, und du lächelst zurück, und ihr geht beide weiter, ohne euch umzuwenden. Dieses kleine Lächeln, das ihr getauscht habt, wird nie sterben, niemals, sage ich dir... es wird vielleicht euer Erkennungszeichen sein, wenn ihr euch in einem anderen Leben wiederseht... ein lächerliches kleines Lächeln...«

Es kam etwas wunderbar Junges in seine Augen, er blickte mich lachend an, und auch ich lächelte, ich ergriff die Flasche und goß ein. Dann tranken wir drei oder vier hintereinander, und kein Tabak schmeckte köstlicher als jener, der sich mit dem kostbaren Aroma des Kognaks mischte.

Zwischendurch mahnte uns das Scharfschützengeschoß, daß die Zeit unbarmherzig vertropfte; und hinter unserer Freude und dem Genuß der Stunde drohte wieder die Unerbittlichkeit unseres Lebens, die durch eine plötzlich einschlagende Granate, durch den Alarmruf eines Postens, Angriffs- oder Rückzugsbefehl uns zerreißen würde. Wir begannen hastiger zu trinken, wildere Worte zu wechseln, und in die sanfte Freude unserer Augen mischte sich Lust und Haß; und wenn sich unweigerlich der Boden der Flasche zeigte, wurde Hecker unsagbar traurig, seine Augen wandten sich wie verschwimmende Scheiben mir zu, und er begann leise und fast irr zu flüstern: »Das Mädchen, weißt du, wohnte am Ende einer Allee, und als ich zuletzt in Urlaub war...«

Das war für mich das Zeichen, daß ich Schluß zu machen hatte. »Leutnant«, sagte ich kalt und scharf, »sei still, hörst du?« So hatte er selbst mir gesagt: »Wenn ich anfange, von einem Mädchen zu sprechen, das am Ende einer Allee wohnte, dann mußt du mir sagen, daß ich die Schnauze halten soll, verstehst du mich, du mußt, du mußt!!«

Und ich folgte diesem Befehl, wenn es mir auch schwerfiel, ihn auszuführen, denn Hecker erlosch gleichsam, wenn ich mahnte; seine Augen wurden hart und nüchtern, und um seinen Mund kam die alte Falte der Bitterkeit...

An jenem Tage aber, von dem ich erzählen will, war alles anders als sonst. Wir hatten Wäsche bekommen, ganz neue Wäsche, neuen Kognak; ich hatte mich rasiert und mir anschließend sogar die Füße gewaschen in der Blechbüchse; ja, eine Art Bad hatte ich genommen, denn sogar neue Strümpfe hatte man uns geschickt, Strümpfe, an denen die weißen Ringe wirklich noch weiß waren...

Hecker lag zurückgelehnt auf unserer Liegestatt, rauchte und sah mir zu, wie ich mich wusch. Es war ganz still draußen, aber diese Stille war bösartig und lähmend, es war eine drohende Stille, und ich sah es an Heckers Händen, wenn er eine neue Zigarette an der alten entzündete, daß er erregt war und Angst hatte, denn wir hatten Angst, alle, die noch menschlich waren, hatten Angst.

Plötzlich hörten wir das leise Huschen, mit dem das Geschoß des Scharfschützen in die Böschung zu schlagen pflegte, und dieses sanfte Geräusch nahm der Stille alles Beängstigende, und wie in einem Atemzug lachten wir beide auf; Hecker sprang hoch, stapfte ein wenig mit den Füßen und rief laut und kindlich: »Hurra, hurra, jetzt wird gesoffen, gesoffen auf das Wohl des Kameraden, der immer in dieselbe Stelle schießt und immer verkehrt!«

Er öffnete den Verschluß, klopfte mir auf die Schulter und wartete geduldig, bis ich meine Stiefel wieder angezogen und mich zu unserem Trunke bereitgesetzt hatte. Hecker breitete ein neues Taschentuch über die Kiste und zog zwei prachtvolle lange, hellbraune Zigarren aus seiner Brusttasche.

»Das ist was ganz Feines«, rief er lachend, »Kognak und eine gute Zigarre.« Wir stießen an, tranken und rauchten in langsamen, genußvollen Zügen.

»Erzähl mir was«, rief Hecker, »du mußt mal was erzählen, los«, er blickte mich ernst an. »Mensch, nie hast du was erzählt, immer hast du mich quatschen lassen.«

»Ich kann nicht viel sagen«, warf ich leise hin, und nun blickte ich ihn an, goß ein und trank erst mit ihm, und es war wunderbar, wie das kühle, uns so köstlich wärmende Getränk dunkelgelb in uns hineinfloß. »Weißt du«, fing ich zaghaft an, »ich bin jünger als du und ein wenig älter. Ich bin immer sitzengeblieben in der Schule, dann mußte ich in eine Lehre, ich sollte Schreiner werden. Das war erst bitter, aber später, so nach einem Jahr, gewann ich Freude an der Arbeit. Es ist was Herrliches, so mit Holz zu arbeiten. Du machst dir eine Zeichnung auf schönes Papier, richtest dein Holz zurecht, saubere, feingemaserte Bretter, die du liebevoll hobelst, während dir der Geruch von Holz in die Nase steigt. Ich glaube, ich wäre ein ganz guter Schreiner geworden, aber als ich neunzehn wurde, mußte ich zum Kommiß, und ich habe den ersten Schrecken, nachdem ich durchs Kasernentor gegangen war, nie überwunden, in sechs Jahren nicht, deshalb sprech ich nicht viel ... bei euch ist das etwas anderes ...« Ich errötete, denn noch nie im Leben hatte ich so viel gesprochen.

Hecker sah mich nachdenklich an. »So«, sagte er, »ich glaub, das ist schön, Schreiner.«

»Aber hast du nie ein Mädchen gehabt?« fing er plötzlich lauter an, und ich spürte schon, daß ich bald wieder Schluß machen mußte. »Nie? Nie? Hast du nie deinen Kopf auf eine sanfte Schulter gelegt und gerochen, ihr Haar gerochen ... nie?« Diesmal schenkte er wieder ein, und die Flasche war leer mit diesen beiden letzten Schnäpsen. Hecker blickte mit einer schaurigen Trauer um sich. »Keine Wand hier, an der man die Pulle kaputtschlagen könnte, was?« – »Halt«, rief er plötzlich und lachte wild auf, »der Kamerad soll auch was haben, er soll sie kaputtschießen.«

Er trat einen Schritt vor und stellte die Flasche an jene Stelle, wo die Geschosse des Scharfschützen einzuschlagen pflegten, und ehe ich es verhindern konnte, hatte er die nächste Flasche aus unserem Schrank genommen, sie geöffnet und eingeschenkt. Wir stießen an, und im gleichen Augenblick ertönte draußen auf der Böschung ein sanftes »Pong«, wir blickten erschreckt hoch und sahen, daß die Flasche einen Augenblick nachher noch fest stand, fast starr, dann aber glitt ihr oberer Teil herab, während die untere Hälfte stehenblieb. Die große Scherbe rollte in den Graben, fast bis vor unsere Füße, und ich weiß nur noch, daß ich Angst hatte, Angst von diesem Augenblick an, in dem die Flasche zerbrochen war ...

Zugleich ergriff mich eine tiefe Gleichgültigkeit, während ich so schnell, wie Hecker eingoß, half, die zweite Flasche zu leeren. Ja, Angst und Gleichgültigkeit zugleich. Auch Hecker hatte Angst, ich sah es; wir blickten gequält aneinander vorbei, und an jenem Tage brachte ich nicht die Kraft auf, ihn zu unterbrechen, als er wieder von dem Mädchen anfing...

»Weißt du«, sagte er hastig, an mir vorbeiblickend, »sie wohnte am Ende einer Allee, und als ich zuletzt in Urlaub war, da war Herbst, richtiger Herbst, ein später Nachmittag, und ich kann dir gar nicht beschreiben, wie schön die Allee war – –«, ein wildes, köstliches und doch irgendwie irres Glück tauchte in seinen Augen auf, und um dieses Glückes willen war ich froh, ihn nicht unterbrochen zu haben; er rang im Weitersprechen die Hände, wie jemand, der etwas formen will und weiß nicht wie, und ich spürte, daß er nach den richtigen Ausdrücken suchte, um mir die Allee zu beschreiben. Ich schenkte ein, wir tranken schnell aus, und ich schenkte wieder ein, und wir kippten die Gläser hinunter...

»Die Allee«, sagte er heiser, fast stammelnd, »die Allee war ganz golden, das ist kein Quatsch, du, sie war einfach golden, schwarze Bäume mit Gold, und graublaue Schimmer darin – – ich war irrsinnig glücklich, während ich langsam in ihr hinabschritt bis zu jenem Haus, ich fühlte mich eingesponnen von dieser kostbaren Schönheit, und ich saugte die rauschhafte Vergänglichkeit unseres menschlichen Glückes in mich hinein. Verstehst du? Diese zauberhafte Gewißheit ergriff mich namenlos... und... und...«

Hecker schwieg eine Weile, während er wieder nach Worten zu suchen schien, ich goß die Gläser wieder voll, stieß mit ihm an, und wir tranken: in diesem Augenblick zerschellte auch der untere Teil der Flasche auf der Böschung, und mit einer aufreizenden Langsamkeit purzelten die Scherben eine nach der anderen in den Graben.

Ich erschrak, als Hecker plötzlich aufstand, sich bückte und die Decke ganz beiseite schob; ich hielt ihn am Rockärmel zurück, und nun wußte ich, warum ich die ganze Zeit über Angst gehabt hatte. »Laß mich«, schrie er, »laß mich... ich geh, ich geh in die Allee...« Draußen stand ich neben ihm, die Flasche in meiner Hand. »Ich geh«, flüsterte Hecker, »ich geh ganz hinein bis ans Ende, wo das Haus steht! Es ist ein braunes Eisengitter davor und sie wohnt oben und...« Ich bückte mich erschreckt, denn ein Geschoß pfiff an mir vorbei in die Böschung, genau an die Stelle, wo die Flasche gestanden hatte.

Hecker flüsterte stammelnd sinnlose Worte, ein inniges, jetzt ganz sanftes Glück war auf seinen Zügen, und vielleicht wäre noch Zeit gewesen, ihn zurückzurufen, so wie er mir befohlen hatte. In seinen sinnlosen Worten erkannte ich nur immer die einen: »Ich geh – – ich geh einfach dorthin, wo mein Mädchen wohnt...«

Ich kam mir sehr feige vor, wie ich unten auf dem Boden hockte, die Flasche mit dem Kognak in der Hand, und ich fühlte es wie eine Schuld, daß ich nüchtern war, grausam nüchtern, während auf Heckers Gesicht eine unbeschreiblich süße und innige Trunkenheit lag; er blickte starr gegen die feindlichen Linien zwischen schwarzen Sonnenblumenstengeln und zerschossenen Gehöften, ich beobachtete ihn scharf; er rauchte eine Zigarette. »Leutnant«, rief ich leise, »trink, komm, trink«, und ich hielt ihm die Flasche entgegen, und als ich mich aufrichten wollte, spürte ich, daß auch ich betrunken war, und zu tiefinnerst verfluchte ich mich, daß ich ihn nicht früh genug zurückgerufen hatte, denn jetzt schien es zu spät zu sein; er hatte meinen Ruf nicht gehört, und eben, als ich den Mund öffnen wollte, noch einmal zu rufen, um ihn wenigstens mit der Flasche aus der Gefahr oben zurückzuholen, hörte ich ein ganz helles und feines »Ping« von einem Explosivgeschoß. Hecker wandte sich mit einer erschreckenden Plötzlichkeit um, lächelte mich kurz und selig an, dann legte er seine Zigarette auf die Böschung und sank in sich zusammen, ganz langsam fiel er hintenüber – – es griff mir eiskalt ans Herz, die Flasche entglitt meinen Händen, und ich blickte erschreckt auf den Kognak, der ihr mit leisem Glucksen entfloß und eine kleine Pfütze bildete. Wieder war es sehr still, und die Stille war drohend...

Endlich wagte ich aufzublicken in Heckers Gesicht: seine Wangen waren eingefallen, die Augen schwarz und starr, und doch war auf seinem Gesicht noch ein Schimmer jenes Lächelns, das auf ihm geblüht hatte, während er irre Worte flüsterte. Ich wußte, daß er tot war. Aber dann schrie ich plötzlich, schrie wie ein Wahnsinniger, beugte mich, alle Vorsicht vergessend, über die Böschung und schrie zum nächsten Loch: »Hein! Hilf! Hein, Hecker ist tot!« und ohne eine Antwort abzuwarten, sank ich schluchzend zu Boden, von einem gräßlichen Grauen gepackt, denn Heckers Kopf hatte sich ein wenig gehoben, kaum merklich, aber sichtbar, und es quoll Blut heraus und eine fürchterliche gelblichweiße Masse, von der ich glauben mußte, daß es sein Gehirn war; es floß und floß, und ich dachte mit starrem Schrekken nur: woher kommt diese unendliche Masse Blut, aus seinem Kopf allein? Der ganze Boden unseres Loches bedeckte sich mit Blut, die lehmige Erde sog schlecht, und das Blut erreichte den Fleck, wo ich neben der leeren Flasche kniete...

Ich war ganz allein auf der Welt mit Heckers Blut, denn Hein antwortete nicht, und das sanfte Schlurfen des Scharfschützengeschosses war nicht mehr zu hören...

Plötzlich aber barst die Stille mit einem Knall, ich zappelte erschreckt hoch und erhielt im gleichen Augenblick einen Schlag gegen den Rücken, der seltsamerweise gar nicht schmerzte; ich sank nach vorne mit dem Kopf auf Heckers Brust, und während der Lärm rings um mich her erwachte, das wilde Bellen des Maschinengewehrs aus Heins Loch und die grauenhaften Einschläge jener Werfer, die wir Orgeln nannten, wurde ich ganz ruhig: denn mit Heckers dunklem Blut, das immer noch auf der Sohle des Loches stand, mischte sich ein helles, ein wunderbares helles Blut, von dem ich wußte, daß es warm und mein eigenes war; und ich sank immer, immer tiefer, bis ich mich glücklich lächelnd am Eingang jener Allee fand, die Hecker nicht hatte beschreiben können, denn die Bäume waren kahl, Einsamkeit und Öde nisteten zwischen fahlen Schatten, und die Hoffnung starb in meinem Herzen, während ich ferne, unsagbar weit, Heckers winkende Silhouette gegen ein sanftes goldenes Licht sah ...

In der Finsternis

»Mach jetzt die Kerze an«, sagte eine Stimme.

Man hörte nichts, nur dieses seltsame, so furchtbar sinnlose Rascheln, wenn jemand nicht schlafen kann.

»Du sollst die Kerze anmachen«, sagte dieselbe Stimme schärfer.

Endlich konnte man den Geräuschen entnehmen, daß ein Mensch sich bewegte, die Decke beiseite schlug und sich aufrichtete; man hörte das daran, daß der Atem nun von oben kam. Auch das Stroh raschelte.

»Na?« sagte die Stimme.

»Der Leutnant hat gesagt, wir sollen die Kerze erst auf Befehl anmachen, in der Not...«, sagte eine jüngere, sehr zaghafte Stimme.

»Du sollst die Kerze anmachen, du verdammter Rotzjunge«, schrie jetzt die ältere Stimme.

Auch er richtete sich jetzt auf, und ihre Köpfe lagen im Dunkeln nebeneinander, und ihre Atemstöße verliefen parallel.

Der, der zuerst gesprochen hatte, verfolgte gereizt die Bewegungen des anderen, der die Kerze irgendwo im Gepäck versteckt hatte. Seine Atemstöße wurden ruhiger, als er endlich das Geräusch der Zündholzschachtel vernahm.

Dann zischte das Zündholz auf, und es wurde Licht: ein kümmerliches gelbes Licht.

Sie blickten sich an. Immer, wenn es wieder hell wurde, blickten sie sich zuerst an. Dabei kannten sie sich gut, viel zu gut. Sie haßten sich fast, so gut kannten sie sich; sie kannten ihren Geruch, fast den Geruch jeder Pore, und doch blickten sie sich an, der Ältere und der Jüngere. Der Jüngere war blaß und schmal und hatte ein Niemandsgesicht, und der Ältere war blaß und schmal und unrasiert und hatte ein Niemandsgesicht.

»Na«, sagte der Ältere, jetzt ruhiger, »wann wirst du endlich lernen, daß man nicht alles tut, was die Leutnants sagen...«

»Er wird...«, wollte der Jüngere anfangen.

»Er wird gar nichts«, sagte der Ältere wieder scharf und zündete eine Zigarette an dem Licht an, »er wird die Schnauze halten, und wenn er sie nicht hält, und ich bin gerade nicht da, dann sag ihm, er soll warten, bis ich käm, ich hätte das Licht angemacht, verstehst du. Ob du verstehst?«

»Jawohl.«

»Laß dieses Scheißjawohl, sag ruhig ja zu mir. Und mach das Koppel ab«, er schrie jetzt wieder, »zieh dieses verdammte Scheißkoppel aus, wenn du schläfst.«

Der Jüngere blickte ihn ängstlich an und zog das Koppel aus und legte es neben sich ins Stroh.

»Roll den Mantel zusammen und leg ihn als Kopfkissen hin. So. Ja... und nun schlaf, ich wecke dich, wenn du sterben mußt...«

Der Jüngere rollte sich auf die Seite und versuchte zu schlafen. Man sah nur den braunen verfilzten Wirbel junger Haare, einen sehr dünnen Hals und die leeren Schultern des Uniformrockes. Die Kerze flackerte ein wenig und ließ ihr spärliches Licht schaukeln in dem dunklen Erdloch, als sei sie ein großer gelber Schmetterling, der nicht weiß, wo er sich niederlassen soll.

Der Ältere saß noch immer halb hockend und stieß den Rauch der Zigarette heftig vor sich gegen die Erde. Die Erde war dunkelbraun, an manchen Stellen sah man die weißen Schnittflächen, wo der Spaten eine Wurzel durchschlagen oder etwas höher eine Zwiebel durchschnitten hatte. Die Decke bestand aus ein paar Brettern, über die die Zeltbahn geworfen war, und in den Zwischenräumen der Bretter hing die Zeltbahn etwas runter, weil die Erde, die darüber lag, schwer war, schwer und naß. Draußen regnete es. Es rauschte. Ein sanftes, unsagbar stetiges Rauschen, und der Ältere, der immer starr gegen die Erde blickte, sah jetzt einen kleinen, sehr dünnen Wasserstrahl, der unter der Decke her in das Loch floß. Das kleine Wasser staute sich ein bißchen vor irgendwelchen Erdbrocken, aber es floß stetig nach, und dann schwemmte es an den Erdbrocken vorbei bis zum nächsten Hindernis, und das waren die Füße des Mannes, und das immer mehr nachfließende Wasser umschwemmte die Füße des Mannes, so daß seine schwarzen Stiefel wie eine regelmäßige Halbinsel in dem Wasser lagen. Der Mann spuckte den Zigarettenstummel in die Pfütze und zündete an der Kerze eine neue an. Dabei nahm er die Kerze oben vom Rand des Loches und stellte sie neben sich auf einen Maschinengewehrkasten. Die Hälfte, in der der Jüngere lag, lag jetzt fast im Dunkeln. Das schwankende Licht erreichte diese Hälfte nur noch in kurzen, aber heftigen Zuckungen, die immer mehr nachließen.

»Schlaf jetzt, verdammt«, sagte der Ältere, »hörst du, du sollst schlafen.«

»Jawohl ... ja«, sagte die schwache Stimme, aber man hörte, daß sie wacher war als eben, als es dunkel gewesen war.

»Augenblick«, sagte der Ältere wieder milder. »Noch eine oder zwei Zigaretten, dann mach ich aus, und wir versaufen wenigstens im Dunkeln.«

Er rauchte weiter und wandte manchmal seinen Kopf nach links, wo der Junge lag, aber er spuckte auch den zweiten Stummel in die größer werdende Pfütze, zündete die dritte an und immer noch hörte er am Atem da neben sich, daß das Kind nicht schlafen konnte.

Dann nahm er den Spaten, hieb in die weiche Erde und richtete hinter der Decke, die den Ausgang bildete, einen kleinen Wall aus Erde auf. Hinter diesem Wall richtete er eine zweite Schicht aus Erde auf. Die Pfütze zu seinen Füßen deckte er mit einem Spaten voll Erde zu. Draußen war nichts zu hören als das milde Rauschen des Regens; ganz langsam schien sich die Erde, die oben auf der Zeltbahn lag, auch vollzusaugen, denn es tropfte jetzt auch leise von oben.

»Scheiße«, murmelte der Ältere. »Schläfst du jetzt?« – »Nein.«

Der Ältere spuckte den dritten Stummel hinter den Wall aus Erde und blies die Kerze aus. Gleichzeitig zog er seine Decke wieder hoch, trat sich unten mit den Füßen zurecht und legte sich aufseufzend zurück. Es war ganz still und ganz dunkel, und wieder nur dieses sinnlose Rascheln, wenn einer nicht schlafen kann, und das Rauschen des Regens, sehr milde.

»Willi ist verwundet«, sagte plötzlich die Stimme des Jüngeren, nachdem ein paar Minuten Stille gewesen war. Die Stimme war so wach wie nie, fast frisch.

»Wieso«, fragte der Ältere zurück.

»Ja, verwundet«, sagte die jüngere Stimme, fast triumphierend, sie war froh, daß sie eine wichtige Neuigkeit wußte, von der die ältere Stimme offenbar nichts wußte. »Beim Scheißen verwundet.«

»Du bist verrückt«, sagte der Ältere, dann seufzte er wieder und fuhr fort: »Das nenn ich Schwein, das nenn ich ein verdammtes Glück, gestern vom Urlaub gekommen und heute beim Scheißen verwundet. Schwer?« – »Nein«, sagte der Jüngere lachend, »das heißt: auch nicht leicht. Schußbruch, aber Arm.«

»Schußbruch am Arm! Vom Urlaub gekommen und beim Scheißen verwundet, Schußbruch am Arm! Solch ein Schwein... wobei denn eigentlich?«

»Wie sie das Wasser geholt haben gestern abend«, sagte die jüngere Stimme, sie sprach jetzt sehr eifrig. »Wie sie das Wasser geholt haben, da sind sie hinten den Berg runter, mit den Kanistern, und der Willi hat zu dem Feldwebel Schubert gesagt: ›Ich muß scheißen, Herr Feldwebel!‹ – ›Nichts zu machen‹, hat der Feldwebel gesagt. Aber der Willi hat einfach nicht mehr gekonnt, er ist einfach weg und die Hose runter und bums! Granatwerfer. Und sie haben ihm die Hose richtig hochziehen müssen. Der linke Arm war verwundet, und mit dem rechten hat er den linken gehalten und ist so abgehauen zum Verbinden, die Hose runter. Die haben gelacht, alle haben gelacht, auch der Feldwebel Schubert hat gelacht.« Er fügte das letztere fast entschuldigend hinzu, als wolle er sein eigenes Lachen entschuldigen, denn er lachte jetzt...

Aber der Ältere lachte nicht.

»Licht«, fluchte er laut, »los, gib die Hölzer her, Licht!« Er ließ das Zündholz aufflammen und fluchte vor sich hin. »Ich will wenigstens Licht, wenn ich schon nicht verwundet werde. Wenigstens Licht, sie sollen wenigstens für Kerzen sorgen, wenn sie Krieg spielen wollen. Licht! Licht!« Er schrie wieder und zündete wieder eine Zigarette an.

Die jüngere Stimme hatte sich aufgerichtet und kramte mit dem Löffel in einer fettigen Büchse, die sie auf den Knien hielt.

So hockten sie stumm nebeneinander in dem gelben Licht.

Der Ältere rauchte heftig und der Jüngere sah jetzt schon ziemlich fettig aus: sein ganzes Kindergesicht war beschmiert, fast überall an den Rändern der verfilzten Haare klebten Brotkrümel.

Dann fing der Jüngere an, mit einem Stück Brot die Fettbüchse auszukratzen.

Plötzlich wurde es ganz still: der Regen hatte aufgehört. Sie hielten beide inne und blickten sich an: der Ältere mit der Zigarette in der Hand und der Junge, der das Brot in den zitternden Fingern hielt. Es war unheimlich still, erst nach ein paar Atemzügen hörten sie, daß irgendwo noch aus der Zeltbahn Regen tropfte.

»Verdammt«, sagte der Ältere, »ob der Posten noch dasteht? Nichts zu hören.«

Der Jüngere steckte das Brot in den Mund und warf die Blechbüchse neben sich ins Stroh.

»Ich weiß nicht«, sagte der Jüngere, »sie wollen uns ja Bescheid sagen, wenn wir ablösen sollen...«

Der Ältere erhob sich schnell. Er blies das Licht aus, stülpte den Stahlhelm über und schlug die Decke beiseite. Was durch die Öffnung hereinkam, war kein Licht. Nur kühle feuchte Finsternis, dann schnippte der Ältere die Zigarette aus und steckte den Kopf hinaus.

»Verdammt«, murmelte er draußen, »nichts zu sehen. He!«

rief er halblaut. Dann kam sein dunkler Kopf wieder zurück, und er fragte: »Wo ist denn das nächste Loch?«

Der Jüngere tastete sich hoch und stand nun neben dem anderen in der Öffnung.

»Sei mal still«, sagte der Ältere plötzlich scharf und leise. »Da kriecht was rum.«

Sie blickten dahin, wo vorne war. In der stillen Finsternis war wirklich das Geräusch eines kriechenden Menschen zu hören, und ganz plötzlich ein so seltsamer Knacks, daß sie beide zusammenzuckten; es war ein Geräusch, als hätte jemand eine lebendige Katze gegen die Wand geschleudert: das Geräusch brechender Knochen.

»Verflucht«, murmelte der Ältere, »da stimmt was nicht. Wo steht der Posten?« – »Da«, sagte der Jüngere, er tastete im Dunkeln nach der Hand des anderen und hob sie hoch nach rechts.

»Da«, sagte er, »da ist auch das Loch.«

»Warte«, sagte der Ältere, »hol auf jeden Fall die Knarre.«

Wieder hörten sie da vorne einen furchtbaren Knacks, dann Stille und das Kriechen eines Menschen.

Der Ältere tastete sich durch den Schlamm, manchmal stehenbleibend und leise horchend, bis er endlich nach wenigen Metern das sehr dunkle Gemurmel einer Stimme hörte, dann sah er sehr schwachen Lichtschimmer aus der Erde, ertastete den Eingang und rief: »He, Kumpel.«

Die Stimme verstummte, das Licht wurde gelöscht und eine Decke beiseite geschoben, und der dunkle Schädel eines Menschen tauchte aus der Erde auf.

»Was ist denn?«

»Wo ist der Posten?«

»Da – hier.«

»Wo?«

»Hallo, he ... Neuer ... he!«

Es kam keine Antwort, das Kriechen war nicht mehr zu hören, es war überhaupt nichts mehr zu hören, nur Finsternis lag vorne, stille Finsternis. »Verflucht, das ist komisch«, sagte die Stimme des Mannes, der aus der Erde gekommen war. »Hallo... he... er stand doch gleich hier am Bunker, ein paar Schritte nur weg...« Dann zog er sich hoch und stand nun neben dem, der ihn gerufen hatte. »Vorne kroch jemand«, sagte der, der gekommen war, »ganz bestimmt. Jetzt ist das Schwein still.«

»Mal sehen«, sagte der, der aus der Erde gekommen war. »Sollen wir mal sehen?«

»Hm, auf jeden Fall muß ein Posten hierhin.«

»Ihr seid dran.«

»Ja, aber...«

»Sei still!«

Wieder hörte man vorne das Kriechen eines Menschen, es mochte zwanzig Schritte entfernt sein.

»Verdammt«, sagte der, der aus der Erde gekommen war, »du hast recht.«

»Vielleicht noch einer von gestern abend, der lebt und versucht wegzukriechen.«

»Oder neue.«

»Aber der Posten, verflucht.«

»Gehen wir?«

»Ja.«

Die beiden ließen sich plötzlich auf die Erde nieder und bewegten sich, im Schlamm kriechend, vorwärts. Von unten, von der Wurmperspektive, sah alles anders aus. Jede winzige Bodenwelle wurde zum Gebirge, hinter dem sehr weit weg etwas seltsam zu sehen war: eine etwas hellere Finsternis, der Himmel. Sie hielten die Pistolen in der Hand und krochen weiter, Meter um Meter durch den Schlamm.

»Verflucht«, sagte der, der aus der Erde gekommen war, leise, »ein Iwan von gestern abend.«

Der andere stieß auch bald auf einen Toten, ein stummes bleiernes Bündel, und dann hielten sie plötzlich still, und ihr Atem stockte: da war wieder dieses Knacken ganz nah, wie wenn jemand gewaltig einem in die Fresse schlüge. Dann hörten sie jemand keuchen.

»Hallo«, rief der, der aus der Erde gekommen war, »wer ist da?«

Auf ihren Anruf hin erlosch jedes Geräusch, es war etwas wie eine Atemlosigkeit in der Luft, dann sagte eine Stimme, sehr zaghaft: »Ich bin's...« – »Verflucht, was hast du da zu suchen und uns verrückt zu machen, du altes Arschloch«, rief der, der aus der Erde gekommen war. »Ich such was«, sagte die Stimme wieder da vorne.

Die beiden hatten sich erhoben und gingen nun auf die Stelle zu, wo die Stimme von unten gekommen war.

»Ein Paar Schuhe such ich«, sagte die Stimme, aber sie standen jetzt bei ihm. Ihre Augen hatten sich wieder an die Dunkelheit gewöhnt, und sie sahen jetzt ringsum Leichen liegen, zehn oder ein Dutzend, sie lagen da wie Baumstümpfe, schwarz und unbewegt, und an einem dieser Baumstümpfe hockte der Posten und nestelte an den Füßen herum.

»Du hast auf deinem Posten zu stehen«, sagte der, der aus der Erde gekommen war.

Der andere, der den aus der Erde gerufen hatte, ließ sich blitzschnell niederfallen und beugte sich über das Gesicht des Toten. Der, der am Boden gehockt hatte, hielt jetzt plötzlich die Hände vors Gesicht und fing ganz leise und feige an zu wimmern wie ein Tier.

»Oh«, sagte der, der den aus der Erde gerufen hatte, und dann fügte er leise hinzu: »Du brauchst wohl auch Zähne, was, Goldzähne, wie?«

»Wie?« fragte der, der aus der Erde gekommen war, und der unten hockte wimmerte noch stärker.

»Oh«, sagte der eine wieder und es schien, als liege das Gewicht der Welt auf seiner Brust.

»Zähne?« fragte der, der aus der Erde gekommen war, dann warf auch er sich blitzschnell neben den, der am Boden hockte, und riß ihm einen Stoffbeutel aus der Hand.

»Oh«, sprach auch er, und alles, was es an menschlichem Entsetzen geben konnte, sprach aus diesem Laut.

Der, der den anderen aus der Erde gerufen hatte, wandte sich ab, denn der, der aus der Erde gekommen war, hatte seine Pistole dem, der unten hockte, an den Kopf gesetzt und drückte jetzt ab.

»Zähne«, murmelte er, als der Knall verklungen war. »Goldzähne.«

Sie gingen sehr langsam zurück und traten sehr vorsichtig auf, solange sie in dem Bereich waren, wo die Toten lagen.

»Ihr seid dran«, sagte der, der aus der Erde gekommen war, bevor er wieder in der Erde verschwand.

»Ja«, sagte der eine nur, und auch er schlich sich langsam durch den Schlamm zurück, bevor er wieder in der Erde verschwand.

Er hörte gleich, daß der Jüngere noch immer nicht schlief; wieder dieses sinnlose Rascheln, wenn jemand nicht schlafen kann.

»Mach Licht«, sagte er leise.

Die gelbe Flamme zuckte wieder auf und erhellte schwach das kleine Loch.

»Was ist los«, fragte der Junge entsetzt, als er das Gesicht des Älteren sah.

»Der Posten ist weg, du mußt aufziehen.«

»Ja«, sagte das Kind, »gib mir die Uhr bitte, damit ich die anderen wecken kann.«

»Hier.«

Der Ältere hockte sich auf sein Stroh und zündete eine Zigarette an, er blickte nachdenklich dem Jungen zu, der das Koppel umschnallte, den Mantel überzog und sich eine Handgranate entschärfte und dann mit müdem Gesicht die Maschinenpistole auf Munition untersuchte.

»Ja«, sagte der Kleine dann, »auf Wiedersehen.«

»Auf Wiedersehen«, sagte der Ältere, und er blies die Kerze aus und lag in völligem Dunkel ganz allein in der Erde ...

Wir Besenbinder

Die Gutmütigkeit unseres Mathematiklehrers war ebenso groß w[ie]
sein cholerischer Drang; er pflegte in die Klasse zu stürz[en]
– Hände in den Taschen –, seinen Zigarettenstummel in d[en]
Spucknapf links neben dem Papierkorb zu rotzen, dann stürm[te]
er den Katheder und rief meinen Namen im Zusammenhang n[it]
irgendeiner Frage, auf die ich nie Antwort wußte, wie immer s[ie]
auch heißen mochte...

Nachdem ich hilflos zu Ende gestammelt hatte, trat er auf mi[ch]
zu, ganz langsam unter dem Gekicher der ganzen Klasse, u[nd]
knuffte meinen unzählige Male gemarterten Schädel mit brut[a]-
ler Gutmütigkeit, wobei er mehrmals murmelte: »Besenbind[er]
du, Besenbinder...«

Es war gewissermaßen eine Zeremonie, vor der ich zitterte mei[ne]
ganze Schulzeit lang, um so mehr, da meine Kenntnisse in d[en]
Wissenschaften mit den steigenden Anforderungen nicht n[ur]
nicht zu wachsen, sondern abzunehmen schienen. Aber wenn [er]
mich gehörig geknufft hatte, ließ er mir meine Ruhe, ließ mi[ch]
meinen ziellosen Träumen, denn es war hoffnungslos, vollkor[n]-
men hoffnungslos, mir Mathematik beibringen zu wollen. U[nd]
ich schleppte meine Fünf all die Jahre hinter mir her wie e[in]
Sträfling die schwere Kugel an seinen Füßen.

Das Imponierende an ihm war, das er nie ein Buch bei sich tru[g,]
kein Heft und nicht einmal einen Zettel, sondern seine geheim[en]
Künste aus den Ärmeln schüttelte und die ungeheuerlichst[en]
Zeichnungen mit einer fast seiltänzerischen Sicherheit an die Ta[fel]
warf. Nur seine Kreise gelangen ihm nie. Er war zu ungeduld[ig.]
Er wickelte eine Schnur um ein ganzes Kreidestück, wählte d[en]
imaginären Mittelpunkt und raste dann so schwungvoll mit d[er]
Kreide rund, daß sie zerbrach und jämmerlich kreischend, ab[er]
flink über die Tafel hüpfte – Strich – Punkt, Punkt – Strich .[..,]
und niemals trafen Anfangs- und Ausgangspunkt zusammen,

daß ein gräßlich klaffendes Gebilde entstand, wahrlich ein unerkanntes Symbol für die schmerzlich zerrissene Schöpfung. Und dieses Geräusch der kreischenden, knirschenden, oft auch knatternden Kreide war eine weitere Qual für mein ohnehin gemartertes Hirn, und ich pflegte aus meinen Träumen zu erwachen, aufzublicken, und kaum hatte er mich dann erspäht, als er zu mir stürzte, mich bei den Ohren nahm und mir befahl, seine Kreise zu ziehen. Denn diese Kunst beherrschte ich nach einem schlummernden, mir innewohnenden Gesetz fast fehlerlos. Wie köstlich war es doch, eine halbe Sekunde mit der Kreide zu spielen. Es war wie ein kleiner Rausch, die Umwelt versank, und eine tiefe Freude erfüllte mich, die alle Qual wettmachte... aber auch aus dieser süßen Versunkenheit wurde ich geweckt durch sein nun anerkennend brutales Reißen an meinen Haaren, und unter dem Gelächter der ganzen Klasse schlich ich wie ein geprügelter Hund auf meinen Platz zurück, nun unfähig, mich wieder in das Reich der Träume zu begeben, in endloser Qual auf das Klingelzeichen wartend...

Längst schon waren wir groß, längst waren meine Träume schmerzlicher geworden, längst schon mußte er »Sie« sagen, »Sie, Besenbinder, Sie«, und es gab martervolle lange Monate, in denen keine Kreise zu ziehen waren, sondern ich nur vergeblich zu versuchen verpflichtet war, das spröde Gebälk algebraischer Brücken zu überklettern, und immer schleppte ich die Fünf hinter mir her, immer noch wurde die längst gewohnte Zeremonie vollführt. Doch als wir uns dann freiwillig melden mußten, um Offiziere zu werden, wurde eine schnelle Prüfung anberaumt, eine leichte Prüfung und doch eine Prüfung, und mein völlig hilfloses Gesicht vor der amtlichen Strenge des Schulrates mochte den Lehrer außergewöhnlich milde gestimmt haben, denn er sagte mir so viel und so geschickt vor, daß ich glatt bestand. Nachher aber, als die Lehrer uns zum Abschied die Hände drückten, riet er mir, keinen Gebrauch von meinen mathematischen Kenntnissen zu machen und mich keinesfalls einer technischen T* anzuschließen. »Infanterie«, flüsterte er mir zu, »gehen Sie zur Infanterie, dorthin gehören alle – Besenbinder...«, und zum letzten Male knuffte er andeutungsweise mit einer versteckten Zärtlichkeit meinen ohnehin trainierten Schädel...

Kaum zwei Monate später hockte ich auf dem Flugplatz von Odessa in tiefem Schlamm über meinem Tornister und sah einem wirklichen Besenbinder zu, dem ersten, den ich je sah...
Es war früh Winter geworden, und der Himmel über der nahen Stadt hing grau und trostlos zwischen den Horizonten. Düstere hohe Gebäude waren zwischen Vorstadtgärten und schwarzen Zäunen sichtbar. Dort, wo das Schwarze Meer sein mußte, war der Himmel noch dunkler, von einem fast bläulichen Schwarz, und es schien fast, als komme die Dämmerung und der Abend von Osten. Irgendwo im Hintergrund wurden die rollenden Ungeheuer vollgetankt an düsteren Schuppen, rollten langsam wieder zurück und ließen sich in schauerlicher Gemütlichkeit volladen mit Menschen, grauen, müden und verzweifelten Soldaten, in deren Augen kein anderes Gefühl mehr zu lesen war als das der Angst – denn lange schon war die Krim eingeschlossen...
Unser Zug mußte einer der letzten sein, alle schwiegen und fröstelten, trotz der langen Mäntel. Manche aßen verzweifelt, andere rauchten entgegen dem Verbot, indem sie ihre Pfeifen mit der Handfläche bedeckten und den Rauch langsam und dünn ausstießen...
Ich hatte Muße genug, den Besenbinder zu beobachten, der dort an einem Gartenzaun saß. Er trug eine jener abenteuerlichen Russenmützen, und in seinem bärtigen Gesicht war die kurze braune Stummelpfeife ebenso dick und lang wie die Nase. Aber Ruhe und Einfalt waren in den still arbeitenden Händen, die nach den Bündeln ginsterartigen Gestrüpps griffen, sie schnitten, mit Drähten umbanden und dann die fertigen Büschel in den Löchern des Besenhalters befestigten...
Ich hatte mich umgewandt und lag fast bäuchlings auf mei-

nem Tornister, und ich sah nur die riesige Silhouette dieses stillen armen Mannes, der ohne Hast und mit liebevollem Fleiß seine Besen band. Niemals in meinem Leben hab ich jemand so beneidet wie diesen Besenbinder, nicht den Primus, nicht die Mathematikleuchte Schimski, nicht den ersten Fußballspieler der Schulmannschaft, nicht einmal Hegenbach, dessen Bruder Ritterkreuzträger war; keinen von allen hatte ich je so beneidet wie diesen Besenbinder, der am Rande von Odessa saß und unbehelligt seine Pfeife rauchte.

Es war mein geheimer Wunsch, einen Blick des Mannes einzufangen, denn es dünkte mich, es müsse tröstlich sein, mitten hineinzublicken in dieses Gesicht, aber ich wurde plötzlich am Mantel hochgerissen, angeschnauzt und in die brummende Maschine gezwängt, und als wir gestartet waren und nun hochflogen über das erregende Gewirr von Gärten und Straßen und Kirchen, wäre es unmöglich gewesen, nach dem Besenbinder zu suchen.

Ich hatte mich erst auf meinen Tornister gehockt, war dann rückwärts gesunken und lauschte nun, betäubt von dem erdrückenden Schweigen der Schicksalsgenossen, den seltsam drohenden Geräuschen des fliegenden Schiffes, während mein Kopf an der metallenen Wand von den stetigen Erschütterungen zu zittern begann. In der Dunkelheit des engen Raumes war nur vorne, wo der Flugzeugführer saß, ein etwas helleres Dunkel, und dieser lichte Schein beleuchtete gespenstisch die schweigsamen und düsteren Gestalten, die links und rechts und rundherum auf ihren Tornistern hockten.

Plötzlich aber raste ein seltsames Geräusch den Himmel entlang, so wirklich und bekannt, daß ich erschrak: es war, als fahre die Hand eines großen, riesengroßen Mathematiklehrers mit einem Felsenstück von Kreide weit ausholend über die unendliche Fläche des dunklen Himmels, und das Geräusch war dem bekannten, vor zwei Monaten noch gehörten ganz gleich. Es war dieses hüpfende Knattern wie von zorniger Kreide.

Bogen um Bogen zeichnete die wilde Riesenhand an den Himmel, aber nun war es nicht mehr nur Weiß und Dunkelgrau, sondern Rot auf Blau und Violett auf Schwarz, und die zuckenden Linien erloschen, ohne ihren Bogen zu vollenden, knatterten, kreischten auf und erstarben.

Mich quälte nicht das ängstliche und wilde Stöhnen der Schicksalsgenossen, nicht das hilflose Schreien des Leutnants, der Ruhe und Stillhalten gebot, auch nicht das qualvoll verzerrte Gesicht des Flugzeugführers. Mich quälten nur diese ewig unvollendeten Kreise, die aufflammten über dem Himmel, hastig und haßvoll wütend, und niemals, niemals zu ihrem Ausgangspunkt zurückkehrten, diese stümperisch gezogenen Kreisbogen, die niemals sich rundeten zur vollendeten Schönheit des Kreises. Sie quälten mich im Verein mit der knatternden, kreischenden, hüpfenden Wut der Riesenhand, von der ich fürchtete, beim Schopf genommen und blutig geknufft zu werden.

Und dann erschrak ich heftig: zum ersten Male offenbarte sich mir diese schleudernde Wut wirklich als Geräusch; nahe an meinem Schädel hörte ich ein seltsames Zischen wie von einer zornig niederfahrenden Hand, spürte einen feuchten heißen Schmerz, sprang auf mit einem Schrei und griff an den Himmel, wo eben wieder ein giftiggelbes rasendes Zucken aufflammte; ich hielt diese heftig ausschlagende gelbe Schlange fest, ließ sie mit der Rechten rundjagen ihren zornigen Kreis, spürend, daß es mir gelingen müsse, den Kreis zu vollenden, denn einzig dieses war die mir innewohnende Fähigkeit, zu der ich geboren war... und ich hielt sie, führte sie, die wildausschlagende, rasende, zuckende knatternde Schlange, hielt sie fest mit heißem Atem und schmerzlich zuckendem Mund, während das feuchte Weh an meinem Schädel zu wachsen schien, und als ich Punkt zu Punkt geführt und den wunderbaren runden Bogen des Kreises mit Stolz betrachtete, füllte sich der Raum zwischen den Strichpunktlinien, und ein ungeheurer zischender Kurzschluß erfüllte den ganzen Kreis mit Licht und Feuer, bis der ganze Himmel brannte und die Welt von der jähen Wucht des stürzenden Flugzeuges entzweigeschnitten wurde. Ich sah nichts mehr außer Licht und Feuer, den verstümmelten Schwanz der Maschine, einen zerfressenen Schwanz wie ein schwarzer Stummelbesen, auf dem eine Hexe zu ihrem Sabbat reiten mochte...

Mein teures Bein

Sie haben mir jetzt eine Chance gegeben. Sie haben mir eine Karte geschrieben, ich soll zum Amt kommen, und ich bin zum Amt gegangen. Auf dem Amt waren sie sehr nett. Sie nahmen meine Karteikarte und sagten: »Hm.« Ich sagte auch: »Hm.«
»Welches Bein?« fragte der Beamte.
»Rechts.«
»Ganz?«
»Ganz.«
»Hm«, machte er wieder. Dann durchsuchte er verschiedene Zettel. Ich durfte mich setzen.

Endlich fand der Mann einen Zettel, der ihm der richtige zu sein schien. Er sagte: »Ich denke, hier ist etwas für Sie. Eine nette Sache. Sie können dabei sitzen. Schuhputzer in einer Bedürfnisanstalt auf dem Platz der Republik. Wie wäre das?«

»Ich kann nicht Schuhe putzen; ich bin immer schon aufgefallen wegen schlechten Schuhputzens.«

»Das können Sie lernen«, sagte er. »Man kann alles lernen. Ein Deutscher kann alles. Sie können, wenn Sie wollen, einen kostenlosen Kursus mitmachen.«

»Hm«, machte ich.
»Also gut?«
»Nein«, sagte ich, »ich will nicht. Ich will eine höhere Rente haben.«

»Sie sind verrückt«, erwiderte er sehr freundlich und milde.

»Ich bin nicht verrückt, kein Mensch kann mir mein Bein ersetzen, ich darf nicht einmal mehr Zigaretten verkaufen, sie machen jetzt schon Schwierigkeiten.«

Der Mann lehnte sich weit in seinen Stuhl zurück und schöpfte eine Menge Atem. »Mein lieber Freund«, legte er los, »Ihr Bein ist ein verflucht teures Bein. Ich sehe, daß Sie neunundzwanzig Jahre sind, von Herzen gesund, überhaupt vollkommen gesund, bis auf das Bein. Sie werden siebzig Jahre alt. Rechnen Sie sich bitte aus, monatlich siebzig Mark, zwölfmal im Jahr, also einundvierzig mal zwölf mal siebzig. Rechnen Sie das bitte aus, ohne die Zinsen, und denken Sie doch nicht, daß Ihr Bein das einzige Bein ist. Sie sind auch nicht der einzige, der wahrscheinlich lange leben wird. Und dann Rente erhöhen! Entschuldigen Sie, aber Sie sind verrückt.«

»Mein Herr« sagte ich, lehnte mich nun gleichfalls zurück und schöpfte eine Menge Atem, »ich denke, daß Sie mein Bein stark unterschätzen. Mein Bein ist viel teurer, es ist ein sehr teures Bein. Ich bin nämlich nicht nur von Herzen, sondern leider auch im Kopf vollkommen gesund. Passen Sie mal auf.«

»Meine Zeit ist sehr kurz.«

»Passen Sie auf!« sagte ich. »Mein Bein hat nämlich einer Menge von Leuten das Leben gerettet, die heute eine nette Rente beziehen.

Die Sache war damals so: Ich lag ganz allein irgendwo vorne und sollte aufpassen, wann sie kämen, damit die anderen zur richtigen Zeit stiftengehen konnten. Die Stäbe hinten waren am Packen und wollten nicht zu früh, aber auch nicht zu spät stiftengehen. Erst waren wir zwei, aber den haben sie totgeschossen, der kostet nichts mehr. Er war zwar verheiratet, aber seine Frau ist gesund und kann arbeiten, Sie brauchen keine Angst zu haben. Der war also furchtbar billig. Er war erst vier Wochen Soldat und hat nichts gekostet als eine Postkarte und ein bißchen Kommißbrot. Das war einmal ein braver Soldat, der hat sich wenigstens richtig totschießen lassen. Nun lag ich aber da allein und hatte Angst, und es war kalt, und ich wollte auch stiftengehen, ja, ich wollte gerade stiftengehen, da ...«

»Meine Zeit ist sehr kurz«, sagte der Mann und fing an, nach seinem Bleistift zu suchen.

»Nein, hören Sie zu«, sagte ich, »jetzt wird es erst interessant. Gerade als ich stiftengehen wollte, kam die Sache mit dem Bein. Und weil ich ja doch liegenbleiben mußte, dachte ich, jetzt kannst du's auch durchgeben, und ich hab's durchgegeben, und sie hauten alle ab, schön der Reihe nach, erst die Division, dann das Regiment, dann das Bataillon, und so weiter, immer hübsch der Reihe nach. Eine dumme Geschichte, sie vergaßen nämlich, mich mitzunehmen, verstehen Sie! Sie hatten's so eilig. Wirklich eine dumme Geschichte, denn hätte ich das Bein nicht verloren, wären sie alle tot, der General, der Oberst, der Major, immer schön der Reihe nach, und Sie brauchten ihnen keine Rente zu zahlen. Nun rechnen Sie mal aus, was mein Bein kostet. Der General ist zweiundfünfzig, der Oberst achtundvierzig und der Major fünfzig, alle kerngesund, von Herzen und im Kopf, und sie werden bei ihrer militärischen Lebensweise mindestens achtzig, wie Hindenburg. Bitte rechnen Sie jetzt aus: einhundertsechzig mal zwölf mal dreißig, sagen wir ruhig durchschnittlich dreißig, nicht wahr? Mein Bein ist ein wahnsinnig teures Bein geworden, eines der teuersten Beine, die ich mir denken kann, verstehen Sie?«

»Sie sind doch verrückt«, sagte der Mann.

»Nein«, erwiderte ich, »ich bin nicht verrückt. Leider bin ich von Herzen ebenso gesund wie im Kopf, und es ist schade, daß ich nicht auch zwei Minuten, bevor das mit dem Bein kam, totgeschossen wurde. Wir hätten viel Geld gespart.«

»Nehmen Sie die Stelle an?« fragte der Mann.

»Nein«, sagte ich und ging.

Die Treppe hinauf trugen sie die Bahre etwas langsamer. Die beiden Träger waren ärgerlich, sie hatten vor einer Stunde schon ihren Dienst angefangen und noch keine Zigarette Trinkgeld gemacht, und der eine von ihnen war der Fahrer des Wagens, und Fahrer brauchen eigentlich nicht zu tragen. Aber vom Krankenhaus hatten sie keinen zum Helfen heruntergeschickt, und sie konnten den Jungen doch nicht im Wagen liegen lassen; es war noch eine eilige Lungenentzündung abzuholen und ein Selbstmörder, der in den letzten Minuten abgeschnitten worden war. Sie waren ärgerlich, und plötzlich trugen sie die Bahre wieder weniger langsam. Der Flur war nur schwach beleuchtet, und es roch natürlich nach Krankenhaus.

»Warum sie ihn nur abgeschnitten haben?« murmelte der eine, und er meinte den Selbstmörder, es war der hintere Träger, und der vordere brummte zurück: »Hast recht, wozu eigentlich?« Da er sich dabei umgewandt hatte, stieß er hart gegen die Türfüllung, und der, der auf der Bahre lag, erwachte und stieß schrille, schreckliche Schreie aus; es waren die Schreie eines Kindes.

»Ruhig, ruhig«, sagte der Arzt, ein junger mit einem studentischen Kragen, blondem Haar und einem nervösen Gesicht. Er sah zur Uhr: es war acht Uhr, und er müßte eigentlich längst abgelöst sein. Schon über eine Stunde wartete er vergebens auf Dr. Lohmeyer, aber vielleicht hatten sie ihn verhaftet; jeder konnte heute jederzeit verhaftet werden. Der junge Arzt zückte automatisch sein Hörrohr, er hatte den Jungen auf der Bahre ununterbrochen angesehen, jetzt erst fiel sein Blick auf die Träger, die ungeduldig wartend an der Tür standen; er fragte ärgerlich: »Was ist los, was wollen Sie noch?«

»Die Bahre«, sagte der Fahrer, »kann man ihn nicht umbetten? Wir müssen schnell weg.«

»Ach, klar, hier!« Der Arzt deutete auf das Ledersofa. In diesem Augenblick kam die Nachtschwester, sie sah gleichgültig, aber ernst aus. Sie packte den Jungen oben an den Schultern, und einer der Träger, nicht der Fahrer, packte ihn einfach an den Beinen.

Das Kind schrie wieder wie irrsinnig, und der Arzt sagte hastig: »Still, ruhig, ruhig, wird nicht so schlimm sein...«

Die Träger warteten immer noch. Dem gereizten Blick des Arztes antwortete wieder der eine. »Die Decke«, sagte er ruhig. Die Decke gehörte ihm gar nicht, eine Frau auf der Unfallstelle hatte sie hergegeben, weil man doch den Jungen mit diesen kaputten Beinen nicht so ins Krankenhaus fahren konnte. Aber der Träger meinte, das Krankenhaus würde sie behalten, und das Krankenhaus hatte genug Decken, und die Decke würde der Frau doch nicht wiedergegeben, und dem Jungen gehörte sie ebensowenig wie dem Krankenhaus, und das hatte genug. Seine Frau würde die Decke schon sauber kriegen, und für Decken gaben sie heute eine Menge.

Das Kind schrie immer noch! Sie hatten die Decke von den Beinen gewickelt und schnell dem Fahrer gegeben. Der Arzt und die Schwester blickten sich an. Das Kind sah gräßlich aus: Der ganze Unterkörper schwamm in Blut, die kurze Leinenhose war völlig zerfetzt, die Fetzen hatten sich mit dem Blut zu einer schauerlichen Masse vermengt. Die Füße waren bloß, und das Kind schrie beständig, schrie mit einer furchtbaren Ausdauer und Regelmäßigkeit.

»Schnell«, flüsterte der Arzt, »Schwester, Spritze, schnell, schnell!« Die Schwester hantierte sehr geschickt und flink, aber der Arzt flüsterte immer wieder: »Schnell, schnell!« Sein Mund klaffte haltlos in dem nervösen Gesicht. Das Kind schrie unablässig, aber die Schwester konnte einfach die Spritze nicht schneller fertigmachen.

Der Arzt fühlte den Puls des Jungen, sein bleiches Gesicht zuckte vor Erschöpfung. »Still«, flüsterte er einige Male wie irr, »sei doch still!« Aber das Kind schrie, als sei es nur geboren, um zu schreien. Dann kam die Schwester endlich mit der Spritze, und der Arzt machte sehr flink und geschickt die Injektion.

Als er die Nadel seufzend aus der zähen, fast ledernen Haut zog, öffnete sich die Tür, und eine Nonne trat schnell und erregt ins Zimmer, aber als sie den Verunglückten sah und den Arzt, schloß sie den Mund, den sie geöffnet hatte, und trat langsam und still näher. Sie nickte dem Arzt und der blassen Laienschwester freundlich zu und legte dem Jungen die Hand auf die Stirn. Das Kind schlug die Augen ganz senkrecht auf und blickte erstaunt auf die schwarze Gestalt zu seinen Häupten. Es schien fast, als beruhige es sich durch den Druck der kühlen Hand auf seiner Stirn, aber die Spritze wirkte jetzt schon. Der Arzt hielt sie noch in der Hand, und er seufzte noch einmal tief auf, denn es war jetzt still, wunderbar still, so still, daß alle ihren Atem hören konnten. Sie sagten kein Wort.

Das Kind spürte wohl keine Schmerzen mehr, ruhig und neugierig blickte es um sich.

»Wieviel?« fragte der Arzt die Nachtschwester leise.

»Zehn«, antwortete sie ebenso.

Der Arzt zuckte die Schultern. »Bißchen viel, mal sehen. Helfen Sie uns ein wenig, Schwester Lioba?«

»Gewiß«, sagte die Nonne hastig und schien aus tiefem Brüten aufzuschrecken. Es war sehr still. Die Nonne hielt den Jungen an Kopf und Schultern, die Nachtschwester an den Beinen, und sie zogen ihm die blutgetränkten Fetzen ab. Das Blut hatte sich, wie sie jetzt sahen, mit etwas Schwarzem gemischt, alles war schwarz, die Füße des Jungen waren voll Kohlenstaub, auch seine Hände, alles war nur Blut, Tuchfetzen und Kohlenstaub, dicker, fast öliger Kohlenstaub.

»Klar«, murmelte der Arzt, »beim Kohlenklauen vom fahrenden Zug gestürzt, was?«

»Ja«, sagte der Junge mit brüchiger Stimme, »klar.«

Seine Augen waren wach, und es war ein seltsames Glück darin. Die Spritze mußte herrlich gewirkt haben. Die Nonne zog das

Hemd ganz hoch und rollte es auf der Brust des Jungen zusammen, oben unter dem Kinn. Der Oberkörper war mager, lächerlich mager wie der einer älteren Gans. Oben am Schlüsselbein waren die Löcher seltsam dunkel beschattet, große Hohlräume, worin sie ihre ganze weiße, breite Hand hätte verbergen können. Nun sahen sie auch die Beine, das, was von den Beinen noch heil war. Sie waren ganz dünn und sahen fein aus und schlank. Der Arzt nickte den Frauen zu und sagte: »Wahrscheinlich doppelte Fraktur beiderseits, müssen röntgen.«

Die Nachtschwester wusch mit einem Alkohollappen die Beine sauber, und dann sah es schon nicht mehr so schlimm aus. Das Kind war nur so gräßlich mager. Der Arzt schüttelte den Kopf, während er den Verband anlegte. Er machte sich jetzt wieder Sorgen um Lohmeyer, vielleicht hatten sie ihn doch geschnappt, und selbst wenn er nichts ausplaudern würde, es war doch eine peinliche Sache, ihn sitzenzulassen wegen dem Strophanthin und selbst in Freiheit zu sein, während man im anderen Falle am Gewinn beteiligt gewesen wäre. Verdammt, es war sicher halb neun, und es war so unheimlich still jetzt, auf der Straße war nichts zu hören. Er hatte den Verband fertig, und die Nonne zog das Hemd wieder herunter bis über die Lenden. Dann ging sie zum Schrank, nahm eine weiße Decke heraus und legte sie über den Jungen.

Die Hände wieder auf der Stirn des Jungen, sagte sie zum Arzt, der sich die Hände wusch: »Ich kam eigentlich wegen der kleinen Schranz, Herr Doktor, ich wollte Sie nur nicht beunruhigen, während Sie den Jungen hier behandelten.«

Der Arzt hielt im Abtrocknen inne, sein Gesicht verzerrte sich ein wenig, und die Zigarette, die an der Unterlippe hing, zitterte.

»Was«, fragte er, »was ist denn mit der kleinen Schranz?«

Die Blässe in seinem Gesicht war jetzt fast gelblich.

»Ach, das Herzchen will nicht mehr, es will einfach nicht mehr, es scheint zu Ende zu gehen.«

Der Arzt nahm die Zigarette wieder in die Hand und hängte das Handtuch an den Nagel neben dem Waschbecken.

»Verdammt«, rief er hilflos, »was soll ich da tun, ich kann doch nichts tun!«

Die Nonne hielt die Hand immer noch auf der Stirn des Jungen. Die Nachtschwester versenkte die blutigen Lappen in dem Abfalleimer, dessen Nickeldeckel flirrende Lichter an die Wand malte.

Der Arzt blickte nachdenklich zu Boden, plötzlich hob er den Kopf, sah noch einmal auf den Jungen und stürzte zur Tür: »Ich seh mir's mal an.«

»Brauchen Sie mich nicht?« fragte die Nachtschwester hinter ihm her; er steckte den Kopf noch einmal herein:

»Nein, bleiben Sie hier, machen Sie den Jungen fertig zum Röntgen und versuchen Sie schon, die Krankengeschichte aufzunehmen.«

Das Kind war noch sehr still, und auch die Nachtschwester stand jetzt neben dem Ledersofa.

»Weiß deine Mutter Bescheid?« fragte die Nonne.

»Ist tot.«

Die Schwester wagte nicht, nach dem Vater zu fragen.

»Wen muß man benachrichtigen?«

»Meinen älteren Bruder, aber der ist jetzt nicht zu Hause. Doch die Kleinen müßten es wissen, die sind jetzt allein.«

»Welche Kleinen denn?«

»Hans und Adolf, die warten ja, bis ich das Essen machen komme.«

»Und wo arbeitet dein älterer Bruder denn?«

Der Junge schwieg, und die Nonne fragte nicht weiter.

»Wollen Sie schreiben?«

Die Nachtschwester nickte und ging an den kleinen weißen Tisch, der mit Medikamenten und Reagenzgläsern bedeckt war. Sie zog das Tintenfaß näher, tauchte die Feder ein und glättete den weißen Bogen mit der linken Hand.

»Wie heißt du?« fragte die Nonne den Jungen.
»Becker.«
»Welche Religion?«
»Nix. Ich bin nicht getauft.«
Die Nonne zuckte zusammen, das Gesicht der Nachtschwester blieb unbeteiligt.
»Wann bist du geboren?«
»33 ... am zehnten September.«
»Noch in der Schule, ja?«
»Ja.«
»Und ... den Vornamen!« flüsterte die Nachtschwester der Nonne zu.
»Ja ... und der Vorname?«
»Grini.«
»Wie?« Die beiden Frauen blickten sich lächelnd an.
»Grini«, sagte der Junge langsam und ärgerlich wie alle Leute, die einen außergewöhnlichen Vornamen haben.
»Mit i?« fragte die Nachtschwester.
»Ja, mit zwei i«, und er wiederholte noch einmal: »Grini.«
Er hieß eigentlich Lohengrin, denn er war 1933 geboren, damals, als die ersten Bilder Hitlers auf den Bayreuther Festspielen durch alle Wochenschauen liefen. Aber die Mutter hatte ihn immer Grini genannt.
Der Arzt stürzte plötzlich herein, seine Augen waren verschwommen vor Erschöpfung, und die dünnen blonden Haare hingen in dem jungen und doch sehr zerfurchten Gesicht.
»Kommen Sie schnell, schnell, alle beide. Ich will noch eine Transfusion versuchen, schnell.«
Die Nonne warf einen Blick auf den Jungen.
»Ja, ja«, rief der Arzt, »lassen Sie ihn ruhig einen Augenblick allein.«
Die Nachtschwester stand schon an der Tür.
»Willst du schön ruhig liegenbleiben, Grini?« fragte die Nonne.

»Ja«, sagte das Kind.

Aber als sie alle raus waren, ließ er die Tränen einfach laufen. Es war, als hätte die Hand der Nonne auf seiner Stirn sie zurückgehalten. Er weinte nicht aus Schmerz, er weinte vor Glück. Und doch auch aus Schmerz und Angst. Nur wenn er an die Kleinen dachte, weinte er aus Schmerz, und er versuchte, nicht an sie zu denken, denn er wollte aus Glück weinen. Er hatte sich noch nie im Leben so wunderbar gefühlt wie jetzt nach der Spritze. Es floß wie eine wunderbare, ein bißchen warme Milch durch ihn hin, machte ihn schwindelig und zugleich wach, und es schmeckte ihm köstlich auf der Zunge, so köstlich wie nie etwas im Leben, aber er mußte doch immer an die Kleinen denken. Hubert würde vor morgen früh nicht zurückkommen, und Vater kam ja erst in drei Wochen, und Mutter... und die Kleinen waren jetzt ganz allein, und er wußte genau, daß sie auf jeden Tritt, jeden geringsten Laut auf der Treppe lauerten, und es gab so unheimlich viele Laute auf der Treppe und so unheimlich viele Enttäuschungen für die Kleinen. Es bestand wenig Aussicht, daß Frau Großmann sich ihrer annehmen würde: sie hatte es nie getan, warum gerade heute, sie hatte es nie getan, sie konnte doch nicht wissen, daß er... daß er verunglückt war. Hans würde Adolf vielleicht trösten, aber Hans war selbst sehr schwach und weinte beim geringsten Anlaß. Vielleicht würde Adolf Hans trösten, aber Adolf war erst fünf und Hans schon acht, es war eigentlich wahrscheinlicher, daß Hans Adolf trösten würde. Aber Hans war so furchtbar schwach, und Adolf war robuster. Wahrscheinlich würden sie alle beide weinen, denn wenn es auf sieben Uhr ging, hatten sie keine Freude mehr an ihren Spielen, weil sie Hunger hatten und wußten, daß er um halb acht kommen und ihnen zu essen geben würde. Und sie würden nicht wagen, an das Brot zu gehen; nein, das würden sie nie mehr wagen, er hatte es ihnen zu streng verboten, seitdem sie ein paarmal alles, alles, die ganze Wochenration aufgegessen hatten; an die Kartoffeln hätten sie ruhig gehen können, aber das wußten sie ja nicht. Hätte er ihnen doch gesagt, daß sie an die Kartoffeln gehen durften. Hans konnte schon ganz gut Kartoffeln kochen; aber sie würden es nicht wagen, er hatte sie zu streng bestraft, ja, er hatte sie sogar schlagen müssen, denn es ging ja einfach nicht, daß sie das ganze Brot aufaßen; es ging einfach nicht, aber er wäre jetzt froh gewesen, wenn er sie nie bestraft hätte, dann würden sie jetzt an das Brot gehen und hätten wenigstens keinen Hunger. So saßen sie da und warteten, und bei jedem Geräusch auf der Treppe sprangen sie erregt auf und steckten ihre blassen Gesichter in den Türspalt, so wie er sie so oft, oft schon, vielleicht tausendmal gesehen hatte. Oh, immer sah er zuerst ihre Gesichter, und sie freuten sich. Ja, auch nachdem er sie geschlagen hatte, freuten sie sich, wenn er kam; sie sahen ja alles ein. – Und nun war jedes Geräusch eine Enttäuschung, und sie würden Angst haben. Hans zitterte schon, wenn er nur einen Polizisten sah; vielleicht würden sie so laut weinen, daß Frau Großmann schimpfen würde, denn sie hatte abends gern Ruhe, und dann würden sie vielleicht doch weiter weinen, und Frau Großmann würde nachsehen kommen, und dann erbarmte sie sich ihrer; sie war gar nicht so übel, Frau Großmann. Aber Hans würde nie von selbst zu Frau Großmann gehen, er hatte so furchtbare Angst vor ihr, Hans hatte vor allem Angst...

Wenn sie doch wenigstens an die Kartoffeln gingen!

Seitdem er wieder an die Kleinen dachte, weinte er nur noch aus Schmerz. Er versuchte die Hand vor die Augen zu halten, um die Kleinen nicht zu sehen, dann spürte er, daß die Hand naß wurde, und er weinte noch mehr. Er versuchte sich klarzuwerden, wie spät es war. Es war sicher neun, vielleicht zehn, und das war furchtbar. Er war sonst nie nach halb acht nach Hause gekommen, aber der Zug war heute scharf bewacht gewesen, und sie mußten schwer aufpassen, die Luxemburger schossen so gern. Vielleicht hatten sie im Kriege nicht viel schießen können, und sie schossen eben gern; aber ihn kriegten sie nicht, nie, sie hatten ihn noch nie gekriegt, er war ihnen immer durchgeutscht. Mein Gott, ausgerechnet Anthrazit, den konnte er unmöglich durchgehen lassen. Anthrazit, für Anthrazit zahlten sie latt ihre siebzig bis achtzig Mark, und den sollte er durchgehen lassen! Aber die Luxemburger hatten ihn nicht gekriegt, er war mit den Russen fertig geworden, mit den Amis und den Tommys und den Belgiern, sollten ihn ausgerechnet die Luxemburger schnappen, diese lächerlichen Luxemburger? Er war ihnen durchgeflutscht, rauf auf die Kiste, den Sack gefüllt und runtergeschmissen, und dann nachgeschmissen, was man immer noch holen konnte. Aber dann, ratsch, hielt der Zug ganz plötzlich, und er wußte nur, daß er wahnsinnige Schmerzen gehabt hatte, bis er nichts mehr wußte, und dann wieder, als er hier in der Tür wach wurde und das weiße Zimmer sah. Und dann gaben sie ihm die Spritze. Er weinte jetzt wieder nur vor Glück. Die Kleinen waren nicht mehr da; das Glück war etwas Herrliches, er hatte es noch gar nicht gekannt; die Tränen schienen das Glück zu sein, das Glück floß aus ihm heraus, und doch wurde es nicht kleiner in seiner Brust, dieses flimmernde, süße, kreisende Stück, dieser seltsame Klumpen, der in Tränen aus ihm herausquoll, wurde nicht kleiner ...

Plötzlich hörte er das Schießen der Luxemburger, sie hatten Maschinenpistolen, und es klang schauerlich in den frischen Frühlingsabend; es roch nach Feld, nach Eisenbahnqualm, Kohlen und ein bißchen auch nach richtigem Frühling. Zwei Geschosse bellten in den Himmel, der ganz dunkelgrau war, und ihr Echo kam tausendfältig auf ihn zurück, und es prickelte auf seiner Brust wie von Nadelstichen; diese verdammten Luxemburger sollten ihn nicht kriegen, sie sollten ihn nicht kaputtschießen! Die Kohlen, auf denen er jetzt flach ausgestreckt lag, waren hart und spitz, es war Anthrazit, und sie gaben achtzig, bis zu achtzig Mark für den Zentner. Ob er den Kleinen mal Schokolade kaufen sollte? Nein, es würde nicht reichen, für Schokolade nahmen sie vierzig, bis zu fünfundvierzig; so viel konnte er nicht abschleppen; mein Gott, einen Zentner für zwei Tafeln Schokolade; und die Luxemburger waren ganz verrückte Hunde, sie schossen schon wieder, und seine nackten Füße waren kalt und taten weh von dem spitzen Anthrazit, und sie waren schwarz und schmutzig, er fühlte es. Die Schüsse rissen große Löcher in den Himmel, aber den Himmel konnten sie doch nicht kaputtschießen, oder ob die Luxemburger den Himmel kaputtschießen konnten?...

Ob er der Schwester denn sagen mußte, wo sein Vater war und wo Hubert nachts hinging? Die hatten ihn nicht gefragt, und man sollte nicht antworten, wenn man nicht gefragt war. In der Schule hatten sie es gesagt... verdammt, die Luxemburger... und die Kleinen... die Luxemburger sollten aufhören zu schießen, er mußte zu den Kleinen... sie waren wohl verrückt, total übergeschnappt, diese Luxemburger. Verdammt, nein, er sagt es der Schwester einfach nicht, wo der Vater war und wo der Bruder nachts hinging, und vielleicht würden die Kleinen doch von dem Brot nehmen... oder von den Kartoffeln... oder vielleicht würde Frau Großmann doch merken, daß da etwas nicht stimmte, denn es stimmte etwas nicht; es war seltsam, eigentlich stimmte immer was nicht. Der Herr Rektor würde auch schimpfen. Die Spritze tat gut, er fühlte den Piek, und dann war plötzlich das Glück da! Diese blasse Schwester hatte das Glück in die Spritze getan, und er hatte ja ganz genau gehört, daß sie zuviel Glück in die Spritze getan hatte, viel zuviel Glück, er war gar nicht so dumm. Grini mit zwei i... nee, ist ja tot... nee, vermißt. Das Glück war herrlich, er wollte vielleicht den Kleinen mal das Glück in der Spritze kaufen; man konnte ja alles kaufen... Brot... ganze Berge von Brot...

Verdammt, mit zwei i, kennen sie denn hier die besten deutschen Namen nicht?...

»Nix«, schrie er plötzlich, »ich bin nicht getauft.«

Ob die Mutter nicht überhaupt noch lebte? Nee, die Luxemburger hatten sie erschossen, nee die Russen... nee, wer weiß, vielleicht hatten die Nazis sie erschossen, sie hatte so furchtbar geschimpft... nee, die Amis... ach, die Kleinen sollten ruhig Brot essen, Brot essen ... einen ganzen Berg Brot wollte er den Kleinen kaufen ... Brot in Bergen ... einen ganzen Güterwagen voll Brot ... voll Anthrazit; und das Glück in der Spritze.

Mit zwei i, verdammt!

Die Nonne lief auf ihn zu, griff sofort nach dem Puls und blickte unruhig um sich. Mein Gott, ob sie den Arzt rufen sollte? Aber sie konnte das phantasierende Kind nun nicht mehr allein lassen. Die kleine Schranz war tot, hinüber, Gott sei Dank, dieses kleine Mädchen mit dem Russengesicht! Wo der Arzt nur blieb ... sie rannte um das Ledersofa herum ...

»Nix«, schrie das Kind, »ich bin nicht getauft.«

Der Puls drohte regelrecht überzuschnappen. Der Nonne stand Schweiß auf der Stirn. »Herr Doktor, Herr Doktor!« rief sie laut, aber sie wußte ganz genau, daß kein Laut durch die gepolsterte Tür drang ...

Das Kind wimmerte jetzt erbärmlich.

»Brot ... einen ganzen Berg Brot für die Kleinen ... Schokolade ... Anthrazit ... die Luxemburger, diese Schweine, sie sollen nicht schießen, verdammt, die Kartoffeln, ihr könnt ruhig an die Kartoffeln gehen ... geht doch an die Kartoffeln! Frau Großmann ... Vater ... Mutter ... Hubert ... durch den Türspalt, durch den Türspalt.«

Die Nonne weinte vor Angst, sie wagte nicht wegzugehen, das Kind begann jetzt zu wühlen, und sie hielt es an den Schultern fest. Das Ledersofa war so scheußlich glatt. Die kleine Schranz war tot, das kleine Herzchen war im Himmel. Gott sei ihr gnädig; ach gnädig ... sie war ja unschuldig, ein kleines Engelchen, ein kleines häßliches Russenengelchen ... aber nun war sie hübsch ...

»Nix«, schrie der Junge und versuchte, mit den Armen um sich zu schlagen, »ich bin nicht getauft.«

Die Nonne blickte erschreckt auf. Sie lief zum Wasserbecken, hielt den Jungen ängstlich im Auge, fand kein Glas, lief zurück, streichelte die fiebrige Stirn. Dann ging sie an das kleine weiße

Tischchen und ergriff ein Reagenzglas. Das Reagenzglas war schnell voll Wasser, mein Gott, wie wenig Wasser in so ein Reagenzglanz geht...

»Glück«, flüsterte das Kind, »tun Sie viel Glück in die Spritze alles, was Sie haben, auch für die Kleinen...«

Die Nonne bekreuzigte sich feierlich, sehr langsam, dann goß sie das Wasser aus dem Reagenzglas über die Stirn des Jungen und sprach unter Tränen: »Ich taufe dich...«, aber das Kind, vor dem kalten Wasser plötzlich ernüchtert, hob den Kopf so plötzlich, daß das Glas aus der Hand der Schwester fiel und auf den Boden zerbrach. Der Junge blickte die erschreckte Schwester mit einem kleinen Lächeln an und sagte matt: »Taufen... ja...« dann sank er so heftig zurück, daß sein Kopf mit einem dumpfen Schlag auf das Ledersofa fiel, und sein Gesicht sah nun schmal aus und alt, erschreckend gelb, wie er so regungslos dalag, die Hände zum Greifen gespreizt...

»Ist er geröntgt?« rief der Arzt, der lachend mit Dr. Lohmeyer ins Zimmer trat. Die Schwester schüttelte nur den Kopf. Der Arzt trat näher, griff automatisch nach seinem Hörrohr, ließ es aber wieder los und blickte Lohmeyer an. Lohmeyer nahm den Hut ab. Lohengrin war tot...

Geschäft ist Geschäft

Mein Schwarzhändler ist jetzt ehrlich geworden; ich hatte ihn lange nicht gesehen, schon seit Monaten nicht, und nun entdeckte ich ihn heute in einem ganz anderen Stadtteil, an einer verkehrsreichen Straßenkreuzung. Er hat dort eine Holzbude, wunderbar weißlackiert mit sehr solider Farbe; ein prachtvolles, stabiles, nagelneues Zinkdach schützt ihn vor Regen und Kälte, und er verkauft Zigaretten, Dauerlutscher, alles jetzt legal. Zuerst habe ich mich gefreut; man freut sich doch, wenn jemand in die Ordnung des Lebens zurückgefunden hat. Denn damals, als ich ihn kennenlernte, ging es ihm schlecht, und wir waren traurig. Wir hatten unsere alten Soldatenkappen über der Stirn, und wenn ich gerade Geld hatte, ging ich zu ihm, und wir sprachen manchmal miteinander, vom Hunger, vom Krieg; und er schenkte mir manchmal eine Zigarette, wenn ich kein Geld hatte; ich brachte ihm dann schon einmal Brotmarken mit, denn ich kloppte gerade Steine für einen Bäcker, damals.

Jetzt schien es ihm gut zu gehen. Er sah blendend aus. Seine Backen hatten jene Festigkeit, die nur von regelmäßiger Fettzufuhr herrühren kann, seine Miene war selbstbewußt, und ich beobachtete, daß er ein kleines, schmutziges Mädchen mit heftigen Schimpfworten bedachte und wegschickte, weil ihm fünf Pfennig zu einem Dauerlutscher fehlten. Dabei fletschte er dauernd mit der Zunge im Mund herum, als hätte er stundenlang Fleischfasern aus den Zähnen zu zerren.

Er hatte viel zu tun; sie kauften viele Zigaretten bei ihm, auch Dauerlutscher.

Vielleicht hätte ich es nicht tun sollen – ich ging zu ihm, sagte »Ernst« zu ihm und wollte mit ihm sprechen. Damals hatten wir uns alle geduzt, und die Schwarzhändler sagten auch du zu einem.

Er war sehr erstaunt, sah mich merkwürdig an und sagte: »Wie meinen Sie?« Ich sah, daß er mich erkannte, daß ihm selber aber wenig daran lag, erkannt zu werden.

Ich schwieg. Ich tat so, als hätte ich nie Ernst zu ihm gesagt, kaufte ein paar Zigaretten, denn ich hatte gerade etwas Geld, und ging. Ich beobachtete ihn noch eine Zeitlang; meine Bahn kam nicht, und ich hatte auch gar keine Lust, nach Hause zu gehen. Zu Hause kommen immer Leute, die Geld haben wollen; meine Wirtin für die Miete und der Mann, der das Geld für den Strom kassiert. Außerdem darf ich zu Hause nicht rauchen; meine Wirtin riecht alles, sie ist dann sehr böse, und ich bekomme zu hören, daß ich wohl Geld für Tabak, aber keins für die Miete habe. Denn es ist eine Sünde, wenn die Armen rauchen oder Schnaps trinken. Ich weiß, daß es Sünde ist, deshalb tue ich es heimlich, ich rauche draußen, und nur manchmal, wenn ich wach liege und alles still ist, wenn ich weiß, daß bis morgens der Rauch nicht mehr zu riechen ist, dann rauche ich auch zu Hause.

Das Furchtbare ist, daß ich keinen Beruf habe. Man muß ja jetzt einen Beruf haben. Sie sagen es. Damals sagten sie alle, es wäre nicht nötig, wir brauchten nur Soldaten. Jetzt sagen sie, daß man einen Beruf haben muß. Ganz plötzlich. Sie sagen, man ist faul, wenn man keinen Beruf hat. Aber es stimmt nicht. Ich bin nicht faul, aber die Arbeiten, die sie von mir verlangen, will ich nicht tun. Schutt räumen und Steine tragen und so. Nach zwei Stunden bin ich schweißüberströmt, es schwindelt mir vor den Augen, und wenn ich dann zu den Ärzten komme, sagen sie, es ist nichts. Vielleicht sind es die Nerven. Sie reden jetzt viel von Nerven. Aber ich glaub, es ist Sünde, wenn die Armen Nerven haben. Arm sein und Nerven haben, ich glaube, das ist mehr, als sie vertragen. Meine Nerven sind aber bestimmt hin; ich war zu lange Soldat. Neun Jahre, glaube ich. Vielleicht mehr, ich weiß nicht genau. Damals hätte ich gern einen Beruf gehabt, ich hatte große Lust, Kaufmann zu werden. Aber damals – wozu davon reden; jetzt habe ich nicht einmal mehr Lust, Kaufmann zu werden. Am liebsten liege ich auf dem Bett und träume. Ich rechne mir dann aus, wieviel hunderttausend Arbeitstage sie an so einer Brücke bauen oder an einem großen Haus, und ich denke daran, daß sie in einer einzigen Minute Brücke und Haus kaputtschmeißen können. Wozu da noch arbeiten? Ich finde es sinnlos, da noch zu arbeiten. Ich glaube, das ist es, was mich verrückt macht, wenn ich Steine tragen muß oder Schutt räumen, damit sie wieder ein Café bauen können.

Ich sagte eben, es wären die Nerven, aber ich glaube, das ist es: daß es sinnlos ist.

Im Grunde genommen ist mir egal, was sie denken. Aber es ist schrecklich, nie Geld zu haben. Man muß einfach Geld haben. Man kommt nicht daran vorbei. Da ist ein Zähler, und man hat eine Lampe, manchmal braucht man natürlich Licht, knipst an, und schon fließt das Geld oben aus der Birne heraus. Auch wenn man kein Licht braucht, muß man bezahlen, Zählermiete. Überhaupt: Miete. Man muß anscheinend ein Zimmer haben. Zuerst habe ich in einem Keller gewohnt, da war es nicht übel, ich hatte einen Ofen und klaute mir Briketts; aber da haben sie mich aufgestöbert, sie kamen von der Zeitung, haben mich geknipst, einen Artikel geschrieben mit einem Bild: Elend eines Heimkehrers. Ich mußte einfach umziehen. Der Mann vom Wohnungsamt sagte, es wäre eine Prestigefrage für ihn, und ich mußte das Zimmer nehmen. Manchmal verdiene ich natürlich auch Geld. Das ist klar. Ich mache Besorgungen, trage Briketts und stapele sie fein säuberlich in eine Kellerecke. Ich kann wunderbar Briketts stapeln, ich mache es auch billig. Natürlich verdiene ich nicht viel, es langt nie für die Miete, manchmal für den Strom, ein paar Zigaretten und Brot...

Als ich jetzt an der Ecke stand, dachte ich an alles.

Mein Schwarzhändler, der jetzt ehrlich geworden ist, sah mich manchmal mißtrauisch an. Dieses Schwein kennt mich ganz genau, man kennt sich doch, wenn man zwei Jahre fast täglich miteinander gesprochen hat. Vielleicht glaubt er, ich wollte bei ihm klauen. So dumm bin ich nicht, da zu klauen, wo es von Men-

schen wimmelt und wo jede Minute eine Straßenbahn ankomm[t]
wo sogar ein Schupo an der Ecke steht. Ich klaue an ganz and[e]ren Stellen: natürlich klaue ich manchmal, Kohlen und so. Au[ch]
Holz. Neulich habe ich sogar ein Brot in einer Bäckerei gekla[ut.]
Es ging unheimlich schnell und einfach. Ich nahm einfach das B[rot]
und ging hinaus, ich bin ruhig gegangen, erst an der nächst[en]
Ecke habe ich angefangen zu laufen. Man hat eben keine Nerv[en]
mehr.

Ich klaue doch nicht an einer solchen Ecke, obwohl das manc[h]mal einfach ist, aber meine Nerven sind dahin. Es kamen vi[ele]
Bahnen, auch meine, und ich habe ganz genau gesehen, wie Er[ich]
mir zuschielte, als meine kam. Dieses Schwein weiß noch ga[nz]
genau, welche Bahn meine ist!

Aber ich warf die Kippe von der ersten Zigarette weg, mach[te]
eine zweite an und blieb stehen. So weit bin ich also schon, d[aß]
ich die Kippen wegschmeiße. Doch es schlich da jemand heru[m,]
der die Kippen aufhob, und man muß auch an die Kamerad[en]
denken. Es gibt noch welche, die Kippen aufheben. Es sind ni[cht]
immer dieselben. In der Gefangenschaft sah ich Obersten, [die]
Kippen aufhoben, der da aber war kein Oberst. Ich habe ihn b[e]obachtet. Er hatte sein System, wie eine Spinne, die im N[etz]
hockt, hatte er irgendwo in einem Trümmerhaufen sein Star[t]quartier, und wenn gerade eine Bahn angekommen oder ab[ge]fahren war, kam er heraus und ging seelenruhig am Bordst[ein]
vorbei und sammelte die Kippen ein. Am liebsten wäre ich zu i[hm]
gegangen und hätte mit ihm gesprochen, ich fühle, daß ich [zu]
ihm gehöre: aber ich weiß, das ist sinnlos; diese Burschen sag[en]
nichts.

Ich weiß nicht, was mit mir los war, aber ich hatte an dies[em]
Tage gar keine Lust, nach Hause zu fahren. Schon das Wort:
Hause. Es war mir jetzt alles egal, ich ließ noch eine Bahn fah[ren]
und machte noch eine Zigarette an. Ich weiß nicht, was uns fe[hlt.]
Vielleicht entdeckt es eines Tages ein Professor und schreibt es [in]
die Zeitung: sie haben für alles eine Erklärung. Ich wünsche n[ur]

ich hätte noch die Nerven zum Klauen wie im Krieg. Damals ging es schnell und glatt. Damals, im Krieg, wenn es etwas zu klauen gab, mußten wir immer klauen gehen; da hieß es: der macht das schon, und wir sind klauen gegangen. Die anderen haben nur mitgefressen, mitgesoffen, haben es nach Hause geschickt und alles, aber sie hatten nicht geklaut. Ihre Nerven waren tadellos, und die weiße Weste war tadellos.

Und als wir nach Hause kamen, sind sie aus dem Krieg ausgestiegen wie aus einer Straßenbahn, die gerade dort etwas langsamer fuhr, wo sie wohnten, sie sind abgesprungen, ohne den Fahrpreis zu bezahlen. Sie haben eine kleine Kurve genommen, sind eingetreten, und siehe da: das Vertiko stand noch, es war nur ein bißchen Staub in der Bibliothek, die Frau hatte Kartoffeln im Keller, auch Eingemachtes; man umarmte sie ein bißchen, wie es sich gehörte, und am nächsten Morgen ging man fragen, ob die Stelle noch frei war: die Stelle war noch frei. Es war alles tadellos, die Krankenkasse lief weiter, man ließ sich ein bißchen entnazifizieren – so wie man zum Friseur geht, um den lästigen Bart abnehmen zu lassen –, man erzählte von Orden, Verwundungen, Heldentaten und fand, daß man schließlich doch ein Prachtbengel sei: man hatte letzten Endes nichts als seine Pflicht getan. Es gab sogar wieder Wochenkarten bei der Straßenbahn, das beste Zeichen, daß wirklich alles in Ordnung war.

Wir aber fuhren inzwischen weiter mit der Straßenbahn und warteten, ob irgendwo eine Station käme, die uns bekannt genug vorgekommen wäre, daß wir auszusteigen riskiert hätten: die Haltestelle kam nicht. Manche fuhren noch ein Stück mit, aber sie sprangen auch bald irgendwo ab und taten jedenfalls so, als wenn sie am Ziel wären.

Wir aber fuhren weiter und weiter, der Fahrpreis erhöhte sich automatisch, und wir hatten außerdem für großes und schweres Gepäck den Preis zu entrichten: für die bleierne Masse des Nichts, die wir mitzuschleppen hatten; und es kamen eine Menge Kontrolleure, denen wir achselzuckend unsere leeren Taschen zeigten.

Runterschmeißen konnten sie uns ja nicht, die Bahn fuhr zu schnell – »und wir sind ja Menschen« –, aber wir wurden aufgeschrieben, aufgeschrieben, immer wieder wurden wir notiert, die Bahn fuhr immer schneller; die raffiniert waren, sprangen schnell noch ab, irgendwo, immer weniger wurden wir, und immer weniger hatten wir Mut und Lust auszusteigen. Insgeheim hatten wir uns vorgenommen, das Gepäck in der Straßenbahn stehenzulassen, es dem Fundbüro zur Versteigerung zu überlassen, sobald wir an der Endstation angekommen wären; aber die Endstation kam nicht, der Fahrpreis wurde immer teurer, das Tempo immer schneller, die Kontrolleure immer mißtrauischer, wir sind eine äußerst verdächtige Sippschaft.

Ich warf auch die Kippe von der dritten Zigarette weg und ging langsam auf die Haltestelle zu; ich wollte jetzt nach Hause fahren. Mir wurde schwindelig: man sollte nicht auf den nüchternen Magen so viel rauchen, ich weiß. Ich blickte nicht mehr dorthin, wo mein ehemaliger Schwarzhändler jetzt einen legalen Handel betreibt; gewiß habe ich kein Recht, böse zu sein; er hat es geschafft, er ist abgesprungen, sicher im richtigen Augenblick, aber ich weiß nicht, ob es dazu gehört, die Kinder anzuschnauzen, denen fünf Pfennig zu einem Dauerlutscher fehlen. Vielleicht gehört das zum legalen Handel: ich weiß nicht.

Kurz bevor meine Straßenbahn kam, ging auch der Kumpel wieder seelenruhig vorne am Bordstein vorbei und schritt die Front der Wartenden ab, um die Kippen aufzusammeln. Sie sehen das nicht gern, ich weiß. Es wäre ihnen lieber, es gäbe das nicht, aber es gibt es ...

Erst als ich einstieg, habe ich noch einmal Ernst angesehen, aber er hat weggeguckt und laut geschrien: Schokolade, Bonbons, Zigaretten, alles frei! Ich weiß nicht, was los ist, aber ich muß sagen, daß er mir früher besser gefallen hat, wo er nicht jemand wegzuschicken brauchte, dem fünf Pfennig fehlten; aber jetzt hat er ja ein richtiges Geschäft, und Geschäft ist Geschäft.

An der Angel

Ich weiß, daß alles töricht ist. Ich sollte gar nicht mehr dorthin gehen; es ist so sinnlos, und doch lebe ich davon, dorthin zu gehen. Es ist eine einzige Minute Hoffnung und dreiundzwanzig Stunden und neunundfünfzig Minuten Verzweiflung. Davon lebe ich. Das ist nicht viel, das ist fast gar keine Substanz. Ich sollte nicht mehr dorthin gehen. Ich gehe kaputt dabei, das ist es: es macht mich kaputt. Aber ich muß, ich muß, ich muß dorthin gehen...

Es ist immer derselbe Zug, mit dem sie kommen soll. Dreizehnuhrzwanzig. Der Zug läuft immer planmäßig ein, ich beobachte alles ganz genau, sie können mir nichts vormachen.

Der Mann mit dem Winklöffel weiß schon Bescheid, wenn ich komme; wenn er aus seinem Häuschen tritt – vorher habe ich schon das Klingeln in seinem Häuschen gehört –, wenn er also hinaustritt, gehe ich auf ihn zu – er kennt mich schon: er macht ein mitleidiges Gesicht, mitleidig und etwas beunruhigt; ja, der Mann mit dem Winklöffel ist beunruhigt; vielleicht glaubt er, ich würde eines Tages über ihn herfallen; vielleicht falle ich auch eines Tages über ihn her, ich schlage ihn dann einfach tot und schmeiß ihn zwischen die Schienen, daß er von dem Dreizehnuhrzwanziger überfahren wird. Denn der Mann mit dem Winklöffel – ich traue ihm nicht. Ich weiß nicht, ob sein Mitleid gespielt ist; vielleicht ist sein Mitleid gespielt. Seine Beunruhigung ist echt, er hat auch Grund zur Beunruhigung: eines Tages werde ich ihn mit seinem eigenen Winklöffel kaltmachen. Ich traue ihm nicht. Vielleicht liegt er mit ihnen unter einer Decke. Er hat ja Telefon in seinem Häuschen – er braucht ja nur zu kurbeln und anzurufen – diese Bahnfritzen haben in einer Sekunde Anschluß; vielleicht nimmt er den Hörer ab, ruft die vorletzte Station an und sagt ihnen: »Nehmt sie raus, verhaftet sie; laßt sie nicht mitfahren... wie?... ja, die Frau mit dem braunen Haar und dem kleinen grünen Hütchen; ja, die; haltet sie fest – er lacht dann –, ja, der Verrückte ist wieder hier, er soll wieder umsonst warten. Haltet sie fest, ja.«

Er hängt dann ein und lacht; dann kommt er raus, setzt sein mitleidiges Gesicht auf, wenn er mich heranschleichen sieht, und sagt, wie immer, noch ehe ich ihn gefragt habe: »Keine Verspätung gemeldet, mein Herr, nein, auch heute keine Verspätung gemeldet.«

Die Ungewißheit, ob ich ihm trauen kann, macht mich verrückt. Vielleicht grinst er, sobald er mir den Rücken dreht. Er dreht mir nämlich immer den Rücken und tut so, als ob er etwas zu tun hätte, auf dem Bahnsteig und so; er geht hin und her, scheucht die Leute von der Bahnsteigkante weg, macht sich allerlei Arbeit, die er gar nicht zu tun braucht, denn die Leute treten schon von der Bahnsteigkante weg, wenn sie ihn kommen sehen. Er tut nur so; er tut, als ob er beschäftigt wäre, und vielleicht grinst er, sobald er mir den Rücken dreht. Einmal hab ich ihn auf die Probe stellen wollen, ich bin ganz schnell rumgesprungen und habe ihm ins Gesicht gesehen. Aber da war nichts, was meinen Verdacht bestärkt hat: nur Angst...

Trotzdem traue ich ihm nicht; diese Burschen haben sich mehr in der Gewalt als unsereiner; die bringen alles fertig; diese Clique hat Kraft und Sicherheit, während wir – wir Wartenden, wir haben nichts; wir leben auf des Messers Schneide, wir balancieren uns von einer Minute der Hoffnung zur anderen Minute der Hoffnung; dreiundzwanzig Stunden und neunundfünfzig Minuten lang balancieren wir auf des Messers Schneide, eine einzige Minute dürfen wir ausruhen. Sie haben uns fest an der Kandare, diese Brüder, diese Winklöffelfritzen, diese Schweine, sie telefonieren untereinander, ein kleines Gespräch, und unser Leben ist wieder einmal hin, wieder einmal weg für dreiundzwanzig Stunden und neunundfünfzig Minuten. Das sind die Menschen, denen das Leben gehört, diese Burschen...

Sein Mitleid ist gespielt; ich bin jetzt ganz sicher; wenn ich es recht überlege, muß ich mir sagen, daß er mich betrügt; sie betrügen alle. Sie halten sie fest; ich weiß, daß sie kommen wollte. Sie hat mir's geschrieben: »Ich liebe Dich, und ich komme mit dem Zug Dreizehnuhrzwanzig.« Dreizehnuhrzwanzig dort, hat sie geschrieben, vor drei Monaten schon, vor drei Monaten und vier Tagen genau. Sie wird festgehalten, sie wollen es nicht, sie gönnen sie mir nicht, sie gönnen mir nicht, daß ich einmal mehr als eine Minute Hoffnung habe oder gar Freude. Sie verhindern unser Rendezvous; da sitzen sie irgendwo und lachen, diese Clique; sie lachen und telefonieren, und dieser Winklöffelfritze wird gut dafür bezahlt, daß er jeden Tag mit seiner heuchlerischen Fratze zu mir sagt: »Auch heute keine Verspätung gemeldet, mein Herr.« Schon, daß er »Mein Herr« sagt, ist eine Gemeinheit. Ich bin gar kein Herr, ich bin ein abgerissenes armes Schwein, das von einer einzigen Minute Hoffnung am Tage lebt. Sonst nichts. Ich bin kein Herr, ich scheiß was auf sein »Mein Herr«. Sie sollen mich alle kreuzweise, aber sie sollen sie loslassen, sie sollen sie fahren lassen; sie müssen sie mir geben, sie ist mein, sie hat mir doch telegrafiert: »Ich liebe Dich, ankomme dreizehnuhrzwanzig dort.« Dort, das ist doch meine Heimat. Die Telegramme sind so. Man schreibt dort, und man meint die Stadt, in der der andere wohnt. »Ankomme dreizehnuhrzwanzig dort...«

Heute werde ich ihn kaltmachen. Meine Wut kennt keine Grenzen mehr. Meine Geduld ist erschöpft, auch meine Kraft. Ich kann nicht mehr. Wenn ich ihn heute sehe, ist er verloren. Es geht zu lange so. Ich habe auch kein Geld mehr. Kein Geld mehr für die Straßenbahn. Ich habe schon alles verscheuert. Drei Monate und vier Tage habe ich von der Substanz gelebt. Alles verscheuert, auch die Tischdecke; heute muß ich feststellen, daß nichts mehr da ist. Es langt gerade noch, um einmal mit der Straßenbahn zu fahren. Nicht einmal mehr zurück, zurück muß ich zu Fuß gehen... oder... oder...

Jedenfalls wird dieser Winklöffelfritze blutig zwischen den Schienen liegen, und der Dreizehnuhrzwanziger wird über ihn fahren, er wird zu nichts werden, so wie ich heute mittag um dreizehnuhrzwanzig nichts mehr sein werde... oder... Gott!

Es ist zu bitter, wenn man nicht einmal das Fahrgeld für zurück hat; sie machen es einem zu schwer. Diese Clique hält zusammen, sie verwalten die Hoffnung, sie verwalten das Paradies, den Trost. Sie haben alles in den Klauen. Wir dürfen nur dran nippen, nur eine Minute am Tage. Dreiundzwanzig Stunden und neunundfünfzig Minuten müssen wir schmachten, müssen wir lauern; nicht einmal die künstlichen Paradiese rücken sie heraus. Dabei brauchen sie sie doch gar nicht; ich frage mich, warum sie alles festhalten. Ob es ihnen nur ums Geld ist? Warum geben sie einem nichts zu saufen, nichts zu rauchen, warum machen sie den Trost so furchtbar teuer? Sie halten uns an der Angel, immer wieder beißen wir an, immer wieder lassen wir uns hochziehen bis an die Oberfläche, immer wieder atmen wir eine Minute das Licht, die Schönheit, die Freude, und immer wieder lacht so ein Schwein, läßt die Schnur locker, und wir sitzen im Dunkeln...

Sie machen es uns zu schwer; heute werde ich mich rächen; ich werde diesen Winklöffelfritzen, diesen Vorposten der Sicherheit werde ich zwischen die Schienen schmeißen; vielleicht bekommen sie doch einen Schrecken an ihrem Telefon da hinten; ach, wenn man sie nur einmal erschrecken könnte! Aber man kommt nicht gegen sie an, das ist es; sie halten alles fest, Brot, Wein und Tabak, alles haben sie, und sie haben auch sie: »Ankomme dreizehnuhrzwanzig dort.« Ohne Datum. Das ist es: sie schreibt nie ein Datum.

Sie gönnen mir nicht, daß ich sie vielleicht geküßt hätte; nein, nein, nein, wir sollen verrecken, wir sollen ersticken, wir sollen ganz verzweifeln, keinen Trost haben, wir sollen alles verscheuern, und wenn wir nichts mehr haben, sollen wir...

Denn das ist das Furchtbare: die Minute schrumpft. Ich habe es vorige Tage gemerkt: die Minute schrumpft. Vielleicht sind es nur noch dreißig Sekunden, vielleicht viel weniger, ich wage gar nicht, mir richtig klarzuwerden, wieviel es überhaupt noch ist.

Gestern jedenfalls merkte ich, daß es weniger war. Immer wenn der Zug in der Biegung sichtbar wurde, schwarz und schnaubend vor dem großen Horizont der Stadt, immer dann spürte ich, daß ich glücklich war. Sie kommt, dachte ich, es ist ihr gelungen, sich durchzuschlagen, sie kommt! Die ganze Zeit dachte ich das, bis der Zug stand, die Leute langsam herauskamen – sich der Bahnsteig allmählich leerte ... und ... nichts ...

Nein, dann dachte ich es schon nicht mehr. Ich muß vor allen Dingen versuchen, ehrlich zu mir selbst zu sein. Wenn die ersten Leute ausstiegen und sie war nicht dabei, dachte ich es schon nicht mehr, dann war es aus. Dieses Glück, es war nicht so, daß es früher aufhörte, es fing später an. So war es. Man muß ehrlich und nüchtern sein. Es fing später an, so war es. Sonst fing es an, wenn der Zug sichtbar wurde, schwarz und schnaubend vor dem grauen Horizont der Stadt; gestern fing es erst an, als er stand. Als er ganz ohne Bewegung war, richtig stand, fing ich erst an zu hoffen; und als er stand, gingen auch schon die Türen auf ... und sie kam nicht ...

Ich frage mich, ob das überhaupt noch dreißig Sekunden waren. Ich wage nicht ganz ehrlich zu sein und zu sagen: es ist nur eine Sekunde ... und ... und dreiundzwanzig Stunden neunundfünfzig Minuten und neunundfünfzig Sekunden schwarze Finsternis ...

Ich wage es nicht; ich wage kaum noch hinzugehen; es wäre furchtbar, wenn nicht wenigstens diese Sekunde noch bliebe. Ob sie mir auch das noch nehmen?

Es ist zu wenig. Es gibt eine Grenze. Eine gewisse Substanz braucht auch die letzte Kreatur, auch die letzte Kreatur braucht mindestens eine Sekunde am Tage. Sie dürfen mir diese eine Sekunde nicht nehmen, sie machen es zu kurz.

Ihre Hartherzigkeit nimmt furchtbare Formen an. Nicht einmal mehr Geld, um zurückzufahren, habe ich. Nicht einmal mehr für die einfache Fahrt geradeaus zurück; dabei müßte ich eigentlich umsteigen. Es scheitert schon an einem Groschen. Ihre Härte ist grausam. Sie kaufen nicht einmal mehr. Sie wollen nicht einmal mehr Ware. Bisher schrien sie immer nach Ware. Aber ihre Habgier ist so gräßlich geworden, daß sie jetzt auf dem Geld sitzen und es fressen. Ich glaube, sie fressen Geld. Ich frage mich, wozu. Was wollen sie eigentlich? Sie haben Brot, Wein, Tabak, haben Geld, alles, sie haben ihre dicken Weiber – was wollen sie denn noch? Warum rücken sie nichts mehr heraus? Kein Geld, kein Gramm Brot, keinen Tabak, keinen Schluck Schnaps... nichts... nichts. Sie treiben mich zum Äußersten.

Ich werde den Kampf aufnehmen müssen, ich werde ihren Vorposten kaltmachen, dieses Winklöffelschwein mit der mitleidigen Fratze, der mich bescheißt, denn er telefoniert mit ihnen! Er liegt unter einer Decke mit ihnen, das weiß ich jetzt ganz sicher! Gestern habe ich ihn nämlich belauscht! Dieses Schwein verrät mich, ich weiß es jetzt ganz sicher. Ich bin viel früher gegangen gestern, viel früher, er konnte noch nicht wissen, daß ich da war, ich habe mich unters Fenster geduckt und habe gewartet, und natürlich! – er hat gekurbelt, es hat geklingelt, und ich hörte seine Stimme! »Herr Amtmann«, hat er gesagt, »Herr Amtmann, es muß etwas getan werden. Es geht nicht so weiter mit diesem Burschen. Es geht schließlich um die Sicherheit eines Beamten! Herr Amtmann«, seine Stimme flehte, eine solche Angst hat dieses Schwein. »Ja, Bahnsteig 4b. Schluß.«

Gut, ich habe ihn also überführt. Jetzt werden sie das Letzte wagen. Jetzt geht es auf mich los. Jetzt entbrennt der Kampf. Wenigstens eine klare Lage. Ich freue mich. Ich werde kämpfen wie ein Löwe. Ich werde diese ganze Clique über den Haufen rennen, zusammentreiben und vor den Dreizehnuhrzwanziger schmeißen...

Nichts mehr gönnen sie mir. Sie treiben mich zur Verzweiflung, meine letzte Sekunde wollen sie mir nehmen. Und sie kaufen auch nichts mehr. Nicht einmal mehr Uhren, bisher waren sie immer scharf auf Uhren. Für meine Bücher habe ich insgesamt drei Pfund Tee bekommen, es waren immerhin zweihundert ganz nette Bücher. Ich nehme an, daß sie ganz nett waren. Früher habe ich mich sehr für Literatur interessiert. Aber für zweihundert Bücher drei Pfund Tee, das war gemein; die Bettwäsche brachte kaum etwas Brot, der Schmuck meiner Mutter langte für einen Monat zu leben, und man braucht so wahnsinnig viel, wenn man auf des Messers Schneide lebt. Drei Monate und vier Tage sind eine lange Zeit, man braucht zu viel.

Schließlich bleibt Vaters Uhr. Die Uhr hat ihren Wert. Kein Mensch kann der Uhr ihren Wert absprechen; vielleicht langt sie für die Rückfahrt; vielleicht hat der Schaffner ein gutes Herz und läßt mich für die Uhr zurückfahren, vielleicht, vielleicht werde ich zwei Rückfahrscheine brauchen; Gott!

Es ist halb eins, und ich muß mich fertigmachen; das ist nicht viel Arbeit, eigentlich überhaupt keine Arbeit; ich brauche nur aufzustehen von meinem Bett, das ist das ganze Fertigmachen; das Zimmer ist kahl, ich habe alles verscheuert. Man muß doch leben. Die Wirtin hat die Matratzen für einen Monat Miete in Zahlung genommen. Eine anständige Frau, eine hochanständige Frau, eine der anständigsten Frauen, die mir je begegnet sind. Eine gute Frau. Auf der Drahteinlage kann man ausgezeichnet pennen. Keiner weiß, wie gut man auf einer Drahteinlage pennen kann, wenn man überhaupt pennt, ich penne nie, ich lebe von der Substanz, ich lebe von einer Sekunde Hoffnung, von der Sekunde, wenn die Türen aufgehen und niemand kommt...

Ich muß mich zusammenreißen, es geht in die Schlacht. Es ist Viertel vor eins, um zehn vor fährt die Bahn, dann bin ich pünktlich um Viertel nach am Bahnhof, um achtzehn nach auf dem Bahnsteig; wenn der Winklöffelfritze aus seinem Häuschen kommt, bin ich gerade recht, um mir von ihm sagen zu lassen: »Auch heute keine Verspätung gemeldet, mein Herr!«

Dieses Schwein sagt tatsächlich »Mein Herr« zu mir; alle anderen schnauzt er an und sagt einfach: »Sie da... gehen Sie weg von der Bahnsteigkante, Sie da!« Zu mir sagt er: »Mein Herr!« Das ist ein Kennzeichen: sie heucheln, sie heucheln ganz furchtbar; wenn man sie sieht, könnte man glauben, auch sie hätten

Hunger, hätten keinen Tee mehr, keinen Tabak, nichts zu saufen; sie machen ein Gesicht, daß man versucht wäre, sein letztes Hemd für sie zu verscheuern.

Sie heucheln, daß man jahrelang darüber weinen könnte. Ich muß versuchen zu weinen; ich glaube, weinen ist schön, es ist ein Ersatz für Wein, Tabak, Brot und vielleicht auch ein Ersatz, wenn die eine einzige Sekunde erlischt und mir nichts bleibt als vierundzwanzig nackte volle Stunden Verzweiflung.

In der Straßenbahn kann ich natürlich nicht weinen; ich muß mich zusammennehmen, ich muß mich schwer zusammenreißen. Sie sollen nichts merken; und am Bahnhof muß ich aufpassen. Bestimmt haben sie irgendwo Leute versteckt. »Es geht schließlich um die Sicherheit eines Beamten, Bahnsteig 4b.« Ich muß verdammt aufpassen; die Schaffnerin sieht mich beunruhigend oft an; sie fragt ein paarmal »Haben Sie schon?« und sieht dabei nur mich an; dabei habe ich wirklich schon; ich könnte den Fahrschein zücken und ihr unter die Nase halten, sie hat ihn mir selbst gegeben, aber sie weiß es schon nicht mehr. »Haben Sie schon?« Sie fragt dreimal und sieht mich dabei an, ich werde rot, dabei habe ich wirklich; sie geht, und alle Leute denken, er hat nicht; er betrügt die Straßenbahn. Dabei habe ich meine letzten zwanzig Pfennig gegeben, ich habe sogar einen Umsteigefahrschein ...

Ich muß höllisch aufpassen; fast wäre ich wie früher durch die Sperre gerannt; dabei können sie überall stehen; als ich durchrennen wollte, merkte ich, daß ich keine Bahnsteigkarte hatte, keinen Groschen. Es ist siebzehn nach, in drei Minuten kommt der Zug, ich werde verrückt. »Nehmen Sie die Uhr«, sagte ich. Der Mann ist beleidigt. »Mein Gott, nehmen Sie die Uhr.« Er stößt mich zurück. Die noble Kundschaft stockt. Ich muß tatsächlich zurück, es ist siebzehneinhalb nach.

»Eine Uhr!« rufe ich. »Eine Uhr für einen Groschen. Eine ehrliche Uhr, nicht geklaut, nichts, eine Uhr von meinem Vater.« Die Leute halten mich für verrückt oder einen Verbrecher. Keine

Sau will die Uhr. Vielleicht holen sie die Polizei. Ich muß zu den Kumpels. Die Kumpels wenigstens werden mir helfen. Die Kumpels stehen unten. Es ist achtzehn nach, ich werde verrückt. Soll ich ausgerechnet heute den Zug versäumen, heute, wo sie kommen wird? »Ankomme dreizehnuhrzwanzig dort.«

»Kumpel«, sage ich zum nächsten, »gib mir einen Groschen für die Uhr, aber schnell, schnell«, sage ich.

Auch er stockt, sogar der Kumpel stockt. »Kumpel«, sage ich, »ich habe noch eine Minute Zeit, verstehst du?«

Er versteht, er versteht natürlich falsch, aber er versteht wenigstens falsch, wenigstens etwas, wenn man falsch verstanden wird. Es ist doch wenigstens Verstehen. Die anderen verstehen gar nichts.

Er gibt mir eine Mark, er ist großzügig. »Kumpel«, sage ich, »ich brauche einen Groschen, verstehst du, keine Mark, verstehst du?«

Er versteht wieder falsch, aber es ist so schön, wenigstens falsch verstanden zu werden; wenn ich lebend aus der Schlacht herauskomme, werde ich dich umarmen, Kumpel.

Er schenkt mir noch einen Groschen dazu, so sind die Kumpels, sie geben noch etwas zu und verstehen wenigstens falsch.

Es gelingt mir, neunzehneinhalb Minuten nach eins die Treppe heraufzurasen. Ich muß trotz allem wachsam sein, ich muß wahnsinnig aufpassen. Hinten kommt der Zug, schwarz und schnaubend vor dem grauen Horizont der Stadt. Mein Herz schweigt bei seinem Anblick, aber ich bin pünktlich, das ist es. Es ist mir gelungen, trotz allem pünktlich zu sein.

Ich halte mich ganz fern von dem Winklöffelfritzen; er steht mitten unter den Leuten, und plötzlich hat er mich erspäht, er schreit, er hat Angst, und er winkt seiner Clique, die in seinem Häuschen verborgen ist, winkt, sie sollen mich schnappen. Sie stürzen aus dem Häuschen, sie werden mich schnappen, aber ich lache sie aus, ich lache sie aus, denn der Zug ist eingelaufen, und noch ehe sie mich erreicht haben, liegt sie an meiner Brust, sie, und ich besitze nichts mehr als sie und eine Bahnsteigkarte, sie und eine gelochte Bahnsteigkarte...

Mein trauriges Gesicht

Als ich am Hafen stand, um den Möwen zuzusehen, fiel mein trauriges Gesicht einem Polizisten auf, der in diesem Viertel die Runde zu gehen hatte. Ich war ganz versunken in den Anblick der schwebenden Vögel, die vergebens aufschossen und niederstürzten, nach etwas Eßbarem zu suchen: der Hafen war verödet, grünlich das Wasser, dick von schmutzigem Öl, und in seiner krustigen Haut schwamm allerlei weggeworfener Krempel; kein Schiff war zu sehen, die Krane verrostet, Lagerhallen verfallen; nicht einmal Ratten schienen die schwarzen Trümmer am Kai zu bevölkern, still war es. Viele Jahre schon war jede Verbindung nach außen abgeschnitten.

Ich hatte eine bestimmte Möwe ins Auge gefaßt, deren Flüge ich beobachtete. Ängstlich wie eine Schwalbe, die das Unwetter ahnt, schwebte sie meist nahe der Oberfläche des Wassers, manchmal nur wagte sie kreischend den Sturz nach oben, um ihre Bahn mit der der Genossen zu vereinen. Hätte ich einen Wunsch aussprechen können, so wäre mir ein Brot das liebste gewesen, es den Möwen zu verfüttern, Brocken zu brechen und den planlosen Flügen einen weißen Punkt zu bestimmen, ein Ziel zu setzen, auf das sie zufliegen würden; dieses kreischende Geschwebe wirrer Bahnen zu straffen durch den Wurf eines Brotstückes, hineinpackend in sie wie in eine Zahl von Schnüren, die man rafft. Aber auch ich war hungrig wie sie, auch müde, doch glücklich trotz meiner Trauer, denn es war schön, dort zu stehen, die Hände in den Taschen, den Möwen zuzusehen und Trauer zu trinken.

Plötzlich aber legte sich eine amtliche Hand auf meine Schulter, und eine Stimme sagte: »Kommen Sie mit!« Dabei versuchte die Hand, mich an der Schulter zu zerren und herumzureißen. Ich blieb stehen, schüttelte sie ab und sagte ruhig: »Sie sind verrückt.«

»Kamerad«, sagte der immer noch Unsichtbare zu mir, »ich warne Sie.«

»Mein Herr«, gab ich zurück.

»Es gibt keine Herren«, rief er zornig. »Wir sind alle Kameraden.«

Und nun trat er neben mich, blickte mich von der Seite an, und ich war gezwungen, meinen glücklich schweifenden Blick zurückzuholen und in seine braven Augen zu versenken: Er war ernst wie ein Büffel, der seit Jahrzehnten nichts anderes gefressen hat als die Pflicht.

»Welchen Grund ...«, wollte ich anfangen.

»Grund genug«, sagte er, »Ihr trauriges Gesicht.«

Ich lachte.

»Lachen Sie nicht!« Sein Zorn war echt. Erst hatte ich gedacht, es sei ihm langweilig gewesen, weil keine unregistrierte Hure, kein taumelnder Seemann, nicht Dieb noch Durchbrenner zu verhaften war, aber nun sah ich, daß es Ernst war: er wollte mich verhaften.

»Kommen Sie mit ...!«

»Und weshalb?« fragte ich ruhig.

Ehe ich mich versehen hatte, war mein linkes Handgelenk mit einer dünnen Kette umschlossen, und in diesem Augenblick wußte ich, daß ich wieder verloren war. Ein letztes Mal wandte ich mich zu den schweifenden Möwen, blickte in den schönen grauen Himmel und versuchte, mich mit einer plötzlichen Wendung ins Wasser zu stürzen, denn es schien mir doch schöner, selbst in dieser schmutzigen Brühe allein zu ertrinken, als irgendwo auf einem Hinterhof von den Sergeanten erdrosselt oder wieder eingesperrt zu werden. Aber der Polizist hatte mich mit einem Ruck so nahe gezogen, daß kein Entweichen mehr möglich war.

»Und weshalb?« fragte ich noch einmal.

»Es gibt das Gesetz, daß Sie glücklich zu sein haben.«

»Ich bin glücklich!« rief ich.

»Ihr trauriges Gesicht ...«, er schüttelte den Kopf.

»Aber dieses Gesetz ist neu«, sagte ich.

»Es ist sechsunddreißig Stunden alt, und Sie wissen wohl, daß jedes Gesetz vierundzwanzig Stunden nach seiner Verkündung in Kraft tritt.«

»Aber ich kenne es nicht.«

»Kein Schutz vor Strafe. Es wurde vorgestern verkündet, durch alle Lautsprecher, in allen Zeitungen, und denjenigen«, hier blickte er mich verächtlich an, »denjenigen, die weder der Segnungen der Presse noch der des Funks teilhaftig sind, wurde es durch Flugblätter bekanntgegeben, über allen Straßen des Reiches wurden sie abgeworfen. Es wird sich also zeigen, wo Sie die letzten sechsunddreißig Stunden verbracht haben, Kamerad.«

Er zog mich fort. Jetzt erst spürte ich, daß es kalt war und ich keinen Mantel hatte, jetzt erst kam mein Hunger richtig hoch und knurrte vor der Pforte des Magens, jetzt erst begriff ich, daß ich auch schmutzig war, unrasiert, zerlumpt, und daß es Gesetze gab, nach denen jeder Kamerad sauber, rasiert, glücklich und satt zu sein hatte. Er schob mich vor sich her wie eine Vogelscheuche, die, des Diebstahls überführt, die Stätte ihrer Träume am Feldrain hat verlassen müssen. Die Straßen waren leer, der Weg zum Revier nicht weit, und obwohl ich gewußt hatte, daß sie bald wieder einen Grund finden würden, mich zu verhaften, so wurde mein Herz doch schwer, denn er führte mich durch die Stätten meiner Jugend, die ich nach der Besichtigung des Hafens hatte besuchen wollen: Gärten, die voll Sträucher gewesen waren, schön von Unordnung, überwachsene Wege – alles dieses war nun planiert, geordnet, sauber, viereckig für die vaterländischen Verbände hergerichtet, die montags, mittwochs und samstags hier ihre Aufmärsche durchzuführen hatten. Nur der Himmel war wie früher und die Luft wie in jenen Tagen, da mein Herz voller Träume gewesen war.

Hier und da im Vorübergehen sah ich, daß in mancher Liebeskaserne schon das staatliche Zeichen für jene ausgehängt wurde, die mittwochs an der Reihe waren, der hygienischen Freude teilhaftig zu werden; auch manche Kneipen schienen bevollmächtigt, das Zeichen des Trunkes schon auszuwerfen, ein aus Blech gestanztes Bierglas, das in den Farben des Reiches quergestreift war: hellbraun-dunkelbraun-hellbraun. Freude herrschte sicher schon in den Herzen derer, die in der staatlichen Liste der Mittwochstrinker geführt wurden und des Mittwochsbieres teilhaftig werden würden.

Allen Leuten, die uns begegneten, haftete das unverkennbare Zeichen des Eifers an, das dünne Fluidum der Emsigkeit umgab sie, um so mehr wohl, da sie den Polizisten erblickten; alle gingen schneller, machten ein vollkommen pflichterfülltes Gesicht, und die Frauen, die aus den Magazinen kamen, waren bemüht, ihren Gesichtern den Ausdruck jener Freude zu verleihen, die man von ihnen erwartete, denn es war geboten, Freude zu zeigen, muntere Heiterkeit über die Pflichten der Hausfrau, die abends den staatlichen Arbeiter mit gutem Mahl zu erfrischen angehalten war.

Aber alle diese Leute wichen uns geschickt aus, so, daß keiner unmittelbar unseren Weg zu kreuzen gezwungen war; wo sich Spuren von Leben auf der Straße zeigten, verschwanden sie zwanzig Schritte vor uns, jeder bemühte sich, schnell in ein Magazin einzutreten oder um eine Ecke zu biegen, und mancher mag ein ihm unbekanntes Haus betreten und hinter der Tür ängstlich gewartet haben, bis unsere Schritte verhallt waren.

Nur einmal, als wir gerade eine Straßenkreuzung passierten, begegnete uns ein älterer Mann, an dem ich flüchtig die Abzeichen des Schulmeisters erkannte; er konnte nicht mehr ausweichen und bemühte sich nun, nachdem er erst vorschriftsmäßig den Polizisten gegrüßt hatte (indem er sich selbst zum Zeichen absoluter Demut dreimal mit der flachen Hand auf den Kopf schlug), bemühte er sich also, seine Pflicht zu erfüllen, die von ihm verlangte, mir dreimal ins Gesicht zu speien und mich mit dem obligatorischen Ruf »Verräterschwein« zu belegen. Er zielte gut, doch war der Tag heiß gewesen, seine Kehle mußte trocken sein, denn es trafen mich nur einige kümmerliche, ziemlich substanzlose Flatschen, die ich – entgegen der Vorschrift – unwillkürlich mit dem Ärmel abzuwischen versuchte; daraufhin trat mich der Polizist in den Hintern und schlug mich mit der Faust in die Mitte des Rückgrates, fügte mit ruhiger Stimme hinzu: »Stufe 1«, was soviel bedeutet wie: erste mildeste Form der von jedem Polizisten anwendbaren Bestrafung.

Der Schulmeister war schnell von dannen geeilt. Sonst gelang es allen, uns auszuweichen; nur eine Frau noch, die gerade an einer Liebeskaserne vor den abendlichen Freuden die vorgeschriebene Lüftung vornahm, eine blasse, geschwollene Blondine, warf mir flüchtig eine Kußhand zu, und ich lächelte dankbar, während der Polizist sich bemühte, so zu tun, als habe er nichts bemerkt. Sie sind angehalten, diesen Frauen Freiheiten zu gestatten, die jedem anderen Kameraden unweigerlich schwere Bestrafung einbringen würden; denn da sie sehr wesentlich zur Hebung der allgemeinen Arbeitsfreude beitragen, läßt man sie als außerhalb des Gesetzes stehend gelten, ein Zugeständnis, dessen Tragweite der Staatsphilosoph Dr. Dr. Dr. Bleigoeth in der obligatorischen Zeitschrift für (Staats)Philosophie als ein Zeichen beginnender Liberalisierung gebrandmarkt hat. Ich hatte es am Tage vorher auf meinem Wege in die Hauptstadt gelesen, als ich auf dem Klo eines Bauernhofes einige Seiten der Zeitschrift fand, die ein Student – wahrscheinlich der Sohn des Bauern – mit sehr geistreichen Glossen versehen hatte.

Zum Glück erreichten wir jetzt die Station, denn eben ertönten die Sirenen, und das bedeutete, daß die Straßen überströmen würden von Tausenden von Leuten mit einem milden Glück auf den Gesichtern (denn es war befohlen, bei Arbeitsschluß eine nicht zu große Freude zu zeigen, weil sich dann erweise, daß die Arbeit eine Last sei; Jubel dagegen sollte bei Beginn der Arbeit herrschen, Jubel und Gesang), alle diese Tausende hätten mich anspucken müssen. Allerdings bedeutete das Sirenenzeichen zehn Minuten vor Feierabend, denn jeder war angehalten, sich zehn

Minuten einer gründlichen Waschung hinzugeben, gemäß der Parole des derzeitigen Staatschefs: Glück und Seife.

Die Tür zum Revier dieses Viertels, einem einfachen Betonklotz, war von zwei Posten bewacht, die mir im Vorübergehen die übliche »körperliche Maßnahme« angedeihen ließen: sie schlugen mir ihre Seitengewehre heftig gegen die Schläfe und knallten mir die Läufe ihrer Pistolen gegen das Schlüsselbein, gemäß der Präambel zum Staatsgesetz Nr. 1: »Jeder Polizist hat sich jedem Ergriffenen (sie meinen Verhafteten) gegenüber als Gewalt an sich zu dokumentieren, ausgenommen der, der ihn ergreift, da dieser des Glücks teilhaftig werden wird, bei der Vernehmung die erforderlichen körperlichen Maßnahmen vorzunehmen.« Das Staatsgesetz Nr. 1 selbst hat folgenden Wortlaut: »Jeder Polizist *kann* jeden bestrafen, er *muß* jeden bestrafen, der sich eines Vergehens schuldig gemacht hat. Es gibt für alle Kameraden keine Straffreiheit, sondern eine Straffreiheitsmöglichkeit.«

Wir durchschritten nun einen langen kahlen Flur, der mit vielen großen Fenstern versehen war; dann öffnete sich automatisch eine Tür, denn inzwischen hatten die Posten unsere Ankunft schon durchgegeben, und in jenen Tagen, da alles glücklich war, brav, ordentlich, und jeder sich bemühte, das vorgeschriebene Pfund Seife am Tage zu verwaschen, in jenen Tagen bedeutete die Ankunft eines Ergriffenen (Verhafteten) schon ein Ereignis.

Wir betraten einen fast leeren Raum, der nur einen Schreibtisch mit Telefon und zwei Sessel enthielt, ich selbst hatte mich in die Mitte des Raumes zu postieren; der Polizist nahm seinen Helm ab und setzte sich.

Erst war Stille und nichts geschah; sie machen es immer so; das ist das Schlimmste; ich spürte, wie mein Gesicht immer mehr zusammenfiel, ich war müde und hungrig, und auch die letzte Spur jenes Glückes der Trauer war nun verschwunden, denn ich wußte, daß ich verloren war.

Nach wenigen Sekunden trat wortlos ein blasser langer Mensch ein, in der bräunlichen Uniform des Vorvernehmers; er setzte sich ohne ein Wort zu sagen hin und blickte mich an.

»Beruf?«

»Einfacher Kamerad.«

»Geboren?«

»1. 1. eins«, sagte ich.

»Letzte Beschäftigung?«

»Sträfling.«

Die beiden blickten sich an.

»Wann und wo entlassen?«

»Gestern, Haus 12, Zelle 13.«

»Wohin entlassen?«

»In die Hauptstadt.«

»Schein.«

Ich nahm aus meiner Tasche den Entlassungsschein und reichte ihn hinüber. Er heftete ihn an die grüne Karte, die er mit meinen Angaben zu beschreiben begonnen hatte.

»Damaliges Delikt?«

»Glückliches Gesicht.«

Die beiden blickten sich an.

»Erklären«, sagte der Vorvernehmer.

»Damals«, sagte ich, »fiel mein glückliches Gesicht einem Polizisten auf an einem Tage, da allgemeine Trauer befohlen war. Es war der Todestag des Chefs.«

»Länge der Strafe?«

»Fünf.«

»Führung?«

»Schlecht.«

»Grund?«

»Mangelhafter Arbeitseinsatz.«

»Erledigt.«

Dann erhob sich der Vorvernehmer, trat auf mich zu und schlug mir genau die drei vorderen mittleren Zähne aus: ein Zeichen, daß ich als Rückfälliger gebrandmarkt werden sollte, eine verschärfte Maßnahme, auf die ich nicht gerechnet hatte. Dann verließ der Vorvernehmer den Raum, und ein dicker Bursche in einer dunkelbraunen Uniform trat ein: der Vernehmer.

Sie schlugen mich alle: der Vernehmer, der Obervernehmer, der Hauptvernehmer, der Anrichter und der Schlußrichter, und nebenbei vollzog der Polizist alle körperlichen Maßnahmen, wie das Gesetz es befahl; und sie verurteilten mich wegen meines traurigen Gesichtes zu zehn Jahren, so wie sie mich fünf Jahre vorher wegen meines glücklichen Gesichtes zu fünf Jahren verurteilt hatten.

Ich aber muß versuchen, gar kein Gesicht mehr zu haben, wenn es mir gelingt, die nächsten zehn Jahre bei Glück und Seife zu überstehen...

Kerzen für Maria

Mein Aufenthalt in dieser Stadt war nur vorübergehend; zu einer bestimmten Stunde gegen Abend hatte ich den Vertreter einer Firma zu besuchen, die sich mit dem Plan trug, möglicherweise einen Artikel zu übernehmen, dessen Vertrieb uns einiges Kopfzerbrechen macht: Kerzen. Wir haben unser ganzes Geld in die Herstellung eines riesigen Postens gesteckt, indem wir die Stromknappheit als einen Dauerzustand voraussetzten; wir sind sehr fleißig gewesen, sparsam und ehrlich, und wenn ich sage: wir, so meine ich meine Frau und mich. Wir sind Hersteller, Verkäufer, Wiederverkäufer, alle Stufen innerhalb der gesegneten Ordnung des Handels vereinigen wir in uns: Vertreter sind wir, Arbeiter, Reisende, Fabrikanten.

Aber wir haben unsere Rechnung ohne den Wirt gemacht. Der Bedarf an Kerzen ist heute gering. Die Stromkontingentierung ist aufgehoben, auch die meisten Keller sind wieder elektrisch beleuchtet, und im gleichen Augenblick, wo unser Fleiß, unsere Mühe, alle unsere Schwierigkeiten ihr Ziel erreicht zu haben schienen: die Herstellung eines riesigen Postens Kerzen, in diesem Augenblick war die Nachfrage erloschen.

Unsere Versuche, Verbindung mit jenen religiösen Handlungen aufzunehmen, die die sogenannten Devotionalien vertreiben, erwiesen sich als zwecklos. Jene Handlungen hatten Kerzen genug gehortet, außerdem bessere als unsere, solche, die mit Verzierungen versehen waren, grünen, roten, blauen und gelben Bändern, mit goldenen Sternchen bestickt, die sich – gleich Aeskulaps Schlange um dessen Stab – an ihnen hochwinden und ihnen ein ebenso andachtsvolles wie schönes Aussehen verleihen; auch solche verschiedener Größe und Dicke, während unsere alle gleich sind und von einfacher Form; sie haben etwa die Länge einer halben Elle, sind glatt, gelb, schmucklos, und einzig die Schönheit der Einfachheit ist ihnen eigen.

Wir mußten uns gestehen, falsch kalkuliert zu haben; neben der glänzenden Ware, wie sie die Devotionalienhandlungen ausstellen, wirken unsere Kerzen allzu arm, und niemand kauft etwas Ärmliches. Auch unsere Bereitschaft, im Preise herabzugehen, hat dem Absatz unseres Artikels keine Steigerung gebracht. Andererseits fehlt uns natürlich das Geld, andere Muster zu planen oder gar herzustellen, da die Einkünfte, die wir aus dem geringen Verkauf des hergestellten Postens erzielen, kaum ausreichend sind, unseren Lebensunterhalt und die stets wachsenden Unkosten zu decken; denn ich muß nun immer weitere Reisen machen, um wirkliche oder scheinbare Interessenten zu besuchen, muß stets weiter im Preis heruntergehen, und wir wissen, daß uns kein anderer Ausweg bleiben wird, als den großen Rest zu verschleudern und durch eine andere Arbeit Geld zu verdienen.

In diese Stadt hatte mich der Brief eines Großvertreters gerufen, der angedeutet hatte, er würde einen größeren Posten zu annehmbarem Preise absetzen. Töricht genug, hatte ich ihm Glauben geschenkt, eine weite Reise gemacht und jenen Burschen besucht. Seine Wohnung war prachtvoll, üppig, großzügig, schwungvoll möbliert, und das große Kontor, in dem er mich empfing, war vollgestopft mit den verschiedensten Mustern jener Artikel, die seiner Branche Geld einbringen. Da waren lange Regale mit gipsernen Maria-Theresien, Josephsstatuen, Marien, blutende Herzen Jesu, sanftäugige blondhaarige Büßerinnen, auf deren Gipssockel in den verschiedensten Sprachen in erhabenen Buchstaben zu lesen war, golden oder rot: Madeleine, Maddalena, Magdalena; Krippen im ganzen oder in einzelnen Teilen, Ochsen, Esel, Jesuskinder aus Wachs oder Gips, Hirten und Engel aller Altersstufen: Säuglinge, Jünglinge, Kinder, Greise, gipserne Palmblätter mit goldenen oder silbernen Hallelujas, Weihwasserbecken aus Stahl, Gips, Kupfer, Ton: geschmackvolle, geschmacklose.

Er selbst – ein jovialer Bursche mit rotem Gesicht – ließ mich Platz nehmen, heuchelte erst Interesse und bot mir eine Zigarre an. Ich mußte ihm berichten, wieso wir diesem Fabrikationszweig uns verschrieben hatten, und nachdem ich berichtet hatte, daß uns als Erbe des Krieges nichts verblieben war als ein riesiger Stapel Stearin, den meine Frau aus vier brennenden Lastwagen vor unserem zerstörten Haus gerettet und den später niemand als sein Eigentum zurückgefordert hatte, nachdem meine Zigarre ungefähr zu einem Viertel geraucht war, sagte er plötzlich ohne jeden Übergang.: »Es tut mir leid, daß ich Sie habe herkommen lassen, aber ich habe mir die Sache anders überlegt.« Meine plötzliche Blässe mag ihm doch seltsam vorgekommen sein. »Ja«, fuhr er fort, »es tut mir wirklich aufrichtig leid, aber ich bin nach Erwägung aller Möglichkeiten zur Einsicht gekommen, daß Ihr Artikel nicht gehen wird. Wird nicht gehen! Glauben Sie mir! Tut mir leid!« Er lächelte, zuckte die Schultern und hielt mir die Hand hin. Ich ließ die brennende Zigarre liegen und ging.

Es war inzwischen dunkel geworden, und die Stadt war mir vollkommen fremd. Obwohl mich trotz allem eine gewisse Erleichterung befiel, hatte ich das schreckliche Gefühl, nicht nur arm, betrogen, Opfer einer falschen Idee, sondern auch lächerlich zu sein. Offenbar taugte ich nicht zum sogenannten Lebenskampf, nicht zum Fabrikanten und Händler. Nicht einmal zu einem Spottpreis wurden unsere Kerzen gekauft, sie waren zu schlecht, um in der devotionalistischen Konkurrenz zu bestehen, und wahrscheinlich würden wir sie nicht einmal geschenkt loswerden, während andere, schlechtere Kerzen gekauft wurden. Niemals würde ich das Geheimnis des Handels entdecken, wenn ich auch das Geheimnis der Kerzenherstellung mit meiner Frau gefunden hatte.

Ich schleppte müde meinen schweren Musterkoffer zur Haltestelle der Straßenbahn und wartete lange. Die Dunkelheit war sanft und klar, es war Sommer. Lampen brannten an den Straßenkreuzungen, Menschen schlenderten durch den Abend, es war still; ich stand an einem großen Rondell – am Rande dunkle leere Bürogebäude – in meinem Rücken ein kleiner Park; ich hörte

Rauschen von Wasser, und als ich mich umwandte, sah ich eine große marmorne Frau dort stehen, aus deren starren Brüsten dünne Rinnsale in ein Kupferbecken flossen; mir wurde kühl, und ich spürte, daß ich müde war. Endlich kam die Bahn; sanfte Musik strömte aus hellerleuchteten Cafés, aber der Bahnhof lag in einem leeren, stillen Stadtteil. Die große schwarze Tafel dort verriet lediglich die Abfahrt eines Zuges, der mich nur halbwegs nach Hause bringen, dessen Benutzung mich eine ganze Nacht Wartesaal, Schmutz und widerliche Bouillon im Bahnhof eines hotellosen Ortes kosten würde. Ich wandte mich um und trat auf den Vorplatz zurück, zählte im Schein einer Gaslaterne mein Geld: neun Mark, Rückfahrkarte und ein paar Groschen. Ein paar Autos standen dort, die schon ewig dort zu warten schienen, kleine Bäume, die gestutzt waren wie Rekruten. Brave Bäumchen, dachte ich, gute Bäumchen, gehorsame Bäumchen. Weiße Arztschilder waren an ein paar unbeleuchteten Häusern zu sehen, durch das Schaufenster eines Cafés blickte ich in eine Versammlung leerer Polsterstühle, denen ein Geiger mit wilden Bewegungen Schluchzer vorsetzte, die zwar Steine, kaum aber einen Menschen hätten rühren können. Endlich entdeckte ich im Chor einer schwarzen Kirche ein grüngestrichenes Schild: Logis. Ich trat dort ein.

Hinter mir hörte ich die Straßenbahn in das heller erleuchtete, stärker belebte Viertel zurückfahren. Der Flur war leer, und ich trat nach rechts in eine kleine Stube, die vier Tische und zwölf Stühle enthielt; Blechkästen mit Bier- und Limonadenflaschen standen links auf einer eingebauten Theke. Alles sah sauber und schmucklos aus. Grüner Rupfen war mit rosenförmigen Kupfernägeln an die Wand geheftet, von schmalen braunen Leisten durchbrochen. Auch die Stühle waren grün überzogen mit einem sanften, samtartigen Stoff. Gelbliche Vorhänge waren dicht vor die Fenster gezogen, und hinter der Theke führte ein klappenartiges Fenster in eine Küche. Ich stellte den Koffer ab, zog einen Stuhl näher und setzte mich. Ich war sehr müde.

Es war so still hier, stiller noch als der Bahnhof, der seltsamerweise abseits lag vom Geschäftszentrum, eine dumpfe dunkle Halle, die von den leisen Geräuschen einer unsichtbaren Emsigkeit erfüllt war: Emsigkeit hinter verschlossenen Schaltern, Emsigkeit hinter hölzernen Absperrungen.

Auch hungrig war ich, und die völlige Nutzlosigkeit dieser Reise bedrückte mich sehr. Ich war froh, daß ich noch eine Weile in diesem sanften schmucklosen Raum allein blieb. Ich hätte gern geraucht, fand aber keine Zigarette und bereute nun, die Zigarre bei dem Groß-Devotionalisten liegengelassen zu haben. Obwohl ich Grund gehabt hätte, über die Zwecklosigkeit auch dieser Reise bedrückt zu sein, verstärkte sich in mir das Gefühl einer Erleichterung, für die ich keinen Namen wußte und die ich mir nicht hätte erklären können, aber vielleicht war ich insgeheim froh, nun endgültig aus dem Gewerbe der Frömmigkeitsartikel ausgestoßen zu sein.

Ich war nicht untätig gewesen nach dem Kriege, ich hatte aufgeräumt, Schutt gefahren, Steine geputzt, gemauert, Sand gefahren, Kalk geholt, hatte Anträge gestellt, immer wieder Anträge gestellt, hatte Bücher gewälzt, sorgsam diesen Haufen Stearin verwaltet; unabhängig von allen, die mir ihre Erfahrungen hätten mitteilen können, hatte ich die Herstellungsweise von Kerzen gefunden, schönen, einfachen, guten Kerzen, die mit einem sanften Gelb gefärbt waren, das ihnen die Hoheit schmelzenden Bienenwachses verlieh. Ich hatte alles getan, um mir eine Existenz zu gründen, wie die Leute so schön sagen: etwas zu tun, das Geld einbringt, und obwohl ich hätte traurig sein müssen – erfüllte mich gerade diese vollkommene Nutzlosigkeit meiner Bemühungen mit einer Freude, die ich noch nicht gekannt hatte.

Ich war nicht kleinlich gewesen, ich hatte Leuten, die in lichtlosen Löchern hockten, Kerzen geschenkt, hatte jede Gelegenheit, mich zu bereichern, vermieden; ich hatte gehungert und mich mit Leidenschaft diesem Erwerbszweig gewidmet, aber obwohl ich hätte erwarten können, für meine gewisse Anständigkeit belohnt zu werden, war ich fast froh, offenbar keines Lohnes würdig zu sein.

Flüchtig auch dachte ich: Vielleicht wäre es doch besser gewesen, Schuhwichse herzustellen, wie ein Bekannter uns geraten hatte, andere Ingredienzien dem Grundstoff beizumischen, Rezepte zusammenzustellen, Pappdosen zu erwerben, sie zu füllen.

Mitten in mein Brüten trat die Wirtin ein, eine schlanke, ältere Frau, ihr Kleid war grün, grün wie die Bier- und Limonadenflaschen auf der Theke. Sie sagte freundlich: »Guten Abend.« Ich erwiderte ihren Gruß, und sie fragte: »Bitte?«

»Ein Zimmer, wenn Sie eins frei haben.«

»Gewiß«, sagte sie, »zu welchem Preis?«

»Das billigste.«

»Dreifünfzig.«

»Schön«, sagte ich erfreut, »vielleicht etwas zu essen?«

»Gewiß.«

»Brot, etwas Käse und Butter und ...«, ich streifte die Flaschen auf der Theke mit einem Blick, »vielleicht Wein.«

»Gewiß«, sagte sie, »eine Flasche?«

»Nein, nein! Ein Glas und – was wird das kosten?«

Sie hatte sich hinter die Theke gestellt, schon den Haken zurückgeschoben, um das Fensterchen zu öffnen, und hielt jetzt inne. »Alles?« fragte sie.

»Bitte alles.«

Sie griff unter den Tisch, nahm Notizblock und Bleistift, und es war jetzt wieder still, während sie langsam schrieb und rechnete. Ihre ganze Erscheinung strömte, wie sie dort stand, trotz aller Kühle eine beruhigende Güte aus. Außerdem wurde sie mir sympathischer, da sie sich mehrmals zu verrechnen schien. Sie schrieb langsam die Posten hin, addierte stirnrunzelnd, schüttelte den Kopf, strich wieder durch, schrieb alles neu, addierte wieder, diesmal ohne Stirnrunzeln, und schrieb mit dem grauen Stift unten das Ergebnis hin; dann sagte sie leise: »Sechszwanzig – nein sechs, verzeihen Sie.«

Ich lächelte. »Schön. Haben Sie auch Zigarren?«

»Gewiß.« Sie langte wieder unter die Theke und hielt mir eine Schachtel hin. Ich nahm zwei und dankte. Die Frau gab murmelnd die Bestellung in die Küche durch und verließ den Raum.

Sie war kaum gegangen, als die Tür aufgestoßen wurde und ein junger, schmaler Bursche erschien, unrasiert, in hellem Regenmantel; hinter ihm sah ich ein hutloses Mädchen in einem bräunlichen Mantel. Die beiden traten leise, fast schüchtern näher, sagten knapp »Guten Abend« und wandten sich zur Theke. Der Bursche trug die lederne, abgenutzte Einkaufstasche des Mädchens, und obwohl er sichtlich bemüht war, Haltung zu zeigen, Mut und das Benehmen eines Mannes, der täglich mit seinem Mädchen im Hotel übernachtet, sah ich doch, daß seine Unterlippe zitterte und winzige Schweißtröpfchen an seinen Bartstoppeln hingen. Die beiden standen dort wie Wartende in einem Laden. Ihre Hutlosigkeit, die Einkaufstasche als einziges Gepäck gaben ihnen das Aussehen von Fliehenden, die irgendeine Übergangsstation erreicht haben. Das junge Mädchen war schön, ihre Haut war lebendig, warm und leicht gerötet, und das schwere braune Haar, das lose über die Schultern fiel, schien fast zu schwer für ihre zierlichen Füße; sie bewegte nervös die schwarzen staubigen Schuhe, indem sie öfter, als erforderlich gewesen wäre, das Standbein wechselte; dem Burschen fielen ein paar Haarsträhnen, die er hastig zurückstrich, immer wieder in die Stirn, und sein kleiner runder Mund zeigte den Ausdruck einer schmerzlichen und zugleich glücklichen Entschlossenheit. Die beiden vermieden es offenbar, sich anzusehen, sprachen auch nicht miteinander, und ich war froh, daß ich mich umständlich mit meiner Zigarre beschäftigen, sie abschneiden, anzünden, das Ende mißtrauisch betrachten, noch einmal anzünden und rauchen konnte. Jede Sekunde des Wartens mußte eine Pein sein, ich spürte es, denn auch das Mädchen, mochte sie noch so kühn aussehen und glücklich erscheinen, wechselte nun immer öfter das Standbein, zupfte an ihrem Mantel, und der junge Mann fuhr sich immer öfter in die

Stirn, aus der nun keine Haarsträhne mehr zurückzustreichen war. Endlich erschien die Frau wieder, sagte leise: »Guten Abend« und setzte die Flasche auf die Theke.

Ich sprang sofort auf und sagte zur Wirtin: »Wenn ich Ihnen die Mühe abnehmen darf?« Sie sah mich erstaunt an, stellte dann das Glas hin, gab mir den Korkenzieher und fragte den jungen Mann: »Bitte?« Während ich die Zigarre in den Mund nahm, den Zieher in den Korken bohrte, hörte ich, wie der junge Mann fragte: »Können wir zwei Zimmer haben?«

»Zwei?« fragte die Wirtin, und in diesem Augenblick hatte ich den Pfropfen gelöst, und ich sah von der Seite, daß das Mädchen jäh errötete, der Bursche heftiger noch auf seine Unterlippe biß und mit einem knappen Öffnen des Mundes sagte: »Ja, zwei.«

»Oh, danke«, sagte die Wirtin zu mir, goß das Glas voll und reichte es mir. Ich ging an meinen Tisch zurück, begann in kleinen Schlucken den sanften Wein zu trinken und wünschte nur, daß die unvermeidliche Zeremonie nun nicht wieder durch das Erscheinen meines Essens hinausgezögert würde. Aber das Eintragen in ein Buch, Ausfüllen von Zetteln und Vorlegen bläulicher Ausweise, alles ging schneller, als ich gedacht hatte; und einmal, als der junge Mann die Ledertasche öffnete, um die Ausweise herauszuholen, sah ich dort fettige Kuchentüten, einen zusammengeknüllten Hut, Zigarettenschachteln, eine Baskenmütze und ein zerschlissenes rötliches Portemonnaie.

Die ganze Zeit über suchte das Mädchen Haltung zu bewahren; sie betrachtete unbeteiligt die Limonadenflaschen, das Grün des Rupfenbezuges und die rosenförmigen Nägel, aber die Röte wich nicht mehr von ihrem Gesicht, und als endlich alles erledigt war, gingen die beiden hastig und grußlos mit ihren Schlüsseln nach oben. Bald wurde mein Essen durch die Klappe gereicht; die Wirtin brachte mir den Teller, und als wir uns anblickten, lächelte sie nicht, wie ich erwartet hatte, sondern blickte ernst an mir vorbei und sagte: »Guten Appetit.«

»Danke«, sagte ich. Sie blieb stehen.

Ich fing langsam an zu essen, nahm Brot, Butter und Käse. Sie stand immer noch neben mir. Ich sagte: »Lächeln Sie.«

Sie lächelte wirklich, seufzte dann und sagte: »Ich kann nichts daran ändern.«

»Möchten Sie es?«

»O ja«, sagte sie heftig und setzte sich neben mich auf einen Stuhl, »ich möchte es. Ich möchte manches ändern. Aber wenn er zwei Zimmer verlangt; hätte er eins verlangt...«, sie stockte.

»Wie?« fragte ich.

»Wie?« machte sie wütend nach, »ich hätte ihn hinausgeschmissen.«

»Wozu?« sagte ich müde und nahm den letzten Bissen in den Mund. Sie schwieg. Wozu, dachte ich, wozu? Gehört nicht den Liebenden die Welt, waren nicht die Nächte mild genug, waren nicht andere Türen offen, schmutzigere vielleicht, aber Türen, die man hinter sich schließen konnte. Ich blickte in mein leeres Glas und lächelte...

Die Wirtin war aufgestanden, hatte ihr dickes Buch geholt, einen Packen Formulare und sich wieder neben mich gesetzt.

Sie beobachtete mich, während ich alles ausfüllte. Vor der Spalte »Beruf« stockte ich, sah auf und blickte in ihr lächelndes Gesicht. »Warum zögern Sie«, fragte sie ruhig, »haben Sie keinen Beruf?«

»Ich weiß nicht.«

»Sie wissen nicht?«

»Ich weiß nicht, ob ich Arbeiter, Reisender, Fabrikant, Erwerbsloser oder nur Vertreter bin... aber Vertreter wessen...«, dann schrieb ich schnell »Vertreter« hin und gab ihr das Buch zurück. Einen Augenblick dachte ich daran, ihr Kerzen anzubieten, zwanzig, wenn sie wollte, für ein Glas Wein oder zehn für eine Zigarre, ich weiß nicht, warum ich es unterließ, vielleicht war ich nur zu müde, nur zu faul, aber am anderen Morgen war ich froh, es nicht getan zu haben. Ich zündete meine erloschene Zigarre wieder an und stand auf. Die Frau hatte das Buch zugeklappt, die Zettel dazwischengeschoben und gähnte.

»Wünschen Sie Kaffee morgen früh?« fragte sie.

»Nein, danke, ich werde sehr früh zum Bahnhof gehen. Gute Nacht.«

»Gute Nacht«, sagte sie.

Aber am anderen Morgen schlief ich lange. Der Flur, den ich abends flüchtig gesehen hatte – mit dunkelroten Teppichen belegt –, blieb die ganze Nacht still. Auch das Zimmer war ruhig. Der ungewohnte Wein hatte mich müde gemacht und zugleich froh. Das Fenster stand offen, und ich erblickte gegen den ruhigen, dunkelblauen Sommerhimmel nur das finstere Dach der Kirche gegenüber; weiter rechts sah ich den bunten Widerschein von Lichtern in der Stadt, hörte den Lärm der belebteren Viertel. Ich legte mich mit der Zigarre ins Bett, um die Zeitung zu lesen, schlief aber gleich ein...

Es war acht vorüber, als ich wach wurde. Der Zug, den ich hatte benutzen wollen, war schon abgefahren, und ich bereute, nicht geweckt worden zu sein. Ich wusch mich, beschloß, mich rasieren zu lassen, und ging hinunter. Das kleine grüne Zimmer war jetzt hell und freundlich, die Sonne schien durch die dünnen Vorhänge hinein, und ich war erstaunt, gedeckte Frühstückstische zu sehen mit Brotkrümeln, leeren Marmeladeschälchen und Kaffeekannen. Ich hatte das Gefühl gehabt, in diesem stillen Haus der einzige Gast zu sein. Ich bezahlte einem freundlichen Mädchen meine Rechnung und ging.

Draußen war ich erst unschlüssig. Der kühle Schatten der Kirche umfing mich. Die Gasse war schmal und sauber; rechts neben dem Eingang des Logierhauses hatte ein Bäcker seinen Laden geöffnet, Brote und Brötchen leuchteten hellbraun und gelb in den Schaukästen, irgendwo standen Milchkannen vor einer Tür, zu der eine schmale dünnblaue Spur vertropfter Milch hinführte. Die gegenüberliegende Straßenseite war nur mit einer hohen schwarzen Mauer aus Quadern bebaut; durch ein großes, halbkreisförmiges Tor sah ich grünen Rasen und trat dort ein. Ich stand in einem Klostergarten. Ein altes flachdachiges Gebäude, dessen steinerne Fensterumrandungen rührend weiß gekälkt waren, lag inmitten eines grünen Rasens; steinerne Sarkophage im Schatten von Trauerweiden. Ein Mönch trottete über einen Fliesenweg auf die Kirche zu. Als er an mir vorüberkam, grüßte er nickend, ich nickte wieder, und als er in die Kirche trat, folgte ich ihm, ohne zu wissen warum.

Die Kirche war leer. Sie war alt und schmucklos, und als ich gewohnheitsmäßig meine Hand ins Weihwasserbecken tauchte und zum Altar hin niederkniete, sah ich, daß die Kerzen eben verlöscht sein mußten, eine schmale, schwärzliche Rauchfahne stieg von ihnen auf in die helle Luft; niemand war zu sehen, keine Messe schien an diesem Morgen mehr gelesen zu werden. Unwillkürlich folgte ich mit den Augen der schwarzen Gestalt, die flüchtig und unbeholfen vor dem Tabernakel niederkniete und dann in einem Seitenschiff verschwand. Ich trat näher und blieb erschrocken stehen: dort stand ein Beichtstuhl, das junge Mädchen vom Abend vorher kniete in einer Bank davor, das Gesicht in den Händen verborgen, und am Rand des Schiffes stand der junge Mann, scheinbar unbeteiligt, die lederne Einkaufstasche in der einen Hand, die andere lose herabhängend, und blickte zum Altar...

Ich hörte jetzt in dieser Stille, daß mein Herz angefangen hatte zu schlagen, lauter, heftiger, seltsam erregt, auch spürte ich, daß der junge Mann mich anblickte, wir sahen uns in die Augen, er erkannte mich und wurde rot. Immer noch kniete das junge Mädchen da mit bedecktem Gesicht, immer noch stieg ein feiner, kaum sichtbarer Rauchfaden von den Kerzen auf. Ich setzte mich auf eine Bank, legte den Hut neben mich und stellte den Koffer ab. Mir war, als erwachte ich erst jetzt, bisher hatte ich gleichsam alles nur mit den Augen gesehen, teilnahmslos – Kirche, Garten, Straße, Mädchen und Mann – alles war nur Kulisse, die ich unbeteiligt streifte, aber während ich nun zum Altar blickte, wünschte ich, daß der junge Mann auch beichten gehen möchte. Ich fragte mich selbst, wann ich zum letzten Mal gebeichtet hatte, fand mich kaum zurecht mit Jahren, grob gerechnet mußten es sieben Jahre sein, aber als ich weiter nachdachte, stellte ich etwas viel Schlimmeres fest: ich fand keine Sünde. So sehr ich jetzt auch ehrlich suchte, ich fand keine Sünde, die des Beichtens wert gewesen wäre, und ich wurde sehr traurig. Ich spürte, daß ich schmutzig war, voll von Dingen, die abgewaschen werden mußten, aber nirgendwo war da etwas, was grob, schwer, scharf und klar als Sünde hätte bezeichnet werden können. Mein Herz schlug immer heftiger. Abends vorher hatte ich das junge Paar nicht beneidet, aber nun spürte ich Neid mit der innig dort knienden Gestalt, die immer noch ihr Gesicht verborgen hielt und wartete. Völlig unbewegt und unbeteiligt stand der junge Mann dort.

Ich war wie ein Kübel Wasser, der lange an der Luft gestanden hat; er sieht sauber aus, nichts entdeckt man in ihm, wenn man ihn flüchtig betrachtet: niemand hat Steine, Schmutz oder Unrat hineingeworfen, er stand im Flur oder Keller eines wohlanständigen Hauses; auf seinem makellosen Boden ist nichts zu entdecken; alles ist klar, ruhig, und doch, wenn man hineingreift in dieses Wasser, rinnt durch die Hand ein unfaßbarer widerlicher feiner Schmutz, der keine Gestalt, keine Form, fast kein Ausmaß zu haben scheint. Man spürt nur, daß er da ist. Und wenn man tiefer hineingreift in dieses makellose Becken, findet man auf seinem Boden eine dicke unanzweifelbare Schicht dieses feinen, ekelhaften gestaltlosen Schmutzes, für den man keinen Namen findet; ein sattes, fast bleiernes Sediment aus diesen unsagbar feinen Schmutzkörnchen, die der Luft der Anständigkeit entnommen sind.

Ich konnte nicht beten, ich hörte nur mein Herz schlagen und wartete darauf, daß das Mädchen in den Beichtstuhl treten würde. Endlich hob sie die Hände hoch, legte einen Augenblick ihr Gesicht darauf, stand auf und trat in den hölzernen Kasten.

Der junge Mann rührte sich immer noch nicht. Er stand da teilnahmslos, nicht dazu gehörend, unrasiert, bleich, immer noch auf seinem Gesicht den Ausdruck einer sanften und doch festen Entschlossenheit. Als das Mädchen zurückkam, setzte er plötzlich die Tasche auf den Boden und trat in den Stuhl...

Ich konnte immer noch nicht beten, keine Stimme sprach zu mir oder in mir, nichts rührte sich, nur mein Herz schlug, und ich konnte meine Ungeduld nicht zähmen, stand auf, ließ den Koffer stehen, überquerte den Gang und stellte mich in dem Seitenschiff vor eine Bank. In der vordersten Bank kniete die junge Frau vor einer alten steinernen Madonna, die auf einem völlig unbenutzten schmucklosen Altar stand. Das Gesicht der Mutter Gottes war grob, aber lächelnd, ein Stück ihrer Nase fehlte, die blaue Bemalung ihres Mantels war abgebröckelt, und die goldenen Sterne darauf waren nur noch wie etwas hellere Flecken zu sehen; ihr Zepter war zerbrochen, und von dem Kinde, das sie im Arm trug, waren nur noch der Hinterkopf und ein Teil der Füße zu sehen. Das mittlere Stück, der Leib, war herausgefallen, und sie hielt lächelnd diesen Torso im Arm. Ein armer Orden schien Besitzer dieser Kirche.

»Oh, wenn ich doch beten könnte!« betete ich. Ich fühlte mich hart, nutzlos, schmutzig, reuelos, nicht einmal eine Sünde hatte ich vorzuweisen, das einzige, was ich besaß, war mein heftig schlagendes Herz und das Bewußtsein, schmutzig zu sein...

Der junge Mann streifte mich leise, als er hinten an mir vorüberging, ich schrak auf und trat in den Beichtstuhl...

Als ich mit dem Kreuzzeichen entlassen worden war, hatten die beiden die Kirche schon verlassen. Der Mönch schob den violetten Vorhang des Beichtstuhles beiseite, öffnete das Türchen und trottete langsam an mir vorbei; wieder beugte er unbeholfen die Knie vor dem Altar.

Ich wartete, bis ich ihn hatte verschwinden sehen, dann überquerte ich schnell den Gang, beugte selbst die Knie, holte meinen Koffer ins Seitenschiff und öffnete ihn: da lagen sie alle, gebündelt von den sanften Händen meiner Frau, schmal, gelb, einfach, und ich blickte auf den kalten schmucklosen Steinsockel, auf dem die Madonna stand, und bereute zum ersten Male, daß mein Koffer nicht schwerer war. Dann riß ich das erste Bündel auf und zündete ein Streichholz an...

Indem ich eine Kerze an der Flamme der anderen erhitzte, klebte ich sie alle fest auf den kalten Sockel, der das weiche Wachs schnell hart werden ließ, alle klebte ich sie auf, bis der ganze Tisch mit unruhig flackernden Lichtern bedeckt war und mein Koffer leer. Ich ließ ihn stehen, raffte meinen Hut auf, beugte noch einmal meine Knie vor dem Altar und ging; es schien, als flöhe ich...

Und nun erst, als ich langsam zum Bahnhof ging, fielen mir alle meine Sünden ein, und mein Herz war leichter als je...

Die schwarzen Schafe

Offenbar bin ich ausersehen, dafür zu sorgen, daß die Kette der schwarzen Schafe in meiner Generation nicht unterbrochen wird. Einer muß es sein, und ich bin es. Niemand hätte es je von mir gedacht, aber es ist nichts daran zu ändern: ich bin es. Weise Leute in unserer Familie behaupten, daß der Einfluß, den Onkel Otto auf mich ausgeübt hat, nicht gut gewesen ist. Onkel Otto war das schwarze Schaf der vorigen Generation und mein Patenonkel. Irgendeiner muß es ja sein, und er war es. Natürlich hatte man ihn zum Patenonkel erwählt, bevor sich herausstellte, daß er scheitern würde; und auch mich, mich hat man zum Paten eines kleinen Jungen gemacht, den man jetzt, seitdem ich für schwarz gehalten werde, ängstlich von mir fernhält. Eigentlich sollte man uns dankbar sein; denn eine Familie, die keine schwarzen Schafe hat, ist keine charakteristische Familie.

Meine Freundschaft mit Onkel Otto fing früh an. Er kam oft zu uns, brachte mehr Süßigkeiten mit, als mein Vater für richtig hielt, redete, redete und landete zuletzt einen Pumpversuch.

Onkel Otto wußte Bescheid; es gab kein Gebiet, auf dem er nicht wirklich beschlagen war: Soziologie, Literatur, Musik, Architektur, alles; und wirklich: er wußte was. Sogar Fachleute unterhielten sich gern mit ihm, fanden ihn anregend, intelligent, außerordentlich nett, bis der Schock des anschließenden Pumpversuches sie ernüchterte; denn das war das Ungeheuerliche: er wütete nicht nur in der Verwandtschaft, sondern stellte seine tückischen Fallen auf, wo immer es ihm lohnenswert erschien.

Alle Leute waren der Meinung, er könne sein Wissen »versilbern« – so nannten sie es in der vorigen Generation, aber er versilberte es nicht, er versilberte die Nerven der Verwandtschaft.

Es bleibt sein Geheimnis, wie er es fertigbrachte, den Eindruck zu erwecken, daß er es an diesem Tage nicht tun würde. Aber er

tat es. Regelmäßig. Unerbittlich. Ich glaube, er brachte es nicht über sich, auf eine Gelegenheit zu verzichten. Seine Reden waren so fesselnd, so erfüllt von wirklicher Leidenschaft, scharf durchdacht, glänzend witzig, vernichtend für seine Gegner, erhebend für seine Freunde, zu gut konnte er über alles sprechen, als daß man hätte glauben können, er würde...! Aber er tat es. Er wußte, wie man Säuglinge pflegt, obwohl er nie Kinder gehabt hatte, verwickelte die Frauen in ungemein fesselnde Gespräche über Diät bei gewissen Krankheiten, schlug Pudersorten vor, schrieb Salbenrezepte auf Zettel, regelte Quantität und Qualität ihrer Trünke, ja er wußte, wie man sie hält: ein schreiendes Kind, ihm anvertraut, wurde sofort ruhig. Es ging etwas Magisches von ihm aus. Genauso gut analysierte er die Neunte Sinfonie von Beethoven, setzte juristische Schriftstücke auf, nannte die Nummer des Gesetzes, das in Frage kam, aus dem Kopf...
Aber wo immer und worüber immer das Gespräch gewesen war, wenn das Ende nahte, der Abschied unerbittlich kam, meist in der Diele, wenn die Tür schon halb zugeschlagen war, steckte er seinen blassen Kopf mit den lebhaften schwarzen Augen noch einmal zurück und sagte, als sei es etwas Nebensächliches, mitten in die Angst der harrenden Familie hinein, zu deren jeweiligem Oberhaupt: »Übrigens, kannst du mir nicht...?«
Die Summen, die er forderte, schwankten zwischen einer und fünfzig Mark. Fünfzig war das allerhöchste, im Laufe der Jahrzehnte hatte sich ein ungeschriebenes Gesetz gebildet, daß er mehr niemals verlangen dürfe. »Kurzfristig!« fügte er hinzu. Kurzfristig war sein Lieblingswort. Er kam dann zurück, legte seinen Hut noch einmal auf den Garderobenständer, wickelte den Schal vom Hals und fing an zu erklären, wozu er das Geld brauche. Er hatte immer Pläne, unfehlbare Pläne. Er brauchte es nie unmittelbar für sich, sondern immer nur, um endlich seiner Existenz eine feste Grundlage zu geben. Seine Pläne schwankten zwischen einer Limonadenbude, von der er sich ständige und feste Einnahmen

versprach, und der Gründung einer politischen Partei, die Europa vor dem Untergang bewahren würde.

Die Phrase »Übrigens, kannst du mir ...« wurde zu einem Schreckenswort in unserer Familie, es gab Frauen, Tanten, Großtanten, Nichten sogar, die bei dem Wort »kurzfristig« einer Ohnmacht nahe waren.

Onkel Otto – ich nehme an, daß er vollkommen glücklich war, wenn er die Treppe hinunterraste – ging nun in die nächste Kneipe, um seine Pläne zu überlegen. Er ließ sie durch den Kopf gehen bei einem Schnaps oder drei Flaschen Wein, je nachdem, wie groß die Summe war, die er herausgeschlagen hatte.

Ich will nicht länger verschweigen, daß er trank. Er trank, doch hat ihn nie jemand betrunken gesehen. Außerdem hatte er offenbar das Bedürfnis, allein zu trinken. Ihm Alkohol anzubieten, um dem Pumpversuch zu entgehen, war vollkommen zwecklos. Ein ganzes Faß Wein hätte ihn nicht davon abgehalten, beim Abschied, in der allerletzten Minute, den Kopf noch einmal zur Tür hereinzustecken und zu fragen: »Übrigens, kannst du mir nicht kurzfristig ...?«

Aber seine schlimmste Eigenschaft habe ich bisher verschwiegen: er gab manchmal Geld zurück. Manchmal schien er irgendwie auch etwas zu verdienen; als ehemaliger Referendar machte er, glaube ich, gelegentlich Rechtsberatungen. Er kam dann an, nahm einen Schein aus der Tasche, glättete ihn mit schmerzlicher Liebe und sagte: »Du warst so freundlich, mir auszuhelfen, hier ist der Fünfer!« Er ging dann sehr schnell weg und kam nach spätestens zwei Tagen wieder, um eine Summe zu fordern, die etwas über der zurückgegebenen lag. Es bleibt sein Geheimnis, wie es ihm gelang, fast sechzig Jahre alt zu werden, ohne das zu haben, was wir einen richtigen Beruf zu nennen gewohnt sind. Und er starb keineswegs an einer Krankheit, die er sich durch seinen Trunk hätte zuziehen können. Er war kerngesund, sein Herz funktionierte fabelhaft, und sein Schlaf glich dem eines gesunden Säuglings, der sich vollgesogen hat und vollkommen ruhigen Gewissens der nächsten Mahlzeit entgegenschläft. Nein, er starb sehr plötzlich: ein Unglücksfall machte seinem Leben ein Ende, und was sich nach seinem Tode vollzog, bleibt das Geheimnisvollste an ihm.

Onkel Otto, wie gesagt, starb durch einen Unglücksfall. Er wurde von einem Lastzug mit drei Anhängern überfahren, mitten im Getriebe der Stadt, und es war ein Glück, daß ein ehrlicher Mann ihn aufhob, der Polizei übergab und die Familie verständigte. Man fand in seinen Taschen ein Portemonnaie, das eine Muttergottes-Medaille enthielt, eine Knipskarte mit zwei Fahrten und vierundzwanzigtausend Mark in bar sowie das Duplikat einer Quittung, die er dem Lotterie-Einnehmer hatte unterschreiben müssen, und er kann nicht länger als eine Minute, wahrscheinlich weniger, im Besitz des Geldes gewesen sein, denn der Lastwagen überfuhr ihn kaum fünfzig Meter vom Büro des Lotterie-Einnehmers entfernt. Was nun folgte, hatte für die Familie etwas Beschämendes. In seinem Zimmer herrschte Armut: Tisch, Stuhl, Bett und Schrank, ein paar Bücher und ein großes Notizbuch, und in diesem Notizbuch eine genaue Aufstellung aller derer, die Geld von ihm zu bekommen hatten, einschließlich der Eintragung eines Pumps vom Abend vorher, der ihm vier Mark eingebracht hatte. Außerdem ein sehr kurzes Testament, das mich zum Erben bestimmte.

Mein Vater als Testamentsvollstrecker wurde beauftragt, die schuldigen Summen auszuzahlen. Tatsächlich füllten Onkel Ottos Gläubigerlisten ein ganzes Quartheft aus, und seine erste Eintragung reichte bis in jene Jahre zurück, wo er seine Referendarlaufbahn beim Gericht abgebrochen und sich plötzlich anderen Plänen gewidmet hatte, deren Überlegung ihn soviel Zeit und soviel Geld gekostet hatte. Seine Schulden beliefen sich insgesamt auf fast fünfzehntausend Mark, die Zahl seiner Gläubiger auf über siebenhundert, angefangen von einem Straßenbahnschaffner, der ihm dreißig Pfennig für ein Umsteigebillett vorgestreckt hatte, bis zu meinem Vater, der insgesamt zweitausend

Mark zurückzubekommen hatte, weil ihn anzupumpen Onkel Otto wohl am leichtesten gefallen war.

Seltsamerweise wurde ich am Tage des Begräbnisses großjährig, war also berechtigt, die Erbschaft von zehntausend Mark anzutreten, und brach sofort mein eben begonnenes Studium ab, um mich anderen Plänen zu widmen. Trotz der Tränen meiner Eltern zog ich von zu Hause fort, um in Onkel Ottos Zimmer zu ziehen, es zog mich zu sehr dorthin, und ich wohne heute noch dort, obwohl meine Haare längst angefangen haben, sich zu lichten. Das Inventar hat sich weder vermehrt noch verringert. Heute weiß ich, daß ich manches falsch anfing. Es war sinnlos, zu versuchen, Musiker zu werden, gar zu komponieren, ich habe kein Talent dazu. Heute weiß ich es, aber ich habe diese Tatsache mit einem dreijährigen vergeblichen Studium bezahlt und mit der Gewißheit, in den Ruf eines Nichtstuers zu kommen, außerdem ist die ganze Erbschaft dabei draufgegangen, aber das ist lange her.

Ich weiß die Reihenfolge meiner Pläne nicht mehr, es waren zu viele. Außerdem wurden die Fristen, die ich nötig hatte, um ihre Sinnlosigkeit einzusehen, immer kürzer. Zuletzt hielt ein Plan gerade noch drei Tage, eine Lebensdauer, die selbst für einen Plan zu kurz ist. Die Lebensdauer meiner Pläne nahm so rapid ab, daß sie zuletzt nur noch kurze, vorüberblitzende Gedanken waren, die ich nicht einmal jemand erklären konnte, weil sie mir selbst nicht klar waren. Wenn ich bedenke, daß ich mich immerhin drei Monate der Physiognomik gewidmet habe, bis ich mich zuletzt innerhalb eines einzigen Nachmittags entschloß, Maler, Gärtner, Mechaniker und Matrose zu werden, und daß ich mit dem Gedanken einschlief, ich sei zum Lehrer geboren, und aufwachte in der felsenfesten Überzeugung, die Zollkarriere sei das, wozu ich bestimmt sei ...!

Kurz gesagt, ich hatte weder Onkel Ottos Liebenswürdigkeit noch seine relativ große Ausdauer, außerdem bin ich kein Redner, ich sitze stumm bei den Leuten, langweile sie und bringe meine Versuche, ihnen Geld abzuringen, so abrupt, mitten in ein Schweigen hinein, daß sie wie Erpressungen klingen. Nur mit Kindern werde ich gut fertig, wenigstens diese Eigenschaft scheine ich von Onkel Otto als positive geerbt zu haben. Säuglinge werden ruhig, sobald sie auf meinen Armen liegen, und wenn sie mich ansehen, lächeln sie, soweit sie überhaupt schon lächeln können, obwohl man sagt, daß mein Gesicht die Leute erschreckt. Boshafte Leute haben mir geraten, als erster männlicher Vertreter die Branche der Kindergärtner zu gründen und meine endlose Planpolitik durch die Realisierung dieses Plans zu beschließen. Aber ich tue es nicht. Ich glaube, das ist es, was uns unmöglich macht: daß wir unsere wirklichen Fähigkeiten nicht versilbern können – oder wie man jetzt sagt: gewerblich ausnutzen.

Jedenfalls eins steht fest: wenn ich ein schwarzes Schaf bin – und ich selbst bin keineswegs davon überzeugt, eines zu sein –, wenn ich es aber bin, so vertrete ich eine andere Sorte als Onkel Otto: ich habe nicht seine Leichtigkeit, nicht seinen Charme und außerdem, meine Schulden drücken mich, während sie ihn offenbar wenig beschweren. Und ich tat etwas Entsetzliches: ich kapitulierte – ich bat um eine Stelle. Ich beschwor die Familie, mir zu helfen, mich unterzubringen, ihre Beziehungen spielen zu lassen, um mir einmal, wenigstens einmal eine feste Bezahlung gegen eine bestimmte Leistung zu sichern. Und es gelang ihnen. Nachdem ich die Bitten losgelassen, die Beschwörungen schriftlich und mündlich formuliert hatte, dringend, flehend, war ich entsetzt, als sie ernst genommen und realisiert wurden, und tat etwas, was bisher noch kein schwarzes Schaf getan hat: ich wich nicht zurück, setzte sie nicht drauf, sondern nahm die Stelle an, die sie für mich ausfindig gemacht hatten. Ich opferte etwas, was ich nie hätte opfern sollen: meine Freiheit!

Jeden Abend, wenn ich müde nach Hause kam, ärgerte ich mich, daß wieder ein Tag meines Lebens vergangen war, der mir nur Müdigkeit eintrug, Wut und ebensoviel Geld, wie nötig war, um weiterarbeiten zu können; wenn man diese Beschäftigung Arbeit nennen kann: Rechnungen alphabetisch zu sortieren, sie zu lochen und in einen nagelneuen Ordner zu klemmen, wo sie das Schicksal, nie bezahlt zu werden, geduldig erleiden; oder Werbebriefe zu schreiben, die erfolglos in die Gegend reisen und nur eine überflüssige Last für den Briefträger sind; manchmal auch Rechnungen zu schreiben, die sogar gelegentlich bar bezahlt wurden. Verhandlungen mußte ich führen mit Reisenden, die sich vergeblich bemühten, jemand jenen Schund anzudrehen, den unser Chef herstellte. Unser Chef, dieses rastlose Rindvieh, der nie Zeit hat und nichts tut, der die wertvollen Stunden des Tages zäh zerschwätzt – tödlich sinnlose Existenz –, der sich die Höhe seiner Schulden nicht einzugestehen wagt, sich von Bluff zu Bluff durchgaunert, ein Luftballonakrobat, der den einen aufzublasen beginnt, während der andere eben platzt: übrig bleibt ein widerlicher Gummilappen, der eine Sekunde vorher noch Glanz hatte, Leben und Prallheit.

Unser Büro lag unmittelbar neben der Fabrik, wo ein Dutzend Arbeiter jene Möbel herstellten, die man kauft, um sich sein Leben lang darüber zu ärgern, wenn man sich nicht entschließt, sie nach drei Tagen zu Anmachholz zu zerschlagen: Rauchtische, Nähtische, winzige Kommoden, kunstvoll bepinselte kleine Stühle, die unter dreijährigen Kindern zusammenbrechen, kleine Gestelle für Vasen oder Blumentöpfe, schundigen Krimskrams, der sein Leben der Kunst eines Schreiners zu verdanken scheint, während in Wirklichkeit nur ein schlechter Anstreicher ihnen mit Farbe, die für Lack ausgegeben wird, eine Scheinschönheit verleiht, die die Preise rechtfertigen soll.

So verbrachte ich meine Tage einen nach dem andern – es waren fast vierzehn – im Büro dieses unintelligenten Menschen, der sich selbst ernst nahm, sich außerdem für einen Künstler hielt, denn gelegentlich – es geschah nur einmal, während ich da war – sah man ihn am Reißbrett stehen, mit Stiften und Papier hantieren und irgendein wackliges Ding entwerfen, einen Blumenständer oder eine neue Hausbar, weiteres Ärgernis für Generationen.

Die tödliche Sinnlosigkeit seiner Apparate schien ihm nicht aufzugehen. Wenn er ein solches Ding entworfen hatte – es geschah, wie gesagt, nur einmal, solange ich bei ihm war –, raste er mit seinem Wagen davon, um eine schöpferische Pause zu machen, die sich über acht Tage hinzog, während er nur eine Viertelstunde gearbeitet hatte. Die Zeichnung wurde dem Meister hingeschmissen, der sie auf seine Hobelbank legte, sie stirnrunzelnd studierte, dann die Holzbestände musterte, um die Produktion anlaufen zu lassen. Tagelang sah ich dann, wie sich hinter den verstaubten Fenstern der Werkstatt – er nannte es Fabrik – die neuen Schöpfungen türmten: Wandbretter oder Radiotischchen, die kaum den Leim wert waren, den man an sie verschwendete.

Einzig brauchbar waren die Gegenstände, die sich die Arbeiter ohne Wissen des Chefs herstellten, wenn seine Abwesenheit für einige Tage garantiert war: Fußbänkchen oder Schmuckkästen von erfreulicher Solidität und Einfachheit; die Urenkel werden auf ihnen noch reiten oder ihren Krempel darin aufbewahren: brauchbare Wäschegestelle, auf denen die Hemden mancher Generation noch flattern werden. So wurde das Tröstliche und Brauchbare illegal geschaffen.

Aber die wirklich imponierende Persönlichkeit, die mir während dieses Intermezzos beruflicher Wirksamkeit begegnete – war der Straßenbahnschaffner, der mir mit seiner Knipszange den Tag ungültig·stempelte; er hob diesen winzigen Fetzen Papier, meine Wochenkarte, schob ihn in die offene Schnauze seiner Zange, und eine unsichtbar nachfließende Tinte machte zwei laufende Zentimeter darauf – einen Tag meines Lebens – hinfällig, einen wertvollen Tag, der mir nur Müdigkeit eingebracht hatte, Wut und ebensoviel Geld, wie nötig war, um weiter dieser sinnlosen Beschäftigung nachzugehen. Schicksalhafte Größe wohnte diesem Mann in der schlichten Uniform der städtischen Bahnen inne, der jeden Abend Tausende von Menschentagen für nichtig erklären konnte.

Noch heute ärgere ich mich, daß ich meinem Chef nicht kündigte, bevor ich fast gezwungen wurde, ihm zu kündigen; daß ich ihm den Kram nicht hinwarf, bevor ich fast gezwungen wurde, ihn hinzuwerfen: denn eines Tages führte mir meine Wirtin einen finster dreinblickenden Menschen ins Büro, der sich als Lotterie-Einnehmer vorstellte und mir erklärte, daß ich Besitzer eines Vermögens von 50 000 DM sei, falls ich der und der sei und sich ein bestimmtes Los in meiner Hand befände. Nun, ich war der und der, und das Los befand sich in meiner Hand. Ich verließ sofort ohne Kündigung meine Stelle, nahm es auf mich, die Rechnungen ungelocht, unsortiert liegenzulassen, und es blieb mir nichts anderes übrig, als nach Hause zu gehen, das Geld zu kassieren und die Verwandtschaft durch den Geldbriefträger den neuen Stand der Dinge wissen zu lassen.

Offenbar erwartete man, daß ich bald sterben oder das Opfer eines Unglücksfalles werden würde. Aber vorläufig scheint kein Auto ausersehen, mich des Lebens zu berauben, und mein Herz ist vollkommen gesund, obwohl auch ich die Flasche nicht verschmähe. So bin ich nach Bezahlung meiner Schulden der Besitzer eines Vermögens von fast 30 000 DM, steuerfrei, bin ein begehrter Onkel, der plötzlich wieder Zugang zu seinem Patenkind hat. Überhaupt, die Kinder lieben mich ja, und ich darf jetzt mit ihnen spielen, ihnen Bälle kaufen, sie zu Eis einladen, Eis mit Sahne, darf ganze riesengroße Trauben von Luftballons kaufen, Schiffschaukeln und Karusselle mit der lustigen Schar bevölkern.

Während meine Schwester ihrem Sohn, meinem Patenkind, sofort ein Los gekauft hat, beschäftige ich mich jetzt damit, zu überlegen, stundenlang zu grübeln, wer mir folgen wird in dieser Generation, die dort heranwächst; wer von diesen blühenden, spielenden, hübschen Kindern, die meine Brüder und Schwestern in die Welt gesetzt haben, wird das schwarze Schaf der nächsten

Generation sein? Denn wir sind eine charakteristische Familie und bleiben es. Wer wird brav sein, bis zu jenem Punkt, wo er aufhört, brav zu sein? Wer wird sich plötzlich anderen Plänen widmen wollen, unfehlbaren, besseren? Ich möchte es wissen, ich möchte ihn warnen, denn auch wir haben unsere Erfahrungen, auch unser Beruf hat seine Spielregeln, die ich ihm mitteilen könnte, dem Nachfolger, der vorläufig noch unbekannt ist und wie der Wolf im Schafspelz in der Horde der anderen spielt...

Aber ich habe das dunkle Gefühl, daß ich nicht mehr so lange leben werde, um ihn zu erkennen und einzuführen in die Geheimnisse; er wird auftreten, sich entpuppen, wenn ich sterbe und die Ablösung fällig wird, er wird mit erhitztem Gesicht vor seine Eltern treten und sagen, daß er es satt hat, und ich hoffe nur insgeheim, daß dann noch etwas übrig sein wird von meinem Geld, denn ich habe mein Testament verändert und habe den Rest meines Vermögens dem vermacht, der zuerst die untrüglichen Zeichen zeigt, daß er mir nachzufolgen bestimmt ist...

Hauptsache, daß er ihnen nichts schuldig bleibt.

Inhalt

Der Zug war pünktlich (1949)	5
Wo warst du, Adam? (1951)	127
Über die Brücke (1950)	297
Kumpel mit dem langen Haar (1947)	303
Der Mann mit den Messern (1948)	309
Steh auf, steh doch auf (1950)	321
Damals in Odessa (1950)	324
Wanderer, kommst du nach Spa ... (1950)	330
Trunk in Petöcki (1950)	341
Unsere gute, alte Renée (1950)	346
Auch Kinder sind Zivilisten (1950)	354
So ein Rummel (1950)	358
An der Brücke (1950)	362
Abschied (1950)	365
Die Botschaft (1947)	368
Aufenthalt in X (1950)	373
Wiedersehen mit Drüng (1950)	384
Die Essenholer (1950)	396
Wiedersehen in der Allee (1948)	401
In der Finsternis (1950)	411
Wir Besenbinder (1950)	420
Mein teures Bein (1950)	426
Lohengrins Tod (1950)	429
Geschäft ist Geschäft (1950)	441
An der Angel (1950)	447
Mein trauriges Gesicht (1950)	456
Kerzen für Maria (1950)	464
Die schwarzen Schafe (1951)	478

©
Copyright Friedrich Middelhauve Verlag, Köln, 1949, 1950, 1951
Schutzumschlag: Rainer Winter
Gesamtherstellung: Mohn & Co GmbH, Gütersloh
Printed in Germany 1963